MAE'N GÊM O DDAU FILENIWM

cyflwyno beirdd a barddoniaeth

MAE'N GÊM O DDAU FILENIWM

cyflwyno
beirdd a barddoniaeth

golygyddion:

IWAN LLWYD

MYRDDIN AP DAFYDD

Argraffiad cyntaf: Hydref 2002

Breindaliadau cerddi'r CD
Mae hawlfreintiau darlledu'r cerddi a recordiwyd ar y CD sy'n dod am ddim gyda'r gyfrol
hon yn eiddo i'r awduron a'r cyhoeddwyr gwreiddiol. Nodir y cyfrolau a'r cyhoeddwyr yn
amlwg o dan deitl pob cerdd a drafodir.

Rhif Llyfr Safonol Rhyngwladol: 0-86381-785-8

Cynllun clawr: Sian Parri

Argraffwyd a chyhoeddwyd gan Wasg Carreg Gwalch,
12 Iard yr Orsaf, Llanrwst, Dyffryn Conwy, LL26 0EH.
☎ 01492 642031
🖷 01492 641502
🖃 llyfrau@carreg-gwalch.co.uk
lle ar y we: www.carreg-gwalch.co.uk

Diolch i Gyhoeddiadau Barddas am fenthyg y lluniau canlynol:

Gerallt Lloyd Owen (llun: Sion Jones)
T. Glynne Davies (llun: Colin Davies)
Emyr Lewis (llun: Sion Jones)
Meirion McIntyre Huws (llun: Sion Jones)
Twm Morys (llun: Sion Jones)
T. Arfon Williams (llun: Sion Jones)

Diolch i Gyngor Llyfrau Cymru am fenthyca copi o lun Gwyn Thomas;
i Theatr Bara Caws am luniau Ifor ap Glyn, Elinor Wyn Reynolds;
i Owain Tudur Owen am luniau Iwan Llwyd, Myrddin ap Dafydd;
i'r *New Welsh Review* am luniau T.H. Parry-Williams, Waldo Williams.

CYNNWYS

Cyflwyniad

Does yr un bardd yn byw mewn gwagle – mae'r lle mae'n byw ynddo, cyfryngau, digwyddiadau a sgyrsiau'r dydd, pobl, teithiau a phrofiadau sylfaenol dynolryw i gyd yn dylanwadu arno. Ymysg y dylanwadau pwysicaf efallai mae beirdd a barddoniaeth y gorffennol. Fyddai R. Williams Parry ddim wedi canu ei awdl delynegol i'r haf, oni bai am gampau Dafydd ap Gwilym a fyddai ap Gwilym yntau ddim wedi datblygu ei awen newydd oni bai am feistrolaeth crefft y beirdd a'i rhagflaenai. Mae pob bardd felly yn perthyn i ryw draddodiad.

Yn y gyfrol hon, mae deg bardd cyfoes am y tro cyntaf yn cyflwyno'u cerddi eu hunain ac yn trafod gwaith beirdd arbennig a gafodd ddylanwad arnynt. Mae'n gyfrol felly am feirdd cyfoes y mae cynulleidfaoedd heddiw yn eu clywed ond mae hefyd yn taflu goleuni o'r newydd ar rai o feirdd a cherddi pwysicaf ein traddodiad barddol.

Gall y dylanwadau gynnwys themâu, arddull, mesurau neu olwg arbennig ar Gymru a'r byd. Y rhain yw canllawiau ein beirdd hyd heddiw wrth iddynt hwythau fynd ati i greu a datblygu eu cangen eu hunain o'r hen draddodiad.

Iwan Llwyd
Myrddin ap Dafydd
Medi 2002

6

TWM MORYS TWM MORYS TWM MORYS
TWM MORYS TWM MO
TWM MO
TWM
TWM
TWM
TWM MO
TWM MORYS TWM M
TWM MORYS TWM MORYS TWM MORYS

TWM MORYS

Cafodd Twm Morys ei eni yn Rhydychen yn 1961, yn un o feibion yr awdur a'r newyddiaduwr, Jan Morris. Er iddo gael ei eni yn Lloegr, yng Nghymru y cafodd ei fagu, yn Llanystumdwy ger Cricieth, ac yna yn ardal y Mynydd Du yn sir Frycheiniog, ac mae'r ddwy ardal arbennig honno wedi cael dylanwad mawr ar ei gymeriad a'i waith. Yn ei ragair i'w unig gyfrol hyd yma, *Ofn fy Het*, mae'n rhoi syniad i ni yr hyn yr oedd dod yn ôl i Gymru ar ôl bod yn yr ysgol yn Lloegr yn ei olygu iddo:

> Pan ôn i dipyn yn iau na rŵan a bri ar fy chwedlau anhygoel i gan hogiau Amwythig, mi wyddwn ddigon eisoes. Gwaith Chaucer a Byron i gyd, ac Eliot. Ac ôn i'n gwybod eu bod nhw'n bell ar ei hôl; bod yr hwn fu'n stafell wag i Cynddylan yn well, yn ganmil gwell, na rhyw gonmyn felly.

Cyflwyniad i waith TWM MORYS

O blith y genhedlaeth o feirdd sydd wedi codi yng Nghymru o'r 1980au ymlaen, mae'n debyg mai Twm Morys yw'r un â'r llais mwyaf gwreiddiol a gwahanol. Ond ef hefyd yw'r un sy'n glynu fwyaf at hen fesurau'r canu caeth. Ei gamp yw ei fod wedi datblygu ei lais unigryw ei hun o fewn cyfyngiadau y gynghanedd a'r mesurau caeth.

I raddau, mae'r ffaith mai darganfod diwylliant a llenyddiaeth Gymraeg ar ôl deng mlynedd o addysg drwyadl Saesneg a wnaeth Twm Morys wedi dyfnhau ei deimlad tuag at bobol a hanes Cymru, ac ar hyd ei fywyd difyr ac amrywiol mae o fel petai o wedi closio tuag at y pethau hynny. Ar ôl addysg mewn ysgol breswyl, aeth i Goleg Prifysgol Cymru yn Aberystwyth, lle bu'n astudio Cymraeg ac Astudiaethau Celtaidd. Un o'i gyfeillion pennaf yn y coleg oedd yr awdur Robin Llywelyn, ac mae'r un elfen chwareus i'w gweld yng ngwaith y ddau ffrind, llawer ohono wedi ei ddylanwadu gan eu gwybodaeth am ieithoedd a diwylliannau Llydaw ac Iwerddon yn arbennig.

Tra oedd yn y coleg, bu Twm Morys yn datblygu ei grefft a'i allu fel bardd trwy gystadlu'n llwyddiannus mewn eisteddfodau rhyngolegol, a thrwy gymryd rhan mewn ymrysonau a Thalwrn y Beirdd ar y radio. Ar ôl graddio, bu am gyfnod yn bysgio ar y delyn yng Nghymru ac ar y cyfandir, cyn cael gwaith fel ymchwilydd i'r BBC ym Mangor, ac yna yn ddarlithydd ym Mhrifysgol Roazhon/Rennes yn Llydaw. Roedd y cyfnod yma hefyd yn bwysig yn natblygiad ei waith fel bardd a cherddor. Sefydlodd ei grŵp ei hun, Bob Delyn a'r Ebillion, yn cyflwyno canu roc Cymraeg gyda dylanwad y canu gwerin yn drwm aro. Mae ei ganeuon yn dangos ôl ei waith fel bardd, a'i gerddi yn drwm dan ddylanwad ei ganeuon. Ac mae dylanwad yr hen benillion Cymraeg yn drwm ar ei gerddi a'i ganeuon.

Bu Twm Morys yn teithio llawer yn y cyfnod yma cyn ymsefydlu yn ôl yn Llanystumdwy. Bu'n teithio dinasoedd Ewrop wrth fysgio ar y delyn, ac roedd yn teithio yn ôl ac ymlaen o Lydaw i Gymru am gyfnod maith. Yn wir mae ei ragair i'w gyfrol yn dwyn y llofnod 'Twm Morys, Douarnenez, Llydaw 1995'. Mae o wedi sôn lawer am y teithiwr yn ei gerddi a'i ganeuon:

> Ond pan ddaeth o'n agos a sefyll o 'mlaen,
> Mi glywais fy nghalon yn gollwng fel tsiaen,

Ac mi gollais y gyllell yng nghanol y drain –
Yn y man lle disgynnodd, mi dyrrodd y brain.
Ac mi es i efo'r teithiwr, oedd yntau â'i fryd
Ar gael cyrraedd y bont 'rochor arall i'r byd.   ('Y Teithiwr')

Mae Twm Morys ei hun yn cyfaddef mai un o'r hen benillion yr oedd wedi
'gwironi' arni oedd yr ysbrydoliaeth ar gyfer y gerdd, neu'r gân yma, ac fel
y mae o ei hun yn dweud, 'Cân ydi hi yn iawn, ac nid pob cân sy'n gerdd.
Hynny ydi, nid pob cân sy'n gweithio heb y gerddoriaeth. Ond rwy'n credu
bod hon.' Dyna pa mor agos y mae caneuon Bob Delyn a cherddi Twm Morys
yn perthyn!

Ar ôl ei gyfnod crwydrol, daeth Twm Morys adref i Gymru i fyw yn
Llanystumdwy ger Cricieth. Ac fel gyda nifer o'i gyfoedion, daeth i
amlygrwydd cyhoeddus drwy gyfrwng rhaglen Talwrn y Beirdd ar y radio.
Mae llawer o'i gywyddau yn ei gyfrol *Ofn fy Het*, a chywyddau eraill yn y
cyfresi *Cywyddau Cyhoeddus* yn ffrwyth y rhaglen radio. Fel rhan o amodau
cystadleuaeth y cywydd ar y Talwrn mae nifer y llinellau yn cael eu cyfyngu
i ryw ddeuddeg i ddeunaw o linellau, ac mae Twm Morys, fel nifer o
gywyddwyr blaenllaw eraill o'r un genhedlaeth – Ceri Wyn Jones yn
arbennig – wedi meistroli y mesur cynnil, cryno yma. Mae'n feistr ar greu
darlun cyfan mewn ychydig o linellau, a'r darlun hwnnw yn llawn manylder
diriaethol, gyda'r ddelwedd ei hun yn cyfleu naws ac ystyr y gerdd, heb
unrhyw linellau llanw. Dyma ei gywydd 'Mam am y Bwrdd â Mi':

Roedd Mam am y bwrdd â mi,
â'i dwy law'n dal i weini.
Byth yn sôn am y llonydd,
a grisiau mawr distaw'r dydd,
heb y plant, heb Tada'n tŷ
yn sachaid o besychu,
ond yn cydio'n y cadach,
fel ar hyd ei bywyd bach,
â'i holl nerth yn golchi a llnau
a smwddio, hyd nes maddau ...
Llyncais lond ceg o regi:
roedd Mam am y bwrdd â mi.

Mae'r cywydd byr yma yn dangos llawer o gryfderau Twm Morys fel bardd. Un darlun cyfan, syml sydd yma, o fab a mam wrth y bwrdd yn y gegin, a holl boen a dioddefaint ei bywyd hi yn cronni yn y mab. Mae o am iddi hi daro'n ôl a pheidio â derbyn popeth mor barod, ond mae o'n methu â chyfleu hynny oherwydd ei bod hi, ei fam, yno. Mae o'n hoff iawn o ddefnyddio ansoddeiriau cyffredin – fel 'mawr' a 'bach', ond mewn ffordd effeithiol ac annisgwyl. A 'does dim llinellau yma yn cyfleu safbwynt y bardd, neu hyd yn oed y cymeriadau yn y darlun. Y darlun ei hun sy'n cario'r cyfan.

Mae pobol yn bwysig iawn yng ngwaith Twm Morys. Y bobol sy'n rhoi ystyr i ddiwylliant a chymdeithas a hanes Cymru. Heb y bobol a'u hiaith fyddai dim yma i ddychwelyd ato. I raddau, yn ei gerddi i gyfeillion a chydnabod, mae'n cyflawni rôl draddodiadol y bardd yng Nghymru – yn moli noddwyr a chyfeillion, ac yn dathlu eu bywydau wedi iddyn nhw farw. Ac yn aml iawn mae Twm Morys yn dilyn y traddodiad hefyd drwy ddefnyddio'r 'awdl' pan mae'n cyfarch pobol. Ac mae'n rhoi ystyr draddodiadol i'r awdl hefyd, sef cerdd yn defnyddio mwy nac un mesur cynganeddol, ac nid cerdd faith yn defnyddio o leiaf tri mesur, sef yr hyn yw'r awdl eisteddfodol yng Nghymru erbyn hyn.

Mae'r gyfrol *Ofn fy Het* yn agor gydag awdl, a honno'n cyfuno llawer o gryfderau barddoniaeth Twm Morys, ac yn dangos rhai o'r dylanwadau arno hefyd. Mae'r awdl yn cyfarch ei 'athro barddol', sef ei athro Cymraeg pan oedd yn Ysgol Gyfun Aberhonddu. Yr athro a daniodd ddiddordeb y bardd mewn barddoniaeth a barddoni yn Gymraeg, a'i hyfforddi yng nghrefft cerdd dafod hefyd. Yn union fel yn oes y cywyddwyr, mae'r disgybl yn talu teyrnged i'w athro mewn cerdd, a honno'n gerdd gywrain yn dangos bod yr athro wedi llwyddo yn ei waith.

Does dim lle yma i drafod holl gywreinwydd y gerdd – mae cyswllt rhwng pob darn o'r gerdd, ac mae'r llinell gyntaf yn cael ei hadleisio yn y llinell olaf, gan greu cylch cyflawn – ond mae'n werth dweud bod y gerdd hefyd yn dangos gallu Twm Morys i gynnal un ddelwedd neu ddarlun gydol y gwaith. Roedd yr athro hefyd yn bysgotwr brwd, a'r ddelwedd yw'r athro fel pysgotwr yn dal Twm Morys ar fachyn barddoniaeth a cherdd dafod.

> Dewin llên, a'i fyd yn lli, – yn cawio
> Cywydd at fy ffansi,
> A'i rwymo'n llachar imi,
> Cans brithyll hwn oeddwn i.

Ac yna cloi gyda'r un ddelwedd:

> Trïo a wnâi gystrawen – fy llinell
> Fel llinyn gwialen.
> Sŵn y glaw oedd ei awen,
> Dyn y lli, a dewin llên.

Mae'r gerdd hon yn drwm dan ddylanwad y traddodiad barddol swyddogol, ond mae dylanwad traddodiad arall ar waith Twm Morys hefyd, sef traddodiad yr hen benillion, neu'r canu gwerin. Rhan bwysig o gymeriad Twm Morys yw 'Bob Delyn', ei bersona fel prif leisydd a chyfansoddwr y grŵp Bob Delyn a'r Ebillion. Fel y mae'r enw yn awgrymu, un dylanwad ar y grŵp yw caneuon Bob Dylan. Mae caneuon Bob Dylan yn gyfuniad o ddylanwad traddodiad canu gwerin America, a chaneuon blŵs a roc-a-rôl. Mae rhai o ddelweddau Bob Dylan, fel ei *'boots of Spanish leather'* yn codi'n gyson yng nghaneuon Bob Delyn *aka* Twm Morys. Yn yr un ffordd mae Twm Morys wedi defnyddio mesurau a phatrymau y canu gwerin, neu'r Hen Benillion Cymraeg, yn ei ganeuon, fel ei gân enwog, 'Ffair y Bala':

> Pan ôn i'n mynd i Ffair y Bala
> a chrys o sidan coch amdana'
> a bwtsias mawr o ledar Sbaen
> a phigau aur ac arian ar eu blaen ...

Merched gyfansoddodd rai o'r Hen Benillion, a'r themâu yn aml iawn yw cariad a serch a hiraeth a cholled. Ac mae penillion enwog, fel 'Ar Lan y Môr' yn creu rhyw naws arbennig gyda'u rhythmau a'u hodlau. Mae Twm Morys yn creu yr un naws yn ei ganeuon, ac yn gynyddol yn ei gerddi hefyd. A dyw'r 'môr' byth ymhell o'i gerddi a'i ganeuon yntau, ac mae hynny yn naturiol efallai fel un sy'n byw yng ngolwg y môr yn Eifionydd.

Ond mae'r môr hefyd yn ddelwedd bwerus ar gyfer cyfleu teithio a phellter. Ddiwedd y nawdegau bu Twm Morys ar daith hir yn ne America gyda'r bardd Iwan Llwyd, a chyhoeddwyd cynnyrch y daith yn y gyfrol Eldorado, a darlledwyd yr hanes a'r cerddi mewn cyfres o raglenni ar S4C. Mae cerddi Twm Morys yn y gyfrol yn dangos datblygiad o'i waith yn *Ofn fy Het*. Mewn nifer o gerddi mae'n arbrofi gyda'r gynghanedd, a cheir ambell i gerdd rydd hefyd. Ond drwy'r cyfan mae'r gynghanedd yn tynhau a rhoi disgyblaeth i'r cerddi. Dyma ei gerdd i Pisaro, y Sbaenwr wnaeth goncro ymerodraeth yr Inca mewn ychydig ddyddiau, oherwydd bod y brodorion yn credu mai un creadur oedd marchog a'i geffyl!

> Nid oes un dim yn Lima na wêl hwn
> ar geffyl hy'n tuthio,
> guwch yn uwch na ffroenuchel.
> Ceffyl a dyn wedi'u huno'n beiriant
> bwrw ac ysbeilio,
> heb wain i'w gleddyf o byth.
> Y dyn hwn, â'i ddelw'n ddu, a'i lurig
> fel aur o dan olew,
> yrrodd yr haul i waered.
> Euog, euog, meddai'r awyr niwlog.
> Ond mae'n ŵyl yn Lima
> a phlu o'i gap o'n ffiio.

Unwaith eto mae un ddelwedd, sef y ddelwedd o'r dyn a'r ceffyl yn un 'peiriant' yn cydio'r gerdd, ond mae'r gynghanedd ac odlau mewnol hefyd yn cydio pob un linell.

Roedd hiraeth am adref, am deulu a chynefin yn rhan fawr o brofiad Twm Morys yn ne America. Cafodd hynny ei fynegi yn y gerdd/gân iasol 'Lle mae dy dad di'. Ac mae rhythmau'r hen benillion yn cyfrannu unwaith eto tuag at naws a mynegiant y gerdd:

> Lle mae dy dad di, yr hogyn bach
> lle mae dy dad di, sgwarnogyn bach?
> mae 'nhad i yn hela yng nghoedwig y byd
> yn llechu a rhedeg, yn llwch ar ei hyd ...
>
> ac os na ddaw o, yr hogyn bach,
> ac os na ddaw o, sgwarnogyn bach,
> mi wisga'i fŵts o o ledar Sbaen
> a'u bycla nhw'n tincial fel 'r a' i'n fy mlaen.

Fe ddaeth Twm Morys, y teithiwr, adref wrth gwrs, ac mae'n ddiddorol sylwi, ar ôl y daith i dde America, ei fod wedi sgrifennu mwy a mwy am gymeriadau ei gynefin yn Llanystumdwy. 'Mae fan hyn i mi yn America,' meddai o mewn cân ddiweddar, ac mae ei gerddi a'i awdlau diweddar yn cyfarch pobol Eifionydd a Llŷn, o'r bardd R. S. Thomas i gyfaill o adeiladwr, Dewi Vaughan Pritchard o'r Garn, sy'n:

> Gwneud tŷ i'r hen Gymry gael
> Byw 'ma wedyn heb 'madael.

Yn ei Ragair i *Ofn fy Het* mae Twm Morys yn cymharu'r Cymry ag afon Hafren, a rhyw rym anorfod yn eu tynnu nhw o'u cynefin i Loegr. Efallai, yn ei gynefin yn Eifionydd, bod y bardd o'r diwedd wedi llwyddo i atal yr ysfa honno i grwydro?

'STUDIO 4 CERDD

DARLLEN Y MAP YN IAWN

Stwff y Stomp, Gwasg Carreg Gwalch, 2002, tud. 19

Cyflwyniad gan Twm Morys

Mae mwy nag un map o bob gwlad. Mi welais unwaith fap o'r byd, a maint y gwledydd yn ôl eu cyfoeth, nid eu hyd a'u lled daearyddol. Roedd America ac Ewrop yn anferthol, wrth reswm. Roedd Affricia ac India yn fach fach. Bob deng mlynedd, cyhoeddir map yr iaith. Mae'r ardaloedd lle mae'r iaith yn iach yn ddu, a'r ardaloedd lle mae hi wedi mynd yn wyn. Gorau po ddua'. Bob deng mlynedd mae'r du yn cilio, a'r gwyn yn lledu, yn union fel llanw yn dod yn ara' deg dros greigiau. Ond nid dyna'r unig fap o'r Gymraeg, a phob peth sydd ynghlwm â hi. Mae map pawb yn wahanol, oherwydd bod taith pawb yn wahanol.

Gair am air

Gwydion, Lleu, Brân	cymeriadau yn y Mabinogi
tri yn cynnau tân	y tri a fu'n llosgi yr Ysgol Fomio yn Llŷn
ach	llinach, cenhedlaeth, perthynas

Sylwi ac ystyried

1. Mae astudio map o Gymru yn brofiad diddorol. Mae'r enwau ar dai a ffermydd, pentrefi a threfi, caeau a mynyddoedd a llynnoedd ac afonydd, i gyd yn dweud rhywbeth am y llefydd hynny – rhywbeth am siâp y tirwedd, neu ddaearyddiaeth yr ardal, neu ryw chwedl neu hanes am y lle, neu gysylltiad â rhywun a fu'n byw neu'n gweithio yno. Cymerwch fap manwl o'ch hardal chi a dewiswch rai o'r enwau mwyaf diddorol a cheisio canfod neu ddyfalu pam a phryd y bedyddiwyd y lle â'r enw hwnnw.

2. Yr enwau hynny yw ein map ni fel Cymry, ac mae'r gerdd hon yn dathlu'r map hwnnw, er gwaethaf y newid a fu dros y canrifoedd. Mae'r enwau yn cynrychioli ein hanes, ein diwydiannau, ein chwedlau, seintiau ac arwyr fel y tri a losgodd Ysgol Fomio Penyberth yn Llŷn cyn yr ail Ryfel Byd, ffermydd a thyddynnod, a strydoedd yn ein trefi a'n dinasoedd. Mae'r holl bobol a llefydd hyn yn rhan o'n map ni fel Cymry, er efallai bod llawer ohonyn nhw

TWM MORYS

wedi newid neu ddiflannu erbyn hyn. Mae'r gerdd yn gwrthddweud y syniad mai pobol wasgaredig ydi'r Cymry, ac mai dim ond i rannau anghysbell o'n gwlad mae'r iaith yn perthyn.

3. Mae Twm Morys yn defnyddio mesur syml iawn yn y gerdd hon – cyfres o gwpledi odledig, ac mae'r odlau yn rhwydd a naturiol iawn – yn ein hatgoffa o rigymau taith T. H. Parry-Williams. Mae'r symlrwydd yn addas i naws sgyrsiol y gerdd.

Y TEITHIWR

Ofn Fy Het, Cyhoeddiadau Barddas, 1995, tud. 51

Cyflwyniad gan Twm Morys

Cân ydi hi yn iawn, ac nid pob cân sy'n gerdd. Hynny ydi, nid pob cân sy'n gweithio heb y gerddoriaeth. Ond rwy'n credu bod hon. Mae'n gas gen i egluro fy ngherddi, yn enwedig rhai delweddol fel hon, ond roedddwn i wedi gwirioni ar bennill yn y gyfrol *Hen Benillion* – o'r lle y daw fy nghymorth yn aml – sef pennill rhif 103. Allan o hwnnw y daeth y pennill cyntaf fy ngherdd i. Ond mae'r 'twca du bach' wedi mynd yn llawer iawn casach cyllell, a'r boi'n rhoi min arni byth a hefyd, fel y bydd rhywun yn magu rhyw chwerwedd neu genfigen yn ei galon. A deryn mewn cawell ydi'r ceiliog bellwch. Rhwystredigaeth ydi ystyr hynny, mae'n siŵr. O'r delweddau hyn y daeth gweddill y gerdd. Rwy'n hoff iawn o'r teithiwr, y dieithryn 'ma sy'n dod o bell. (Mae o'n ymddangos yn rhy aml o lawer yn fy mhethau i!) Er bod arnom ei ofn i ddechrau, hwn sy'n datrys pob dim. Hwn, yn y gerdd yma, sy'n rhyddhau calon y dyn dig. Mae hwnnw'n gollwng ei gyllell, sef ei chwerwedd a'i genfigen. Wrth ddarllen y gerdd eto, rwy'n difaru rŵan na faswn i wedi dod â delwedd y cawell yn ei hôl hefyd, er mwyn rhyddhau'r deryn.

Gair am air

min   awch

Sylwi ac ystyried

1. Yn ei Ragymadrodd i'w gyfrol *Hen Benillion*, a gyhoeddwyd ym 1940, mae T. H. Parry-Williams yn dweud am yr hen benillion, 'Y mae'n lled sicr fod rhai teipiau o ganu – hynafol, gan mwyaf – yn byw ar lafar, heb fod neb yn meddwl eu hysgrifennu, – rhai fel hwiangerddi, caneuon gorchwyl a

chwarae, carolau gwyliau a thymhorau, a cherddi defodau ac arferion.' Pethau i'w canu oedd yr hen benillion felly, ac mae Twm Morys ei hun yn cydnabod ei ddyled i fesurau a phatrymau, a naws yr hen benillion wrth gyfansoddi ei ganeuon o. Mae o hefyd yn cyfaddef mai yn yr un ffordd y mae o'n llunio ei gerddi a'i gaeuon – 'Rhywle rhwng y galon a'r pen mae ei gwneud hi (y gân neu'r gerdd), a dylai hi fod ar dafod cyn iddi fod ar bapur.'

2. Mae 'Y Teithiwr', fel y mae Twm Morys yn cydnabod, yn dilyn patrwm, a pheth o gynnwys pennill 103 yn y gyfrol Hen Benillion – pennill yn sôn am y 'twca du bach', math o gyllell sy'n cael ei defnyddio i 'falu tybaco'. Mae rhywbeth ychydig yn dywyll ynglŷn â'r pennill gwreiddiol, ac mae Twm Morys yn datblygu y naws hwnnw yn y gân, ac yn rhyw ddyfalu pam bod awdur y pennill gwreiddiol yn eistedd wrth y tân yn myfyrio uwch ei dwca.

3. Fel y mae'r bardd ei hun yn dweud, cân yw 'Y Teithiwr' yn gyntaf, ond fel nifer o ganeuon mae'r geiriau hefyd yn sefyll ar eu pennau eu hunain fel darn o farddoniaeth. Ond i werthfawrogi y gerdd yn iawn, fe ddylid hefyd glywed y gerddoriaeth. Sylwch ar batrwm y mesur – chwe llinell, neu dri chwpled odledig, pob un yn odli'n unsill acennog. Oes rhywbeth ynglŷn â mesur a phatrwm y gerdd sy'n awgrymu mai cân yw hi? A fedrwch chi ddod o hyd i gyffyrddiadau cynganeddol yn y gân?

4. Mae Twm Morys yn hoff o greu cymeriadau yn ei gerddi. Pwy yw 'y Teithiwr'? I ble mae o'n mynd, a beth fydd hanes awdur y gerdd, yr un sy'n llefaru, ar ôl mynd gyda'r 'Teithiwr'? Mae yna amwysedd yn y gerdd, gan mai dim ond rhan o'r daith a welwn i. Mae'r canwr Bob Dylan hefyd yn hoff o greu y math yma o ganeuon, heb ddechrau, canol a diwedd, lle mae rhywun yn cyrraedd o rywle nas gwyddom ni, ac yna'n mynd yn ei flaen. Rhyw gip o'r Teithiwr wrth fynd heibio a gawn ni yn y gerdd hon. Ceisiwch lunio pennill ar yr un mesur sy'n awgrymu digwyddiad arall yn hanes y teithiwr.

BINOCIWLARS

Eldorado, Gwasg Carreg Gwalch, 1999, tud. 31

Cyflwyniad gan Twm Morys

Ddiwedd y 1990au bûm i ac Iwan Llwyd ar gyfandir enfawr De America yn ffilmio cyfres o raglenni i gyd ar ffurf barddoniaeth. Mae llawer o gerddi'r gyfres wedi eu cyhoeddi yn y gyfrol *Eldorado*. Buom mewn llawer o lefydd syfrdanol a dinasoedd rhyfeddol, a'r un yn fwy rhyfeddol na Cusco, hen brifddinas ymerodraeth yr Inca, cyn i'r Sbaenwyr eu concro yn yr 16eg ganrif.

Adeiladwyd Cusco yn uchel ym mynyddoedd yr Andes, ac mae llawer o'r adeiladau sydd yno heddiw wedi eu codi ar seiliau hen adeiladau'r Inca. Ystyr yr enw Cusco yw 'bogel y byd', ac roedd hi'n sanctaidd gan yr Inca, am eu bod yn credu mai dyma fan cychwyn eu holl ddiwylliant. Fel ym mhob dinas arall yn Ne America, roedd 'na ryw haflig fawr o hogia ifanc tua naw neu ddeg oed yn rhedeg o gwmpas yn droednoeth, rhai yn llnau sgidia, rhai'n gwerthu creiriau, rhai'n cynnig mynd â ni i weld hen adfeilion. Un ohonyn nhw oedd Raun Lippa. Gwaith hwn oedd gwerthu cardiau post i bobol fel ni. Roedd un llygad iddo'n las a'r llall yn dywyll. Ac roedd o wedi cymryd yn arw iawn aton ni, oherwydd bod gynnon ni finociwlars. Roedd o'n cael hyd inni bob dydd lle bynnag y bydden ni er mwyn cael sbïo drwyddo fo, ac yn gweiddi: 'Mi casa! Mi casa!' – 'Tŷ ni! Tŷ ni!' – dan ddawnsio o droed i droed. Ac roedd o'n rhoi o-bach i'r binociwlars hefyd, fel petai o'n beth byw, nes bod Iwan a fi yn dallt bod yn rhaid inni brynu un iddo fo. Roedd 'na rai ail-law, ond hen bethau sâl wedi torri oedd y rheini i gyd. Ac yn y diwedd mi gafodd Raun Lippa ein binociwlars drud ni! A dyma fi'n dychmygu wedyn, ychydig yn rhyfygus, efallai, sut y basai cael gweld pethau pell yn agos yn newid cwrs bywyd Raun Lippa, yr hogyn bach naw oed, ymhen blynyddoedd.

Gair am air

Periw	un o'r gwledydd yn Ne America a oedd yn rhan o ymerodraeth enfawr yr Inca, a gipiwyd gan y Sbaenwyr yn yr 16eg ganrif
Bogel y Byd	'botwm bol y byd', ystyr enw Cusco, un o brif ddinasoedd yr Inca ym Mheriw
yr Andes	y mynyddoedd sy'n rhedeg i lawr asgwrn cefn de America
Gringo	gair y brodorion am y bobol wynion

Sylwi ac ystyried

1. Mae Twm Morys yn personoli ei hun fel y bachgen, yn edrych yn ôl ar ei fywyd ar ôl iddo gael ei ddyrchafu yn arlywydd Periw. Mae hyn yn rhoi persbectif gwahanol i'r gerdd, ac yn dweud rhywbeth hefyd am hanes a gwleidyddiaeth Periw. Y Sbaenwyr a fu'n rheoli'r wlad am ganrifoedd, ond mae'r bachgen o dras Inca, ac wrth gipio'r Arlywyddiaeth mae o fel petai o'n adfer hen lywodraeth yr Inca. Yn rhyfedd iawn, mae hyn wedi digwydd yn

ddiweddar ym Mheriw, pan etholwyd un o dras brodorol yn arlywydd.

2. Yr allwedd i lwyddiant y bachgen bach di-addysg yw cael y binociwlars yn rhodd gan y 'Gringos'. Mae hyn yn ei alluogi i weld ymhellach na'i gyfoedion – yn rhoi gorwelion newydd iddo, uchelgais efallai. Mae'r llinell olaf yn llawn ystyr. Mae 'Bogel y Byd' yn awgrymu lle sy yng nghanol y byd, ond eto efallai, o olwg y byd. Ac mae Cusco yn cuddio yng nghanol y mynyddoedd. Trwy weld 'dros orwel Bogel y Byd' mae'r bachgen yn dod i sylweddoli beth sy'n digwydd yn y byd mawr tu allan, ac mae medru sylweddoli hynny yn gymorth iddo ddyrchafu'n arlywydd.

3. Nid yw'r gerdd hon yn nodweddiadol o gwbl o waith Twm Morys o ran ffurf, gan ei bod yn llawer iawn mwy rhydd na phob dim arall a gyfansoddodd. Mae hynny'n addas yn yr achos yma, gan mai rhyw fath o stori, neu fonolog sy yma. Ond eto mae'r bardd yn defnyddio'r gynghanedd yma ac acw, a hynny er mwyn pwysleisio a thynnu sylw i'r llinellau hynny. A fedrwch chi ddarganfod llinellau cynganeddol yn y gerdd?

I DEWI VAUGHAN PRICHARD O'R GARN

mewn cyfrol gan Gyhoeddiadau Barddas at Nadolig 2002

Yn ferfa o ddyn, yn farfog,
Yn fawl i gyd, fel y gog
Ar ôl glaw y daw Dewi
I wneud niwl yn dai i ni.
Dewin yw am dŷ newydd,
Mi wneith o dŷ mewn wyth dydd,
Tŷ i fwrw oes, tŷ o fri,
A'r cerrig o Dre'r Ceiri.
Gwneud tŷ o'r beudy y bydd,
A gwneud to rhag naw tywydd.
Gwneud tŷ i'r hen Gymry gael
Byw 'ma wedyn heb 'madael.
Gwneud tŷ, wedi carthu côr,
Addas i fab Llecheiddior.

O Lecheiddior bob bora, – daw swn braf,
Nid swn brain yn cega,
Ond chwerthin y Dewin da
A'i farf yn llond y ferfa.

TWM MORYS

Cyflwyniad gan Twm Morys

Mae hon yn fwy nodweddiadol o'm gwaith, yn enwedig yn ddiweddar. Cerdd gaeth, a chaethach na sy raid. Awdl fechan. Sylwer ar y cyrchu. Y math yma o beth dwi'n leicio ei wneud orau. Ar un olwg, cerdd syml hoffus ydi hi i gyfaill o fildar, mewn rhyw steil mabinogaidd cellweirus. Mae'r llinell 'i wneud niwl yn dai i ni' yn reit ryfedd ar yr olwg gynta'. I ambell un fasai'n clywed y gerdd, mae sôn am dai ar yr un gwynt â niwl yn dwyn i go' y niwl ofnadwy ddisgynnodd am bennau Pryderi a Rhiannon a Manawydan a Chigfa yn nhrydedd gainc y Mabinogi:

> Dyma gawod o niwl yn dod, nes oedden nhw'n methu
> gweld ei gilydd. Ac ar ôl y niwl, dyma bob man yn goleuo.
> A phan edrychon nhw draw lle bu'r preiddiau a'r tai annedd
> cynt, doedden nhw'n gweld dim oll, na thŷ nac anifail, na
> mwg na thân, na dyn na chyfannedd, heblaw tai'r llys
> yn wag ddiffaith anghyfannedd ...

Delwedd o beth ydi'r niwl, tybed? Dad-wneud gwaith y niwl y bydd Dewi: 'Gwneud tŷ i'r hen Gymry gael/Byw 'ma wedyn heb 'madael ...' Mae'r enw lle, Llecheiddior, yn lleoli'r gerdd yn bendant yn Eifionydd. Ond ar lefel arall, sefyll dros unrhyw hen gartre Cymraeg mae o, yr un fath ag y mae Dewi yn sefyll dros unrhyw Gymro sy'n gweithio dros ei ardal, ac wrth wneud hynny, yn gweithio dros ei wlad!

Gair am air

Tre'r Ceiri	hen gaer Frythonig ar yr Eifl
côr	lle mae'r gwartheg yn cael eu cadw
Llecheiddior	y tŷ y bu Dewi'n gweithio arno, ond hefyd tŷ nawdd adeg y cywyddwyr

Sylwi ac ystyried

1. Mae llawer yn gyffredin rhwng y gerdd hon a cherdd T. James Jones i'w fab, Tegid, sef 'O Ben Braf'. Mae yma yr un ymwybyddiaeth o bwysigrwydd y 'tŷ' o fewn y diwylliant a'r gymdeithas Gymraeg. Mae'n adleisio trydedd gainc y Mabinogi, lle'r aeth yr holl dai ac aelwydydd ar goll yn y niwl yn Nyfed. Roedd hynny'n arwydd o gymdeithas yn chwalu, ac mae Twm Morys yn adleisio y teimlad hwnnw o chwalfa yn ei gerdd o. Un o'r rhai sy'n

gwrthsefyll y chwalfa ydi gwrthrych y gerdd, yr adeiladwr, sy'n dal i 'wneud tŷ i'r hen Gymry gael/ Byw 'ma wedyn heb 'madael'.

2. Mae'r ymadrodd 'gwneud tŷ' yn cael ei ailadrodd sawl gwaith i bwysleisio crefft a phwysigrwydd gwrthrych y gerdd i'w gymdeithas. A fedrwch chi ddod o hyd i gerddi eraill gan Twm Morys sy'n sôn am dai a phensaernïaeth?

3. Awdl fer yw'r gerdd, ar fwy nac un mesur cynganeddol. Y mesurau yma yw'r cywydd - cyfres o gwpledi cynganeddol yn odli yn acenog a di-acen, ac un englyn i gloi. Fel arfer mae Twm Morys yn talu teyrnged i'r gwrthrych drwy wau ei gynganeddion a'i fesurau yn gywrain iawn. A fedrwch chi ddod o hyd i'r cysylltiad rhwng llinell gyntaf a llinell olaf y gerdd? A sut mae'r bardd yn cysylltu diwedd y cywydd a'r englyn sy'n cloi?

Dyfyniadau am TWM MORYS

Fel bardd, llenor a chanwr, y mae'n meddu ar lu o leisiau gwahanol, ac yn amlygu ei ymwybyddiaeth gref o draddodiadau llenyddol a cherddorol Cymru yn y modd y mae'n ymdrin yn chwareus â hwy, gan roi gwedd newydd arnynt yn fynych.

Twm Morys, *Cydymaith i Lenyddiaeth Cymru*, Gwasg Prifysgol Cymru, 199

Nid yw ôl-foderniaeth Twm Morys mor ymwybodol, efallai, ond mae'r modd y mae'n hepgor gwrthrychedd arferol y cywydd, gan fabwysiadu amrywiaeth chwil o leisiau amhenodol (fel yn ei ganeuon), hefyd yn arwain at ddiflaniad yr awdur mewn ffordd ôl-fodernaidd.

Dafydd Johnston, adolygiad o *Cywyddau Cyhoeddus*, *Taliesin*, Gaeaf 1994

Mae'r casgliad cyfan yn cyfuno dau fath o gerddi, y canu caeth traddodiadol a'r canu gwerin sy'n perthyn i bersona arall y bardd, y canwr Bob Delyn.

Anodd iawn yw ymdeimlo ag un llais canolog y gellir ei adnabod fel hunaniaeth y bardd. Yn hynny o beth mae'r gyfrol hon yn wahanol iawn i'r traddodiad barddol, lle disgwylir gwrthrychedd a chysondeb safbwynt.

Tafleisydd o fardd yw Twm Morys ... Ymddatgelu'n rhannol ac ymguddio drachefn, neu chwarae mig (a benthyg teitl cyfrol debyg i hon ar lawer cyfrif), dyna'i strategaeth o hyd.'

'Dyma ddelwedd y clerwr crwydrad ... Unwaith eto, persona wedi'i fabwysiadu'n ymwybodol sydd ganddo. Nid yw'n waeth am hynny – yn wir, gall fod yn well na'r peth ei hun.

Dafydd Johnston, *Taliesin*, Cyf 94, Haf 1996

Er mai cymharol fychan yw cyfraniad Twm Morys i'r casgliad y tro hwn ... mae ei lais yn parhau i fod gyda'r mwyaf unigolyddol, ac yn ei gywydd yn croesawu Eisteddfod yr Urdd i Lŷn ac Eifionydd mae'n treisio nifer o gonfensiynau'r cywydd croeso dan ganu.

Llion Elis Jones, adolygiad o *Cywyddau Cyhoeddus 3*, Barddas,
Tachwedd/Rhagfyr 1998

Ac er bod ambell feirniad dibrofiad yn disgwyl pethau mawr ganddo cyn troad y Milflwyddiant, y cwbl y bu yn ei wneud ers gwell na blwyddyn ydi rhaffu englynion ac 'awdlau', chwedl yntau, am bobol a phethau yn ardal Eifionydd.

Yr Athro Neil Sagam, *Barddas*, Mehefin/Gorffennaf 2001

Dyfyniadau gan TWM MORYS

Oherwydd fy athro barddol mae pob mynydd a mawnog, pob un llyn, pob enw lle, pob llwyn du, pob llan dywyll, a phob un dyn a dynas, yn canu drwy Gymru i gyd.

'Codi Sgwarnogod', *Taliesin*, Haf 1994

Ta waeth, wrth wneud odlau yn hogyn y cychwynnais i wneud cerddi, a 'doedd y rheini fawr mwy na sŵn. Ond gwell o lawer gen i sŵn heb synnwyr na synnwyr heb sŵn.

... rwy'n credu bod gan y bardd rywbeth nad oes gan bobol eraill mohono, a bod hwnnw'n werth mwy na sidan Persia ac aur Periw ... Ac rwy'n credu hefyd fod 'na ffasiwn beth ag awen yn bod.

Yr hyn sy'n cynhyrfu'r bardd ydi'r awen, fel y bydd y gwynt yn cynhyrfu'r coed nes peri i'r diferion glaw fu'n hel ar hyd y brigyn ddisgyn o'r diwedd.

... os ydach chi'n fardd gwerth eich halen, ac yn fardd o ddifri, mae'ch bywyd chi i gyd yn farddoniaeth – barddoniaeth sâl yn aml iawn, ond barddoniaeth yr un fath.

Rhaid wrth ystyr mewn cerdd, hyd yn oed os nad oes neb ond y bardd ei hun yn ei dallt, neu symbal yn tincial fydd hi.

Un o'm hoff eiriau ydi 'sgwarnog', nid yn unig am ei fod y enw ar anifail mor ddifyr, ond hefyd am fod modd gwneud geiriau newydd o bob math ohono fo. Dweud fod rhywbeth yn llawn sgwarnogrwydd, er enghraifft, neu'n sgwarnoglyd iawn, neu'n sgwarnocach peth na dim. Beth ydi ystyr geiriau felly sy'n beth arall.

Achos anghywir, yn fy marn ddibwys i, ydi dweud 'sgrifennu cerdd'. Sgrifennu cerdd ydi ei rhoi hi ar bapur ar ôl ei gwneud hi. Rhywle rhwng y galon a'r pen mae ei gwneud hi, a dylai hi fod ar dafod cyn iddi fod ar bapur. 'Rwy'n hoff iawn o'r teithiwr, y dieithryn 'ma sy'n dod o bell. (Mae o'n ymddangos yn rhy aml o lawer yn fy mhethau i!)'

      Pair Ceridwen, gol. Gwyn Thomas, Y Ganolfan Astudiaethau Iaith, 1995

... y diwrnod y bydda' i yn peidio bod yn chwil ar eiria', wel dyna waith i'r clochydd drannoeth ...

      'Môr Mari', *Taliesin*, Hydref 1995

Ond mi welais innau wedyn afon Hafren yn hollti'r ddaear yn ddwy. Ar ei glannau hi y twymodd barddoniaeth fy ngwaed innau gynta. Ac mi roes hiraeth wayw mewn enwau llefydd. Ac yn ddiweddarach, mi benderfynais i mai'r sgwennu mwya grymus, yn enwedig yn Gymraeg, ydi'r sgwennu sydd agosa i'r ffordd 'dan ni'n siarad wrth ryfeddu, neu wrth hiraethu, neu orfoleddu, neu wangalonni. Yr iaith delynegol sy'n dod o'r galon.

      'Codi Sgwarnogod', *Taliesin*, Gaeaf 1995

Mae 'na lawer o resymau hefyd dros beidio â chyfieithu barddoniaeth Gymraeg. 'Yr hyn sy'n mynd ar goll mewn cyfieithiad,' meddai rhywun rywdro, 'ydi barddoniaeth'. Ac mae cyfieithiadau o ganu cynganeddol yn amlach na heb yn debig i luniau du a gwyn o erddi Bodnant.

      'Bob Dalen ar Benillion', *Barddas*, Mehefin/Gorffennaf 1997

DARLLEN PELLACH

erthyglau 'Bob Dalen ar Benillion', *Barddas*, o ddechrau'r 1990au ymlaen
erthyglau 'Codi Sgwarnogod', *Taliesin*, o ganol y 1990au ymlaen
erthyglau 'Dawn dweud y Brython', *Llafar Gwlad*, Gaeaf 2002 ymlaen
Cywyddau Cyhoeddus 1-3, gol. Iwan Llwyd, Myrddin ap Dafydd, Gwasg Carreg Gwalch, 1994-8
Ofn Fy Het, Cyhoeddiadau Barddas, 1995
Pair Ceridwen, gol. Gwyn Thomas, Y Ganolfan Astudiaethau Iaith, 1995
Grwyne Fawr, yn y gyfres Y Man a'r Lle, Gwasg Gregynog, 1997
Eldorado, Iwan Llwyd, Twm Morys, Gwasg Carreg Gwalch, 1999
Syched am Sycharth, Iwan Llwyd, Geraint Løvgreen, Myrddin ap Dafydd, Ifor ap Glyn, Twm Morys; Gwasg Carreg Gwalch, 2001

HEN BENILLION

HEN BENILLION

DETHOLWYD A GOLYGWYD
GAN
T. H. PARRY-WILLIAMS

1965

Fel bardd yr ydym yn cofio T.H. Parry-Williams, wrth reswm. Ond roedd o hefyd yn athro penigamp. Ac er iddo fynd yn Syr, roedd o'n gymreigydd garw. Mi wnaeth gymwynas amhrisiadwy wrth hel at ei gilydd y 741 o benillion sydd yn y gyfrol *Hen Benillion*. Mi ddylid gosod y rheini ochr yn ochr â chywyddau ac awdlau'r beirdd mawr drwy'r canrifoedd. Canu mawl i fyddigions y plastai gwych, a'u gwragedd hardd, y byddai'r beirdd swyddogol. Ond yr ochr arall i bethau, deunydd y beunydd bach, a gawn ni yn yr Hen Benillion. Dyma ganu gwerin Cymru, a hynny o adeg pan oedd y Gymraeg yn iach fel cneuen ym mhob plwy drwy'r wlad, bron iawn. Sylwch mor anaml y bydd neb yn enwi Cymru neu Loegr ynddyn nhw, neu'n sôn dim am yr iaith. Mae ambell eithriad difyr, fel 655, 641, ac yn enwedig 271. Yn yr adran 'Natur' – y natur ddynol, efallai? – y rhoes T.H. hwn:

> Mae dwy ochor yn sir Benfro,
> Un i'r Sais a'r llall i'r Cymro, –
> Melltith Babel wedi rhannu
> Yr hen sir o'r pentigili.

Ond disgrifiad ydi'r pennill o sefyllfa hanesyddol hen iawn, hyd yn oed adeg canu'r pennill, sef bod de sir Benfro, y *'Little England Beyond Wales'*, yn Saesneg ei iaith ers toc wedi goresgyniad y Normaniaid. Fel arall, roedd Cymru, waeth ichi ddweud, yn Gymraeg i gyd, ac roedd hynny i'r rhan fwya' o'r Cymry yr un fath â bod yr haul yn codi'n y bore.

Sylwch hefyd cyn lleied o sôn am grefydd sydd ynddyn nhw! Mae'r clochydd a'r person yn destun sbort (631), fel yng nghanu gwerin llawer gwlad. Dyddio mae'r Penillion o gyfnod cyn bod y capeli wedi gweddnewid bywyd y werin. Fel hyn y dywedodd y telynor a'r hynafiaethydd Edward Jones o Landderfel yn ei lyfr *The Musical and Poetical Relicks of the Welsh Bards* (1784):

> The sudden decline of the customs of Wales is in a great degree attributed to the fanatick imposters and illiterate plebian preachers, who have too often been suffered to over-run the country, misleading the greater part of the common people from their lawful Church; and dissuading them from their innocent amusements, such as singing, dancing and other rural sports and games, which heretofore they had been accustomed to delight in from the earliest times. In the course of my excursions through the Principality, I have met with several harpers and songsters, who actually have been prevailed upon by those erratic strollers to relinquish their profession, from the idea that it was sinful. The consequence is that Wales, which was formerly one of the merriest and happiest countries in the world, is now the dullest.

Canu di-lol a naturiol sydd yn yr Hen Benillion. Canu gwerin gyfan oedd yn deall byd ei gilydd i'r dim, ac yn medru cyd-lawenhau neu gyd-dristáu â'i gilydd. Canu hogiau, a genod hefyd – fel y cawn weld – yn hau a medi, ac yn mynd i'r ffair; yn sylwi ar adar ac anifeiliaid ac ar dreigl y tymhorau; yn caru, a bron â marw o gariad; yn gwneud hwyl mewn tafarndai, ac yn sobri mewn mynwentydd. Fel hyn mae T.H. Parry-Williams yn dweud am y Penillion yn ei ragymadrodd gwych i'r gyfrol:

> Bywyd gwledig, amaethyddol, awyr-agored yw awyrgylch y mwyafrif ohonynt – bywyd diddordeb mewn tymor a thywydd, mewn gŵyl neu ffair, mewn offer ac anifail. Bywyd ifanc afieithus ydyw hefyd, gan amlaf – bywyd diddordeb mewn serch a charu, gogan a chellwair.

Bywyd 'paganaidd' hefyd i raddau mawr; ni cheir llawer o ddim tebyg i dinc emynyddol a diwygiadol yn y canu, na'r math a geir ym 'maledau' 'duwiol' y ddeunawfed ganrif, er bod llawer o'r Penillion yn rhai cynghorol ac addysgiadol. Mynegir profiadau, er hynny, yn ogystal â disgrifio troeon chwith; y mae dwyster hiraeth i'w deimlo yn aml, dyheadau angerddol, a thristwch calon.

Mae enw arall ar yr Hen Benillion, sef Penillion Telyn, a hynny am eu bod nhw'n cael eu gwneud er mwyn eu canu mewn noson lawen neu ar ryw achlysur cymdeithasol arall. Mae disgrifiad difyr o ymryson canu yn Tours in Wales (1781) gan Thomas Pennant o sir y Fflint. Mae hwn yn sôn fel y byddai criw o bobol ifanc, yn hogiau ac yn genod, yn cychwyn noson lawen wrth ddawnsio, fel arfer. Ac wedyn, ar ôl blino, yn eistedd o amgylch y delyn i ganu penillion am yn ail â'i gilydd, a phob un fel petai'n ateb i'r un cynt. Roedd y penillion yn codi llawer o hwyl, meddai Pennant, oherwydd eu bod nhw weithiau'n ddigri, dro arall yn gellweirus, ac yn aml yn sôn am helyntion caru. Byddai'r canu, meddai, yn para yn ddi-fwlch tan berfeddion, a doedd wiw i neb ganu'r un pennill ddwywaith.

Mae sôn hyd heddiw am y delyn fel hoff offeryn y Cymry. Ond nid talp o aur yng nghefn Volvo oedd y delyn ers talwm. Offeryn gwerin oedd hi, digon ysgafn i'w gario'n hwylus o le i le. Wyddom ni ddim sut yn union roedd y telynor yn cyfeilio i'r canwr. Mae Pennant yn sôn bod y gynulleidfa weithiau yn galw enw tôn. Digon hawdd dychmygu bod rhyw ddyrnaid o donau yr oedd pawb yn gyfarwydd â nhw, yr un fath ag yn nhraddodiad beirdd Gwlad y Basg hyd heddiw: cwpwl o rai sydyn a hwyliog; ambell un ara' deg a thrist; un wirion, un wyllt. Wedyn, pan fyddai ar ryw was neu forwyn ar ddiwedd yr wythnos waith awydd dweud gair o brofiad, dewis tôn oedd yn taro o blith y rhain y bydden nhw. Mae un mesur (sef hwnnw sydd yn rhif 1) yn fwy cyffredin o lawer na dim un arall. Ond mae mesurau eraill hefyd (2; 143; 146; 279), a rhaid bod amrywiaeth o donau i'w canu.

Oherwydd bod rhai ohonyn nhw wedi gafael fel caneuon poblogaidd, ac oherwydd eu bod nhw yn aml yn dweud mewn byr eiriau y pethau mawr sydd mor anodd inni eu mynegi o gwbl, mi fu llawer o'r Penillion ar gof ac ar lafar gwlad am yn hir iawn cyn eu sgrifennu. Ac wedi mynd o lofft stabal i lofft stabal ac o ffair i ffair, roedd llawer ohonyn nhw yn adnabyddus drwy'r wlad. Weithiau, mi fydd amrywiadau ar yr un pennill (219 a 220), sy'n brawf bod cerdd wedi crwydro yn bell ar lafar. Mae'n debyg bod pob math o wahanol benillion yn cael eu canu ers talwm ar lawer o'r hen donau sy'n gyfarwydd fel caneuon i ni heddiw, fel Ar Lan y Môr, a Dacw 'Nghariad i Lawr yn y Berllan. Y geiriau hynny oedd yn digwydd bod gan y canwr y noson yr aeth rhyw gasglwr ati i'w rhoi ar glawr.

Mi godwyd y rhan fwya' o'r Penillion yng nghasgliad T.H. o hen lawysgrifau a chasgliadau eraill. Ond mi godwyd rhai hefyd oddi ar lafar. Mae ambell un (193; 194) yn sôn am ddigwyddiadau penodol, fel gwrthryfel Cromwel. Mae ambell un arall (195; 647) yn sôn am bobol benodol, fel Twm Siôn Cati, y lleidr pen-ffordd (g. tua 1530), a Marged ferch Ifan (1695-?1801), dynes enwog iawn o Lanberis. Ond anodd gwybod yn union pa mor hen ydi'r gweddill. Dim ond yn y 18fed ganrif, pan ddaeth hi'n ffasiynol dotio at bob dim hynafol, y dechreuwyd eu rhoi nhw ar glawr. Toc ar ôl hynny y daeth y Blaenor i rym, ac mae'n debyg bod yr hen nosweithiau llawen wedi dod o dan wg hwnnw yr un adeg â llawer o hen arferion eraill, fel y cnapan, a'r ffeiriau gwylmabsant. Fel yr aeth noson lawen yn seiat, dyna hen donau gwerin yn mynd yn emyn-donau. Ond mae'n rhaid bod canu garw ar y penillion er hynny, a chreu hefyd, tra oedd y llofft stabal yn ei bri. Mae llawer ohonyn nhw ar lafar hyd heddiw. Ac, wrth gwrs, mae 'na feirdd yn dal i'w gwneud nhw. Dyma un ffraeth o lyfr *Pigion y Talwrn 4*, gan Gwynant Hughes.

> Mynd yfory yw fy mwriad
> I gael gwersi gan fy nghariad;
> Gan mor eiddgar wyf i ddysgu,
> Aros wnaf i adolygu!

TRWY LYGAID TWM MORYS

Ers blynyddoedd bellach, bydd cyfrol T.H. Parry-Williams bob amser wrth fy ngwely. Mi fyddaf hefyd yn morol bod copi arall gennyf yn y drôr, er mwyn ei roi i rywun arall. A'r munud y bydd hwnnw wedi mynd, rhaid cael un arall o'r siop ail law.

Mae'r gyfrol yn llawlyfr campus. Mae pob dim sy ar fardd ei angen i weithio'i grefft mewn gobaith yn yr Hen Benillion. Dyna eu hiaith nhw i gychwyn; iaith syml, ddi-lol, lafar, sef y Gymraeg ar ei gorau:

> Mae 'nghariad i 'leni fel gwynt o flaen glaw,
> Yn caru'r ffordd yma a charu'r ffordd draw ... (355)

Fydd ynddyn nhw byth ddim byd y bydden ni'n ei alw'n farddonllyd. Ac er eu bod nhw'n aml yn bethau hardd a chrefftus iawn, fyddan nhw byth yn orchestol.

> Llun y delyn, llun y tannau,
> Llun cyweirgorn aur yn droeau:
> Dan ei fysedd, O na fuasai
> Llun fy nghalon union innau. (244)

Gyda llaw, y telynor a'r gof sy orau gan y genod yn yr Hen Benillion (113; 243-246) – sef y cryfa' a'r dela', wrth gwrs!

Fydd y Penillion byth yn dweud gormod, nag yn rhagymadroddi. Roedd rhywbeth wedi eu hysgogi yn y lle cynta', wrth reswm, a byddai'r gynulleidfa'n gwybod am hwnnw'n iawn – tybed beth oedd achos hwn (155), er enghraifft?

> Y sawl a luniodd arna'i gelwydd
> Heb ei lun na'i liw na'i ddeunydd,
> Tair ar ddeg o gyllyll hirion
> Fyddo'n glynu 'ngwaed ei galon.

Ond mae'r union amgylchiadau yn ddirgelwch erbyn heddiw yn amlach na heb, ac mae rhwydd hynt wedyn i'n dychymyg ni greu'r hanes. Beth gaech chi'n well agoriad i stori na llinell fel hon?

> Mi fûm yn gweini tymor yn ymyl Ty'n y Coed... (272)

Wedyn, er mai sôn yn nhermau pethau bob dydd y bydd y Penillion, mi fydd ym mhob un, bron, ryw ddweud gwreiddiol, neu ryw ddarlun trawiadol, neu ddelwedd lachar:

> Er maint sydd yn dy gwmwl tew
> O law a rhew a rhyndod,
> Fe ddaw eto haul ar fryn,
> Nid ydyw hyn ond cawod. (291)

Yn yr adran 'Natur' mae hwn eto. Ond ai sôn am y tywydd yn llythrennol mae'r pennill? Digon o waith. Oherwydd bod modd canfod mwy nag un ystyr weithiau mewn delwedd, mae modd dehongli'r Hen Benillion o'r newydd o hyd.

Mae'r gyfrol *Hen Benillion* hefyd yn chwarel heb ei hail i'r sawl sydd am lunio caneuon Cymraeg. Mi fûm i yno lawer gwaith fy hun yn dwyn llinell neu ddelwedd – 'dyfynnu' y byddai rhai yn galw hynny! Hen Bennill fydd cnewyllyn llawer i gân newydd, fel 'Y Teithiwr' (ar yr albym Bob Delyn, *Gedon*, neu yn *Ofn Fy Het*, t.51; cymharwch hi â rhif 103 yn HB.) Er mwyn eu rhoi ar gân y gwnaed y Penillion yn y lle cynta', ac maen nhw'n bethau braf i'w canu. Ac wrth lunio cân newydd, mae eu steil nhw, yr iaith syml a di-lol fel pobol yn siarad, ochr yn ochr â'r delweddau cry, yn taro i'r dim. Ac mae'r elfen amwys, yr hanner hanes, yn codi cân yn uwch na hi ei hun, am fod modd i bob gwrandawr ei deall hi fymryn yn wahanol i bawb arall.

STUDIO 4 CERDD

MI FÛM YN GWEINI TYMOR (272, 273)

Mi roes Parry-Williams y ddau bennill yma gyda'i gilydd am reswm amlwg. Mae hanner cynta'r ddau bron iawn yr un fath, fel petai'r naill wedi'i ganu ar ôl clywed y llall, neu fel petaen nhw'n ddau gynnig ar ateb yr un llinell osod: 'Mi fûm yn gweini tymor ...' Mae llawer o rai tebyg yn y gyfrol. Cymharer rhifau 244 a 246, er enghraifft, neu 713 a 715.

Roedd 'gweini tymor' yn destun y byddai ugeiniau yn y gynulleidfa, yn hogiau ac yn genod, yn medru canu arno. Mi fyddai'r ffeiriau pen-tymor dan eu sang o bobol ifanc yn chwilio am waith gwas neu forwyn ar y ffermydd. Ond dyna wahanol fu profiad y ddau yma!

Ychydig iawn o ffeithiau gawn ni yn y ddau bennill. Does dim modd gwybod yr hanes yn iawn erbyn hyn. Ond mae modd gadael i'r dychymyg weu hanes o'r ffeithiau sydd. Dywedwn ni mai hogyn piau'r pennill cynta'. Mi yrrwyd hwn i weithio i ryw lannerch yn y coed yn rhywle. Efallai mai clirio'r llannerch roedd o, er mwyn i'r gwartheg gael pori. Efallai mai torri coed, neu ei losgi o er mwyn cael golosg. Beth bynnag oedd y gwaith, roedd o'n waith caled. Ond gweithio'n galed oedd bwriad yr hogyn wrth fynd yn was, ac mi gafodd le wrth ei fodd. Ai sgram gwraig y ffarm oedd yn plesio, tybed? Ai'r forwyn? Beth bynnag oedd yr atyniad, dyna'r tymor difyrra' fu dros ben yr hogyn erioed. A byth ers hynny, fedr o ddim llai na hiraethu. Felly bydd llawer wrth fynd yn hyn yn meddwl am eu plentyndod.

Dywedwn ni wedyn mai merch piau'r ail bennill. Mae hon yn enwi'r ffarm lle bu'n gweini, Ty'n y Coed. Lle go iawn oedd o, yn saff i chi: mae o'n enw digon cyffredin drwy'r wlad. Ond dydi hynny ddim o bwys. Yr enwi sy'n bwysig. Mae enw yn creu cefndir i hanes neu gymeriad. Sylwch ar ddefnydd T.H. Parry-Williams o enwau, yn ei sonedau a'i rigymau taith. Llefydd go iawn ydi'r rheini hefyd; sôn mae o am ei ardal enedigol, ac am y gwledydd pell lle bu ar daith. Ond hyd yn oed i rywun o Gnwc neu o Bontypridd, na fu erioed yn Eryri, nag yn Rio, mae'r enwau yn creu tirlun i T.H. gael bwrw ei gysgod arno.

Lle hyfryd oedd yn Nhy'n y Coed, fel yn y llannerch, a dyna'r tymor hapusa' fu dros ben yr hogan erioed hefyd. Sylwch wedyn fel mae hi'n mynd i sôn am yr adar mân a'r coed. Mae hyn yn hen arfer mewn barddoniaeth Gymraeg. Mae 'na hen hen gerdd drist am hen ŵr hiraethus, Claf Abercuog, sy'n sôn llawer am y gog yn canu. Nid oherwydd mai cerdd natur ydi hi, ond oherwydd bod cân y gog – 'cw-cw' – yn golygu 'i ble? i ble?' mewn hen Gymraeg, a bod yr hen Gymro wrth ei chlywed yn cofio am anwyliaid sydd wedi mynd. Beth ydi effaith sôn am yr adar mân sy'n canu, a'r coed sy'n suo 'nghyd, yn fan hyn? Wel, dyna natur yn ei gogoniant, ond bron â thorri ei chalon mae'r hogan yr un fath. Pethau felly ydi barddoniaeth!

Pam y bu bron i'r greadures dorri ei chalon? Dywedwch chi! Efallai, er mor ddifyr oedd Ty'n y Coed, mai hiraeth am ei chartref a'i theulu ei hun oedd arni. Neu efallai mai cael affêr drychinebus wnaeth hi efo'r ffarmwr; efallai mai hi wnaeth bennill 571. Mae faint fyd fynnoch chi o straeon byrion ym mhennill Ty'n y Coed!

AELWYD SERCH (422)

Os bydd mwy nag un pennill gyda'i gilydd, fel 239 neu 521, dydi hynny ddim o reidrwydd yn golygu mai'r un bardd wnaeth y cwbwl. Cynnyrch yr un noson lawen neu ymryson ydi rhai, fel y soniais. Ond rhyw lynu yn ei gilydd dros amser wnaeth rhai eraill wedyn, fel adar o'r unlliw, oherwydd eu bod nhw'n debyg eu naws, neu eu neges. Sylwch ar 159; darnau o dair cân werin wedi eu smentio yn ei gilydd ydi hwn!

Ond mae Aelwyd Serch yn enghraifft wych o'r canu mwy 'bwriadus' sy'n digwydd weithiau. Does dim dau bod y penillion yn perthyn; sylwch ar yr 'a' ar ddechrau'r ail. Yn y rhain, bu rhywun yn meddwl yn hir am ddelwedd, sef bod cariad yn debyg i dân ar aelwyd, ac wedyn yn mynd ati i gynnal honno drwy'r gerdd, o'r galon sydd fel tanwydd, i'r dagrau sy'n debyg i grochan yn berwi drosodd. Mi drawodd ar ddelwedd berffaith hefyd, nid yn unig oherwydd y fflamau, ond oherwydd mai'r aelwyd oedd canolbwynt y tŷ, cyn bod sôn am set deledu; at yr aelwyd y byddai pawb yn hel i gynhesu; ar yr aelwyd y bydden nhw'n coginio, nes i 'aelwyd' fynd yn air arall am 'gartre'. Canlyniad cariad, ers talwm o leia', oedd priodi, sefydlu cartre, a 'dechrau byw'. Onid dyna ydi dymuniad y bardd?

Rŵan, gorchwyl pwy oedd gwneud y tân, a choginio era talwm? Wel, y merched, debyg iawn. Mae llawer iawn o'r Hen Benillion yn amlwg wedi eu canu gan ferched; sbïwch ar y saith yma (mae ugeiniau o rai eraill!): 32, 109, 521, 550, 556, 571, 629. Yn hynny o beth, ac yn wahanol iawn i draddodiad y beirdd swyddogol, mae'r Hen Benillion yn gwbl 'ddemocrataidd'. Ac er nad oes dim ynddi yn profi hynny'n bendant, mi ddywedwn i mai merch wnaeth Aelwyd Serch hefyd – neu efallai hogyn yn siarad â merch yn ei hiaith hi, fel petai.

Beth am y dagrau? Ai dagrau siom ydyn nhw, ynteu'r dagrau rheini sy'n dod o lawenydd mawr? Dywedwch chi! Ond cofiwch mai crochan yn gorferwi oherwydd 'maint y gwres' sydd yma.

YR ANGAU (164)

Yn rhai o hen hen eglwysi Cymru, fel eglwys Llaneilian ym Môn, ac eglwys Merthyr Isio yn sir Frycheiniog, mi welwch lun dyn erchyll tebyg i sgerbwd, weithiau â phladur yn ei law, wedi ei beintio'n goch neu'n ddu ar y wal. Yr Angau ydi o. Hen hen arfer ydi personoli marwolaeth.

Dw i wedi canu'r gân enwog hon efo'r band. Fuodd hi ddim yn ofnadwy o boblogaidd am resymau amlwg! Un noson, pan oeddwn i'n ei hymarfer hi ar fy mhen fy hun ar y delyn, mi glywais dair clec fawr ar ben y to, a dyna roi'r gorau iddi! Ac er imi ffeindio wedyn yng ngolau dydd mai mes yn disgyn o'r hen goeden dderw oedd y twrw, mae'r gân yn dal i godi braw!

Enghraifft arall ydi hon o'r canu bwriadus y soniais i amdano. Sylwch ar adeiladwaith gofalus y penillion. Ar ôl y cynta', sydd fel rhyw ragarweiniad i'r stori, maen nhw i gyd yn dilyn yr un patrwm gramadegol yn union. A sylwch mor weledol ydi hi! Bron nad ydi llinell gynta'r penillion fel cyfarwyddiadau mewn sgript: 'Galw am gawg ...'; 'Mynd i'r eglwys ...'; 'Mynd i siambar glòs ...'; 'Mynd i'r môr ...' Gellid gwneud fideo wych i fynd efo hi! Dyn yn troi a throsi'n chwyslyd yn ei wely'r nos, golau'r lleuad drwy gil y llenni gwynion, efallai. Codi, a galw'n flin ar y forwyn am ddesgil a dŵr i ymolchi. Ac yn syth, dyna fo'r Angau! Yn fychan bach ar y dechrau, ar fin y ddesgil, fel rhywbeth mae rhywun yn ei weld drwy gil ei lygad; wedyn yn gysgod i gyd yn eistedd draw ar ben y fainc yn yr eglwys; yn dod fel dril drwy lawr y 'siambar glos'; ac erbyn y diwedd, fel y bûm i'n dychmygu, yn sefyll ar bont horwth o long ryfel fawr lwyd. A rhyw wên fach arswydus ar ei wyneb o bob tro!

Neges y gân, wrth gwrs, ydi nad oes dengid rhag nod Angau. Ac mi fyddai wedi codi arswyd mawr ers talwm, fel y sgerbwd yn yr eglwys. Ond beth am yr effaith mae hi'n ei chael arnon ni heddiw, mewn oes llawer iawn mwy diogel, er gwaethaf yr Angau mawr cyfryngol? Ydi hi'n debyg, efallai, i'r wefr gawn ni wrth wylio ffilm arswyd?

DACW LONG (344)

Dyma berl o bennill tlws, a llawer o'r rhagoriaethau y buom yn eu trafod ynddo; yr iaith syml a diwastraff, y disgrifio llachar. Mae o'n debyg ei naws i'r gân 'Ar Lan y Môr'. Ac felly y bûm i'n ei ganu o lawer gwaith – nes i ystyr arall fy nharo i. Mae un pennill o 'Ar Lan y Môr' hefyd yn y gyfrol, sef y pennill yn union o flaen ein pennill ni:

> Ar lan y môr mae carreg wastad,
> Lle bûm yn siarad gair â'm cariad.
> O amgylch hon fe dyf y lili
> Ac ambell sbrigyn o rosmari.

Mi fûm i'n canu hwn yn aml heb feddwl dim hefyd, nes i Ge.rallt Lloyd Owen dynnu sylw un tro at 'y garreg wastad'. Beth oedd hon mewn gwironedd ond carreg fedd? O ddeall hynny, dyna wedd gwbwl wahanol ar y pennill. Nid dau gariad yn cyfarfod yn rhamantus ar lan y môr sydd yma, ond un yn siarad â chariad sydd wedi marw. Ac os ydi'r dehongliad yn gywir, synnwn i damaid nad oes rhyw arwyddocâd felly i'r lili a'r rosmari, gan fod 'iaith blodau' yn boblogaidd iawn ers talwm.

Beth am ein pennill ni? Hogan sy'n canu; dynion oedd yn mynd ar y môr. Hawdd ei gweld hi, ar ben clogwyn, efallai, neu ar draeth, yn gwylio pob llong, yn llawn hiraeth am ei chariad. Mae'r disgrifiad o'r llong yn dod heibio'r trwyn ac at yr ynys yn debyg i ffilm eto ... OND: pwy welodd erioed long â'i hwyliau wedi eu gwneud o sidan, a hwnnw'n sidan glas? Onid dweud mae'r hogan y bydd moch yn hedfan, neu y bydd y Wyddfa'n gaws, cyn y daw ei chariad yn ei ôl?

Unwaith y gwelwch ryw ail ystyr felly mewn un pennill, anodd wedyn ydi peidio â'u gweld nhw ym mhob man! Beth, meddech chi, ydi ystyr 'drws yr efail yn agored' yn 113, er enghraifft, o gofio mor hoff oedd y merched o'r gof? Efallai yn aml iawn nad oedd ystyr heblaw'r un amlwg ym meddwl y sawl a'u canodd nhw flynyddoedd maith yn ôl, ond dydi hynny ddim yn golygu ein bod ni'n methu wrth weld ystyron newydd yn yr Hen Benillion. I'r gwrthwyneb!

Dyfyniadau am yr HEN BENILLION

These verses are on various Subjects of Love, War, &c, & some of them are supposed to be as old as the Druidical times; for the same Verses are remembered in every County in Wales, & are common in the Mouths of the Populace, & scarce ever committed to Writing; but retained by Tradition from Father to Son, & sung without any connection or likeness of a Song, being entire Sentences, in the nature of Epigrams.

Llythyr Lewis Morris i William Parry (1763), *Additional Letters of the Morrises of Anglesey*, gol. Hugh Owen, Llundain, 1949

Blodau'r meysydd ydyw'r penillion hyn. Yno, yn y meysydd, y tyfasant. Natur ei hun ydynt.

Ni wyr neb pwy a'u canodd. O galonnau a thros wefusau llafurwyr cefn gwlad y daethant. Ochenaid, neu ddeigryn, neu chwerthiniad, wedi ei ddal a'i rwymo, ydyw pob un ohonynt.

Rhagair *Penillion Telyn*, Llyfrau'r Ford Gron, gol. J.T. Jones, Hughes a'i Fab

. . . aeth y delyneg yn foesegol dan ddylanwad gorbrisio'r emyn, ac yn oer a diawen dan ddylanwad dibrisio'r penillion telyn, gan fod beirdd y bedwaredd ganrif ar bymtheg wedi camddeall y ddau ganu fel ei gilydd. Tybient mai 'duwioldeb' oedd nodwedd yr emyn ac mai maswedd oedd nodwedd y penillion; ni welsant mai teimlad angerddol a difrifoldeb disigl a didwyllter a oedd yn nodweddu'r ddwy ffurf.'

'Rhagymadrodd', *Y Flodeugerdd Gymraeg*, W.J. Gruffydd, Gwasg Prifysgol Cymru, 1946

Disgrifir noson lawen yn yr hen amser rywbeth yn debyg i hyn: nifer o bobol yn ymgasglu, yn dawnsio am ysbaid wrth sain y delyn. Yna pan fyddent wedi blino, dechreuent ganu penillion, a'u cynhyrchu'n ddifyfyr. Byddai ambell un â chanddo amryw gannoedd, efallai filoedd, o benillion ar ei gof, ac o'r stoc anferth hon anaml y methai gael un i ateb i'r un a ganwyd ddiwethaf. Os methai, gallai yn hawdd lunio pennill yn y fan a'r lle. Byddai plwyf weithiau yn cystadlu yn erbyn plwyf, neu sir yn erbyn sir. Dyma felly farddoniaeth werin yng ngwir ystyr y gair – yr hen benillion hyn, pethau a hoffid gan bobol â'u tuedd lenyddol heb erioed ei diwyllio, ac a drysorwyd am flynyddoedd lawer yng nghof y bobol hynny. Gellid yn hawdd ddyfynnu llawer enghraifft i brofi odidoced yw'r farddoniaeth hon ...

... fe welir ynddynt yn gyson lawer o arwyddion eglur celfyddyd: crynoder ymadrodd, cynildeb mynegiant, gweithio esgyniad, cynghanedd.'

'Canu Gwerin', *Baledi'r Ddeunawfed Ganrif*, Thomas Parry, Gwasg Prifysgol Cymru, 1935

Sylwer ar yr elfen bersonol ar ddiwedd yr 'hen benillion' hyn, yn y llinell olaf, fel rheol.

Elfennau Barddoniaeth, T.H. Parry-Williams, Gwasg Prifysgol Cymru, 1952

Cwbl syml ydynt, a diymdrech yn ôl pob golwg, heb ddim o'r cymhlethdod mydryddol a oedd mor hoff gan feirdd y cyfnod; anaml y ceir cynghanedd ar eu cyfyl. Yn y symledd hwn y mae eu nerth, oherwydd da iawn y cydwedda'u moelni plaen â chellwair epigramatig, neu â hiraeth brathog ...

Ychydig, ysywaeth, glywir yn awr am werth hen benillion Cymru oddigerth o enau ambell un a ystyrir yn fympwydd llenyddol. Y rheswm am hyn, mae'n debyg, yw mai awdlau a phryddestau yw'r ffasiwn ers llawer i flwyddyn ddu bellach. Ond yng nghilfach calon pob Cymro mae hen ddelfrydau'r oes cyn y Diwygiad yn llechu o hyd, ac er nas hoffai llawer i weinidog parchus gyfaddef hynny, eto ca'n aml fwy o bleser ac o gysur oddiwrth hen benillion ysgymun ei nain nag oddiwrth ddyriau 'adeiladol' y cyhoeddiadau crefyddol. Ac er i barchusrwydd a ffasiwn lenyddol lysu'r penillion telyn am oes hir, nid anghofiwyd hwy, am fod calon pob dyn yn fwy na ffasiwn ei oes, a phan â 'Cerdd y Meddwyn Collfarnedig' i dywyllwch tyner anghof, bydd Cymru oleuedig yn dal i ganu am y rhosyn coch a'r rhosyn gwyn ac am y cariad sy'n byw ar lan y môr.

'Penillion Telyn Cymru', W.J. Gruffydd, *Cymru* (gol. O.M. Edwards) Cyf. XXVI, tud. 85

Nid oes amheuaeth nad oedd merched o leiaf mor fedrus bob dim wrth lunio penillion fel y rhain ag yr oedd y bechgyn. Gan fod caniatâd gan y defodau cymdeithasol iddynt gymryd rhan yn y gweithgareddau hyn, nid oedd atalfa ar wychder eu doniau. Yn wir, ceir lled awgrym yn llawysgrif Hafod 24 mai dyna'u *forte* cydnabyddedig hwy: *Ir ystalwm pan oeddem i yn gwilio ynghapel Mair o Bylltyn, ir oedd gwyr wrth gerdd yn kanu kywydde ac odle, a merched yn kanu karole a dyrie.* Tybed a ellid mentro hyd yn oed ymhellach ar sail dyfyniad felly ac awgrymu mai merched yn bennaf bioedd y traddodiad answyddogol a thanddaearol; a phan ddaeth dynion i byncio hen benillion mai mabwysiadu traddodiad benywaidd a wnaent.

Mawl a'i Gyfeillion, Cyfrol I, R. M. Jones, Cyhoeddiadau Barddas, 2000, tud. 204-205

MENNA ELFYN

Magwyd Menna Elfyn ym Mhontardawe, yn ferch i weinidog. Yno, ac yng Nghaerfyrddin, y derbyniodd ei haddysg ac yn ddiweddarach yng Ngholeg y Brifysgol, Abertawe. Mae'n un o genhedlaeth y chwedegau – bu'n aelod amlwg o Gymdeithas yr Iaith Gymraeg yn ystod anterth yr ymgyrchu am statws i'r iaith, ac am sianel deledu Gymraeg. Mae'r wleidyddiaeth weithredol yma wedi bod yn rhan amlwg o'i bywyd. Lledodd ei radicaliaeth i gynnwys heddychiaeth a ffeministiaeth, ac mae'r daliadau hyn yn rhan allweddol o'i gwaith.

Mae hi bellach yn Gymrawd Awdur yng Ngholeg y Brifysgol, Aberystwyth ac yn Gyd-Gyfarwyddwr MA Ysgrifennu Creadigol yng Ngholeg y Drindod er 1997. Ond ei barddoniaeth yw ei gwir alwedigaeth, ac mae'n debyg mai hi yw un o'r beirdd llawn amser cyntaf yng Nghymru. Mae'n teithio gwyliau llenyddol ledled y byd yn cyflwyno'i cherddi a chyhoeddodd gyfrolau gyda Gwasg Gomer yng Nghymru a Bloodaxe yn Lloegr, gwasg ryngwladol sy'n arbenigo ar gyhoeddi barddoniaeth. Hi yw Bardd Plant Cymru 2002-3.

Cyflwyniad i waith MENNA ELFYN

Mae Menna Elfyn wedi cyfrannu mewn modd arloesol ac unigryw i fyd barddoniaeth Gymraeg yn ystod traean olaf yr ugeinfed ganrif, gan leisio nid yn unig faterion a phryderon o safbwynt y ferch yng Nghymru, ond hefyd anghyfiawnderau a brwydrau cymdeithasol a gwleidyddol ym mhob rhan o'r byd. Ac er mwyn cyrraedd cynulleidfa mor eang â phosibl o gyfnod cynnar iawn yn ei gyrfa, gwnaeth ymdrech fwriadol i boblogeiddio barddoniaeth Gymraeg ac i gyrraedd cynulleidfaoedd di-Gymraeg drwy gyfrwng cyfieithiadau o'i gwaith.

Cyhoeddodd ei chyfrol gyntaf o gerddi, *Mwyara*, ym 1976, ac yr oedd ei defnydd o ddelweddau trawiadol a'i harddull synhwyrus yn amlwg ar un waith. Mae llawer o'r themâu y byddai yn eu datblygu yn ei chyfrolau diweddarach yma hefyd - mae yma gerddi am anghyfiawnder ieithyddol a chymdeithasol yng Nghymru, ac mewn gwledydd eraill; cerddi am eni a marw, pwysigrwydd lleoedd a phobl arbennig yn ei bywyd, a cherddi yn archwilio profiadau crefyddol hefyd. Datblygodd lawer o'r themâu hyn yn ei chyfrol nesaf, *Stafelloedd Aros*, a enillodd y wobr am gasgliad o gerddi yn Eisteddfod Genedlaethol Wrecsam, 1977. Cefndir y gyfrol honno yw bod Menna Elfyn wedi colli baban ar enedigaeth, ac mae'n archwilio y profiad hwnnw mewn ffordd cignoeth a gonest. Ond mae mwy i'r profiad na cholli plentyn - mae ei theimladau cryfion dros ei hiaith a'i gwlad yn rhan o'r profiad hefyd:

> Ni allwn fforddio colli Cymro,
> yr hyn a wnes
> fis cennin pedr,
> heb ddysgu iddo ferfau y genhedlaeth newydd,
> na dweud wrtho am 'gyfiawnder,'
> 'tegwch' ac 'etifeddiaeth' ('Colli Cymro')

Yn ystod ei chyfrolau dilynol - *Tro'r Haul Arno* (1982) a *Mynd Lawr i'r Nefoedd* (1985), a'r detholiad o'i cherddi a gyhoeddwyd ym 1990, *Aderyn Bach Mewn Llaw* - magodd Menna Elfyn ei llais unigryw, a hwnnw'n llais tyner a chryf a phenderfynol. Er ei bod yn rhan o'r symudiad i boblogeiddio barddoniaeth Gymraeg a'i chyflwyno i gynulleidfaoedd newydd mewn tafarndai a chlybiau a neuaddau drwy deithiau fel *Fel yr Hed y Frân* (1985), *Cicio Ciwcymbars* (1988) a *Dal Clêr* (1993), yng nghwmni beirdd a chantorion fel Steve Eaves, Iwan Llwyd ac Ifor ap Glyn, doedd hi ddim am greu barddoniaeth arwynebol. Mae ei cherddi yn llawn haenau trwchus o ystyr a theimlad, ac mae'r awydd i ddyfnhau a chyfoethogi ystyr a delwedd wedi cynyddu gyda'r blynyddoedd. Dyma'r darluniau a wêl yn siâp daearyddol Cymru:

> Siapiau yw hi siŵr iawn:
> yr hen geg hanner rhwth
> neu'r fraich laes ddiog
> sy'n gorffwys ar ei rhwyfau;
> y jwmpwr, wrth gwrs,
>   ar ei hanner,
> gweill a darn o bellen ynddi,
> ynteu'n debyg i siswrn
> parod i'w ddarnio'i hun;
> cyllell ddeucarn anturiaethydd,
> neu biser o bridd
> craciedig a gwag.

Dyna ddenu cyfres o ddelweddau o Gymru allan o un syniad canolog. Mae'n gwneud hyn dro'r ar ôl tro, archwilio pob haen a chongol o'r ddelwedd ganolog. Ac mae hiwmor yn bwysig hefyd, o ran cyflwyno'r cerddi'n llafar i gynulleidfa ond hefyd er mwyn tyneru tipyn ar deimladau a phrofiadau digon garw a chignoeth yn aml iawn.

Oherwydd ei bod yn ceisio gwasgu pob defnyn o ystyr o ddelwedd neu syniad, o dro i dro gall ei hiaith fod yn anodd a dyrys. Meddai Robert Rhys wrth drafod y gerdd 'Tro'r Haul Arno': 'Does dim dau nad yw geirfa a chystrawen Menna Elfyn yn peri trafferth i'r darllenydd, ac i'r darllenydd dibrofiad yn arbennig, ond nid yw hyn yn rhoi achos i ni gondemnio'r agweddau hyn ar ei harddull yn ddiamodol, yn bennaf am ei bod hi'n iawn disgwyl i ddarllenwyr barddoniaeth ymgodymu'n ddygn gydag arddull anghyfarwydd gan ganolbwyntio'n llawer mwy ymwybodol nag a wnaent gyda neges eiriol gyffredin.'

Mae'r tensiwn yna yn amlwg iawn yng ngwaith Menna Elfyn, rhwng y bardd sydd am fynd â'i cherddi at y bobol a phoblogeiddio barddoniaeth, a'r bardd sy'n credu nad rhywbeth i'w ddarllen a'i ddeall ar yr olwg gyntaf yw barddoniaeth, ond rhywbeth y mae'n talu mynd yn ôl ato i werthfawrogi y gwahanol haenau o ystyr a theimlad.

Erbyn y nawdegau roedd Menna Elfyn wedi cychwyn ar gam arall yn ei datblygiad fel bardd. I raddau, safodd y tu allan i'r 'sefydliad' barddol yng Nghymru, a oedd yn cael ei gynrychioli gan yr Eisteddfod Genedlaethol, cymdeithas Barddas a'r beirdd caeth (oedd gan fwyaf yn ddynion!). Roedd yn benderfynol o dorri ei chwys ei hun, a magodd enw iddi ei hun mewn gwledydd eraill fel Iwerddon, yr Unol Daleithiau ac Ewrop. Wrth i'r gwaith a'r darlleniadau tramor gynyddu, dechreuodd edrych ar Gymru hefyd o bersbectif gwahanol. Bu am gyfnod yn Mecsico, a chafodd waith ar gyfer y teledu o wledydd fel Fietnam. Mae'r ehangu gorwelion yma'n cael ei adlewyrchu yn ei gwaith. Er ei bod o'r cychwyn cyntaf wedi ymddiddori a phoeni am anghyfiawnderau ym mhob rhan o'r byd, roedd y teimladau a'r egwyddorion hynny wedi eu gwreiddio yn ddwfn yn nhir Cymru – yn y cyfrolau *Mwyara* a *Stafelloedd Aros*. Wrth iddi brofi'r gwledydd hyn drosti ei hun, mae ei phersbectif yn newid i raddau, er nad yw'n colli ei theimladau cryf tuag at Gymru a'r iaith. Hyd yn oed wrth fyfyrio am 'Got law yn Asheville' yng ngogledd Carolina, daw y Cymry i'r cof:

> Dadlau oeddwn ger y bar
> mor ofnus ddiantur oedd y Cymry.
> 'Fydde neb yn mentro gollwng cot law
> rhag ofn rhyw ddilyw,
> llai fyth bod mewn esgeulus wisg.
> Sych genedl yr haenau ydym,
> yn dynn at yr edau.
>
> Eto, pes gallwn,
> fe ddadwisgwn fy llwyth,
> plisgo fesul pilyn amdanynt
> a'u dirwyn at eu crwyn cryno.
> Eu gadael yn y glaw i ddawnsio,
> arloesi mewn pyllau dŵr,
> ysgafnhau mewn monsŵn o siampaen.

Mae'n bosibl gweld bwriadau Menna Elfyn ei hun yn y gerdd hon. Mae hi'n gyson wedi ceisio brwydro yn erbyn tueddiadau 'ofnus diantur' y Cymry, yn ei gwaith a'i gwleidyddiaeth, ac yn sicr mae hi wedi bod yn barod iawn i 'arloesi mewn pyllau dŵr'! Y cam nesaf yn ei hawydd i arloesi oedd cyhoeddi tair cyfrol ddwyieithog – *Eucalyptus* (1995), *Cell Angel* (1996) a *Cusan Dyn Dall* (2001). Gyda'r wasg ryngwladol Bloodaxe yn cyhoeddi ei gwaith, a rhai o feirdd di-Gymraeg pennaf Cymru – yn cynnwys Nigel Jenkins, Gillian Clarke ac R.S. Thomas – yn cyfieithu, daeth Menna Elfyn i sylw cynulleidfa ehangach fyth. Yn amlwg, creodd hyn densiynau yn ôl yng Nghymru, gyda rhai beirdd a beirniaid yn ei chyhuddo o droi cefn ar ei chynulleidfa gynhenid. Meddai T. James Jones yn ei erthygl 'Cusanau Eironig' yn *Taliesin* (Haf 2001):

Y mae cyfraniad Menna Elfyn fel lladmerydd dros Gymru a'r Gymraeg ledled y byd yn ddigamsyniol. Cydiodd yn y cyfle i ddwyn y Gymraeg i sylw amryw na chlywodd amdani cyn hyn, neu na wyddai fod y Gymraeg, o hyd, yn iaith fyw ... Felly, fel lladmerydd ar y llwyfan rhyng-genedlaethol, y mae hi, o reidrwydd, yn ddibynnol ar ei chyfieithwyr.

Mae Menna Elfyn wedi teithio yn bell a helaeth iawn yn ystod ei gyrfa fel bardd – o fod yn ymgyrchwr iaith ac athrawes yn y Gymru wledig, i fod yn fardd â'i gwaith yn adnabyddus ar lwyfannau rhyngwladol. Yn ei chyfrol gyntaf, *Mwyara*, mae ganddi gerdd i Saunders Lewis, a sbardunodd ei chenhedlaeth hi i sefydlu Cymdeithas yr Iaith gyda'i ddarlith radio 'Tynged yr Iaith':

> Dad annwyl, paid â suro – heno
> am i ni, wermod y werin,
> wrthod gwarant dy gariad;
> paid gwasgu'r clais a thristáu
> am i fwlch y gorlan gau –
> Ti oedd y Bugail.

Erbyn y nawdegau, mae'n amlwg bod ganddi fugail arall. Cyhoeddodd gyfres o gerddi yn coffáu academydd arall, gwahanol iawn ei anian a'i ddaliadau, sef yr Athro Gwyn Alf Williams. Yn wahanol i'r Saunders Lewis ceidwadol roedd Gwyn Alf Williams yn sosialydd ac yn ŵr radical iawn. Gallai Menna Elfyn gydymdeimlo â'i ddaliadau ac â'i ddehongliad o Gymru fel casgliad o ddynion a merched a fu'n gorfod ymdrechu yn barhaol i ganfod llais iddyn nhw eu hunain. Dyna'n union fu ymdrech Menna Elfyn ar hyd ei hoes. Wrth drafod cyfieithu y cerddi hynny, mae'r bardd Tony Conran yn cyfaddef ei bod yn anodd deall i ble mae geiriau a delweddau Menna Elfyn yn arwain weithiau, ond yna mae'n dweud, 'Ond yn yr ymdeimlad yma o eiriau a delweddau'n cwffio â'i gilydd – a chithau'n straffaglio gyda nhw, neu'n llifo gyda nhw, ac yn caniatáu iddyn nhw fodoli, ac heb beidio â bod yn chi eich hun yn dweud pethau, y teimlo pethau yn eich ffordd unigryw eich hun – o'r fan honno y daw'r cyffro yn eich gwaith.'

Er iddi ddod o gefndir Cymraeg traddodiadol, does dim dwywaith i Menna Elfyn dorri ei chwys ei hun ac agor gorwelion newydd yn hen hanes barddoniaeth Gymraeg. Ond er iddi grwydro ym mhell yn ei hymchwil am ei llais a'i mynegiant ei hun, mae un egwyddor sylfaenol yn dal i'w gyrru – rhoi statws ac urddas i'r iaith Gymraeg – a'r rhyddid i sefyll ysgwydd yn ysgwydd â ieithoedd a diwylliannau eraill ar lwyfannau'r byd.

STUDIO 4 CERDD

LLADRON NOS DYCHYMYG

Cusan Dyn Dall, Bloodaxe, 2001, tud. 30

Cyflwyniad gan Menna Elfyn

Cerdd sy'n olrhain hanes salwch hen berson, gan adrodd yn ôl rhai o'r pethau yr oedd yn eu dychmygu yn ei salwch. Ceisiais wneud hyn gan ddefnyddio tipyn o hiwmor. Does fawr o eisiau traethu am y salwch, dim ond ceisio dangos pa mor afresymol yw'r syniadau a gafodd y person dan sylw.

Gair am air

pocer coch	blodyn lili'r ffagl (*red hot poker* yn Saesneg)
tafell	sleisen
stablad	camu fel ceffyl
ellylla	hel bwganod
llechleidr	lleidr yn llechu

Sylwi ac ystyried

1. Cerdd am hen berson yn dechau drysu yw'r gerdd hon. Mae'n meddwl bod dynion yn dod ganol nos i chwalu ei gardd a dwyn darnau o'i lawnt. Mae'r bardd yn holi'r hen berson yn annwyl – ai corachod sy'n dod i'w gardd, neu ddynion bach gwyrdd o'r gofod. Mae rhai yn dweud mai ail-blentyndod yw henaint, a bron iawn nad ydi'r bardd fel petai yn siarad â phlentyn yn y gerdd hon.

2. Mae yna awgrym bod yr hen berson yma wedi bod yn berson byw ei dychymyg gydol ei hoes. Mae'n cael ei galw yn 'gyfarwydd'. Y 'cyfarwydd' oedd y person oedd yn dweud straeon ers talwm, a 'dawn y cyfarwydd' yw dawn dweud straeon. Er ei bod yn dechrau drysu, mae'r hen wraig yn dal i fedru dweud straeon. Mae ei dychymyg yn dal yn fyw. Erbyn hyn mae gan y gair 'cyfarwydd' ystyr arall. Beth yw ei ystyr i ni heddiw, a pham ei fod wedi datblygu yr ystyr hwnnw?

3. Mae hon yn gerdd eithaf ysgafn ac annwyl. Ond eto mae yna gysgod tywyll ar y diwedd. Pwy yw y 'llechleidr' go iawn sy'n cuddio

44

tu ôl i'r gwrych?

CELL ANGEL
Cell Angel, Bloodaxe, 1996, tud. 20

Cyflwyniad gan Menna Elfyn
Cerdd sy'n ceisio ymbellhau oddi wrth y testun, ac oherwydd hynny ychydig yn anodd efallai. Hanes bachgen 15 mlwydd oed sydd yn y gerdd, ac mae o wedi ei gloi mewn canolfan gaethiwo am na all reoli ei ddicter. Ar ôl sgwrsio â'r bachgen dywedodd y medrai ganu'r piano, a chawsom fynd i'r neuadd er mwyn iddo gyflwyno cân neu ddwy i mi. Ond y gwir oedd nad oedd yn medru chwarae, dim ond *Twinkle twinkle little star*. A dyma ddechrau meddwl am yr angylion yn hanes y Beibl, a oedden nhw hefyd mor dda â hynny? Mae rhan olaf y gerdd yn defnyddio'r awydd a'r dychymyg i ddianc i fyd lle mae'r amhosibl yn bosibl, a daw bechgyn eraill y Ganolfan i chwerthin am ei ben yn y gwydr uwchben y drws. Daw realiti i gloi'r gerdd – alaw cariad yw bardd wedi'r cyfan.

Gair am air
perdoneg	piano
cwotâu	fel y cwotâu ar laeth a defaid ym myd amaeth
meidrolyn	person dynol

Sylwi ac ystyried
1. Fel yng nghynifer o'i cherddi, mae cydymdeimlad Menna Elfyn yn y gerdd hon gyda'r difreintiedig, y bachgen ifanc sydd wedi ei gloi mewn canolfan ddiogel oherwydd na all reoli ei ddicter. Mae hanner cyntaf y gerdd yn disgrifio'r digwyddiad, a chymeriad y bachgen. Mae'n cymryd arno ei fod yn medru canu'r piano er mwyn dianc o'i gell i'r neuadd eang. Ond twyll yw'r cyfan, a dim ond alaw syml 'Twinkle twinkle little star' mae'n gallu ei chwarae. Mae ei freuddwyd yn chwalu 'ym mherfedd y berdoneg'. Mae llinellau olaf y rhan gyntaf yn cyfleu y dadrithiad yma i'r dim. Pa eiriau mae'r bardd yn eu defnyddio i ddisgrifio'r dadrithiad yma?
2. Yn ail hanner y gerdd mae'r bardd yn dyheu am fedru helpu'r bachgen i ddianc o'i gaethiwed trwy feistroli dawn gerddorol. Mae'n holi pam mai rhai yn unig sy'n meddu ar ddoniau angylaidd. Pam na

all bechgyn drwg fod yn angylion? A oes rheswm, neu ryw ddywediad cyffredin, sydd wedi peri i'r bardd gysylltu'r bachgen drwg ag angylion?

3. Beth yw arwyddocâd y penill olaf? Fel yn hanner gyntaf y gerdd, mae'r ail hanner yn gorffen gyda dadrithiad. Pam fod y bardd yn teimlo'n rhwystredig ar ddiwedd y gerdd?

4. Unwaith eto, unedau tair llinell gan fwyaf mae Menna Elfyn yn eu defnyddio yn y gerdd hon, a'r rheini'n aml yn goferu i'w gilydd. Mae hi'n hoff o ddefnyddio y ffurf yma. A fyddai modd gosod y gerdd ar ffurf wahanol?

CÂN Y DI-LAIS I BRITISH TELECOM

Eucalyptus, Gwasg Gomer, 1995, tud. 6

Cyflwyniad gan Menna Elfyn

Mae'r gerdd hon yn ymateb i ymgyrch *Speak up!* BT pan oedd y cwmni yn cael ei breifateiddio yn yr 1980au. A dyna ddechrau meddwl am yr holl bobol di-lais sydd o fewn cymdeithas. Mae'n cychwyn gyda'r teulu wrth gwrs, yna mae'r gerdd yn ymestyn i gynnwys pobloedd eraill, gan ddychmygu sefyllfa lle na fydd neb o gwbwl yn medru ein deall. Mae ail ran y gerdd yn ceisio edrych ar sefyllfa cenhedloedd eraill sydd a'u hunaniaeth ar chwâl – Cwrdiaid, pobl o Balesteinia neu Afghanistan, ac mae'r gerdd yn cloi gyda'r ddelwedd o gerdd dant, gyda dwy alaw, neu un brif alaw, a'r gân arall ar ei thraws. Dyna ddelwedd o'r Gymraeg a'r Saesneg yn cyd-daro â'i gilydd.

Gair am air

goganu	dychanu
myngial	mwmblo
litani	math o weddi
cyfrinia	cynllwynio yn y dirgel
meidrol	fel bywyd dyn, yn dod i ben
mydrau	mesurau mewn barddoniaeth

Sylwi ac ystyried

1. Dyma enghraifft o gerddi mwy uniongyrchol wleidyddol Menna Elfyn, sy'n deillio o'i pherthynas hir â'r mudiad iaith yng Nghymru.

Roedd ymgyrch fawr gan Gymdeithas yr Iaith a Cefn ac eraill i sicrhau bod BT yn defnyddio'r Gymraeg ar raddfa gydradd â'r Saesneg ar ôl i'r cwmni gael ei breifateiddio yn yr 1980au. Mae'r gerdd hefyd yn enghraifft o gerddi mwy perfformiadol y bardd, ac mae'n agor gydag elfen ddoniol/ddychanol, wrth i'r bardd ofyn yn Gymraeg am rif yng Nghaerdydd, a swyddog BT yn ateb yn Saesneg. Mae'r gwrthdaro, neu'r berthynas yna rhwng y ddwy iaith sy'n byw ochr yn ochr yng Nghymru yn cael ei godi eto gyda'r ddelwedd o gerdd dant ar ddiwedd y gerdd.

2. Mae llawer o'r gerdd yn ymwneud â'r llais a siarad. A fedrwch chi ganfod a rhestru y gwahanol eiriau neu ymadroddion sy'n ymwneud â'r llais neu siarad yn y gerdd?

3. Wrth fyfyrio ar sefyllfa y Gymraeg yng Nghymru mae'r bardd yn sylwi ar ieithoedd a diwylliannau eraill sy'n cael eu bygwth neu eu gomesu gan iaith fwyafrifol. A fedrwch chi feddwl am enghreifftiau o ieithoedd lleiafrifol eraill heblaw'r Gymraeg sy'n bwydro i gael eu clywed?

4. Daw'r ymadrodd 'efydd yn seinio' o'r Beibl. Beth oedd cefndir a chyd-destun yr ymadrodd hwnnw gan San Paul yn ei lythyr enwog at y Corinthiaid?

5. Mae'r gerdd yn gorffen gyda delwedd drawiadol cerdd dant, lle mae lleisiau'r cantorion yn canu alaw wahanol i alaw'r delyn neu'r offerynnau eraill, ond er hynny, mae pawb yn gorffen ar yr un nodyn. Beth ydych chi'n feddwl ydi awyddocâd y ddelwedd hon?

HARLEM YN Y NOS

Cusan Dyn Dall, Bloodaxe, 2001, tud.100

Cyflwyniad gan Menna Elfyn

Stori am daith sydd yma, ac am orfod teithio yn hwyr y nos (neu yn gynnar iawn rhwng un a dau y bore) mewn ardal ar gyrion Efrog Newydd lle mae llawer o bobol Iddewig yn byw. Yna teithio trwy ardal Harlem a'i phoblogaeth ddu. Yr unig fath o dacsis a geir yno yr adeg honno o'r nos yw hen geir gyda phobl Sbaenaidd yn eu gyrru. Cerdd yw hi am y daith sy'n croesi ffiniau o'r gymuned Iddewig i'r gymuned ddu, tra oeddwn yn siarad Sbaeneg â'r gyrrwr. Yna, dyna gyrraedd Manhattan lle mae holl oleuni'r byd yn cael ei ddefnyddio. Yng nghanol y mannau tywyll, tlawd, roeddwn i'n teimlo'n wyn, ac yn Gymraes! Mae'n siŵr ei bod yn daith tebyg i daith y caethweision slawer dydd, yn llawn dieithrwch ac ymddieithredd.

Gair am air

Chicano	Americanwr o dras Sbaenaidd
Dachau a Buchenwald	gwersylloedd y Naziaid i ddifa'r Iddewon yn yr ail Ryfel Byd
Harlem	ardal o Efrog Newydd lle mae'r bobol dduon yn byw
Manhattan	yr enw brodorol ar yr ynys lle saif Efrog Newydd
sgaldanu	llosgi, deifio
palf	llaw

Sylwi ac ystyried

1. Dinas a grewyd gan fewnfudwyr yw dinas enfawr Efrog Newydd. O'r ddeunawfed ganrif ymlaen daeth pobl yma o bob rhan o'r byd am wahanol resymau. Rhai yn dianc rhag tlodi ac erledigaeth, eraill yn cael eu cluudo yma yn gaethweision, eraill yn chwilio am rhyw gyfle a rhyddid newydd. Mae'r Cerflun Rhyddid (*Statute of Liberty*) wrth geg y porthladd yn cynrychioli'r gobaith newydd yma, ac ar Ynys Ellis gerllaw y byddai'r dinasyddion newydd yn cael eu cofrestru a'u prosesu cyn cyrraedd y ti mawr. Oherwydd hyn mae'r ddinas yn glytwaith o wahanol ardaloedd a chan bob un ohonyn nhw ei chymeriad arbennig ei hun. Mae yna ardal Eidalaidd a Tseinïaidd, Groegaidd a Sbaenaidd. Ac yn y gerdd hon mae'r bardd yn teithio o'r ardal Iddewig, gyda'i holl atgofion erchyll am yr Ail Ryfel Byd, drwy Harlem, ardal y bobol dduon, nes cyrraedd goleuadau llachar Manhattan.

2. Mae Efrog Newydd hefyd yn ddinas o bob math o wahanol ieithoedd. Americanwr yn siarad Sbaeneg sy'n gyrru'r tacsi, ac mae'r bardd yn siarad Sbaeneg ag o. Ar ôl teithio trwy'r gwahanol ardaloedd, mae hi'n medru cydymdeimlo â'r bobol o wahanol gefndiroedd sy'n byw ar gyrion Manhattan. Beth yn y gerdd sy'n awgrymu hynny?

3. Hanes taith sydd yma, ac mae i bob taith fel arfer ddechrau, canol a diwedd. Ond mae'r bardd yn creu teimlad yn y gerdd o fod ar y daith, drwy'r tywyllwch, ac yr ydym ninnau'n rhannu'r daith honno.

MENNA ELFYN

Pa eiriau, neu ddywediad sy'n cael ei ail-adrodd yn y gerdd i awgrymu nad yw'r daith eto ar ben? A oes yna daith arall, yr ydym i gyd yn ei theithio, sydd efallai yng nghefn meddwl y bardd wrth ddisgrifio'r daith drwy Efrog Newydd?

Dyfyniadau am MENNA ELFYN

Dichon na allai hi byth sgrifennu cyfrol arall gyffelyb i hon, gan mor ddibynnol ydyw ar rym y profiad unigryw hwn ... does dim amheuaeth gen i nad yw'r gyfrol yn wir gofiadwy ac yn fyw; y mae mwy na dweud angerdd yma - y mae yna ddweud celfydd.

Athro Bobi Jones am y gyfrol *Stafelloedd Aros*, 1977

Y bardd Cymraeg cyntaf mewn pymtheg can mlynedd i wneud ymdrech ddiffuant i dynnu sylw i'w gwaith y tu allan i Gymru.

Mae cyhoeddi cerddi newydd gyda chyfieithiad Saesneg cyfochrog yn beth digon cyffredin yn Iwerddon a'r Alban... mae'n briodol mai Menna Elfyn yw'r gyntaf i ddilyn y trywydd hwn (yn Gymraeg), gan ei bod yn fardd sydd â llawer i'w ddweud wrth y darllenydd di-Gymraeg, ac sy'n awyddus i groesi ffiniau mewn sawl ffordd.

Tony Conran, rhagair *Eucalyptus*, 1995

... mae hi'n fardd sy'n hoff iawn o chwarae ag iaith o ran sŵn a geirfa...
'Yn ei cherddi diweddaraf mae Menna'n estyn delweddau ac yn tynnu arwyddocâd allan ohonynt mewn modd cyffrous iawn... Ei method yn aml iawn yw cymryd rhyw ddigwyddiad neu rywbeth a ddywedir wrthi yn fan cychwyn a datblygu'r potensial delweddol sy'n ymhlyg ynddo...
Mae Menna Elfyn ar ei gorau, i'm tyb i, pan fydd yn cysylltu ei phrofiad personol â chyflwr y byd ... mae'i barddoniaeth yn gorfforol iawn, yn ymwybodol o boenau'r corff ac eto hefyd yn ymhyfrydu yn ei gryfderau a'i synwyrusrwydd. Ac yn debyg i Waldo Williams, mae'i phryder ynghylch gormes a thrais wedi'i wrthbwyso gan ei ffydd mewn daioni a'r rhwymau sy'n cydio'r ddynoliaeth.

Dafydd Johnston, yn adolygu *Eucalyptus*, *Taliesin*, Hydref 1995

Cerddi serch yw'r rhain sy'n dangos aeddfedrwydd a phrofiad, ond sydd heb golli'r angerdd sydd mor angenrheidiol er mwyn llunio cerdd serch dda...

Nid yn unig y mae angen cydnabod fod Cusan Dyn Dall/Blind Man's Kiss yn un o'r cyfrolau gorau o farddoniaeth i gael ei chyhoeddi yn y flwyddyn 2001, hyd yma, ond dylid hefyd canmol y ffaith fod Menna Elfyn wedi dangos ei bod yn eangfrydig a'i bod yn fardd sydd yn ceisio ac yn llwyddo i gyflwyno barddoniaeth Gymaeg i weddill Prydain ac, yn wir, i'r Unol Daleithiau a'r ru hwnt.

Aneirin Karadog, *Barddas*, Mehefin/Gorffennaf 2001

Prif ragoriaethau *Cusan Dyn Dall/Blind Man's Kiss* yw'r delweddu nodedig sy'n britho'r gwaith, y gallu i weld yr anghyfarwydd yn y cyfarwydd, ambell droad ymadrodd annisgwyl, hiwmor dychanol a'r sensitifrwydd dwfn sy'n osgoi sentimentaleiddiwch...

Y mae cyfraniad Menna Elfyn fel lladmerydd dros Gymru a'r Gymraeg ledled byd yn ddigamsyniol. Cydiodd yn y cyfle i ddwyn y Gymraeg i sylw amryw na chlywodd amdani cyn hyn, neu na wyddai fod y Gymraeg, o hyd, yn iaith fyw.

T. James Jones, *Cusanau Eironig*, *Taliesin*, Haf 2001

Beth yw barddoniaeth mewn ffordd ond ceisio diriaethu popeth.

Dyfyniadau gan MENNA ELFYN

Ydw, rwy'n meddwi ar eiriau, yn llawer rhy ymhongar gyda nhw. Awgrymodd y wasg 'mod i'n cynnwys troednodiadau i esbonio ambell air yn fy ngherddi, ac efallai fod hynny'n tynnu wrth rym y gair. Ond a ddylai rhywun symleiddio iaith oherwydd bod yr iaith wedi'i llygru gymaint, neu a ddylai rhywun ddefnyddio geiriau sydd wedi'u storio yn y pen?

Y Traethodydd, Ionawr 1986

Mae'n grêt perfformio yn Gymraeg lle mae'r iaith yn cael ei gwerthfawrogi. Roedd pobol yn dod ata' i ac yn gofyn am glywed mwy. 'Mae'ch iaith chi mor bert,' medden nhw ... Yr hyn oedden nhw'n ei fwynhau fwya', rwy'n credu, oedd cerddoriaeth naturiol yr iaith. Dyna sut oedden nhw'n gallu gwerthfawrogi heb ddeall yr un gair.

Golwg, Hydref 10, 1996

Un o'r croesdyniadau i genhedlaeth yr 1960au hwyr oedd y ffaith ein bod ar y naill law yn dyheu am adfer (heb berthyn i Adfer, sef y mudiad adweithiol ym marn llawer ohonom) yr iaith a'r diwylliant Cymraeg a Chymreig, tra ar yr un pryd yn ffoli ar bob dim Americanaidd boed hynny'n ffilmiau neu gerddoriaeth y felan. Yn fy achos i, barddoniaeth America a'm gwnaeth yn forwyn iddi.

... mewn byd o leiafrifoedd, mae bod yn Gymraes ar aden cân yn rhan o'r gynhysgaeth y'm ganwyd iddi. A'r reddf o fod yn annibynnol ymneilltuol hefyd yn her ac yn sialens i oroesiad Cymru. Yn fwy na dim yn gynhaliaeth i artist sy'n gwyro rhwng anarchiaeth a threfn.

'America: Cymhlethdod o Achlysuron',
Gweld Sêr: Cymru a Chanrif America,
Gol. M Wynn Thomas, Gwasg Prifysgol Cymru, 2001

Gall barddoniaeth ein llonni. Gall gosi a brifo. A gall ein gwella hefyd. Yn fwy na dim, fe all cerddi ein hatgoffa ni o'r hyn ydym ni. A thrwy wneud hynny ein synnu o hyd ac o hyd.

'Rhagair', Ffŵl yn y Dŵr, (gol. Menna Elfyn), Gomer, 1999

Rhaid bod cariad fy nhad at lenyddiaeth wedi cael rhyw effaith arnom, achos llwyddodd fy chwaer, fy mrawd a minnau i raddio yn y Gymraeg.

Camgymeriad mawr, ar fy rhan i oedd gwneud hynny, gwelaf hynny nawr. Athroniaeth ddylwn i fod wedi ei astudio, ond dyna ni; mae fy mab yn graddio eleni mewn Athroniaeth, felly mae hynny'n fendithiol. Mae bardd drwy'r amser yn ymwneud â gwirioneddau mawr bywyd, y da a'r drwg, felly i ryw raddau mae bod yn fardd yn golygu bod yn athronydd – heb radd!

... Byddai sgyrsiau am lenyddiaeth yn digwydd yn naturiol yn ein tŷ ni, ac roedd gan fy nhad lyfrgell enfawr (i lygaid plentyn beth bynnag). Anaml, er hynny, y byddwn yn dangos fy ngwaith iddo, yn enwedig yn y cyfnod cynnar. Rhyw deimlad o ansicrwydd a theimlo'n annigonol hefyd. Mae hi wedi cymryd blynyddoedd i mi dderbyn mai dyma'r peth a wnaf, fel bywoliaeth. Mae e'n dal i deimlo'n ymarfer hunandybus ac yn fath ar foethusrwydd i dreulio diwrnodau'n troi geiriau yn fy mhen ac ar bapur.

Cyfweliad â Menna Lloyd Williams, Y Tyst, 6 Mehefin, 2002

DARLLEN PELLACH

Mwyara, Gwasg Gomer, 1976
Stafelloedd Aros, Gomer, 1977
Tro'r Haul Arno, Gomer, 1982
Mynd Lawr i'r Nefoedd, Gomer, 1982
Aderyn Bach Mewn Llaw, (detholiad) Gomer, 1990
Eucalyptus, Bloodaxe, 1995
Cell Angel, Bloodaxe, 1996
Ffŵl yn y Dŵr, (gol. Menna Elfyn – casgliad i bobol ifanc), Gomer, 1999
Cusan Dyn Dall/Blind Man's Kiss, Bloodaxe, 2001

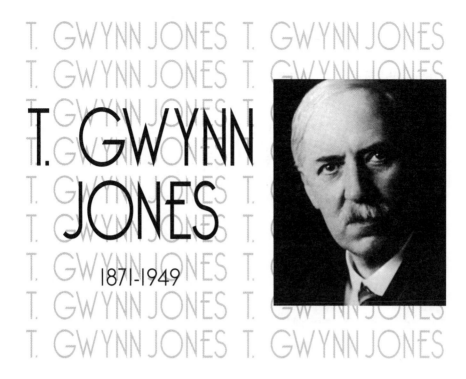

T. GWYNN JONES

1871-1949

Ganwyd yn Gwyndy Uchaf, Betws-yn-Rhos, Dinbych yn 1871. Yr hyn sy'n hynod amdano yw na chafodd fawr o addysg ffurfiol ond yn sgil diddordeb ei dad mewn llenyddiaeth a barddoniaeth fe ymrodd T. Gwynn Jones i ddarllen yn eang. Trodd at fyd newyddiadurol ar ddechrau'i yrfa rhwng 1890 hyd at 1909, fe weithiodd ar sawl papur newydd gan gynnwys *Baner ac Amserau Cymru* a'r *Herald Gymraeg*.

Taniwyd ei ddiddordeb mewn llenyddiaethau a ieithoedd eraill o bob math, ac fe'i hysbrydolwyd i astudio hen farddoniaeth Gymraeg gan ysgolheigion megis J.E. Lloyd. Gweithiodd, am gyfnod, fel catalogydd yn y Llyfrgell Genedlaethol. Fe'i penodwyd yn ddarlithydd yn y Gymraeg yng Ngholeg Prifysgol Cymru, Aberystwyth yn 1913 ac yna daeth yn Athro ar Lenyddiaeth Gymraeg yn yr un coleg, rai blynyddoedd yn ddiweddarach.

Yn ddi-os, T. Gwynn Jones oedd un o gewri'r ugeinfed ganrif, a bu ei gyfraniad i lenyddiaeth yn aruthrol o eang. Fel bardd, ysgolhaig, cyfieithydd, cofiannydd, nofelydd, dramodydd, beirniad a newyddiadurwr, roedd yn sefyll ar ei ben ei hun ymysg ei gyfoedion llengar.

Ac eto, fel bardd a wnaeth dorri tir newydd ym myd barddoniaeth y meddyliwn amdano. Pan enillodd y gerdd 'Ymadawiad Arthur' gadair yr Eisteddfod Genedlaethol yn 1902, fe achosodd gryn gynnwrf ymhlith y Cymry. Bu hyn yn fan cychwyn ar weithiau cyfoethog o ran naratif a ffurf: cerddi megis 'Gwlad y Bryniau' (1909), 'Tir Na n-Óg' (1910), 'Madog' (1917), 'Broseliawnd' (1922), 'Anatiamaros' (1925), ac 'Argoed' (1927). Yr hyn sy'n hynod am y rhain yw eu bod yn gwneud defnydd o chwedlau Celtaidd gan geisio deffro dychymyg y Cymry i weld o'r newydd themâu megis trasiedi dyn, a Pharadwys. Yn hyn o beth, roedd yn debyg i W.B. Yeats ac yn awyddus nid yn unig i greu mesurau newydd arwrol yn y Gymraeg ond i 'godi'r hen wlad yn ei hôl'. Nododd mewn un llythyr at gyfaill: '*I am basically an Irishman*'.

Fel person, roedd yn hynod o hyglwyfus a medrai deimlo pethau i'r byw. Roedd pob rhyfel yn ei frifo i'r eithaf. Gweithiai mor galed nes i'r straen ddweud arno o dro i dro, a gofidiai ei dad amdano yn aml iawn gan ei fod yn gorweithio. Eto i gyd, medrai ymddwyn fel gwerinwr yn helpu ar ffermydd adeg cynhaeaf. Hyn sydd i gyfri, efallai, am y ffaith iddo ddotio at fyd natur a gweld ei holl ogoniant wrth ganu amdano mewn modd telynegol a syml ('Penmon').

Yr hyn a wnaeth T. Gwynn Jones yn ffigwr mor bwysig fel bardd yw'r ffaith na wnaeth laesu dwylo a bodloni ar un dull o ganu. Yn hytrach, fe newidiodd ei ffordd o ganu yn llwyr yn ystod 1934 ac mae'r gyfrol Y *Dwymyn* (1944) yn dyst i'w ddull modernaidd o edrych ar bethau ar ôl y cyfnod rhamantaidd a chlasurol. Mae cerddi fel 'Y Saig' a 'Dynoliaeth' yn dangos yn glir y newid mewn arddull a'r mentro ym myd y wers rydd a'r gynghanedd. Dyma enghraifft arall ohono'n gwthio ffiniau yr hyn a oedd yn bosib mewn barddoniaeth Gymraeg. Nid yw ei ddisgyblaeth byth yn pallu, er hynny ac mae olion y gynghanedd yn dal i gael ei chlywed a'i theimlo yn ei waith. Byddai'n ailddiwygio cerddi yn barhaus heb fodloni ar ei awen – a hynny er y canmol mawr a roed iddynt gan feirniaid. Hyn eto, efallai, sydd yn gyfrifol am ei lwyddiant. Ef oedd y beirniad mwyaf ar ei waith ei hun ac er ennill gwobrau lu, roedd yn ddiymhongar iawn ynglŷn â'i gampau. Er i rai geisio ymgyrchu iddo gael gwobr Nobel am ei lenyddiaeth, gofynnodd i Saunders Lewis, a oedd i lunio'r cais i beidio â gwneud hynny. Yr oedd, er hynny yn llawn o groesdyniadau ac mi dderbyniodd anrhydedd gan y Frenhines yn Llundain ar ddiwedd ei oes.

TRWY LYGAID MENNA ELFYN

Dychmygwch y chwedegau hwyr, yng Nghymru, Na, doedd hi ddim yn 'oes rydd' fel y mynnai'r sloganau ddatgan. Oes gaeth iawn oedd hi mewn gwirionedd. A chyfnod pan oedd yr iaith ar drai a phobl fel Saunders Lewis mewn darlith enwog o'r enw 'Tynged yr Iaith' (1962) yn proffwydo ei thranc. I mi yn ddwy ar bymtheg oed, roedd yn gyfnod llawn berw a minnau'n derbyn fy addysg yn gyfan gwbl trwy gyfrwng yr iaith Saesneg. Fe gaem y Gymraeg, fel gwers, unwaith y dydd, a dim ond ar ddydd Gwener y caem ddarllen cerdd. Y drefn oedd y caem ddarllen cerdd yn y dosbarth ac yna ei dysgu ar gof erbyn y Gwener dilynol. Yna, byddem yn ei hadrodd gyda'n gilydd fel parotiaid a'r athrawes yn gwylio gwefusau pawb er mwyn cosbi'r drwgweithredwyr. Weithiau, byddwn yn cael ei hadrodd ar fy mhen fy hun gan y gwyddai'r athrawes gymaint yr hoffwn y gwaith cartref llafar hwn. Roedd adrodd cerdd yn fwynhad, yn gyfle i glywed cerddoriaeth ar dafod. Hyn oll, cyn i mi wybod dim am gerdd dafod.

Cerddi digon diddorol oedden nhw wedi'r cyfan. Ac eto? Na, doedd yna ddim byd arbennig o gyffrous. Cerddi am goed afalau, a'r hydref, ambell un am y môr a'i donnau ar dro. Ond tonnau eraill a fodolai y tu mewn imi wrth glywed rhai'n gweiddi arnaf ar yr iard: *'You're speaking a dead language'*. Ac roedd llawer o'r rheiny yn medru'r Gymraeg neu'n ei siarad hi ar yr aelwyd!

Yng Nghymru hefyd yr oedd Tryweryn yn destun dicter. Ac Arwisgo Tywysog Cymru i ddigwydd yng Nghaernarfon y flwyddyn honno (1969) a llawer ohonom gyda'r nos yn paentio pontydd gyda 'Dim Tywysog Lloegr i Gymru' mewn paent gwyn.

Ond beth sydd a wnelo hyn â T. Gwynn Jones? Wel, fe oedd fy nhywysog i. A digwyddodd arwisgo arall i mi yn sgil ei gerdd. Daeth fel mantell ar fy nghefn. A dyna a wnaeth fel bardd, sef canu gyda gwisgoedd newydd, er i'r brethyn fod yn un hen. Fel W.B. Yeats, ei arwr awenyddol a ganodd:

> *I made my song a coat*
> *Covered with embroideries*
> *Out of old mythologies*
> *From heel to throat;*
> *But the fools caught it,*
> *Wore it in the world's eyes*
> *As though they'd wrought it.*
> *Song, let them take it,*

For there's more enterprise
In walking naked.

T. Gwynn Jones a achubodd y ferch fach ddig honno, ie, gan rym y gair gloyw. Iaith cariad yw iaith cerddi. A do, fe ffoles yn llwyr gyda'r bardd hwnnw.

Ac wrth edrych yn ôl yn awr, gallaf weld mai siwrne debyg a gawsom ill dau, er nad wyf deilwng i sôn am gymariaethau. Ond hanner can mlynedd o flaen y ferch benchwiban honno y daeth T. Gwynn Jones i ganu am yr un ofnau. Ofnau cyfnos Cymru. Ofni gweld diflaniad yr hyn y soniwyd amdano ar y pryd fel *Celtic twilight*. Credodd yntau fod gwareiddiad ar drai, a'r byd Celtaidd yn prysur ddiflannu. A daeth rhyfel byd, a rhwyddino'r dianc i fydoedd eraill a'i wneud i gwestiynu gwladgarwch a gwareiddiad.

Fel y gwnaeth llawer bardd o'i flaen, ac ar ei ôl, ffoi i fyd y dychymyg a wnaeth. Dianc i fyd mytholeg a chwedlau. Ailddarganfod hen hanesion pellennig a'u gwisgo o'r newydd. Gwnaeth sawl peth ar yr un pryd gyda'i awen felly, sef cyflwyno o'r newydd i'r Cymry hanesion a aeth yn angof iddynt. Twrio hefyd yn y byd cyn-Gristnogol a dod o hyd i fyd a fodolai cyn eglwys a chapel.

Gwnaeth gymwynas arall hefyd â ni. Fe gododd yr heniaith yn ei hôl drwy ei dyrchafu unwaith eto, a rhoi iddi ddisgleirdeb o'r newydd. Daeth geiriau fel *araul* (disglair) ac *amor* (llwydd) yn eiriau a ddysgais, a'u defnyddio weithiau mewn dadl pan oedd rhai'n ceisio dweud mai dim ond bratiaith oedd y Gymraeg bellach.

Trodd barddoniaeth yn gelfyddyd drwy ddefnyddio'r gynghanedd mewn dull newydd, heriol. Roedd cerddi hirion y cyfnod o'i flaen wedi mynd yn feichus o ddiflas gyda'r pwyslais ar rethreg a thechneg, a fawr dim arall. Llwyddodd T. Gwynn Jones i chwistrellu newydd-deb i'r hen fesurau a'i wneud mewn dull credadwy. Nid 'welwch-chi-fi' mo'i ddawn, ond yn hytrach 'welwch-chi-nhw', y cymeriadau oedd yn mynd â'i fryd: Madog, Osian, Cynddilig ac Anatiamaros. Hwynt hwy oedd ei gewri ef ac fe roddodd iddynt holl urddas ei awen. Bron na theimlwn ei fod, fel Dickens, yn wylo gyda'i gymeriadau. Ac allan o freuddwydion y crëwyd ei gerddi fel yng ngeiriau W.B. Yeats: '*Dream, dream, for this is also truth.*'

Yn y fro ddedwydd mae hen freuddwydion
A fu'n esmwytho ofn oesau meithion;

Byw yno byth mae pob hen obeithion,
Yno, mae cynnydd uchel amcanion.   (*Ymadawiad Arthur*)

Fe ddysgodd T. Gwynn Jones imi mai angerdd a chrefft oedd arfau pwysica'r awen. Yr angerdd i deimlo. Nid oes eisiau poeni am ddeall pob llinell a gair. Bydd cerdd yn aros i'w hailddarganfod gobeithio gan genedlaethau sy'n dod ar ei hôl. Dyna sy'n eironig efallai, sef ein bod yn dilyn barddoniaeth ac eto fe â o'n blaenau hefyd gan fod barddoniaeth yn iaith yr 'ie' neu'r 'ydwyf' ac yn rhan o'r gred y gall y byd fod yn wahanol.

Ond mawredd T. Gwynn Jones yw'r ffaith na wnaeth laesu dwylo â'i awen na bodloni ar greu'r newydd-deb y soniais eisoes amdano am gyfnod yn unig. Y mae a wnelo ei fawredd â'r ffaith iddo gefnu ar y byd rhamantaidd y cychwynnodd ynddo a chamu'n dalog i fyd modernaidd. Gwelodd hylltod bywyd hefyd a'i wrthuni yn ogystal â throi at y wers rydd er i'r gynghanedd anadlu drosti. Fe gafodd ei alw gan rai yn 'dad y moderniaid' ac mae'r beirdd a'i ddilynodd yn cydnabod ei ddylanwad arnynt, beirdd fel R. Williams Parry, Gwenallt ac eraill.

Yr hawl i freuddwydio am ieuenctid tragwyddol, a'r hawl i gredu yn y *spiritus mundi* ('y cof mawr', chwedl Yeats), dyna sy'n hudol am ei farddoniaeth. A fyddai barddoniaeth Gymraeg mor boblogaidd a llewyrchus heddiw oni bai amdano a'r harddwch a fynegodd am serch a dynoliaeth?

Dof yn ôl i dŷ f'anwylyd,
Heriwn wlad a nofiwn li,
Heb un ing wynebwn angau
Mal y down i'th ymyl di.   (Eiliw Haul o 'Dir na n-Óg')

Cofio dotio at gerdd am 'Y Bedd'. Rhyw bethau pruddglwyfus felly sy'n mynd â bryd rhai yn eu harddegau, ynte? Dotio at y ffaith iddo weithio soned ond o graffu eto, weithio ffurf yr englyn yng nghalon y gerdd gyda'r odlau unig, frig, ddig, rhyfig . . .

(Y Bedd, ddu annedd unig) (ynot ti
Is tawel ywen frig) mae huno mwyn;
(Angof a ddaeth ar ing fu ddig) a chwyn;
(Arefi bob rhyw ryfig) . . .

Ond nid y mesur sy'n gofiadwy yn gymaint â'r syniad:

> Dim, – oni roed mai yn yr adwy hon
> Y daw ar ddyn freuddwyd nad edrydd iaith!

A dyna adleisio syniad Shakesperaidd yng nghymeriad Hamlet,

> *To sleep, perchance to dream: ay there's the rub*
> *For in that sleep of death what dreams may come, ...*

Yr hyn a fydd yn aros yng ngwaith T. Gwynn Jones yn bennaf yw ei allu i lunio cymeriadau credadwy a'n cael i gydymdeimlo â'r rheiny, boed y cymeriad yn Anatiamaros sy'n symud o un byd i fyd arall, Osian a'i awydd am fywyd tragwyddol, neu Madog h.y. yn wynebu'r storm arwaf. Ac yna, mae Cynddilig, a Broseliawnd heb sôn am y cymeriadau yn 'Ymadawiad Arthur'. Dyma chwedlau sy'n dod yn fyw i ni bob tro y darllenwn ei gerddi. Bardd panoramig yw yn ôl un beirniad. Yn fy marn i, T. Gwynn Jones yn anad neb a roddodd fri a disgleirdeb i'r iaith ynghyd â gweledigaeth fawr yn ei haruthredd.

Ni cheir dawn fawr heb ei 'ffrewyll' hefyd. A pho fwya y ddawn, mwyaf y bo'r 'min ar y chwip'. Ni ellir darllen T. Gwynn Jones heb deimlo ôl y chwip yn tasgu'r aer ac yn cyffroi moroedd yr enaid.

MADOG
Caniadau, T. Gwynn Jones, Hughes a'i Fab, 1934, tud. 87

Cyflwyniad

Yn ôl amryw o feirniaid, 'Madog' yw prif gampwaith T. Gwynn Jones. Ysgrifennwyd y gân yn 1917-18, adeg y Rhyfel Byd Cyntaf a dywedodd T. Gwynn Jones ei hun iddo gyfansoddi'r gerdd fel rhyw fath o ddihangfa rhag erchylterau'r cyfnod. Â ymlaen i ddweud: 'Nid ymddengys fod neb wedi deall hynny ar y pryd'.

I fyd chwedlonol yr aeth T. Gwynn Jones, unwaith eto, wrth lunio'r gerdd hon. Hanes 'Madog' sef mab Owain Gwynedd sydd yma ac adleisia ei flinder at y gwrthdaro a'r ymladd yng Nghymru, gan chwilio am well byd y tu hwnt i'r moroedd. Yn ôl traddodiad, mae'n cychwyn ar ei fordaith i wlad ddelfrydol ond ni chyrhaeddodd y wlad honno. Suddodd y llong, *Gwennan Gorn*, a'r llongau eraill oedd gydag ef mewn storm ffyrnig.

Ond nid cerdd am berson yn chwilio am Baradwys Bell yn unig sydd yma. Mae Madog hefyd yn chwilio am ei ffydd. Gellir dweud ei fod ar daith neu bererindod ysbrydol (thema gyson yng ngwaith T. Gwynn Jones). Pabyddiaeth oedd Ffydd Gristnogol yng nghyfnod y gerdd, a daw Mabon, y Mynach fel Tad Gyffeswr iddo.

Gellir dweud llawer am gymeriad Madog. Llwydda'r bardd i gyfleu person gwrol sydd hefyd yn forwr medrus ond yr oedd yn anad dim yn feddyliwr. Wrth fyfyrio am y gymdeithas o'i gwmpas a byw drwy erchylterau o weld brawd yn lladd brawd, aflonyddwyd arno nes ei gael yn holi'r cwestiwn mwyaf dyrys o bob un – a oes rhywbeth amgenach mewn bywyd na loes ac atgasedd?

Cerdd epig yw hon sy'n llawn ymchwil feddyliol a chorfforol. Gŵr sy'n chwilio am sicrwydd a thangnefedd mewn byd gwaraidd yw, a hynny yn wyneb anhrefn y gwledydd o'i gwmpas.

Lluniodd T. Gwynn Jones fesur arbennig i'w bwrpas ei hun ar gyfer y gerdd a elwir erbyn hyn yn 'Mesur Madog'. Aildrefnodd yr englyn ar ffurf cwpled gan anwybyddu'r brifodl ond cadwodd at acenion y gynghanedd, gan fodloni eu cyflythrennu'n ysgafn yn unig.

Gair am air

dyhëwyd	cariad, ymlyniad
deryll	gloyw, treiddgar
gwanegau	tonnau
gwawdd	gwahodd
dôr	drws

Sylwi ac ystyried

1. Y gair cyntaf yn gosod naws y gerdd. Disgrifiad o ysblander yr olygfa ddiwedd y dydd – o'r môr a'r mynyddoedd. Y tywyllwch yn trechu goleuni'r dydd, felly hefyd grymoedd y tywyllwch sy'n trechu goleuni daioni a hedd y cyfnod.

2. Cyflwyniad i'r arwr. Tywyllwch y dydd yn cael ei adlewyrchu yn ei galon a'i feddwl.

a)   o linach dywysogaidd

b)   yn arwr ar fôr – morwr medrus, aflonydd

c)   arweinydd dewr – ben llyngesydd

ch) y môr yn ei waed – 'a garai symudiad a gwrdd wanegau'

d)   mae darlun o Madog y meddyliwr, yn myfyrio ar y brwydro a'r rhyfela o'i gwmpas, yn mynegi ei anobaith: 'Dyn ni chaiff na daioni na hedd ar y ddaear hon.'

3. Dymuno cwrdd â'i hen athro, y Mynach. Yn yr ymson, mae'n edifarhau ac yn cyfaddef ei fod ar fai am beidio â gwrando ar eiriau a chyngor y Mynach.

4. Y Mynach yn dod ato, Madog yn gofyn am faddeuant ac yn ei dderbyn. Yna, cawn ddeialog lle mae'r ddau'n trafod eu meddyliau a'u teimladau a'r Mynach yn llawenhau wrth weld fod Madog yn teimlo fod rhywbeth amgenach na dinistr a lladd yn bosib. Hyn oll, er cymaint ei gariad at ei wlad.

5. Yna'r ymbalfalu am wirionedd ac am sicrwydd a heddwch 'Dywed, O Dad, a oes Duw yn y nefoedd?' Cri yr oesau sydd i'w glywed yma a hwn yw'r cwestiwn mwyaf anodd ei ateb o bob un. Caiff y cwestiwn ei ddwysáu mewn cyfnod o ryfela ac yng nghanol erchyllterau ac atgasedd dyn at ei gyd-ddyn.

6. Mae ffydd y Mynach yn gadarn a'i ateb yn llawn o adleisiau Beiblaidd: 'Byr yw ein dyddiau/Mil o flynyddoedd/Dyn sy'n fyr o ddyddiau ac yn llawn helbul'. A cheir ambell gyffelybiaeth ddisglair fel: 'barrug y ciliant rhag heulwen y bore' ac 'anadl y gwanwyn'. Drwy'r tywyllwch y cawn hyd i'r gwir, am fod y gwirionedd yn dragwyddol. Awgrymir mai dros dro y mae

T. GWYNN JONES

rhyfeloedd a gau dduwiau.

7. Disgrifiad o long Madog – *Gwennan Gorn*. Ceir disgrifiadau llachar sy'n llawn trosiadau; cawn y bardd yn personoli'r llong. Gan mai o linach tywysogion y daw Madog, y mae ei long yn cael ei disgrifio fel brenhines.

Yn y disgrifiad olaf, 'dôr pob rhyddid yw hi', dyma ei gyfrwng i ddianc o'i wlad a theithio i chwilio am y gwirionedd, a'r lle delfrydol. Thema yr ymchwil am y delfrydol, Y Baradwys Goll, a geir yn 'Madog'.

Bardd y môr yw T. Gwynn Jones. O'r môr y tynnodd ei brif symbolau ac yn symudiad y tonnau a'u stormydd y ceir aflonyddwch ac anniddigrwydd ei ysbryd. Personoliaeth llawn o lanw a thrai oedd T. Gwynn Jones ei hunan a bu'n rhaid iddo, o dro i dro, gilio fel y trai pan fyddai ei ysbryd yn diffygio. Yna, fel y llanw, dôi yn ôl yn llawn brwdfrydedd a gweithgaredd gan synnu darllenwyr â'i awen fawr.

Pam, dybiwch chi, i'r bardd ddewis mynach fel rhywun i droi ato? Beth yw arwyddocâd hynny a thrafodwch y math o sgyrsiau y byddai Madog wedi'u rhannu â'r mynach [na welir yn y testun]?

PENMON

Caniadau, T. Gwynn Jones, Hughes a'i Fab, 1934, tud.172

Cyflwyniad

Lle bychan ar lan y môr ar ynys Môn yw Penmon. Yn y chweched ganrif sefydlodd Seiriol eglwys yno, ac yn y drydedd ganrif ar ddeg, daeth yn briordy i reol Urdd y Canoniaid Awstinaidd. Diddymwyd y priordy yn 1536 yn ystod teyrnasiad Harri'r Wythfed. Er mai adfeilion sydd yno bellach, gellir gweld y llyn pysgod a'r ffynnon a berthynai i'r priordy o hyd.

Cyflwynir y cywydd i W.J. Gruffydd y bardd, ac wrth ofyn y cwestiwn yn y cwpled agoriadol, mae'n rhoi gwybod i ni mai ef oedd y cydymaith ar y daith honno.

Gair am air

dillyn	prydferthwch
miraglau'r môr	hen air am wyrth
cyweirgerdd	tôn/allwedd mewn cerddoriaeth
gosber	addoliad yn y nos

Sylwi ac ystyried

1. Fel yn achos 'Madog', y mae'r bardd yn sôn am daith benodol. Mae'n dipyn mwy na thaith a chyfeirir ati fel pererindod. Awgryma hynny fod yna elfen ysbrydol gref i'r digwyddiad a rhyw ddisgwylgarwch mawr nad yw'n perthyn o angenrheidrwydd i'r syniad am 'daith'.

2. Synhwyrir â phanorama yr olygfa wrth iddyn nhw gerdded ar eu taith. Dylid sylwi ar y disgrifiadau cyfoethog. Ai moli neu addoli natur a wna? Beth dybiwch chi yw'r gwahaniaeth rhwng 'moli' neu 'addoli'? Ni cheir yr un ddelwedd hagr yn yr olygfa, dim ond perffeithrwydd megis 'Onid wnaed pob un yn em' meddai wrth gyfeirio at y blodau.

3. Treiddia synwyrusrwydd drwy'r cywydd. Y mae'r pum synnwyr yn effro wrth iddo sylwi ar symudiadau gwylan. Cynrychiola'r wylan, drwy ei bywiogrwydd, y cyffro a deimla a'r mwynhad. Heb fod ymhell o'r cyffro y mae anniddigrwydd y môr a'i anwybod.

4. Ceir cyferbyniad dramatig wedyn yn y pennill nesaf wrth gyfeirio at y garan (crëyr glas) sy'n llonydd a mud.

5. Yna, cawn ddisgrifiad o'r hen adfeilion. Cyflwyna'r rhain i ni wrth sôn am waith llaw dyn. Yna, disgrifia brydferthwch hyd yn oed y drain a'r mieri. Crynhoir y darlun yn glir gydag un gair – wrth ddweud 'Teg oedd y Mynachty gynt'.

Do, pylodd bywiogrwydd, hapusrwydd a mwynhad y daith yn nhristwch yr adfeilion. Hyn sy'n creu realrwydd rhwng y byd presennol a'r gorffennol.

'Hun y llyn hen yn llonydd
Is hanner gwyll drysni'r gwydd.'

Braidd y gallai hyn gyfeirio at feidroldeb dyn.

6. Y dychymyg sydd ar waith yn y pennill olaf. Dyma'r bardd unwaith eto yn cael ei drosglwyddo i fyd y profiad unigol lle y clyw leisiau o'r gorffennol. Dyma'r nodau cyfriniol yn cael eu clywed fel uchafbwynt i'r gerdd.

'Cyweirgerdd clych ac organ
Lleisiau cerdd yn arllwys cân.'

Clyw y mynaich yn llafarganu mewn Lladin.

7. Byrdwn y gerdd hon yw bod bywyd a natur yn parhau, eu 'dail' a'u hadfail ond mai darfod yw hanes dyn.

T. GWYNN JONES

8. Taith yw hon sydd yn cychwyn yn llawen, ac mae'r bardd yn ymwybodol o ffresni byd natur a'r Gwanwyn ond cyn diwedd y gerdd prudd-der a marwolaeth sy'n goddiweddu meddylfryd y bardd.

9. Ai cerdd natur yw hon neu a yw'n agosach at gerdd sy'n wrthwynebus i amser a'i adfeilion?

10. Pa rannau o'r gerdd sy'n allweddol i'w gwerthfawrogi? Pe byddai gofyn ichi ddewis y llinellau mwyaf cofiadwy ynddi, pa rai fydden nhw? A pham? A fyddai pawb yn dewis yr un llinellau?

TIR NA N-ÓG

Caniadau, T. Gwynn Jones, Hughes a'i Fab, 1934, tud. 60

Cyflwyniad

Yn ei ragair, dywed T. Gwynn Jones mai 'awdl delynegol at beroriaeth' yw Tir na n-Óg, neu 'Gwlad yr Ifanc'. Ysgrifennwyd hi ar ffurf dramodig gyda'r cymeriadau yn mynegi'u teimladau a'u dyheadau yn uniongyrchol. Mae iddi dair rhan. Cefndir y cyntaf a'r drydedd yw Erin, gwlad Osian, gyda'r ail ran ar Dir na n-Óg.

'Yn y fro ddedwydd mae hen freuddwydion,' medd T. Gwynn Jones yn ei awdl, 'Ymadawiad Arthur' a dyna'r thema a geir yma yn yr ail ran.

Awdl delynegol yw'r disgrifiad ohoni, felly, hwyrach mai o'i chlywed hi y gellir ei gwerthfawrogi'n llawn. Dylid, efallai ei darllen ar goedd er mwyn clywed melyster y geiriau, eu sain a'u melodïau. O wneud hyn, efallai y bydd modd gweld pa mor llyfn a phrydferth yw'r mynegiant gyda'r gynghanedd yn llifo mor naturiol. Gellir ei darllen a chael cerddoriaeth glasurol yn gefndir iddi a byddai hyn yn ategu at ei mwynhad.

Y cywydd yw'r mesur gwaelodol sydd ynddi er bod ychydig o ganu rhydd cynganeddol yma a thraw ynghyd â hen ffurfiau eraill o'r canu caeth megis yr englyn milwr, yr hir-a-thoddaid, y gyhydedd naw/deg ban.

Gair am air

dihafal   amhosib cymharu; digymar
eiddilwyn gwan a gwyn
alaeth   profedigaeth; marwolaeth

Sylwi ac ystyried

1. Dawn epigramatig y bardd wrth greu y tyndra yn yr ail ran. Mae'r Morynion yn creu'r awyrgylch yn y llinellau agoriadol, sy'n ddarlun o fywyd gyda'r cof yn rheoli teimladau dyfnion. Yna, cawn weld fod cof Osian yn rhy gryf iddo aros yn Nhir na n-Óg. Dyw'r byd perffaith ddim yn ddigon iddo nac yn ei ddigoni.

Ai rhan o'r reddf oesol ddynol yw honno sy'n methu â bod yn fodlon ar bethau fel ag y maent? Dyma faes diddorol y gellir ei drafod sef awydd pobl o bob oes i weld y 'man gwyn, man draw'.

2. Ailadroddir yr hiraeth gan Osian. Mae hud Erin yn parhau, ac yn mynd yn anwylach, yn fwy delfrydol iddo wrth iddo gofio amdani,

'Erin ddihafal oror/Ba ryw le mae berl y môr?'

3. Ceir rhybudd clir o enau Nia ac mae hyn yn ychwanegu at y tyndra. Y mae ei neges yn glir a phendant. Os bydd i Osian roi ei droed ar lawr yna,

'O dodi, wedi'r oediad/Droed i lawr ar dir dy wlad
Anniddig yr heneiddi/Trwy ing daer y trengi di.'

4. Caiff y rhybudd ei ailadrodd gan Nia, ond nid yw Osian yn gwrando nac yn canolbwyntio ar ei rhybudd gan fod ei ddychymyg ar waith. Cofio 'nôl a wna at yr amser dedwydd gynt. A dyma'r gwewyr a wyneba, sef grym yr hiraeth sy'n trechu dros dro, hapusrwydd gwres y foment.

Dyma faes arall y gellir ei drafod sef a yw'r cof yn gallu ail-greu amseroedd dedwydd a'u delfrydu? A ydym yn fwy tebygol o gofio cyfnodau hapus na'r cyfnodau anhapus? A oes modd i'r cof ddileu ochr annymunol cyfnod neu le?

5. Yn ddi-os, hiraeth sy'n ei lethu yn Nhir na n-Óg, a marwolaeth sy'n ei aros yn Erin. Wrth deithio gyda Nia i Dir na n-Óg am ei fod mewn cariad â hi, y mae'n cychwyn ar daith arall a thaith sydd yn golygu angau iddo yn y pen draw. Fel yn hanes nifer o gymeriadau T. Gwynn Jones, marwolaeth yw'r peth sydd yn aros ar ddiwedd pob taith ddynol.

6. Nid oes hyfrytach telyneg serch yn yr iaith Gymraeg na'r pedwar pennill lle mae Osian yn mynegi ei gariad at Nia. Sylwch ar y defnydd o'r cytseiniaid meddal a'r llythyren 'l' i gyfleu'r tynerwch hwnnw. Ond er y melyster, y mae'r ddwy linell olaf yn ychwanegu at y tyndra a'r eironi. A'r geiriau cyfarwydd 'ing' ac 'angau' yn atseinio'n barhaus.

T. GWYNN JONES

7. Cerdd yw hon a seiliwyd ar chwedl a stori gyfarwydd fyd-eang ei hapêl am ddyn yn chwilio am y perffaith. Profiad oesol yw hon ymhob llên. Tybed nad yw'n fodlon ar y perffaith am mai bod amherffaith yw dyn, ac er i Osian gael ei atgoffa gan Nia mai bod meidrol ydyw, rhaid oedd iddo fynd ar y daith honno am ei fod yn hiraethu am rywbeth tu hwnt i'w ddealltwriaeth?

Noda Derec Llwyd Morgan yn *Ysgrifau Beirniadol XI* mai 'Trasiedi mewn Dillad Haf' yw'r gerdd.

8. A yw hon yn stori hen ffasiwn i ni heddiw neu a yw'n oesol ei hapêl? Beth yw'r elfennau sy'n gwneud stori serch dda a thrafodwch storïau eraill yr ydych yn gwybod amdanynt e.e. Romeo a Juliet gan Shakespeare. Faint o chwedlau serch a osodwyd ar gân neu ar gerdd a gofir yn y Gymraeg heddiw?

Ôl nodyn

Fe weithiodd T. Gwynn Jones ar y gerdd Tir na n-Óg am bum mlynedd cyn cael ei fodloni. Dyma a ddywedodd amdani:

> Yr oeddwn wedi meddwl am gyhoeddi'r gerdd fach hon yn llyfryn, ond waeth heb. Y mae gennyf ychydig hoffter ati, gan bod fy ngwaed Gwyddelig ynddi, ond odid, a'm bod wedi cymryd pum mlynedd i geisio ei pherffeithio. Ni wn i er hynny fy mod yn ei deall yn iawn, ond y mae ynddi ryw ias o farwnad dyn i'w ieuenctid a'r pethau teg a garodd gynt. Fe allai mai un o'r hynafiaid Gwyddelig sy'n llefaru trwof fi!

Y mae sylw o'r fath yn nodweddiadol o'r bardd, hynny yw ei agwedd berffeithiol tuag at ei waith, ond wedyn yr anallu i dderbyn bod ei greadigaeth yn gampwaith. Hyn yw rhan o'i fawredd fel bardd ond hefyd rhan o'r dwyster y mynnodd iddo'i hun am na allai fodloni ar ei greadigaethau.

DYNOLIAETH

Y *Dwymyn*, T. Gwynn Jones, Gwasg Prifysgol Cymru, 1944, tud. 59

Cyflwyniad

Dyma i mi un o gerddi anghofiedig yr ugeinfed ganrif. Dwn i ddim pam yn union. Ymddangosodd yn Y *Dwymyn*, cyfrol olaf y bardd a gynhwysai gerddi o naws go wahanol i'w gerddi cynharach. Ac yntau'n hen ŵr, dyma T.

Gwynn Jones yn newid ei arddull ac yn troi'n fardd modernaidd. Beth a olygwn wrth y gair 'modernaidd' tybed? Buom yn trafod rhai o gerddi mawr rhamantaidd T. Gwynn Jones – cyfnod o gilio neu ddianc. Yn awr, dyma'i ganfod mewn cerdd fel 'Dynoliaeth', yn foel ei arddull, yn ymgodymu â realiti bywyd yn ei hylltra a'i aflerwch. A does dim yn fwy aflêr gan T. Gwynn Jones na rhyfel a dinistr bywyd.

Ond yn gyntaf, y mae'n rhaid i mi adrodd gair o brofiad i chi. Cyn bo hir fe fydd pawb, fel yn achos marwolaeth Kennedy yn gofyn i chi beth rydych chi'n ei gofio am Fedi yr unfed ar ddeg, yn y flwyddyn dwy fil ac un? Wel, mi ddyweda i wrthych chi beth o'wn yn ei wneud. Trosi'r gerdd fawr hon yr oeddwn, am ddinistriad dinas, pan ganodd y ffôn. Fy mab ugain oed oedd y galwr a gwaeddodd arnaf i roi'r teledu ymlaen. Ni ddywedodd pam, dim ond gorchymyn. Cofiaf i mi fod yn gyndyn i ddechrau gan nad yw'n arferiad gennyf wylio'r teledu tan o leiaf chwech o'r gloch y nos. Ond roedd rhywbeth yn ei lais a oedd yn llawn brys. Dyma ufuddhau a gweld tŵr yn mygu. A'r eiliad nesa, dyma weld awyren arall yn plymio i mewn i ochr yr adeilad. Ie, Efrog Newydd, y lle a fu'n gartref i mi am dri mis bron iawn, a rhan o'r ddinas lle y byddwn yn defnyddio'r ddau dŵr fel map gan fod y system grid yn gorffen yn y rhan honno o'r ddinas. Dyma ddynoliaeth arall, o flaen fy llygaid. A rhywsut mi wyddwn, fel y lliaws, na fyddai bywyd byth yr un fath eto. Hynny yw, gall gweithred o ryfel fod mor soffistigedig â phlymio i mewn i adeilad sy'n symbol o bob peth cyfalafol.

Dychwelais yn ddigalon, o loeren y sgrîn deledu a'i luniau at loeren y sgrîn fach. Ac at T. Gwynn Jones. Ac am eiliad, fe wyddwn, ie, fe wyddwn yn union ei ddadrithiad a'i ofnau, ei loes a'i alar at amherffeithrwydd dyn. Nodaf 'dyn' yn y fan hon am ei bod wedi ei chreu ymhell cyn i ffeminyddiaeth ein goleuo y gall merch fod yn rhan o rinwedd neu ffaeledd y byd o gwmpas.

Er yr ieithwedd, y mae'r syniadau yn dal yn oesol wir, sef y delweddau a drosglwyddir gan y gerdd 'Dynoliaeth'.

Hanes dinistr a geir yn y gerdd a hynny rai blynyddoedd cyn i'r Ail Ryfel Byd ddigwydd. Rhagwelodd y bardd ddinistr dynoliaeth a'r adeiladau a adeiladodd. Ar ddechrau'r gerdd, cawn ymdeimlad o fwynhad pobl er i'r dechrau agor yn awgrymog,

'Nos oedd hi yn un o'r dinasoedd hen,
aeres pob camp a wybu ac a fedrodd yr oesau hirion,'

Gair am air:

aeres un	sy'n etifeddu
rhyfyg	rhywbeth ffug/anwiredd
trwst	sŵn mawr
hualau	cadwynau

Sylwi ac ystyried

1. Ar ddechrau'r gerdd, cawn ymdeimlad o gamp ac addurn ac ysbail. Y mae'r geiriau fel 'camp' ac 'addurn' ac 'ysbail' yn pwysleisio'r holl gyfalaf a materoliaeth sydd yn nwylo rhai pobl. Y mae un gair yn cael ei ailddweud sef 'nos'. Mae'n syndod pa mor bwerus yn hanes ein barddoniaeth yw geiriau fel 'nos' a 'hen'.

2. Mae'r bardd yn darlunio'r sefyllfa ac yn creu naws sy'n llawn unigedd; yn llawn 'niwl' ac yn dywyll a thawel. Y mae'r cyfan yn mynegi darlun sy'n amddifad o hylltra bywyd er fe gyfeiria ato gyda geiriau sobr o egr megis 'cil-oferau', 'baw troeon', yn 'wythi breision ei chyfoeth' a 'rhysedd', sef gair arall am wacter ac oferedd bywyd.

3. Ar ôl creu'r naws a disgrifio'r mwynhad a ddigwydd wrth i bobol wledda a chodi gwydrau, fe gawn ddigwyddiad dramatig gyda geiriau sy'n mynegi'r tro ar fyd. Geiriau fel 'sŵn bomiad', 'cneciog', 'ffrwydrad taran' a 'chroch ru'. Fe'u cawn yn dianc i'r seler ac yn sylweddoli o'r newydd, ond gyda'i gilydd, mor frau yw bywyd:

> 'Y nwyd rhwng deugnawd annedwydd
> y wanc am uno cyn myned,
> brys y reddf am barhad.'

Y mae'r llinellau hyn yn llawn arswyd ac eto'n syml eu hystyr wrth i bob un fynnu a dyheu am garu a chael eu caru, ac am oroesi'r trawma.

4. Geiriau agos at y bardd yw geiriau fel 'nwyd' a 'noeth' ac 'annedwydd bwyll'. Dyma athroniaeth y bardd yn dod i'r fei wrth iddo fynnu nad oes ond 'gwenyn o sug y casogion', a 'haint ymddatodiad yr hil'.

5. Mor gyfoes yw'r gerdd o gofio am yr Ail Ryfel Byd a hefyd y brwydro a fu ar diroedd y Balcan; 'yn ei gwaed yn gorwedd; fe ddywedir am Ewrop, 'ei dinasoedd yn dân eisoes'.

Yma, y mae'n arllwys ei dosturi dros y werin bobol sy'n dioddef ac yn unigolyddu hynny trwy droi oddi wrth y llu a'r lliaws ac at berson unigol yn dioddef. Bryd hynny, y mae T. Gwynn Jones ar ei orau - hynny yw, pan yw'n gweld yr unigolyn wyneb yn wyneb â'i wewyr.

6. Defnyddia'r syniad o Sant Pedr yn camu yn ôl i ganol y ddinas, wedi iddo wadu Iesu Grist ac ar ôl i hwnnw gael ei groeshoelio. Yno, fe wêl yr 'Arglwydd yn y gwyll'. Yn sydyn, person diymgeledd yw, a gwas sy'n ddibynnol ar nerth rhywun sydd â ffydd y tu hwnt i'w ffydd ef.

7. Yn nodweddiadol o awen T. Gwynn Jones, daw mynach i'r golwg. Ef sydd yn cynrychioli pwyll yn erbyn gorffwylltra, ef yw'r ffigwr tosturiol yn wyneb y didostur. Y mae'r ddinas yn wenfflam ar ddiwedd y gerdd – 'yn lludw llwyd'. Ond y ffigwr sy'n barod i ymestyn ei law allan at yr hwn sydd wedi colli ei ffydd yw'r mynach ei hun. Neu tybed ai T. Gwynn Jones ydyw mewn gwirionedd? Un a fu'n dyheu am warineb a doethineb yn nannedd y corwynt oedd y bardd. Dyma'r genadwri fawr sy'n britho'i ganu.

A fyddech chi wedi gorffen y gerdd yn wahanol i T. Gwynn Jones? Yn lle mynach, pa gymeriad fyddech chi wedi troi ato i waredu eich hunan o'r sefyllfa?

8. Pam fod y bardd wedi dewis y mesur rhydd i'r gerdd hon, gyda'r gynghanedd yn gysgodol i'r mesur? A fyddai mesur mwy traddodiadol wedi gweddu i awyrgylch y gerdd – mesur tebyg i 'Madog' efallai?

Fel ddywedir yn y Gymraeg 'mai un gân sydd gan y gwcw'. Dyna y gellir ei ddweud am ambell fardd hefyd, sef mai un gân fawr sydd ganddynt a honno'n cael ei hailadrodd yn gyson, mewn dull cyffrous a gwreiddiol. Ni allaf feddwl am fardd arall y mae'i ganu mor gyson o oesol. Neu'n oesol o gyfoes. Dibynna ar yr ongl. Bardd trasiedi bywyd, ie, dyna oedd T. Gwynn Jones. Ac eto? Trwy drasiedi bywyd fe welodd y peth byw yna, sef einioes yn ei holl ogoniant. A ydych yn medru cydymdeimlo neu uniaethu â'r bardd yng nghanol y dinistr?

Dyfyniadau am T. GWYNN JONES

'Dynoliaeth'
Eto yn y drychineb derfynol yma, yn y portread o arwriaeth rhinweddau'n dal ymlaen i'r pen, mae T. Gwynn Jones wedi datguddio mewn barddoniaeth Gymraeg rywbeth na wnaed erioed o'i flaen a'r fath wychder yn Gymraeg – datguddio urddas a mawredd dyn – dyn yn wynebu ofnadwyedd ei dynged yn y byd.

Hyn, gyda chyflwyno cymeriadau arwrol yn feistraidd mewn seting o dirluniaeth storïol ac arwyddocaol yw uchafbwynt a champ T. Gwynn Jones ... a dyma ei gyfraniad mawr i draddodiad yr arwr rhamantaidd ac i lenyddiaeth greadigol yn Ewrop ... cyfraniad ... sy'n ddiamau'n rhoi safle Ewropeaidd iddo fel bardd.

Euros Bowen, Y *Traethodydd*, Ionawr 1971
(a geir yn y gyfrol *Cyfres y Meistri*, tud. 344)

Fe ellir dweud am waith T. Gwynn Jones megis am waith pob llenor mawr ei fod yn cynnwys enaid holl ganu ei genedl ... dengys ei fawredd ei athrylith trwy ddatblygu'r gelfyddyd hen.

Iorwerth Peate, *Yr Efrydydd* III, Rhagfyr 1926, (tud. 297)

Y mae'r ddwy ochr yn T. Gwynn Jones ei hun. Gwerthfawrogid ef yn ystod ei oes fel rhamantydd o artist dyfeisgar ... Ond y mae fel bardd yn bwysig i'r oesoedd ... oherwydd iddo ... gofnodi ymdrech cenedl ac ysbryd dyn yn wyneb ffawd.

Derec Llwyd Morgan, Y Gwrandawr, *Barn*, Rhifyn 46, Awst 1966, tud. 245

Ond os bu'r bardd yn wir feistr ar y gair, bydd rhai o'i eiriau'n dod yn rhan o'r etifeddiaeth gyffredinol, fel petai ambell ddarlun, ambell gyffyrddiad o berffeithrwydd ei ddawn dweud yn treiddio i'n hisymwybod ni ac yn cyffroi ymateb yno sydd uwchlaw pob deall.

Alun Ll. Williams, *Trafodion Anrhydeddus
Cymdeithas y Cymmrodorion*, 1971, tud. 207

Utgorn y deffroad oedd e i ni, arweinydd y gwrthryfel, gobaith newydd llenyddiaeth ac iaith y Cymry, cludydd y faner lle'r oedd y frwydr boethaf.

E. Morgan Humphreys, Trafodion Anrhydeddus
Cymdeithas y Cymmrodorion, 1952, tud. 193

Ond i T. Gwynn Jones nid rhyw fath o lestr neu fowld haearnaidd oedd mesur, rhywbeth i arllwys syniadau neu feddyliau i mewn iddo, ond cyfrwng cywrain i'w ddychymyg a'i feddyliau ymddangos ynddo, a'r naill yn gallu effeithio ar y llall mewn ffordd gyfrin iawn, a'u perthynas yn annatod.

W. Beynon Davies, Cyfres Pamffledi Llenyddol Llyfrau'r Dryw, 1962 (tud. 231)

Efallai fod ynom duedd dan bwysau materoliaeth heddiw i feddwl nad oes gan welediad rhamantus ei le yn y dasg ymarferol o gadw Cymru. Ond ni allwn anwybyddu'r ffynonellau lle cronnir ysbryd anfarwoldeb y genedl . . . Nid gwybodaeth dechnolegol, nid elw-dros-dro, nid ystryw ymhlith y Cymry a ryddha Gymru, ond y drem bell-gyrhaeddgar yn arsyllu i werthoedd tragwyddol.

Cathrin Daniel, Yr Arloeswr, Rhifyn y Pasg 1960

Bardd ein hen chwedloniaeth, bardd Celtaidd ydyw T. Gwynn Jones.

Geraint Bowen, mewn ysgrif yn Gwŷr Llên,
gol. Aneirin Talfan Davies, Cyhoeddwyr Griffiths, Llundain, 1948

Ond heddiw yr wyf yn cael y fraint drist o ddywedyd gair byr amdano fel bardd, oherwydd pa mor bwysig bynnag oedd ei gymdeithas i mi ac i'w gyfeillion eraill, fel bardd y mae'n bwysig i Gymru, ac nid yn unig i Gymru heddiw ond i Gymru pob oes yn y dyfodol, oherwydd, yn fy marn ddibetrus i, dyma'r bardd mwyaf a gododd y genedl Gymreig erioed; ei awen ef oedd y cynnyrch mwyaf toreithiog a dyfodd yn ei gardd hi.

ei gyfaill, y bardd a'r beirniad W.J. Gruffydd ar ôl ei farwolaeth

Dyfyniadau gan T. GWYNN JONES

Gan nad ŷnt ond cais i fynegi profiadau, digon croes i'w gilydd yn aml, heb un cais i'w cysoni wrth ofynion un broffes, fe wêl y cyfarwydd mai ofer ceisio ynddynt na dysgeidiaeth nac athroniaeth.

Rhagair T. Gwynn Jones, Chwefror 8, 1934 i'r gyfrol *Caniadau*

Peidiwch â mynd rhagoch â'r cais am Wobr Nobel ... am fod popeth a wneuthum yn edrych mor bitw a dibwrpas yn fy ngolwg fy hun ... (ac) yn ddibwys.

T. Gwynn Jones mewn llythyr at Saunders Lewis
Tachwedd 4, 1926. Yr oedd Saunders yn helpu
i lunio cais at Bwyllgor y Nobel.

Y mae 'swyn' yn air prydferth, ond mewn rhyw gyfuniadau barddonllyd fel 'swynhudol', 'hudol swyn', 'swynion syn', ac eraill tebyg, cyll ei holl swyn . . . Dwg i'ch cof y boblach hynny yng Nghymru fydd yn eich gyrru'n sâl eich calon drwy ddywedyd wrthych fod popeth yn *'luvvly'*.

ysgrif o'r enw 'Englyna,' *Beirniadaeth a Myfyrdod*, Hughes a'i Fab, 1935

Digwyddai nad oedd fy iechyd yn rhyw dda iawn (Awst 1914) a gorfu arnaf gilio i un o'r ardaloedd hoffaf gennyf yng Nghymru i fwrw ychydig seibiant a cheisio denu cwsg yn ei ôl, ardal uchel, agored, lle mae'r awyr lân, ysgafn, unigeddau maith i'w crwydro, ac adfeilion hen fynachlog yn y gilfach dawelaf a phrydferthaf yn y byd.

allan o *Cymeriadau*, Hughes a'i Fab, ysgrif o'r enw 'Ffilosoffydd'

Nodwedd arbennig ein dyddiau ydyw bod cymaint o ddynion yn dywedyd wrthym beunydd mor arswydus fydd ein tynged, a hynny fel pe na bai i ddynoliaeth ddim i'w wneud ond mynd yn aberth i'w dyfeisiau hi ei hun, a'i difyrru ei hun yn y cyfamser drwy ddychmygu sut beth fydd y drychineb hwnnw pan ddel.

allan o *Astudiaethau*, Hughes a'i Fab, 1936, 'Popeth o'r Newydd'

...ond rhyfedd yw effaith adferiad. Ar aelwyd ffermdy hen gyda'r hwyr, doi llyfr i'r llaw, braidd fel petai'r llaw yn ei geisio ohoni ei hun. 'Osian' Macpherson. Cofio'r hyfrydwch a gafwyd yn hogyn wrth ei ddarllen, cyn clywed bod dim i gywilyddio o'i blegid mewn bodloni chwaeth gymharol syml, fel eiddo hogyn. Darllen, gyda pheth rhagfarn braidd yn uwchraddol efallai, a dal ati er hynny.

allan o *Astudiaethau*, Hughes a'i Fab,1936, ysgrif 'O'r Neilltu'

Wele gyfrinach y bardd, dyn tragywydd yw efe, ac er ei fod yntau mewn lle ac amser, y mae ynddo yr hyn sydd yn wir ymhob lle ac ymhob oes.

T. Gwynn Jones ynghylch stad y bardd, *Y Genhinen*, 1902

Yr un ffurf ar fydryddiaeth yn Gymraeg sy'n weddus – bwrw'r odl allan a chael cynghanedd fel yr unig nodwedd sy'n perthyn yn iawn i ni. Y mae gwneud heb odl ond cadw cynghanedd yn rhoddi rhyddid i ddyn ddwedyd ei feddwl heb oferedd. Nid yw'r gynghanedd yn ddim rhwystr. Oni bydd hi'n dyfod yn naturiol, fe ellwch ei hepgor. Odlau dwbl yw prif nodwedd mydryddiaeth rhai ieithoedd, ond cynghanedd yw nodwedd yr iaith Gymraeg.

Sgwrs gyda T.H. Parry-Williams, *Y Bardd yn ei Weithdy*,
Cyfres Pobun XVI, Hugh Evans a'i Feibion, 1948

DARLLEN PELLACH

Caniadau, Hughes a'i Fab, 1934

Y Dwymyn, Gwasg Aberystwyth, 1944; (ailargraffiad: Gwasg Prifysgol Cymru, 1972)

T. Gwynn Jones, gol. Gwynn ap Gwilym, Cyfres y Meistri 3, Christopher Davies, 1982

Barddoniaeth Thomas Gwynn Jones, Derec Llwyd Morgan, Gomer, 1972

MYRDDIN AP DAFYDD

MYRDDIN AP DAFYDD M
MYRDDIN AP DAFYDD M
MYRDDIN AP DAFYDD M
MYRDDIN AP DAFYDD M
MYRDDIN AP DAFYDD M
MYRDDIN AP DAFYDD M
MYRDDIN AP DAFYDD MYRDDIN AP DAFYDD

Brodor o Lanrwst yw Myrddin ap Dafydd, ac mae ei gysylltiadau â'r ardal honno, ei chymeriadau, ei hanes a'i chwedloniaeth wedi bod yn ddylanwad pwysig ar ei fywyd a'i waith. Mae wedi sôn yn aml mai yn yr ymrysonau lleol yn ardal Dyffryn Conwy yn ystod y '60au a'r '70au, gydag R. E. Jones yn meuryna, y dechreuodd ei ddiddordeb mewn barddoni a cherdd dafod. Ac i'r ardal honno y dychwelodd i sefydlu ei wasg lwyddiannus, Gwasg Carreg Gwalch, ar ôl gadael coleg. Mae bellach yn byw yn Llwyndyrys, Llŷn.

Ar ôl ysgol, derbyniodd ei addysg yng ngholeg y Brifysgol, Aberystwyth yn ystod ail hanner y '70au, cyfnod o fwrlwm gwleidyddol a diwylliannol ymhlith myfyrwyr Cymru. Roedd yntau yn amlwg iawn yn y byd hwnnw. I raddau helaeth, maes y ddrama oedd ei brif ddiddordeb yr adeg honno, a pherfformiwyd nifer o'i ddramâu gan fyfyrwyr yr Adran Ddrama a Chymdeithas y Geltaidd yn Aberystwyth. Diddordeb arall, a diddordeb sydd wedi parhau, oedd cyfansoddi geiriau caneuon ar gyfer grwpiau poblogaidd fel Mynediad am Ddim, Plethyn a'r canwr Geraint Løvgreen. Ond yr oedd hefyd yn datblygu ei grefft fel bardd cynganeddol, mewn ymrysonau a thrwy gystadlu ac ennill mewn eisteddfodau rhyng-golegol.

Cyflwyniad i waith MYRDDIN AP DAFYDD

Yn ei gyflwyniad i'r gyfrol gyntaf yn y gyfres o gyfrolau *Cywyddau Cyhoeddus*, mae Myrddin ap Dafydd, prif olygydd y gyfres, yn dyfynnu Dic Jones o'i feirniadaeth ar y gadair yn Eisteddfod Llanelwedd 1993, pan soniodd fod 'to hollol arbennig o gynganeddwyr' yn dod i'w haeddfedrwydd yng Nghymru yn y '90au. Mae Myrddin ei hun yn cyfeirio at y to yma, y mae eu gwaith yn cynnal y *Cywyddau Cyhoeddus*, fel yr 'ail don' o feirdd cynganeddol yn hanes barddoniaeth Gymraeg ddiweddar. Y 'don gyntaf', wrth gwrs, oedd beirdd fel Dic Jones, Gerallt Lloyd Owen ac Alan Llwyd a arweiniodd ddadeni cynganeddol y 1960au, a sefydlu cylchgrawn a chymdeithas *Barddas* ymhlith llawer o bethau eraill. Fe ellid dadlau bod Myrddin ap Dafydd yn un o ffigurau pwysicaf yr 'ail don', ac i raddau yn pontio y ddau gyfnod, gan ddangos ôl dylanwad y don gyntaf, ac yna, yn ei dro, gan ddangos arweiniad i'r ail don.

Yn y 1980au, roedd enw Myrddin ap Dafydd yn amlwg iawn mewn sawl maes – byd cyhoeddi, byd straeon a llên gwerin (gan ddod yn gyd-olygydd y cylchgrawn *Llafar Gwlad*), byd llenyddiaeth plant a llenyddiaeth dysgwyr, a byd yr ymgyrchu dros hawliau i'r Cymry Cymraeg. Ond o ran ei farddoniaeth ei hun, y flwyddyn 1990 oedd troad y llanw. Yn y flwyddyn honno, enillodd gadair Eisteddfod Genedlaethol Cwm Rhymni gyda'i awdl ar y testun 'Gwythiennau'. Mae'n arwyddocaol bod awdlau yr 1980au, lle bu teilyngdod, yn llawn anobaith, hiraeth, marwolaeth a thrueni. Roedd yr 1980au yn gyfnod anodd yn gyffredinol, ac yn arbennig felly yng Nghymru, gyda pholisïau y llywodraeth Geidwadol yn groes i natur y gymdeithas Gymraeg. Doedd dim y ffasiwn beth â chymdeithas yn ôl y Prif Weinidog, Margaret Thatcher. Yn erbyn y cefndir yma yr oedd yr awdl eisteddfodol wedi datblygu i fod yn gyfrwng canu cnul yr iaith a'r diwylliant Cymraeg a chwalfa cymdeithas draddodiadol 'Y Pethe'.

Yna yn 1990, daeth tro ar fyd. Yn Eisteddfod Genedlaethol Cwm Rhymni yn y flwyddyn honno, roedd cerddi'r bryddest, ar y thema 'Gwreichion', a'r awdl ar y thema 'Gwythiennau' yn ymdrin â genedigaeth a datblygiad plentyn. Ac yr oedd y beirdd a enillodd, Iwan Llwyd ar y goron a Myrddin ap Dafydd ar y gadair, ill dau o'r un genhedlaeth - yr 'ail don'. Roedd yr awdl a cherddi'r bryddest yn edrych yn obeithiol tua'r dyfodol, er gwaethaf yr amgylchiadau ar y pryd. Efallai nad cyd-ddigwyddiad oedd hynny, gan fod y rhod yn troi yn wleidyddol hefyd – gyda Margaret Thatcher yn cael ei disodli, a newid gwleidyddol mawr yn digwydd mewn sawl rhan o'r byd – o Dde'r Affrig i ddwyrain Ewrop.

Mae'r elfen obeithiol, bositif yma yn rhan bwysig o gymeriad a gwaith Myrddin ap Dafydd. Dydi o ddim yn fardd i anobeithio. Mae'n ormod o 'ddyn gwneud' yn hytrach na 'dweud' i fod felly. Dyma linellau olaf ei awdl fuddugol:

> Oes, mae hen afon yn rhan ohonynt,
> Mae ein tylwythau'n donnau amdanynt,
> Hen waed, hen haearn ydynt – ein doe gwiw
> A'n hyder heddiw sy'n llifo drwyddynt.

Mae'r gair 'hyder' yna yn bwysig yng ngwaith a bywyd Myrddin ap Dafydd. Fel unigolyn roedd ganddo ddigon o hyder ar ôl gadael coleg, i ddychwelyd i Ddyffryn Conwy a sefydlu ei wasg ei hun, Gwasg Carreg Gwalch, yn Llanrwst. A honno'n wasg a oedd yn cyhoeddi ac yn argaffu yn Gymraeg yn bennaf, roedd hyn yn arwydd o hyder Myrddin fod yna farchnad i lyfrau Cymraeg o hyd, a bod yna ddigon o alw am waith argraffu o fewn cymuned fel Dyffryn Conwy. Yn ystod blynyddoedd anodd y 1980au, roedd hi'n cymryd dipyn i ddangos hyder o'r fath. Ac mae'r hyder yma yn cael ei adlewyrchu yn ei gerddi. Dyma linellau clo ei gywydd i ddathlu pedwar canmlwyddiant cyfieithu'r Beibl i'r Gymraeg:

> Yng ngwinllan Morgan, mae iaith
> O hyd nad yw yn llediaith –
> Er colli, colli cyhyd,
> Mi ddaw tro tra bo bywyd;
> Mae elfen rhy hen i oed
> Yn cynnal pedwar cannoed.

Cyhoeddwyd y cywydd yna yn ei gyfrol gyntaf, *Cadw Gŵyl*, ym 1991, ond mae'r un hyder yn amlwg yng ngherddi ei ail gyfrol, *Pen Draw'r Tir*, a gyhoeddwyd yn 1998. Yn ei gyflwyniad i'r gerdd sy'n dwyn teitl y gyfrol, mae'r bardd yn dweud, 'Ar ddiwedd mileniwm, mae'n werth cofio bod rhywbeth newydd yn dechrau lle bo rhywbeth arall yn darfod.' Ac mae'r gerdd yn cloi gyda'r ymdeimlad yma o hyder a gobaith:

Pan ddaw'r colsyn melyn drwy'r cymylau,
cydiwn yn hwn, fel y codwn ninnau
ar adenydd uwch dyfnder o donnau,
ac er mai hwyr y gwawria, mae oriau
o goel o hyd i'r golau; – mae'n heulog
heno ar riniog yr hen benrhynau.

Mae'r gerdd hon hefyd yn dangos elfen bwysig arall yng ngwaith Myrddin ap Dafydd, sef ymdeimlad o barhad a llif hanes. Bod ein gorffennol yn rhan ohonom ni, ond hefyd nad oes angen i ni ofni'r dyfodol. Mae ei ymrwymiad i'r canu caeth yn rhan o'r ymdeimlad hwnnw, a'i waith arloesol gyda'r gyfres *Cywyddau Cyhoeddus* yn hybu yr 'ail don' o gywyddwyr a chynganeddwyr. Yn ystod y cyfnod ar ôl 1990, mae Myrddin hefyd wedi bod yn aelod amlwg o griw o feirdd sydd wedi arloesi gyda sioeau barddoniaeth fel *Bol a Chyfri Banc* a *Syched am Sycharth*. Yng nghwmni beirdd eraill fel Ifor ap Glyn, Iwan Llwyd, Twm Morys a Geraint Løvgreen, mae Myrddin wedi atgyfodi yr hen arfer o gyflwyno barddoniaeth ar lafar, ond gan wneud hynny mewn ffordd gyfoes a blaengar. Unwaith eto dyma gydio mewn hen arferiad a rhoi gwedd newydd iddo. Ac ar yr un pryd mae o'n glynu at ei gred sylfaenol yn yr angen i wneud barddoniaeth yn rhywbeth poblogaidd, sydd o fewn cyrraedd cynulleidfa.

Ond rhaid peidio meddwl am Myrddin ap Dafydd fel bardd caeth, traddodiadol yn unig. Dros y blynyddoedd mae wedi meistroli nid yn unig y mesurau caeth, ond mesurau rhydd odledig, baledi, ac wrth gwrs mae wedi cyfansoddi geiriau ar gyfer caneuon cyfoes. Mae'n fardd sy'n barod i chwarae â mesurau, i ddiweddaru hen ffurfiau a mesurau, ac hefyd i gyfansoddi yn y wers rydd o dro i dro. Dyma linellau o'i gerdd i'r 'Preservation Hall', sef hen gwt jazz yn New Orleans,

Ond yna, dan anwes iâr fach yr ha' y drymiau,
mae'r cyhyrau tynn yn llacio'r felan
a'r cwmni'n codi calon.
Yng nghesail y Mississippi,
mae hen ddynion yn canu'n rhydd
ac yn jazzio'r rhychau oddi ar eu hwynebau.
Mae'r gân yn Gymraeg i gyd.

Yn y gerdd yma mae Myrddin ap Dafydd, y cynganeddwr, yn gadarn yng nghwmni beirdd rhydd fel Steve Eaves. Ond nid penrhyddid sydd yma, fel yng ngwaith cymaint o feirdd rhydd cyfoes. Oherwydd ei fod wedi ei drwytho yn y gynghanedd a'r mesurau caeth a rhydd, mae yna ddisgyblaeth yn treiddio trwy holl waith Myrddin ap Dafydd, yn dod a chynildeb a chywreinrwydd i'w holl ganu. Ychydig iawn o eiriau neu linellau gwastraff sydd i'w gweld yn ei waith.

Mae amrywiaeth ac ystod cerddi a phynciau Myrddin ap Dafydd yn adlewyrchu yr holl agweddau gwahanol ar ei fywyd. Yn ei gyflwyniad i *Cadw Gŵyl*, mae'n dweud, 'Gan mai digwyddiadau o ddydd i ddydd sydd wedi deffro'r awydd i sgwennu'r rhan fwyaf o'r cerddi, maent yn rhyw fath o ddyddiadur imi ac rwyf wedi eu cynnwys yn nhrefn amser'. Mae'r sbardun i'w gerddi yn amrywio o'r cyffredin i'r aruchel, o siopio yn Tesco a siafio, i gofio y dywysoges Gwenllian, unig ferch Llywelyn ein Llyw Olaf. Mae ei waith yn profi bod testun cerdd ym mhopeth. Mae wedi cyfansoddi'n helaeth ar gyfer plant hefyd, ac mae llawer o'i gerddi yn edrych ar fywyd drwy lygad plentyn. Dyma fo a'i fab bach yn mynd am dro drwy goedwig ger Betws-y-coed:

> *'Pam fod y dail ar hyd y ddaear, Dad?*
> *Pam fod eu lliw run fath â crisps yn awr?'*
> 'Mae popty'r hydref wedi'u rhostio, was,
> A'u taenu'n wledd ar hyd y llawr.'

Dyna'r bardd yn dwyn delwedd – delwedd y 'crisps' – gan y mab a'i defnyddio i gyfleu holl ryfeddod lliwiau'r hydref ar y coed.

Mae taith farddol Myrddin ap Dafydd wedi ei ddwyn ymhell. Mae ei gyfrol gyntaf yn llawn cywyddau ac englynion yn dathlu bywyd cymeriadau Dyffryn Conwy a Llanrwst, ac yn cofio unigolion amlwg fel Gareth Mitford a Gwilym R. Jones. Yn hyn o beth mae'n cyflawni swyddogaeth y bardd gwlad traddodiadol, ac mae ei gywyddau marwnad i gyfeillion agos – fel Arwyn Garth Hebog a Rhys Bryniog – yn gadarn yn nhraddodiad y cywyddwyr mawr fel Guto'r Glyn a William Llŷn. Ond dros y blynyddoedd datblygodd ei waith i sawl cyfeiriad. Mae ei ddefnydd o hiwmor wedi bod yna o'r cychwyn, ond trwy ymwneud â sioeau barddoniaeth, trwy gyfansoddi ar gyfer cantorion cyfoes, a thrwy fod yn arwain yr 'ail don' o gynganeddwyr, mae crefft ac arddull Myrddin ap Dafydd wedi lledu i sawl cyfeiriad, ond eto'n cadw'n dynn dan yr un ddisgyblaeth. A'r hyn sy'n ei arwain ar y daith honno hyd heddiw yw ei hyder a'i obaith, ei awydd i fod yn driw i'w lais ei hun, ond yn fwy na dim efallai, ei allu i ddal sylw cynulleidfa, a'i barodrwydd i ymateb i dymer ddwys a doniol y gynulleidfa honno.

GWENLLIAN

Cywyddau Cyhoeddus, Golygyddion: Iwan Llwyd, Myrddin ap Dafydd, Gwasg Carreg Gwalch, 1994, tud. 78

Gan fod y gyfrol allan o brint, dyma gopi o'r gerdd:

> **GWENLLIAN**
> Di-lef yw tywod Lafan
> a, rhagor, mud yw'r gro mân.
> Di-iaith, fel marwolaeth dau,
> yw tyniad pell y tonnau
> ar y clyw. Tawel yw'r clai
> a mynwent yw dŵr Menai.
>
> Gwynedd hen, ddi-wên, ddi-wg,
> ddi-weryd tan hedd iorwg
> a'i henfor cul heb frig gwyn
> na chraig i ddal ei chregyn,
> heb wybod wylo baban,
> heb sgwrs a heb suo gân.
>
> Hi, wyfyn, sy'n amddifad
> o orwel hon, heb hawl ar wlad;
> di-grud yw ei geiriau hi,
> di-aelwyd yw ei holi,
> diyfory yw hi'r gowlaid frau,
> anllafar ei hunllefau.
>
> Distawrwydd didosturi
> sy' yma'n siôl ar ei hôl hi.
> Nid oes rhag ei hoes o gur
> un gesail iddi'n gysur
> yn yr hwyr. Ni chlyw'n ei rhaid
> ei chenedl un ochenaid.

Ond pan wylaf, daw Lafan
i grio'r môr drwy'r gro mân.
I'w henw, cwyd llanw'n llais
o fawl wedi'r holl falais
a thrwy hyn, daw hi o'i thrai
i mewn dros dywod Menai.

Cyflwyniad gan Myrddin ap Dafydd

Cywydd yn perthyn i haf 1993 yw y gerdd hon. Yn ogystal â helynt Deddf y
Bwrdd Iaith yr haf hwnnw, cafwyd cyhoeddusrwydd i ymgyrch arall –
ymgyrch i sefydlu cofeb yn abaty Sempringham, swydd Lincoln i gofio
Gwenllian, unig ferch Llywelyn ei Llyw Olaf a'i wraig Elinor, a alltudiwyd yno
i gaethiwed oes ar ôl marw ei thad yn Rhagfyr 1282. Unig ferch Llywelyn ap
Gruffudd, Tywysog Cymru oedd Gwenllian. Bu farw ei mam, Elinor de
Montfort, ar ei genedigaeth a lladdwyd ei thad yng Nghilmeri yn Rhagfyr
1282. Yn ddim ond ychydig fisoedd oed, ar orchymyn brenin Lloegr, cludwyd
y dywysoges fach amddifad oddi wrth weddill ei theulu a'i gofalwyr i abaty
Sempringham, swydd Lincoln – y man pellaf posib o Wynedd yn nwyrain
Lloegr. Gorfodwyd hi i droi yn lleian yno – carchariad oes, mewn gwirionedd.
Yn ystod haf 1993, gosodwyd carreg yn Sempringham i adrodd ei hanes. Yn
ystod yr un haf, roedd ymgyrch Deddf Iaith newydd i'r Gymraeg yn cyrraedd
ei huchafbwynt – fel y dywysoges gynt, does gan yr iaith ddim hawl ar ei
thiroedd chwaith. O boptu afon Menai, mae beddau tywysogesau Gwynedd
yn abaty Llan-faes a llys y tywysogion yn Abergwyngregyn. Sgwenwyd y
cywydd ar ôl i mi ymweld â safle Llan-faes yn hwyr un noson dawel o haf,
rywbryd rhwng y trai eithaf a'r llanw'n ailddechrau rhedeg.

Gair am air

tywod Lafan   y tywod peryglus sydd rhwng Abergwyngregyn a Llanfaes
               ym Môn
iorwg   planhigyn bythol wyrdd, a symbol o farwolaeth. Plethwyd
               coron iorwg am ben Llywelyn ein Llyw Olaf ar ôl ei ladd

Sylwi ac ystyried

1. Mae lleoliad y gerdd hon yn bwysig. Mae tywod Lafan yn wastadedd o
dywod enwog ar geg afon Menai rhwng Abergwyngregyn ar y tir mawr, a
Llan-faes ar ynys Môn. Roedd un o lysoedd pwysicaf y Tywysogion Cymreig

MYRDDIN AP DAFYDD

yn Aber, yn edrych draw dros y Fenai at briordy Llanfaes. Yn hanes enwog
Siwan a Llywelyn Fawr, mae hi yn dymuno cael ei chladdu draw dros y don
yn Llanfaes, ac nid gyda theulu'r Tywysogion, yn gyfnewid am ddod yn ôl i
wely Llywelyn. Yn yr un modd fe fyddai Gwenllian wedi edrych draw dros y
tywod i gyfeiriad Llan-faes. Mae'r llanw yn medru bod yn dwyllodrus iawn
ar draeth Lafan. Cyn codi'r pontydd dros y Fenai, yma y byddai'r porthmyn
yn croesi eu gwartheg, ac fe gollwyd llawer o borthmyn ac anifeiliaid wrth
i'r llanw ruthro i mewn dros y tywod.
2. Ar un olwg cerdd yw hon am y dywysoges Gwenllian, a adawyd yn
amddifad wedi i'w mam, Elinor, farw ar ei genedigaeth, ac ar ôl lladd
Llywelyn ein Llyw Olaf yng Nghilmeri yn Rhagfyr 1282, pan nad oedd y
fechan ond ychydig fisoedd o oed. Er mwyn sicrhau na fyddai fyth etifedd i
dywysogaeth Gwynedd, aethpwyd â'r ferch fach i abaty Sempringham, ym
mhen pella'r dernas, a'i magu'n lleian. Bu farw yno yn ddi-etifedd, ac ni
chafodd fyth weld Cymru na chlywed y Gymraeg wedyn. Ond mae Gwenllian
hefyd yn ddelwedd i gyflwr yr iaith. Mae'r iaith hithau'n alltud i sawl rhan o
Gymru erbyn hyn, ond mae gobaith ar ddiwedd y gerdd, fel y mae'r llanw'n
troi'n sydyn ar draeth Lafan, yna, trwy ymdrechion y rhai sy'n brwydro dros
yr iaith, y daw'r iaith eto 'i mewn dros dywod Menai'.
3. Mesur y cywydd yw mesur y gerdd – cyfres o gwpledi seithsill
cynganeddol, yn odli'n acennog/ddiacen – mesur y mae Myrddin ap Dafydd
yn hoff iawn ohono fel y dangosodd y gyfres o gyfrolau *Cywyddau Cyhoeddus*
a olygwyd ganddo. Ac mae'r mesur yn addas i'r testun yma, gan fod
ffurfioldeb yn perthyn i'r cywydd, a'i symudiad pwyllog, sy'n atgoffa rhywun
o ganu yr hen gywyddwyr, a beirdd y tywysogion o'u blaenau, i dywysogion
ac arweinwyr Gwynedd.

FFAG BUMP

Syched am Sycharth, Iwan Llwyd, Geraint Løvgreen, Myrddin ap Dafydd, Ifor
ap Glyn, Twm Morys; Gwasg Carreg Gwalch, 2001, tud. 83

Cyflwyniad gan Myrddin ap Dafydd
Mae llawer o ddatblygiadau diddorol yn digwydd ym Mae Caerdydd y
dyddiau hyn – diddorol, yn bennaf, am eu bod yn cynnig drych o'r ffordd yr
ydym yn symud ar ei hyd-ddi fel cenedl. Mae'r hen ddiwydiannau trymion
roddodd ystyr a balchder i'r lle unwaith wedi diflannu, ac mae'r hen

gymdeithasau oedd yn gysylltiedig â'r porthladd yn cael eu chwalu. Mae yno atyniadau eraill, serch hynny, a llawer o bobol leol yn cael cyfle i'w mwynhau. Ond tawel oedd hi ar ddiwedd diwrnod gwaith pan ymwelais â'r Bae un tro; roedd yr *Union Jack* – baner y canoli – ochr yn ochr â'r *Ddraig Goch* o flaen y swyddfeydd datganoli. Camodd gwraig allan o un o'r adeiladau ger Sgwâr Mount Stuart a'r rhyddhad o ddianc o'i gwaith yn amlwg ar ei hwyneb. Y peth cyntaf a wnaeth oedd tanio ffag.

Gair am air
y *Cambrian Building* - swyddfeydd ger y Cynulliad Cenedlaethol

Sylwi ac ystyried
1. Cerdd syml, ddychanol yw hon, yn gwrthgyferbynnu glendid ffurfiol, newydd y Cynulliad, a'r hen angen sydd ar rai i ysmygu. Chewch chi ddim ysmygu ym mhencadlys y rhan fwyaf o sefydliadau erbyn hyn, ffasiwn sydd wedi dod draw yma o'r UDA. Ac ar amser paned neu ar ôl y gwaith fe welwch chi resi o weithwyr y tu allan i'r adeilad yn cael smôc. I raddau mae'r weithred o gael smôc yn y gerdd hon yn rhyw fath o wrthsafiad yn erbyn glendid artiffisial y sefydliadau mawr. Yn hynny o beth mae'n adleisio gwrthryfel Glyndŵr - yr 'hen gapten' yn y gerdd. Er gwaethaf pob ymdech gan wleidyddion a swyddogion, mae 'na rhyw gythrel ynom ni o hyd fel pobol.
2. Mae'r mesur yn syml hefyd - cyfres o gwpledi odledig - yn adlewyrchu natur lafar y gerdd, a hoffter y bardd o gyflwyno cerddi crafog, doniol, ar lafar gerbron cynulleidfa.

LYNX MEWN SŴ
Un o gerddi'r Gadair, Eisteddfod Genedlaethol Tyddewi, 2002

Cyflwyniad gan Myrddin ap Dafydd
Ar wyliau haf yn Alpau Ffrainc yn ddiweddar, daethom i barc cenedlaethol oedd yn rhan o diriogaeth cath wyllt arbennig, sef y lynx. Wrth fwynhau'r golygfeydd a'r unigedd yno, mi gofiais am lynx a welais yn Sŵ Gaer yn blentyn. Doedd llefydd o'r fath ddim hyd yn oed yn trio meddwl am les anifeiliaid bryd hynny a dwi'n cofio mai caets go fychan oedd ganddo, clwt o dir glas a gwydr i ni edrych i mewn arno. Roedd bron yr holl anifeiliaid

eraill yn gysglyd a bôrd – ond roedd hwn wedi cyfyngu ei hun i gerdded yn
ôl ac ymlaen, yn ôl ac ymlaen rhwng dwy gornel. Roedd y llwybr coch a
gerddai yn dangos mai dyna a wnâi drwy'r dydd, bob dydd. Aeth un o fy
mrodyr bach at y ffenest a rhoi ei drwyn ar y gwydr. Hanner eiliad, ac roedd
y lynx wedi gadael ei lwybr ac wedi neidio amdano gan roi ei bawennau o
bobtu ei ben. Oni bai am y gwydr ... Mi rydw i'n dal i gofio ysbryd rhydd yr
anifail caeth hwnnw. Ar ôl ymweld â'i gynefin, mae'n hawdd dychmygu mai
hela ar ei hen lwybrau oedd yn cadw'i ysbryd yn fyw.

Gair am air

fflint	carreg galed
ffeg	glaswellt garw, mynyddig
Mandela	arweinydd y bobloedd dduon yng Ngweriniaeth De Affrica
a	dreuliodd 23(?) mlynedd yng ngharchar
Combe d'Ire	cwm gwyllt yn y parc cenedlaethol, cynefin y lynx

Sylwi ac ystyried

1. Dyma un o gerddi'r casgliad o gerddi cynganeddol a enillodd Gadair
eisteddfod genedlaethol Tyddewi i Myrddin ap Dafydd yn Awst 2002.
'Llwybrau' oedd testun y casgliad, ac yr oedd pob cerdd yn ymdrin â rhyw
agwedd ar lwybrau neu lonydd. Sut y mae'r gerdd hon am y lynx mewn caets
mewn sŵ yn archwilio'r testun, 'Llwybrau'?

2. Mae pob cerdd yn y casgliad ar un neu fwy o fesurau cerdd dafod.
Weithiau mae'r bardd yn defnyddio sawl mesur gwahanol mewn un gerdd,
dro arall mae'r gerdd gyfan ar un mesur. Yn y gerdd hon defnyddir mesurau
traddodiadol a rhai wedi'u creu o'r egwyddorion traddodiadol: englyn milwr
naw ban, cyhydedd hir proest, toddeidiau byr a chwpled o gywydd. A
fedrwch chi sylwi ar y ffordd y mae'r mesurau'n newid? O gofio testun y
gerdd, y darlun o'r lynx caeth yn camu'n ôl a blaen yn rhwystredig, ac yna'r
darlun ohono'n rhydd ar fynyddoedd ei gynefin, a fedrwch chi awgrymu sut
y mae'r bardd yn amrywio'r mesurau er mwyn cyfleu symudiad yr anifail?

3. Er mai disgrifio'r lynx a'i symudiadau y mae'r gerdd ar un olwg, fel yn holl
gerddi Myrddin ap Dafydd, mae yma thema arall yn cael ei harchwilio hefyd.
Mae ei gyfeiriad at Nelson Mandela yn gliw sy'n awgrymu'r thema honno.
Beth dybiwch chi yw ystyr arall y gerdd?

YNYSWYR

Un o gerddi'r Gadair, Eisteddfod Genedlaethol Tyddewi, 2002

Cyflwyniad gan Myrddin ap Dafydd

Mae ynysoedd y Blasked yn ne-orllewin Iwerddon yn ynysoedd dramatig iawn. Dyma'r lle mwyaf gorllewinol yn Ewrop lle'r oedd pobl yn byw arnynt. (Mae darlun llawnach o'r ynysoedd mewn ysgrif gennyf yn y gyfrol *Profiadau Gwyddelig*.) Yn y diwedd, gorfu i'r ynyswyr adael y bywyd caled ond cydweithredol hwnnw a doedd hi ddim yn rhyfedd i amryw o'r to ifanc gael eu hunain yn rhan o'r un gymuned Wyddelig mewn dinas arbennig yng ngogledd America. Hungry Hill, Springfield oedd y gymuned honno, ond er mudo, roedd y genhedlaeth gyntaf yn dal i ddangos dylanwadau eu gwreiddiau arnynt. Mae strydoedd America yn llawer lletach na'r llwybrau uwch clogwyni'r Blasket, eto roedd yr ynyswyr alltud yn dal i gerdded yn un rhes y tu ôl i'w gilydd fel y gwnaent yn eu hen gartref. Mi sgwennais y gerdd hon yn fuan ar ôl 11 Medi, 2001.

Gair am air

seidwoc   Americaneg am balmant
Broadway enw cyffredin am stryd yn America

Sylwi ac ystyried

1. Yn y gerdd hon mae'r bardd yn gwrthgyferbynnu hen lwybrau culion ynysoedd y Blasged yn Iwerddon, a strydoedd llydain America. Fel mae'r hen air yn ei ddweud, mae'n anodd tynnu dyn oddi wrth ei gynefin, ac yn wahanol i'r Cymry mae'r Gwyddelod wedi cadw llawer o'u cymeriad a'u hunaniaeth er mudo filoedd o filltiroedd ar draws yr Iwerydd.

2. Mae'r gerdd hefyd yn awgrymu mai eu hymlyniad wrth eu hen arferion sy'n rhoi rhyw gryfder i'r ynyswyr yn wyneb stormydd a thywydd, tra bod y bobol sy'n 'swagro' ar y strydoedd llydan yn fwy agored i gael eu hysgwyd a'u dychryn. Mae hynny efallai'n arwyddocaol o gofio yr hyn sydd wedi digwydd yn UDA yn ystod y cyfnod diweddar.

3. Unwaith eto mae'r bardd yn defnyddio hen fesurau – y rhupunt a'r gyhydedd hir – ac yn eu hymestyn a'u haddasu. A fedrwch chi ddarganfod patrwm syml y mesur, sy'n gyfuniad o odlau mewnol ac allanol? Mae hyn hefyd yn arwyddocaol o gofio mai gwrthgyferbynnu yr hen a'r newydd y mae yn y gerdd.

MYRDDIN AP DAFYDD

Dyfyniadau am MYRDDIN AP DAFYDD

Yn gyfoes ei themâu ac yn fywiog-afieithus yn ei arddull gynganeddol, cred y dylid poblogeiddio barddoniaeth a chwilio'n barhaol am gynulleidfa newydd ac ehangach iddi.

Yn gyfoes ei themâu ac yn fywiog-afieithus yn ei arddull gynganeddol, cred y dylid poblogeiddio barddoniaeth a chwilio'n barhaol am gynulleidfa newydd ac ehangach iddi.

> Myrddin ap Dafydd, *Cydymaith i Lenyddiaeth Cymru*, gol. Meic Stephens, Gwasg Prifysgol Cymru, 1997

Mae profiad Myrddin ap Dafydd fel awdur caneuon gwerin yn siŵr o fod yn berthnasol yn hyn o beth, maes lle mae agwedd ymarferol iach tuag at reolau.

Yn lle cynildeb gorffenedig yr englyn, afrladonedd afieithus a diddanwch storïol y cywydd.

... a diau i'r cefndir hwnnw gyfrannu at naws delynegol, a'r rhwyddineb ymadroddi sy'n gwneud y rhain yn gywyddau cyhoeddus yn yr ystyr oau ...

> Dafydd Johnston, *Taliesin*, Cyf 88, Gaeaf 1994

Y mae un peth yn sicr: canu i gynulleidfa y maent, ac y maent yn gwbl hyderus fod cynulleidfa ar gael a chan y gynulleidfa honno chwaeth amrywiol hefyd.

> Gwynn ap Gwilym, Adolygu *Cywyddau Cyhoeddus*, *Barn*, Gorff/Awst 1994

Dyfyniadau gan MYRDDIN AP DAFYDD

... mae nawdd eisteddfodau wedi fy swcro â'm hannog dros y blynyddoedd...

Mae'n rhaid wrth gynulleidfa gan mai peth marw iawn yw celfyddyd er mwyn celfyddyd. Rwy'n hoff iawn o'r hyn ddywed y bardd Gwyddelig, Brendan Kennelly: 'If a poem isn't shared it's not alive. Poetry should be consumed or it'll quickly become stale bread'.

Bûm yn lwcus o gael sawl athro a chydymaith da wrth ymhèl â cherdd dafod. Yn nyddiau llencyndod, bu R. E. Jones, Llanrwst ac athrawon Cymraeg Ysgol Dyffryn Conwy yn gefn mawr i mi. Wedi hynny, cefais gymdeithas felys a hwyliog llawer o gynganeddwyr mewn ymryson ac eisteddfod. Ond mae fy nyled fwyaf ers blynyddoedd bellach i'w thalu i goleg Ysbyty Ifan, sef y cwt sinc yn y pentref hwnnw lle mae Saer yn arfer ei grefft, yn trin geiriau yn ogystal â derw ac yn bwrw'i farn ar bopeth yn y byd.

'Gair Bach', *Cadw Gŵyl*, Gwasg Carreg Gwalch, 1991

Mae canu cywydd ynddo'i hunan yn weithred wleidyddol yn y Gymru hon, yn ddrych o'r dyhead bod rhaid clywed ddoe cyn siarad am yfory.

Cyflwyniad, *Cywyddau Cyhoeddus*, Gwasg Carreg Gwalch, 1994

Nid yn ei wreiddiau y mae'r traddodiad barddol Cymraeg yn wahanol i draddodiadau barddol nifer o ieithoedd eraill, ond yn ei barhâd a'i ddatblygiad.

Dydi codi barddoniaeth o fod yn gyfrwng cyfrolau drudfawr a chloriau gwichlyd yn y gadair ledr mewn cilfachau esmwyth a thawel ein tai rhosynnaidd ddim o reidrwydd yn golygu mai gwamalrwydd yw'r nod.

Cyflwyniad, *Cywyddau Cyhoeddus III*, Gwasg Carreg Gwalch, 1998

Mae wynebu'r wynebau a dal eu diddordeb o hyd yn brofiad anesmwyth - a da hynny, achos unwaith mae rhywun yn ddi-hid o'i gynulleidfa, waeth iddo dewi.

Erbyn hyn, rwyf innau wedi mulo yn fy ffyrdd ac yn sgwennu yn gyntaf oll i 'mhlesio i fy hun. Wedi'r cyfan, wnewch chi ddim ond aros mewn hen rigolau ceidwadol a saff iawn os mai plesio beirniad neu athro neu gynulleidfa ydi'r unig safonau sydd gennych chi wrth eich dawn.

Fel bardd, mae'n rhaid i mi deimlo'n fi fy hun wrth gyflwyno cerdd o flaen cynulleidfa – ond mae'n rhaid i mi deimlo hefyd eu bod hwythau'n dod hefo fi ar y daith.

'Fy Myd Bach Fy Hun', A470, Ebrill/Mai 2002

DARLLEN PELLACH

Cadw Gŵyl, Gwasg Carreg Gwalch, 1991

Cyfres *Cywyddau Cyhoeddus*, gol. Iwan Llwyd, Myrddin ap Dafydd, Gwasg Carreg Gwalch, 1994-8

Bol a Chyfri Banc, Ifor ap Glyn, Iwan Llwyd, Myrddin ap Dafydd,
    Gwasg Carreg Gwalch, 1995

Pen Draw'r Tir, Gwasg Carreg Gwalch, 1998

Syched am Sycharth, Iwan Llwyd, Geraint Løvgreen, Myrddin ap Dafydd, Ifor ap Glyn, Twm Morys; Gwasg Carreg Gwalch, 2001

Pac o Feirdd, Gwasg Carreg Gwalch, 2002

ROBERT WILLIAMS PARRY   ROBERT WILLIAMS PARRY
ROBERT WILLIAMS PARRY   ROBERT WILLIAMS PARRY

ROBERT WILLIAMS PARRY

1884-1956

Ganwyd yn 1884 ym mhentref Tal-y-sarn yn ardal chwarelyddol Dyffryn Nantlle, sir Gaernarfon. Aeth i golegau Aberystwyth a Bangor, bu'n athro mewn amryw o ysgolion yng Nghymru a Lloegr. Gwirfoddolodd i ymuno â'r fyddin yn Nhachwedd 1916 a bu'n gwasanaethu yn ne-ddwyrain Lloegr yn bennaf – 'methiant truenus fel milwr', meddai amdano'i hun yn ddiweddarach. Yn 1921, cafodd ei benodi'n ddarlithydd mewnol ac allanol yng Ngholeg Bangor. Ceisiodd ddatblygu'r cwrs Cymraeg i roi mwy o bwyslais ar lenyddiaeth yn hytrach nac ieitheg ond nid oedd yr awdurdodau uwch ei ben o'r un farn ag ef, er siom fawr iddo.

Pan welais ef gyntaf, yr oedd yn ddarlithydd yn Adran Gymraeg Coleg Prifysgol Bangor a mawr oedd gobaith llawer ohonom am gael ei glywed yn trafod ein llenyddiaeth a'n barddoniaeth. Ond er siom inni i gyd, ychydig o gyfle a gâi i wneud hynny; yn hytrach, darlithiai ar bynciau tlawd a thenau fel Llydaweg a Chernyweg Ganol a rhywfaint ar ieitheg,

88

os da y cofiaf – y pynciau olaf yn y byd y disgwyliech glywed gŵr fel efe yn traethu arnynt.

'R. Williams Parry', ysgrif yn *Safle'r Gerbydres ac ysgrifau eraill*, D. Tecwyn Lloyd, Gwasg Gomer, 1970

Ymddeolodd yn 1944 a bu farw yn 1956. Mae ei fedd ym mynwent Coetmor, Bethesda – yr ardal y bu'n byw ynddi gyda'i briod, Myfanwy Davies o Rosllannerchrugog, ers 1923.

Blodeuodd R. Williams Parry yn ifanc fel bardd gan ddod i amlygrwydd yn ifanc drwy ennill y Gadair yn yr Eisteddfod Genedlaethol yn 1910 am ei awdl 'Yr Haf'. Mae'n gerdd llawn miwsig a hyfrydwch, yn fawl i degwch haf ac ieuenctid a chododd cenhedlaeth i ryfeddu a dotio ati. Daeth y gerdd a'r awdur yn gwlt; gwyddai amryw y gerdd gyfan ar eu cof a thros y blynyddoedd tyfodd hud a rhamant o gwmpas cymeriad y bardd ei hun. Roedd ganddo bersonoliaeth oedd yn creu argraff ddofn ar bobol. Cyhoeddodd *Yr Haf a Cherddi Eraill* yn 1924 sy'n cynnwys nifer o delynegion natur, sonedau rhamantus ac englynion coffa i gyfeillion a milwyr yn y Rhyfel Byd Cyntaf.

Yna, daeth y tinc caletach yn ei ganu yn amlycach wrth iddo ystyried ei hun yn cael cam gan y coleg. Tua diwedd 1928, cafodd awgrym y gallai gael swydd lawn-amser yn yr Adran Gymraeg ond mynegodd yntau y byddai'n well ganddo ymroi'n llawn-amser i ddysgu a thrafod llenyddiaeth yn y dosbarthiadau nos. Ystyriwyd hynny gan awdurdodau'r coleg ac yn y diwedd, caniatawyd ei gais. Ond yn ddiweddarach, sylweddolodd mai penodiad dros dro – am dymor o flwyddyn yn unig – oedd yr un yn yr adran efrydiau allanol. Gwrthododd honno gan droi'n ôl at yr Adran Gymraeg i geisio'r swydd llawn-amser yno – ond cafodd siom o ddeall nad oedd y swydd honno ar gael iddo mwyach. Roedd yn ôl yn yr unfan – hanner ei amser yn yr Adran Gymraeg a hanner yr amser gyda'i ddosbarthiadau nos.

Aeth mor chwerw gyda'r pwyslais ar ysgolheictod yn hytrach nag ar greadigrwydd nes iddo gyhoeddi ei fod yn mynd ar streic fel bardd ym mis Mai 1933. Nid oedd am ganu rhagor, gan ganolbwyntio yn hytrach ar droednodiadau dethol mewn bwletinau academaidd. Ac ar streic lenyddol y bu am rai blynyddoedd, er na wrthodd ambell alwad arno fel bardd gwlad yn ystod y cyfnod hwnnw chwaith. Daeth hynny i ben ar ôl llosgi'r ysgol fomio yn Llŷn yn 1936. Nid y weithred ei hun a gafodd effaith arno. Nid canu dros ryddid Cymru ac anghyfiawnder ei genedl a wnaeth. Y driniaeth a dderbyniodd Saunders Lewis, un o'r llosgwyr, a'i cythruddodd. Diswyddwyd y gŵr disglair hwnnw gan Brifysgol Cymru cyn iddo sefyll ei brawf hyd yn oed. Torrodd R. Williams Parry ar ei ddistawrwydd i fynegi ei gydymdeimlad â pherson oedd yn dioddef oherwydd ei egwyddorion. Fflangellodd y sefydliad a'r genedl ddi-asgwrn-cefn a daeth min a dychan i'w ganu. 1937-41 oedd ei gyfnod mwyaf cynhyrchiol fel bardd pan gyfansoddodd nifer o gerddi a sonedau ddeifiol ac yn ddwfn gan dosturi yr un pryd. Cyhoeddwyd ei ail gyfrol, *Cerddi'r Gaeaf* yn 1952, sy'n cynnwys nifer o gerddi am heneiddio ac angau yn ogystal, ac erbyn hynny roedd ias y tymor caled wedi hen ddisodli hyfrydwch cynnar yr awdl i'r haf.

TRWY LYGAID MYRDDIN AP DAFYDD

Mae'r beirdd y byddwn yn darllen eu gwaith yn ifanc yn ffurfio ein barn ac yn cael dylanwad dwfn arnom. Rwy'n cofio'r profiad o gael fy nghyflwyno i gerddi R. Williams Parry yn Ysgol Dyffryn Conwy. Deuthum ar draws *Cerddi'r Gaeaf* wrth astudio Cymraeg ar gyfer Lefel A. Yn ystod gwyliau'r haf cyn hynny, roeddwn wedi treulio rhai wythnosau yn astudio, dysgu ac ymarfer y cynganeddion ac yn dechrau gwerthfawrogi'r grefft y tu ôl i drin geiriau. Wrth chwysu dros fy ymdrechion cynnar fy hun, deuthum wyneb yn wyneb â cherddi artist go iawn a chefais fy swyno gan gelfyddyd R. Williams Parry.

Yn ei englynion, down ar draws llinellau mor naturiol eu dweud ac eto mor grefftus eu cynghanedd:

> Annwyl iawn yw hyn o lwch.

> Cyd-ddyheu a'i cododd hi.

> Gorwedd clust o gyrraedd clod.

Does dim ôl ymdrech ar y grefft – peintiwr blêr sy'n gadael ôl y brwsh – ac eto, mae'n llwyddo i roi geiriau at ei gilydd gan gyrraedd y galon. Wrth ddisgrifio tad a gollodd ei fab:

> Gresyn na chawsit groesi – yr afon
> Ryfedd cyn dihoeni,
> Aeth enaid dy enaid di
> Flynyddoedd o'th flaen iddi.

Mae dwyster a llymder arbennig yn ei englynion coffa a 'llonydd gorffenedig' y bedd yn cael ei adlewyrchu yng nghrefft bardd sy'n gallu creu iaith newydd gyda phob cerdd y mae'n ei chyfansoddi. Er mai canu caeth sy'n cael ei gyfri fel uchafbwynt crefft farddol Gymraeg, does dim modd peidio â rhyfeddu at ddawn R. Williams Parry wrth drafod y mesurau rhydd chwaith. Mae meistrolaeth ar fydryddiaeth yn rhywbeth y mae'n ei barchu ac mae'n defnyddio cynghanedd, lled-gynghanedd, odl fewnol, odl gyrch ac odl ddwbwl yn gyson yn ei gerddi rhydd. Dewisodd y soned fel un o'i brif fesurau, sef y mesur tramor caethaf un mae'n debyg. Eto, o fewn y gaethiwed a'r terfynau hynny, roedd yn llwyddo i ganfod a chreu teimlad o ryddid naturiol. Mae'n dewis geiriau ac idiom agos at yr iaith lafar yn aml; mae'n manylu ar sŵn llafariaid a deuseiniaid yn ogystal ag ateb cytseiniaid a disgwyliodd yn amyneddgar am y fflach a roddodd wefr y wyrth mewn cymaint o'i gerddi.

Yn ogystal â'i ofal fel crefftwr mydryddol, mae boddhad i'w gael wrth sylwi ar ddoniau eraill y bardd hefyd. Mae'n defnyddio ei ansoddeiriau yn fanwl; mae ganddo gymariaethau a throsiadau trawiadol ond mae ganddo hefyd nifer o gerddi heb unrhyw addurniadau diangen. Deallodd y gyfrinach fod cymaint o egni dramatig i'w gael mewn symlder tyner weithiau ac yn ei gwmni, down wyneb yn wyneb â bardd greddfol.

Mae hefyd, bob amser, yn fo'i hun yn ei ganu. Nid yw byth yn ymhongar na ffuantus. Gall ddychan nes bod y chwip yn llosgi'r croen weithiau ac mae clywed bardd yn cicio'n erbyn y sefydliad yn rhoi pleser mawr i bob myfyriwr Lefel A! Meddai am ficer boliog a chadwynog:

> person ar ei fynwes lefn
> yn cario'r groes fu gynt ar gefn.   ('Gorthrymderau')

Cymdeithas academaidd twr ifori'r Brifysgol sydd tani yn:

> Ninnau barhawn i yfed yn ddoeth, weithiau de
> Ac weithiau ddysg ym mhrynhawnol hedd ein stafelloedd;   ('J.S.L.')

Oes, mae boddhad mawr i'w gael wrth wylio rhywun yn tynnu blewyn o drwyn y mawrion a'r pwysigion fel yna. Eto, nid canu negyddol, dilornus yw canu R. Williams Parry, er bod dychan weithiau'n arf miniog yn ei ddwrn. Mae'n wir ei fod yn darlunio dyn – ac yn ei ddarlunio'i hun – yn aml ar y dibyn ac mae'r gair 'gwae' yn aml ar ei wefus. Mae darfod a diddymdra yn boen ar ei enaid ond nid yw'n ein llethu drwy ddiwinydda nac athronyddu uwch ben hynny.

Mae'n gallu rhyfeddu at fyd natur a'r cread gyda dawn a dychymyg plentyn, er mai yng nghanol y gwagle diddim y mae'r cread hwnnw'n crogi. Daw â gwefr y funud i'w gerddi, gan wrthod ei reswm a'i ddeall ar brydiau. Mae'n closio at gwmpeini cymdeithas dyn pan fo dynoliaeth yn ei siomi. Mae'r haf a'r gaeaf yn digwydd ochr yn ochr yn ei waith – nid dau dymor yn dilyn ei gilydd ydynt. Yr un person yw mabolaeth a marwolaeth i R. Williams Parry a chan wrthod dilyn y dorf:

> Nid eistedd gyda'r union-gred,
> Na chyda'r anghred ynfyd.　　('A.E. Housman')

Mae ei gydymdeimlad bob amser â'r unigolyn egwyddorol, yr un sy'n sefyll yn erbyn y lli:

> Y milwr, nid milwriaeth – a noddai;
> 　　Heddwch, nid heddychaeth,
> 　Y werin, nid gweriniaeth;
> 　Y werin gyffredin, ffraeth.

ENGLYNION COFFA HEDD WYN
Yr Haf a Cherddi Eraill, R. Williams Parry, Gwasg Gee, tud. 103

Cyflwyniad
Yn ei gerdd 'Y Ffliwtydd' (Cerddi'r Gaeaf), mae R. Williams Parry yn cyfeirio at yr Ail Ryfel Byd ac at y delfrydau oedd yn gorfodi'r bechgyn i ymladd. Nid yw'n ymyrryd yn y ddadl o blaid neu yn erbyn heddychaeth; nid yw'n trafod cyfiawnder ac anghyfiawnder rhyfel – mater i wleidyddion yw hynny, meddai: 'Bydd huawdl, Wleidydd'. Nid lle'r bardd yw cymryd rhan yn y gêm honno, medd R. Williams Parry. Canu am y gwae yw swydd y bardd – gwylio, gresynu, rhyfeddu a cheisio dal y grym creadigol sy'n rhoi bywyd mewn geiriau.

Dyna a wnaeth yn ei englynion coffa i hogiau'r 'Rhyfel Mawr', fel y gelwir y Rhyfel Byd Cyntaf. Unigolion ydynt yn ei ganu ef – enwau, nid rhifau militaraidd. Mor agos a chynnes yw cyfeiriadau fel 'Y Tom gwylaidd, twymgalon' ac 'O'r addfwyn yr addfwynaf,/Ac o'r gwŷr y gorau gaf'. Yn wahanol i rai cerddi jingoistaidd y cyfnod, nid yw'n canmol yr aberth a'r dewrder. Yn groes i duedd cerddi crefyddol ei oes, nid yw'n honni bod yr eneidiau wedi cael lle gwynnach ar ôl y fath farwolaethau erchyll. 'Y rhwyg o golli'r hogiau' a'r 'Lluniaidd lanc sy'n llonydd lwch' sy'n canu yn ein pennau a'n calonnau wrth i gerddoriaeth ddwys yr englynion olchi trosom. Maent fel miwsig y Death March – diwedd ieuenctid, marwolaeth y synhwyrau, y pellter rhwng y byw a'r marw sy'n llenwi ein byd. Does dim ceisio dod i delerau â hynny, dim dygymod, dim cyfiawnhau na chondemnio. Dim ond dweud yr hyn y mae'n ei weld. Dim ond y gofid sydd yma. A ddylem chwilio am gysur mewn cerddi o'r fath?

Lladdwyd Hedd Wyn ar 31 Gorffennaf, 1917, ym mrwydr Cefn Pilkem yng ngwlad Belg, dim ond ar ôl rhyw awr o frwydro yn ei ymosodiad cyntaf ar faes y gad. Daeth y newydd adref i'r Ysgwrn, Trawsfynydd ymhen rhyw dair wythnos. Roedd eisoes wedi gwneud enw iddo'i hun fel bardd drwy ennill nifer o gadeiriau mewn eisteddfodau lleol ac ar ddydd Iau, 6 Medi cyhoeddwyd mai awdl Hedd Wyn oedd wedi'i dyfarnu'n fuddugol yng nghystadleuaeth cadair yr Eisteddfod Genedlaethol yn Birkenhead. Gan fod y bardd yn ei fedd, taenwyd gorchudd du dros y gadair a hon oedd 'Eisteddfod y Gadair Ddu' fyth ar ôl hynny. Yma yng Nghymru, tyfodd Hedd Wyn, y bardd, yn symbol o'r holl ddoniau ifanc a gollwyd yn y rhyfel honno.

Gair am air

didolir dadblethu, datod
rhawd hyd bywyd, taith
gweryd pridd, daear
gwñdd coed

Sylwi ac ystyried

1. Yn ei englynion i filwr arall o Feirion, mae gan R. Williams Parry y linell: 'Dan y clai nid yw'n clywed'. Rhestrwch y cyfeiriadau at synhwyrau marw yn yr englynion i Hedd Wyn. Bellach dwysni, llesgedd, gorffwyso, llwch, distawrwydd a hedd sy'n aros.

Sefyll a sylwi y mae'r bardd. Syndod a gresyndod sy'n ei daro ac mae gwrthgyferbynnu y bywyd a'r doniau a fu â'r di-ddim, y 'diallu dywyllwch' hwn, yn amlwg iawn.

2. Gwrthgyferbynnu arall yw 'yma' ac 'acw': mae'r galar yn digwydd yma yn ardal ei febyd a chynnes iawn yw'r cyfeiriadau ati. Ar y llaw arall, mae'r corff ymhell a sylwch ar yr eirfa sy'n cyfleu hynny. Mae golau lleuad yn codi uwch Trawsfynydd, ond wedi cael ei ollwng i'r bedd tywyll y mae Hedd Wyn.

3. Yr hyn sy'n eironig drwy'r pedwar englyn cyntaf yw bod y bardd yn mynnu dal i siarad â Hedd Wyn, er ei fod yn gwybod ei fod y tu hwnt i glyw, mewn mwy nag un ystyr. Yn yr ail ganiad, mae'n agor gydag apêl i'r byw gadw'r cof am y marw. Wrth ganu i'r hyn sy'n 'fwy trist na thristwch' ym myd dyn, sylwch ar ei bwyslais ar ansoddeiriau unsill sy'n darlunio'r cyflwr hwnnw. Beth yw effaith yr ailadrodd yn yr englyn 'gadael', dybiwch chi?

4. Mae'r englynion hyn yn goffâd bersonol gan R. Williams Parry, ond y mae hefyd yn rhyddhau teimladau y gymdeithas a'r ardal a Chymru gyfan yn ei eiriau. Lleisio tristwch ei gynulleidfa y mae'r bardd a sylwch hefyd fel y mae'n ein harwain at bethau tragwyddol byd natur a'r cread yn yr englynion: mae'r lleuad, mynyddoedd Eryri, ffriddoedd a ffrydiau, dolydd a choedydd yn aros; dyn ac ieuenctid sy'n mynd. Dyma gyffwrdd â thema fawr y mae'n ei chanu'n amlach yn ddiweddarach yn ei ddyddiau.

CLYCHAU'R GOG

Cerddi'r Gaeaf, R. Williams Parry, Gwasg Gee, tud. 4

Cyflwyniad

Yn ei gerdd 'Blwyddyn', mae R. Williams Parry yn canu i odidowgrwydd natur mewn lle arbennig:

> Lle'r oedd pob *gweld* yn gysur
> Pob *gwrando'n* hedd di-drai.

Cefnddwysarn oedd yn ei feddwl wrth ganu'r gerdd honno. Canodd gerddi eraill i fannau eraill, megis 'Eifionydd', ond ar y cyfan prin ydynt. Natur y lle sy'n bwysig iddo, nid ei leoliad. Ceisio 'sblander bore'r byd' yr oedd: y cyflwr cyntefig hwnnw lle nad oedd treigliad amser wedi effeithio ar fyd natur; dim 'staen na chraith' nac arwydd o gynnydd diwydiannol; dim 'chwydfa'r' tomenni llechi.

Roedd ei gydnabod a'i gyfeillion yn aml yn sôn am y troeon a gawsant yng nghwmni R. Williams Parry. Hoffai gwmnïaeth 'enaid hoff cytûn' wrth fynd am dro ar hyd godrau Eryri. Ond yn aml, byddai'n ymgolli cymaint mewn rhyw brofiad arbennig nes anghofio am ei gymdeithion yn llwyr. Byddai rhyw wefr neu'i gilydd a brofai yn llyncu'i holl synhwyrau nes ei fod yn ei nefoedd fach ei hun. Fel plentyn, fel dyn cyntefig, (fe'i cyhuddwyd o fod yn 'bagan' gan rai o'i gyfoeswyr culach na'r cyffredin!) drwy ei synhwyrau effro y dôi i gymundeb agos â'r hen ddaear hon a'i rhyfeddodau – a does ryfedd felly fod *gweld* a *gwrando* mor amlwg yn ei waith.

Mae nifer o gyfeiriadau yn ei gerddi fod yn well gan R. Williams Parry hedd y ffriddoedd na gwasanaethau'r llan ac roedd hyn yn betrol ar fflamau'r rhai a'i hystyriai'n bagan. Gwyddai fod rhai o'i agweddau yn tramgwyddo dogmâu crefyddol ei gyfnod, ond ni allai ef weld yr angen am ddisgwyl am wynfyd y man gwyn, man draw. Gweledigaeth y bardd wedyn yw bod pleserau natur yn ddigon, hyd yn oed os yw'r tymhorau'n newid.

Gyda'i lygad a'i glust y mae'n cael ei gyffroi gan natur. Ymateb yn reddfol y mae, nid drwy fyfyrdod – 'nid bywyd yw Beioleg', meddai. Mae'r sylwi yn fanwl ac yn graff yn ei ganu natur. Nid disgrifio drwy dynnu llun y gwrthrych neu'r olygfa y mae, ond drwy ddeffro ein synhwyrau ninnau.

Gair am air

llesmeiriol	perlewygol, hudolus
goriwaered	pant
rhin	gwerth arbennig

Sylwi ac ystyried

1. Mae'r 'persawr' a'r 'paent' yn apelio at ddau synnwyr; y 'mudion glychau Mai' yn apelio at synnwyr arall. Pa linellau eraill sy'n llawn synwyrusrwydd? Mae'r mesur, gyda'i odlau lluosog, yn creu miwsig ynddo'i hun a'r ailadrodd, y cyffyrddiadau cynganeddol (ffarwelio/ ffarwelio/pharhaent) a'r odlau mewnol (mynych/glych) yn cyfrannu at hud y geiriau i'r glust.

2. Ymyrraeth dyn a dyheadau dynion sydd i'w teimlo yn y llinellau 'llechwedd lom yr og' a 'hwyrol garol o glochdy Llandygài'. Nid oes gan y rheiny ddim i'w gynnig o'i gymharu â phrofiad y funud ym myd natur. Y rhyfeddod hwnnw sy'n real i R. Williams Parry a digon i'r dydd ei harddwch ei hun ganddo. Mae digon o gyfeirio at y gorffennol yn 'Clychau' Gog' – ond ein symud yn ôl at amser pan oedd dyn yn un â'r byd o'i gwmpas y mae. Pa eiriau ac ymadroddion sy'n cyfleu'r dychweliad yma at amser arall?

3. Wrth dderbyn rhyfeddod natur, mae hefyd yn derbyn tymhorau'r byd hwnnw. Mae'r darfod yma ar ddechrau'r gerdd: dyfod/myned; cyrraedd/ffarwelio. Mae'n caniatáu iddo'i hun y teimlad ofer o ddyheu i ryfeddod y blodau bara byth ond gŵyr yn ei galon bod rhaid iddo blygu i drefn natur. Bydd y gwyddfid a chlychau'r eos yn dilyn yn hwyrach yn y tymor ond yr hyn sy'n gwefreiddio'r bardd yw mor afradlon yw clychau'r gog, mor lluosog a thanbaid – a hynny er byrred eu tymor. Profiadau fel hyn sy'n rhoi gwerth ar fywyd yn ei olwg – profiadau godidog ond profiadau byr a brau ydyn nhw, fel synhwyrau dyn ei hun.

CYMRU 1937

Cerddi'r Gaeaf, R. Williams Parry, Gwasg Gee, tud. 63

Cyflwyniad

Roedd tridegau'r ugeinfed ganrif yn gyfnod o baratoi am ryfel. Meddiannodd y Weinyddiaeth Amddiffyn lawer o diroedd i greu meysydd awyr a chanolfannau ymarfer. Llygadwyd tir ym Mhenrhos, Llŷn gan y

Weinyddiaeth honno i greu maes tanio taflegrau at dargedau yn y môr. Byddai'n golygu chwalu hen blasty Cymreig Penyberth a meddiannu nifer helaeth o aceri o dir Llŷn ar gyfer dibenion militaraidd. Roedd yr awdurdodau wedi penderfynu dod i Lŷn ar ôl i safle yn Lloegr gael ei gwrthod oherwydd ymgyrchu gan warchodwyr elyrch yn yr ardal.

Ar ôl ymgyrch galed gan genedlaetholwyr a heddychwyr yng Nghymru, anwybyddwyd y protestio ac aed ati i sefydlu'r maes ymarfer yn Llŷn. Yn oriau mân y bore, 8 Medi, 1936, aeth criw o aelodau Plaid Genedlaethol Cymru ati i losgi'r Ysgol Fomio ym Mhenyberth a rhoddodd tri o arweinwyr y Blaid eu hunain yng ngofal yr heddlu lleol. Bum wythnos yn ddiweddarach, daeth y tri – Saunders Lewis, D.J. Williams a Lewis Valentine – gerbron llys y seisys yng Nghaernarfon a methodd y rheithgor gytuno ar y dyfarniad. Y dydd Llun canlynol, gwaharddwyd Saunders Lewis rhag darlithio gan ei gyflogwyr, Cyngor Coleg Abertawe. Symudwyd yr achos i'r *Old Bailey* yn Llundain a chafwyd y tri yn euog yn Ionawr 1937. Fis yn ddiweddarach, diswyddwyd Saunders Lewis gan Goleg Abertawe. Rhyddhawyd y tri yn Awst 1937 a chynhaliwyd cyfarfod croeso anferth i ddathlu hynny. Llosgi'r Ysgol Fomio – 'y Tân yn Llŷn' – oedd y digwyddiad mwyaf dylanwadol ar fywyd llenyddol Cymraeg yn ystod 30au a 40au yr ugeinfed ganrif.

Ymaelododd R. Williams Parry gyda Phlaid Genedlaethol Cymru yn fuan ar ôl ei sefydlu yn Awst 1925. Bu'n gadeirydd Pwyllgor Rhanbarth y Blaid yn sir Gaernarfon ac yn cynorthwyo gydag ymgyrch etholiad seneddol Lewis Valentine yn 1929. Ond gŵr anwleidyddol ydoedd. Nid areithydd na dadleuwr mohono. Roedd yn Gymro greddfol a byddai'n gwrthwynebu'r Ysgol Fomio – ond y driniaeth a dderbyniodd Saunders Lewis a gododd ei wrychyn. Edmygai Saunders fel llenor creadigol ac fel beirniad llenyddol – roedd yn ŵr o ddifri ynglŷn â llenyddiaeth ac wedi dwyn astudiaeth ohoni am y tro cyntaf i fyd academaidd adrannau Cymraeg y Brifysgol. A dyma'r Brifysgol honno yn ei atal o'i waith cyn i lys yn Llundain ei gael yn euog!

Gair am air

rhaglaw	'barnwr Rhufeinig' yn ôl y Testament Newydd; y tro hwn mae'n cynrychioli cyfraith imperialaidd Lloegr
Philistia	cenedl anwaraidd oedd Philistiaid yr Hen Destament; cyhoeddodd Saunders Lewis astudiaethau beirniadol dan y teitl 'Yr Artist yn Philistia'
glwth	'soffa' o fath; dodrefnyn i orwedd neu led-orwedd arno

Sylwi ac ystyried

1. Yn y soned hon, mae'r bardd yn galw ar y 'Gwynt' i ysgwyd ei wlad o'i difaterwch a'i hunanfodlonrwydd. Pa wynt ydi hwn? Chwiliwch am adleisiau o'r Beibl yn y soned wrth i'r bardd ymbilio am ddeffroad – yr un ieithwedd ag a geir mewn gweddi sydd yma. Ond fel sy'n addas i weddi – nid oes dim creulondeb na chasineb yma, hyd yn oed os yw'r dicter a'r dychan yn gryf ar adegau.

2. Mae'n gerdd angerddol, yn adlewyrchiad teg o deimladau dwfn y bardd wrth weld cyd-ddarllithwyr Saunders Lewis yn adrannau Cymraeg Prifysgol Cymru yn troi cefn arno ac yn osgoi'r cyfle i'w gefnogi na hyd yn oed i leisio gair o brotest yn erbyn awdurdodau'r colegau. Pa eiriau yn benodol sy'n dangos yr angerdd hwnnw?

3. Mae delwedd y gwynt yn un gref iawn – y gwynt yw'r arwydd o dro yn y tywydd neu dro yn y tymor. Mae'r gwynt yn egni creadigol yng nghanu R. Williams Parry; y gwynt sy'n cyffroi geiriau'r bardd sy'n 'annhangnefeddus' fel y soned hon, yn hytrach nag yn felys, fwythus, esmwyth. Sylwch ar yr holl eiriau haniaethol anesmwyth sydd yn y gerdd. Mae'n galw am ddychryn eithafol – dagrau; gwallgofrwydd; daeargrynfeydd. 'Gwna i ni deimlo' yw'r alwad.

4. Mae cyfeiriad at feirdd ac offeiriaid yn y cwpled clo – cysylltir Williams Pantycelyn, ein prif emynydd â'r 'Llanfair sydd ar y Bryn' a Goronwy Owen, y cywyddwr a'r ciwrad â Llanfair Mathafarn, Môn. Ond nid gofyn am ddiwygiad crefyddol y mae R. Williams Parry. Waeth ganddo pa grefydd ('synagog') a waeth ganddo os mai codi lleisiau mewn tafarn fydd effaith y gwynt. Adfywhau pobl nid bywyd tragwyddol yw poen meddwl y bardd.

5. Sylwch ar ffurf y soned arbennig hon. Mae'n un o bum soned afreolaidd a gyfansoddodd R. Williams Parry ble mae'n ymestyn hyd rheolaidd y llinellau, yn amrywio'r patrwm acennu. Nid yw'n cadw at y cysondeb a ddarluniodd unwaith fel:

> Ymlaen, ymlaen, ymlaen, ymlaen, ymlaen.

Mae'n dechrau llinellau'n acennog; mae ganddo gynifer â 14 sillaf yn ei linellau; mae wyth o'r odlau yn rhai di-acen ac yn odlau dwbwl bellach. Mae wedi mynd mor bell oddi wrth y patrwm traddodiadol fel y gellir ei gydnabod yn fesur newydd, ac mae wedi'i alw yn 'soned laes'. Mae cyfnod newydd a cham newydd fel arfer yn galw am fesur newydd ac efallai mai yn y pum 'soned' hon yn *Cerddi Gaeaf* y cawn ganu mwyaf angerddol R. Williams Parry.

ROBERT WILLIAMS PARRY

GAIR O BROFIAD

Cerddi'r Gaeaf, R. Williams Parry, Gwasg Gee, tud. 71

Cafodd R. Williams Parry ei godi mewn cymdeithas chwarelyddol ar droad yr ugeinfed ganrif. Roedd 'mynd i'r capel' yn echel ganolog i lawer o fywyd y gymdeithas honno – oedfaon ac Ysgol Sul ar y Sabath, *Band o' Hôp* i'r plant yn ystod yr wythnos, cyfarfodydd gweddi a seiadau i'r oedolion, cymdeithasau moes a dirwest, eisteddfodau a chymanfaoedd canu. Gwyddai Cymry'r cyfnod, yn ôl yr arbenigwyr, fwy am hanes 'yr hen genedl', sef yr Iddewon, nag a wyddent am hanes Cymru. Roedd geirfa ac ymadroddion Beiblaidd yn rhan o'u hiaith bob dydd a ieithwedd y pulpud a'r seiad yn gyfarwydd iddynt.

Cyfarfod i drafod profiadau crefyddol ac ysbrydol oedd y seiat, ac i gnoi cil ar bregeth y Sul. Rhoddai'r Methodistiaid cynnar bwyslais mawr ar 'brofiad' o'r ysbryd, sef troedigaeth at grefydd. Byddai hynny'n newid eu bywydau ac yn y seiat, byddent yn rhannu'r profiadau hynny gyda gweddill cymdeithas y capel. Mae teitl y soned hon felly yn llawn o gyfeiriadaeth grefyddol fyddai'n gyfarwydd iawn i Gymry'r cyfnod. Cynhelir llawer o gyfarfodydd gweddïo ar ddechrau blwyddyn newydd hyd heddiw, ac yn aml bydd galw ar rai o'r aelodau cyffredin i roi 'gair o brofiad'.

Gair am air

ddi-dderbyn-wyneb	ymwrthod â rhagrith o bob math
anhyglyw	tawel; anodd ei glywed
nych	salwch; gwendid

Sylwi ac ystyried

1. Ar ôl sefydlu cyd-destun crefyddol y soned, mae R. Williams Parry yn cyflwyno inni'n wylaidd holl baradocs a gwrthgyferbyniad y cyflwr dynol drwy ddinoethi'i hunan ger bron ei gynulleidfa. Gellir crynhoi natur gymhleth ein bodolaeth gyda'r llinell 'Rwy'n wych, rwy'n wael, rwy'n gymysg oll i gyd'. Dyma gymhlethdod y bywyd dynol – ond ai cydymdeimlo neu ddychan y mae'r bardd?

2. Ar ddechrau ei yrfa, câi R. Williams Parry ei adnabod fel 'Bardd yr Haf'; dewisodd alw ei gasgliad olaf o gerddi yn *Cerddi'r Gaeaf*. Yn sicr, yn ei ganu diweddarach mae themâu fel angau, henaint, ynfydrwydd bodolaeth yn amlwg yn ei waith. Gan nad oedd y canu'n adlewyrchu confensiynau

crefyddol y cyfnod, honnai rhai mai 'anghredadun' a 'pagan' oedd R. Williams Parry. Bu yntau'n ddigon parod i borthi'r ddelwedd honno ar adegau gyda cherddi diobaith wrth fyfyrio 'ar ei farwol stad'. Nid y diwedd ei hun oedd ei ofn mawr. Fel y dywedodd am fardd arall, A.E. Housman:

> Ei ddychryn ef yw bod yn fyw:
> Angeuol yw bodolaeth.

Gweld rhyfeddod bywyd yn diflannu sy'n lladd ei enaid. Colli synhwyrau'r plentyn ynddo yw ei boen:

> Cans diwedd mabolaeth yw diwedd y byd,
> Dechrau'r farwolaeth a bery gyhyd.   ('Canol Oed')

Nid gaeaf yn dilyn haf sy'n digwydd, ond mae'r gaeaf yn ymddangos yn sydyn yng nghanol tymor yr haf. Dyma'r ddeuoliaeth sydd yn ein bodolaeth. Pa enghreifftiau o'r cydblethiad cymhleth hwnnw sy'n cael eu hawgrymu gan linellau'r soned?

3. Bardd oedd R. Williams Parry, nid sant; barddoniaeth oedd ei ffurf ar weddi. Mae stamp llawer o emynau Cymraeg ar batrymau iaith y soned hon ('rwy'n ... ' 'mi garwn'). Mae nodau cyntaf y soned yn negyddol ('llwfr ydwyf') a sylwch ar y modd yr ailadroddir hynny ar ddechrau bron pob llinell yn yr wythawd. Gosodir y disgrifiadau diraddiol yn flaenaf a thrwy hynny y mae'r bardd yn ymostwng ei hun.

Gyda'r gwyleidd-dra hwnnw, mae'n sôn am agweddau mwy cadarnhaol ar ei gymeriad ac erbyn dechrau'r chwechawd mae newid cynnil i'w deimlo wrth iddo, am unwaith, roi'r positif yn gyntaf: 'Rwy'n wych, rwy'n wael. . .'. Yn raddol, mae mydryddiaeth fawreddog y soned yn ein codi at yr 'ond' cyn y cwpled clo sy'n mynegi'r dyhead, o leiaf, am fywyd mwy dyrchafol. Oes yna awgrym o obaith i ddyn yn y diwedd?

4. O ran crefft mynegiant, sylwch y modd y mae R. Williams Parry yn cyfuno'r ddau wrthbwynt sydd ynddo drwy eu cynganeddu, eu hodli neu eu cyflythrennu: (e.e. nych/nerth; helbul/hedd; bydol/ysbrydol). Mae crefft y bardd yn pontio'r ddau eithaf, yn ddrych o'r bersonoliaeth yn gwneud yr un modd.

Dyfyniadau am R. WILLIAMS PARRY

Mae'r gair cynddaredd yn air diarth iawn i'w ddefnyddio am Robert Williams Parry, ond mae'n disgrifio ei deimladau i'r dim. Dyma'r pryd y cynhyrfwyd ef i ganu ar ôl distawrwydd maith. Ymddangosodd 'Y Gwrthodedig', 'J.S.L.', 'Ma'r Hogia'n y Jêl' a 'Cymru 1937'. Nid barddoni'n unig a wnaeth yn ystod y cyfnod yma ond ceisio cael gan wŷr academaidd ac eraill ddylanwadu ar Goleg y Brifysgol, Abertawe, i roddi ei swydd yn ôl i Saunders Lewis.

'Atgofion am R. Williams Parry, O.M. Roberts,
Barddas, Tachwedd 1984

Dangosodd sut i drin dicter mewn barddoniaeth, a gwneuthur ohono harddwch. Nid dwrdio y mae, ond dangos bod ganddo galon nas twyllwyd.

'Robert Williams Parry', John Eilian, *Gwŷr Llên*,
gol: Aneirin Talfan Davies, Griffiths, Llundain, 1948

... nid pwrpas y seiniau a'r geiriau hyn yw deffro ein chwilfrydedd deallol, cystrawennol, ond ein cyfareddu. Seiniau rhiniol ydynt: dyna oeddynt i Williams Parry ei hun, sillau a geiriau wedi dianc o hualau gramadeg a geiriadur ac yn ei ormesu â'u sain fel y bydd thema neu rhyw gyfuniad o nodau miwsig yn gormesu ar gerddor a chyfansoddwr; geiriau fel y bydd bardd yn eu *clywed*.

'R. Williams Parry', ysgrif yn *Safle'r Gerbydres ac ysgrifau eraill*, D. Tecwyn
Lloyd, Gomer, 1970

Dyfyniadau gan R. WILLIAMS PARRY

1929 – Marwolaeth Syr John. Cael fy ngwahodd i mewn yn gyfangwbl: minnau'n dewis bod allan yn gyfangwbl. Pwyllgor Unedig y Dosbarthiadau Tiwtorial yn darganfod nad oedd ganddo ddigon o gyllid i'm cynnal. Canlyn arni fel cynt, 'hanner yn hanner, heb ddim yn iawn'. Digio y tro hwn.
1935-36 – Troi'n ieithydd wedi troi'r hanner cant, a chyhoeddi nodiadau ar

y Llydaweg a'r Gernyweg yn y *Bwletin Celtig.*
Bywgraffiad R. Williams Parry yn ei eiriau'i hun,
Gwŷr Llên, gol: Aneirin Talfan Davies, Griffiths, Llundain, 1948

Y mae'n demtasiwn i roddi cyngor Pwnsh i rai â'u bryd ar briodi –
'Peidiwch!' Wele rai, beth bynnag, y buasai'n fantais i mi petawn wedi eu
cael ystalwm:
1. Ceisiwch yn gyntaf ysgrifennu rhyddiaith gref, Gymroaidd. Os methwch,
dewiswch y dasg haws o nyddu englynion a hir-a-thoddeidiau.
2. Gochelwch gystadlu gormod. Yn groes i'r gwir Gristion, aiff y gwir fardd
oddi wrth ei wobr at ei waith.
3. Na feddyliwch eich bod yn plesio beirniad wrth efelychu ei arddull. Ni fyn
ei atgoffa o'i gamweddau.
4. Darllenwch feirdd estron pan gaffoch gyfle. Ynfydrwydd yw haeru bod
barddoniaeth Gymraeg yn anhraethol well na barddoniaeth Saesneg, ddoe
na heddiw.
5. Ymgroeswch rhag 'y clws eiriau clasurol', ond ysgrifennwch iaith eich
mam. Ni ŵyr hi beth yw *pali, rhiain, oed, macwy, brieill, telediw, achlân.* Ond
gŵyr fwynhau Llyfr Job.
6. Na fyddwch ry syml eich arddull ychwaith. Y mae naturioldeb gwneud yn
fwy annioddefol na rhodres.
Deg Gorchymyn i Feirdd
o'r golofn 'Beirdd a Barddoniaeth' yn Y *Genedl Gymreig,* 14 Medi, 1925,
lle mae'n ateb holwr a ofynnodd iddo pa gynghorion a roddai
i un yn dechrau ymhél â chrefft barddoni

Hwyrach y dylid ein hatgoffa ein hunain a'n gilydd fod barddoniaeth yn un
o'r celfyddydau cain, wedi'r cwbl, a'i bod o ganlyniad yn hawlio'r gofal
manylaf, a'r cywirdeb a'r difrifwch llwyraf. Cyfeiliornad y dylid ei symud yw
synio am y bardd fel rhyw fod ysbrydoledig na raid iddo dreulio ond dwyawr
ar ddau gan llinell. Dylai pob gair a phob llinell dderbyn sêl y gydwybod
lenyddol honno sydd bob amser yn effro iawn ym mhob gwir awenydd. Drwy
chwys yr wyneb y bwytawn fara'r duwiau. Bu raid i Shakespeare ei hun
dreulio pentisiaeth faith a diflas. 'Arfer a'i hadfer hi,' medd y bardd.
O feirniadaeth darn o farddoniaeth ar unrhyw gymeriad ysgrythurol yn
Eisteddfod Goronog Bethesda, Ionawr 1921 – Y *Brython,* 3 Mawrth 1921

ROBERT WILLIAMS PARRY

Oes ddilyffethair yw hon, mewn dillad ac mewn llên. Ond y mae y faint a fynnir o ofyn am frethyn cartref cryf ym mhob oes, boed ei doriad y peth y bo. Sylwir gan hynny ar edafedd y deunydd – ar eiriau a brawddegau a llinellau. Byth ni wawria'r dydd pan nad adwaenir ffydd wrth ei gweithredoedd a barddoniaeth wrth ei geiriau.

O feirniadaeth y soned yn Eisteddfod Genedlaethol Treorci, 1928

Dychan

Dylai dychanwr ei gadw ei hun yn oer a digyffro er i wrthrych ei wawd orfod chwysu a thwymo a chordeddu dan flas ei chwip a phigiad ei fynawyd. Nid yw'r teimladau a wedda i delynegwr – serch a chas, gofid a gorfoledd, tynerwch a dwyster – yn gweddu iddo ef. Campwaith y deall yw campwaith y dychanwr: arabedd, ffraethineb, llymder a min a dâl i'w feddyliau ef.

O feirniadaeth y ddychangerdd yn Eisteddfod Goronog Llanllechid,
Hydref 1926 – *Y Brython*, 4 Tachwedd 1926

DARLLEN PELLACH

Yr Haf a Cherddi Eraill, R. Williams Parry, Gee, 1924

Cerddi'r Gaeaf, R. Williams Parry, Gee, 1952

R. Williams Parry – Y Casgliad Cyflawn, gol: Alan Llwyd, (Gee, 1998)

Rhyddiaith R. Williams Parry, gol: Bedwyr Lewis Jones (Gee, 1974)

Barddoniaeth R. Williams Parry (Astudiaeth Feirniadol),
    Dr T. Emrys Parry (Gee, 1973)

'R. Williams Parry' ysgrif yn *Safle'r Gerbydres ac ysgrifau eraill*,
    D. Tecwyn Lloyd (Gomer, 1970)

'Robert Williams Parry', John Eilian, *Gwŷr Llên*, gol: Aneirin Talfan
Davies, (Griffiths, Llundain, 1948)

'Colli Robert Williams Parry', Casgliad o Ysgrifau T.H. Parry Williams
    (Gomer, 1984)

Dawn Dweud R. Williams Parry, Bedwyr Lewis Jones, golygwyd a
    chwblhawyd gan Gwyn Thomas (Gwasg Prifysgol Cymru, 1997)

R. Williams Parry: Cyfres Llên y Llenor, Alan Llwyd, Gwasg Pantycelyn, 1984

IWANLLWYD IWANLLWYD IWANLLWYD
IWANLLWYD IWANLL
IWANLLWYD IWANLLWYD IWANLL
IWANLLWYD IWANLL
IWANLLWYD IWANLL
IWANLLWYD IWANLL
IWANLLWYD IWANLL

IWAN LLWYD

Wedi ei eni yng Ngharno, Powys, treuliodd Iwan Llwyd ei flynyddoedd
cynnar yn Nyffryn Conwy, cyn symud i Fangor. Roedd ei dad yn weinidog, ei
fam yn athrawes gynradd a chafodd yntau a'i frawd eu meithrin a'u magu
ym mynwes y capel a'r Ysgol Sul, yr eisteddfod leol, yr Urdd a'r *Band of Hope*.
Fel y dywed ei hun: 'mae fy nghefndir i yn solat yn y traddodiad
Anghydffurfiol Cymreig. Ac mae gen i lawer o gydymdeimlad â'r cefndir
hwnnw'. Mae'n byw yn ardal Bangor o hyd, yn briod â Nia, a chanddynt un
ferch, Rhiannon. Mae'n rhannu ei amser rhwng sgwennu a theithio fel
bardd, gan ymweld â llawer o ysgolion yn ogystal. Mae'n cynnal gweithdai
barddoniaeth, yn perfformio ei waith yn gyhoeddus yn gyson ac yn canu'r
gitâr fâs mewn grwpiau megis Geraint Løvgreen a'r Enw Da, Steve Eaves a'i
Driawd a'r Bechgyn Drwg. Teithiodd sawl cyfandir gan ddwyn ei brofiadau
i'w ganeuon a'i gerddi teledu. Crëwyd tair cyfres o raglenni barddoniaeth
taith ganddo ef ar gyfer S4C, gyda Michael Bailey Hughes a'i gwmni
Telegraffiti yn gyfrifol am y gwaith ffilmio. Enillodd gadair Eisteddfod yr Urdd
yn 1980 a choron yr Eisteddfod Genedlaethol yn 1990 a chyhoeddodd nifer
o gyfrolau o farddoniaeth, gydag un ohonynt – *Dan Ddylanwad* – yn cipio
gwobr Llyfr y Flwyddyn, 1997.

Cyflwyniad i waith Iwan Llwyd

Mae ambell ddyddiad yn ffin ar fap hanes a does dim dwywaith bod y cyntaf o Fawrth, 1979 yn un o'r rheiny i'r genhedlaeth honno a fagwyd yn chwedegau'r ugeinfed ganrif ac a ddaeth i'w hoed yn ystod y saithdegau. Bu'r ddau ddegawd hwnnw yn rhai cyffrous i Gymru a'r Gymraeg, pan gododd cenhedlaeth newydd i wynebu'r her o roi llais cyfoes i'n diwylliant, i ddod â'r Gymraeg i ganol yr agenda wleidyddol a hefyd i ferw byd adloniant roc a theatr y cyfnod. Gwirionodd Iwan Llwyd yntau, fel amryw o'r genhedlaeth honno, ar yr her newydd 'i greu ieithwedd a diwylliant Cymraeg oedd yn herio yr hen gonfensiwn mai rhywbeth yn perthyn i gapel ac eisteddfod oedd yr iaith', fel y dywed yn ei eiriau ei hun.

Roedd hyder newydd i'w deimlo yn y tir ac roedd llwyddiannau gwleidyddol a momentwm brwydr yr iaith yn rhoi sicrwydd a gobaith y byddai'r dyfodol yn un haf hirfelyn tesog. Chwalwyd y ddelfryd, fodd bynnag, gyda'r bleidlais drom o 'Na' yn y refferendwm gyntaf ar ddatganoli i Gymru ar y cyntaf o Fawrth, 1979. Cyn diwedd y gwanwyn hwnnw, roedd Margaret Thatcher ar ei gorsedd a thros y degawd nesaf teimlodd y cymunedau Cymreig effaith ei llaw haearn.

Aeth yr hen ddelfryd o gymdeithas sefydlog, wreiddiedig ar goll yn niwl yr ugeinfed ganrif. Lledodd y bwlch rhwng y Gymru hon a Chymru'r 'man gwyn, man draw'. Aeth geiriau fel 'rhyddid' a 'chyfiawnder', oedd yn gymaint rhan o sloganau a chaneuon protest y chwedegau a'r saithdegau, yn eiriau ystrydebol, os nad diystyr. A phan grafwyd, o drwch blewyn, bleidlais gadarnhaol dros ddatganoli yn refferendwm 1997, roedd Cymru – a'r syniadau amdani – wedi newid erbyn hynny.

Daeth diflastod y diwylliant arwynebol, byd-eang yn rhan o brofiad gwylwyr teledu Cymraeg hefyd:.

Papur wal yn unig yw'r rhan fwyaf o raglenni, gyda'r gwyliwr yn picio i mewn ac allan yn ôl y galw. Collodd cyfrwng y teledu ei bwysigrwydd creadigol a chelfyddydol. Ar hyn o bryd, dydan ni ddim wedi llwyr gyrraedd y pwynt hwnnw yma. Y drwg yw ein bod ni mewn rhyw dir neb lle y mae rhai ohonom ni yn dal i ddisgwyl i deledu herio, procio a chynnig gwybodaeth – yn arbennig yng Nghymru a thrwy gyfrwng y

Gymraeg. Mae'r llif fel petai o'n symud yn anorfod tuag at y llanw Americanaidd.

'Croesi'r 40ain', Iwan Llwyd *Taliesin*, Cyf 100, Gaeaf '97

Rywle rhwng y ddau – rhwng diwylliant yn culhau a chrebachu a chanolbwyntio ar orffennol a phapur wal traws gyfandirol – mae celfyddyd yn ceisio gwthio'r ffiniau a darganfod lleisiau newydd, sy'n gyfoes ac eto'n oesol. Ym myd canu pop, mae Iwan Llwyd yn canfod patrymau y mae'n eu cofleidio. Yng Nghymru, mae cerddi roc Geraint Jarman a'u rhythmau amrywiol yn apelio at ei ddychymyg. Yng nghaneuon y *Beatles* hefyd clywodd lais ei genhedlaeth yn codi uwchlaw'r cyffredin:

Yr oedden nhw yn hytrach yn greadigaeth eu cyfnod, yn amsugno dylanwadau o bob cyfeiriad – eu rhieni, y radio a'r teledu, cyfoedion, llenorion a cherddorion clasurol, penawdau papurau newydd – llifai popeth i'w pair, yn fwriadol ac yn anfwriadol. Athrylith y pedwar oedd eu gallu i ddethol a chyfeirio'r dylanwadau, arbrofi gyda synnwyr a sŵn i greu rhywbeth cwbl newydd a dylanwadol.

'Beirdd y Ganrif', adolygiad Iwan Llwyd,
Y Grefft o Greu (Alan Llwyd), *Taliesin*, Cyf. 104, Gaeaf 1998

Mae Iwan Llwyd yntau am weld y Gymraeg yn codi'i phen o'i phlu ac yn meddiannu'r lôn newydd. Gyda chymorth arlunwyr fel Iwan Bala ac Anthony Evans a ffotograffwyr fel Martin Roberts a dyn ffilm fel Michael Bayley Hughes, aeth â'r Gymraeg ar deithiau newydd yn ei gyfrolau o gerddi a'i gyfresi teledu.

Mae symud a theithio yn rhan amlycach o batrwm byw bellach. Ond mae hen hud yn perthyn i deithio hefyd, ac mae'r apêl yn amlwg yng ngwaith Iwan Llwyd sydd yr un mor frwdfrydig dros ffilm David Lynch 'Wild at Heart' ag ydyw dros gywydd Huw Machno yn disgrifio ei daith glera drwy Eryri i blasty ei noddwr yng Nglynllifon, ac mae cyfeddach y teithiau yn destun molawdau cyson yn ei erthyglau ar fwyd yn Barn. Mae'n dod i adnabod ei wlad ei hun, a'r byd i gyd, drwy grwydroac mae cael profiad uniongyrchol o bobol a gwahanol gynefinoedd yn ysbrydoliaeth gyfoethog iddo. Mae'r teithiwr hefyd yn pontio diwylliannau, yn uno gwahanol gyrion – ar lefel gwlad fel Cymru ac ar lefel byd-eang.

Mae'n dal i ryfeddu at yr hen gyfundrefn farddol yng Nghymru yng nghyfnod beirdd yr uchelwyr pan oedd teithio o fan i fan yn golygu cymaint o ymdrech:

> ... trwy gynnal eu teithiau clera o dalaith i dalaith, o Wynedd i Went, roedd gan y beirdd weledigaeth o Gymru unedig, â diwylliant a gwerthoedd cyffredin, er gwaethaf y gwahaniaethau o ran tafodiaith a daearyddiaeth.
>
> 'Chwalu cyn codi eto', Colofn Iwan, *Barddas*,
> Rhif 238, Chwefror 1997

Mae'r syniad o wasanaethu Cymru gyfan, nid drwy ddarlledu rhaglenni i bob congl o'r wlad ac nid drwy ddosbarthu cylchgronau a chyfrolau i'w gwerthu ymhob cwr, ond drwy fynd â'i gerddi gydag ef yn gorfforol a'u cyflwyno mewn festri, mewn tafarn ac ysgol yn bregeth y mae wedi'i gwireddu'n gyson.

> ... dyn a'i wlad yn un lôn – i'w theithio,
> A'i lawenydd o yn olwynion.
>
> *Taliesin*, Cyf 100, Gaeaf 1993

meddai Twm Morys yn ei awdl iddo. Ar ei deithiau, mae nid yn unig yn cario'i faich o gerddi parod ond hefyd yn hel deunydd ei gerddi nesaf. Teithiwr sy'n dod i gasglu yn ogystal â rhannu ydyw. Meddai un tro :

> Dw i wastad wedi licio'r syniad o deithio a chyfansoddi wrth deithio. Does yna ddim dechrau, canol a diwedd. Doedd gynnon ni ddim pendraw pendant. Y daith ei hun sy'n bwysig a dyna ydw i'n ei fwynhau.
>
> cyfweliad yn *Golwg*, haf 1999

Mae elfen o'r annisgwyl yn perthyn i daith. Yr annisgwyl sy'n torri ar unffurfiaeth y patrymau parod a'r rhagfarnau ystrydebol. Meddai eto yn yr un cyfweliad:

> Dwi wedi bod yn lwcus i gael y cyfle i deithio. Mae hyn yn rhoi cyfle i mi edrych ar Gymru o safbwynt gwahanol. Mae'n galluogi rhywun i ddefnyddio delweddau gwahanol.

Mae'n darganfod lluniau newydd o Gymru ar ei grwydriadau ac yn dod wyneb yn wyneb â phobl sy'n chwalu'r mythau ein bod i gyd yn mynd yn debycach i'n gilydd. Mae'r cyd-destun byd-eang yr un mor bwysig iddo. Yng nghefn gwlad Ffrainc, ar briffyrdd rhyng-daleithiol America ac ym mhentrefi'r Andes, mae'n canfod unigolion a llecynnau sy'n ei gyffroi gyda'u lliw a'u lleisiau eu hunain. Mewn byd pan fo pawb yn bwyta'r un *Big Macs* ac yn gwylio'r un operâu sebon o Sydney i Stalingrad, mae'n cael cysur o ddarganfod amrywiaeth a chael coleddu rhychwant eang o brofiadau.

Mae mynd â barddoniaeth ar daith yn genhadaeth ganddo yn ogystal â phleser. Ers dechrau wythdegau'r ugeinfed ganrif, bu'n un o griw o feirdd oedd yn cynnal 'darlleniadau' a 'nosweithiau barddonol' yn gyson. Roedd yn un o sefydlwyr 'Y Babell Glên' yn Eisteddfod Genedlaethol Môn, 1983 pan drefnwyd nifer o sesiynau pnawn yn nhafarn y *Bull* yn nhref Llangefni – ac roedd darlleniadau barddoniaeth yn eu mysg, wrth gwrs. Yn ddiweddarach, tyfodd y nosweithiau anffurfiol eu naws i fod yn fwy strwythuredig gan drefnu teithiau penodol megis *Fel yr Hed y Frân* (1986). *Cicio Ciwcymbyrs* (1988), *Dal Clêr* (1991) a nosweithiau *Cywyddau Cyhoeddus*. Erbyn taith *Bol a Chyfri Banc* (1995) ychwanegwyd elfen weledol i'r sioe gan ddefnyddio sleidiau a ffilm yn gefndir i'r cerddi. Ychwanegwyd cerddoriaeth a chaneuon yn ogystal a thyfodd y rhestr gyda'r blynyddoedd: *Y Ffwl Monti Barddol* (1998), *Y Felan a Fi* (1998), *Eldorado* (1999), *Syched am Sycharth* (2000) a *Taith y Saith Sant* (2002). Mae ardaloedd yn dod yn gyfarwydd â gweld beirdd yn ymweld â nhw bellach. Mae canolfannau'n ffurfio, y doniau cyflwyno yn cryfhau ac elfen o ddrama yn gwthio i mewn i lwyfan y beirdd, gyda'r cyfan yn dod â barddoniaeth i glyw cenhedlaeth newydd a chynulleidfa newydd.

Ar un lefel, taith mewn iaith yw'r grefft o greu barddoniaeth hithau. Creu cerddi perthnasol yn y Gymraeg oedd y dasg a roddodd Iwan Llwyd iddo'i hun a chanfod problemau wrth chwilio am eiriau, chwilio am luniau:

Anodd yw darganfod delweddau newydd mwyach, a'r iaith ei hun yn crebachu. Haws o lawer yw glynu wrth foddau mynegiant y traddodiad (e.e. cywydd, awdl, englyn); delweddau y traddodiad; chwedloniaeth y traddodiad; mythau y traddodiad, heb unwaith amau dilysrwydd y cyfan … O'r herwydd, gorchwyl amhosib o anodd, yn y sefyllfa hon, yw i feirdd ifanc ddarganfod eu llais a'u moddau mynegiant eu hunain a'u cymdeithas.

… Mae ar lawer iawn o feirdd ofn herio sancteiddrwydd y traddodiad.

'*Myth y Traddodiad Dethol*' Iwan Llwyd Williams a Wiliam Owen Roberts
Llais Llyfrau, Hydref 1982

Ond yn hytrach na throi ei gefn ar draddodiad barddol ei wlad, chwiliodd yn ddyfalach na'r cyffredin ynddo am holl amrywiaeth ei ffurfiau mydryddol, gan ychwanegu rhythmau newydd a delweddau newydd y daw wyneb yn wyneb â nhw:

> Rywsut neu'i gilydd, hyd yn oed o fewn cyfyngiadau'r englyn a'r hir-a-thoddaid, mae ei awen yn llwyddo i ganfod adenydd. Mae'n delweddu a dyfalu gyda'r gorau, yn argyhoeddi fel rhigymwr a phenrhydd, ac yn arloesi yn ei ddefnydd o batrwm y blŵs 12 bar. Yn wir, fel pob cerddor blŵs da, mae'i grefft yn dwyllodrus o syml a'r rhin, yn fynych iawn, yn yr ymatal.

'Bardd *sans frontiére*', Llion Elis Jones
adolygiad *Dan Ddylanwad*, *Taliesin*, Cyf. 88, Gaeaf 1994

Mae ei daith lenyddol yn cerdded y paith gwleidyddol y crwydrodd ei genedl drwyddo rhwng Refferendwm 1979 a Refferendwm 1997. Bydd pob teithiwr yn cario llond sach o'i orffennol gydag ef ar bob llwybr, pothelli'r presennol a gobaith y gorwel. Gwelwn hyn yn gyson yng ngherddi Iwan Llwyd a rhan o'r pleser yn ei waith yw dod i gyfarfod â'r cyfarwydd mewn cefndir anghyfarwydd – Bob Delyn ym Maes Awyr Manceinion; Hedd Wyn yng ngharchar Alcatraz; Llywelyn mewn bar yn Nashville; Glyndŵr mewn hen groc o fan sy'n rhoi pàs i fodiwr.

Mae'n dileu ffiniau, gwthio'r ffiniau a gosod ffiniau newydd – ac mae'r ffin bob amser yn dir difyr ar unrhyw daith.

STUDIO 4 CERDD

ANEIRIN

Dan Anesthetig, Gwasg Taf, 1987, tud. 22

Cyflwyniad gan Iwan Llwyd

Roedd darllen cyfrol y newyddiadurwr Michael Herr, Dispatches, am ryfel Fietnam, yn ddylanwad mawr arna i. Cyfrol ydi hi am y rhyfel rhwng Fietnam ac America oedd yn gefndir i 'mywyd i ar hyd y chwedegau a'r saithdegau cynnar. Fe wnaeth un hanes am y milwyr yn heidio o amgylch hofrennydd a wnaeth lanio yn llawn newyddiadurwyr a ffotograffwyr cyn brwydr fawr, fy atgoffa o hanes Aneurin a'i gerdd fawr i'r Gododdin, un o lwythau olaf y Cymry yng ngogledd Prydain. , er mwyn cael tynnu eu llun, dweud eu hanes. Onid dyna wnaeth Aneurin hefyd - ydan ni'n cofio enwau'r Saeson a'u lladdodd?

Rhan o gyfrifoldeb beirdd a newyddiadurwyr ar hyd yr oesau ydi cofnodi hanes a helynt pobol, a milwyr cyffredin. Gobeithio ein bod yn dal i wneud hynny.

Gair am air

Catraeth	maes brwydr yn yr Hen Ogledd tua'r flwyddyn 600 pan geisiodd trichant o farchogion Brythonig atal mewnlifiad yr Eingl i'w tiroedd ym Manaw Gododdin. Ar ôl ymladd yn ddewr yn erbyn lluoedd llawer mwy lluosog, collwyd bron y cyfan o'r osgordd.
Kampuchea	gwlad ger Fietnam yn y Dwyrain Pell
Y Somme	brwydr fawr yn ystod y Rhyfel Byd Cyntaf
Y Chwe Sir	y rhan o dalaith Ulster yng ngogledd Iwerddon sy'n parhau o dan lywodraeth Llundain
rhagluniau	*y preview* a geir drwy'r lens cyn tynnu'r llun

Sylwi ac ystyried

1. Mae dau gyfnod a dau gofnodwr yn cael eu cyfosod yn y gerdd: heddiw/ffotograffydd a 1500 o flynyddoedd yn ôl/bardd. Ystyriwch eirfa'r

gerdd – mae rhan ohoni'n codi o eirfa'r bardd Aneirin yn y chweched ganrif a rhan yng ngeirfa'r ugeinfed ganrif.

2. **sgerbydau llosg y tanciau** – Mae peiriannau'r frwydr yn cael eu personoli yn yr ymadrodd hwn. Perthyn i gorff dynol y mae'r term 'sgerbwd' fel rheol ac wrth ddisgrifio'r tanciau fel sgerbydau, mae'r bardd yn awgrymu'r gyflafan ddynol sydd ar faes y gad yn ogystal.

Dydi hwn ddim ond yn un o'r ymadroddion yn y gerdd sy'n awgrymu erchylltra rhyfel.

3. **rhoddaist iddynt fri a oroesai frwydr** – Mae marwolaeth yn agos at y milwr. Gallai'r fwled nesaf neu'r frwydr nesaf ddileu eu bywydau ar amrantiad. Wrth wynebu hynny, mae meddwl am y rhai fydd yn eu cofio yn bwysig iddynt. Cyn gadael am ffosydd Ffrainc, byddai'r milwyr yn mynd i stiwdio ffotograffydd i gael tynnu'i lun mewn iwnifform. Cyn mynd i Ryfel y Gwlff, rhoddodd nifer o filwyr Americanaidd sampl o'u had mewn banciau ysbytai. Roeddent yn cael cysur o wybod y byddai rhywbeth ohonynt ar ôl ar y ddaear pe digwydd iddynt hwy gael eu lladd. Beth yw'r 'cip o dragwyddoldeb' a gynigir yn y gerdd hon? Sut ydych chi'n ymateb i'r ansoddair 'ddi-duedd' ar ei diwedd?

4. Sylwch ar grefft y gerdd. Ar yr olwg gyntaf, cerdd *vers libre* yw hi. Ond mae'r llinellau yn cynnwys nifer o enghreifftiau o odl fewnol (ffrwydro'*n* yffl*on*) a chyflythrennu'r acenion trymaf (*f*illtir/*f*rwydr).

Chwiliwch am ragor o enghreifftiau. Perthynai'r bardd Aneirin i gyfnod cyn i'r gynghanedd a'r mesurau caeth gael eu cyfundrefnu ac mae odlau mewnol a chyflythrennu yn amlwg iawn yn ei linellau yntau yn ogystal. Unwaith eto, mae hyn yn rhoi teimlad o ddoe a heddiw'n cyfarfod yn y gerdd.

Y CRYDD

Syched am Sycharth, Gwasg Carreg Gwalch, 2001, tud. 30

Cyflwyniad gan Iwan Llwyd:
Ymosododd Owain Glyndŵr a'i luoedd ar dref Rhuthun, pencadlys yr Arglwydd Grey, ym mis Medi 1400, ar ôl iddo gael ei gyhoeddi yn dywysog Cymru yng Nglyndyfrdwy. Ymosododd, mae'n debyg, ar ddiwrnod marchnad. Bryd hynny, byddai'r Cymry yn cael eu gwahardd o'r dre ar ddiwrnodau arbennig. Ond mae'n ddigon hawdd meddwl y bydden nhw'n sleifio drwy'r pyrth er mwyn gwerthu eu cynnyrch. Ac y mae'n siŵr bod

perchnogion stondinau'r farchnad yn cwyno fel erioed.

Gair am air

mwll — trymaidd, chwyslyd, llethol – wrth sôn am dywydd, mae 'mwll' yn awgrymu y byddai'n dda cael storm 'i glirio'r awyr'

hawl i gamu drwy'r porth — doedd gan bawb ddim yr un hawliau yng Nghymru bryd hynny; roedd breintiau arbennig gan drigolion y trefi castellog

gefynnau — *handcuffs*

clindarddach — gwneud sŵn craciog, metelaidd

Sylwi ac ystyried

1. Mae'r dewis o eirfa sy'n ymwneud â'r tywydd yn nodwedd arbennig yn y gerdd hon.

2. **Mae'r tywydd 'ma wedi newid**. Dyma'r llinell sy'n agor a chau y gerdd ac felly mae'n amlwg bod hon yn echel bwysig gyda gweddill y llinellau'n troi o'i hamgylch. Canol mis Medi ydi dyddiad y digwyddiad ac yn naturiol mae'r tywydd yn newid yn llythrennol tua'r adeg honno. Ond beth ydi'r awgrym dyfnach y tu ôl i'r llinell hon?

3. **dyna'r storm yn taro** Wrth ddisgrifio'r storm, mae'r bardd yn defnyddio darluniau o reiot a gwrthryfel: mae'r mellt yn 'saethau tanllyd', taranau fel sŵn traed milwyr, 'fel gefynnau'n torri' ac mae'r cwrw yn cael ei dywallt yn 'gawodydd am ein pennau'. Mae'r gair 'terfysg' yn y Gymraeg yn golygu storm o fellt a tharanau a hefyd yn golygu gwrthryfel. Beth yw gwerth y gair yn y gerdd?

4. Mae'r hanes yn cael ei adrodd wrthym o safbwynt y crydd wrth ei stondin yn y farchnad. Mae arwyddocâd penodol i hynny – ym mhob digwyddiad mawr, mae'r bobol gyffredin yn cael eu heffeithio a bydd llyfrau hanes yn anghofio hynny'n aml. Pa fantais i'r gerdd oedd dewis crydd i adrodd y stori? Pwy oedd y crydd yn ei wasanaethu? Mae dau gyfeiriad at fod yn 'droednoeth' yn y gerdd ac mae amgylchiadau gwahanol yn gefndir i'r ddau gyfeiriad – mae un garfan, y 'bobol o ffwrdd', sy'n 'brin ar y strydoedd' yn droednoeth am ei bod hi wedi bod yn haf poeth; mae'r garfan arall, y rhai sy'n 'sleifio i mewn' i'r dre a heb yr 'hawl i gamu drwy'r porth' yn droednoeth am eu bod yn dlawd a gwledig. Pwy sy'n perthyn i'r ddwy garfan hon?

5. Mae dau gyfeiriad hanesyddol yn rhoi dyfnder arall i'r dewis o eirfa yn y gerdd. Pan gyflwynodd Glyndŵr ei gwynion i'r Senedd yn Llundain, mae'n debyg i'r byddigions yn y fan honno ddweud am y Cymry: 'What do we care for those barefoot rascals!'

Sonir am 'sêr yn syrthio' yn ystod y storm. Mae hyn hefyd yn canu cloch. Yn ei awdl alarus i Lywelyn ap Gruffudd, mae Gruffudd ab yr Ynad Coch yn gweld ei fyd i gyd yn dod i ben – mae'r môr yn merwino'r tir, y derw'n taro'n ei gilydd ac mae'r haul a'r sêr yn darogan gwae hyd yn oed:

> Poni welwch chi'r haul yn hwylio'r awyr?
> Poni welwch chi'r sêr wedi'r syrthio?

Cerdd am ddarfod, am anobaith llwyr yw cerdd yr Ynad Coch ond sut ddarlun a sut argraff a geir yn y gerdd hon gan Iwan Llwyd?

6. Un o'r mythau a ddefnyddiodd Glyndŵr i gynnal ei enw'i hun ac i godi dychryn ar ei elynion oedd ei fod yn ddewin, yn gallu diflannu fel niwl ac ailymddangos fel tarth y bore – a'i fod hefyd yn medru rheoli'r tywydd. Pan anfonodd brenin Lloegr fyddinoedd yn ei erbyn, cawsant eu trechu gan lifogydd a stormydd yn ogystal â chan fyddinoedd y Cymry. Roedd Glyndŵr yn bencampwr ar ddewis ei amser a dewis ei le i daro – drwy wrthryfela yng nghanol Medi, byddai stormydd y gaeaf yn crynhoi erbyn y byddai byddinoedd Lloegr yn dod i'w erlid. Mae elfen o ddefnyddio gwybodaeth o hanes i ragfynegi'r hyn sydd wedi digwydd yn niwedd y gerdd, ac mae hynny'n rhoi elfen o eironi cyfrwys i'r llinellau. Ond rydym yn gorffen gydag agwedd yr unigolyn eto – beth wêl y crydd yn y rhyfela sydd ar y trothwy?

FAR ROCKAWAY

Bol a Chyfri Banc, Gwasg Carreg Gwalch, 1995, tud. 43
Dan Ddylanwad, Gwasg Taf, 1997, tud. 17

Cyflwyniad gan Iwan Llwyd:

Cof dyn wedi blino sydd gen i o Far Rockaway Roeddwn i newydd deithio am y tro cyntaf ar draws yr Iwerydd i'r Unol Daleithiau, gan groesi'r arfordir, yn addas digon, ddegau o filoedd o droedfeddi uwchben Bangor, Maine. Ar ôl cyfarfod y criw teledu oedd i gyd-deithio â mi am dair wythnos o lannau'r Iwerydd i fae San Ffransisco, dyma ddal trên gyda'r bwriad o gyrraedd Manhattan. Ond oherwydd rhyw gamddealltwriaeth – y sioc o glywed y porthorion a'r merched yn y swyddfa docynnau yn siarad Sbaeneg â'i gilydd efallai – aeth y trên â ni i faesdref glan môr Far Rockaway, i gyfeiriad Brooklyn a Coney Island. Doeddem ni ddim yno fwy na rhyw hanner awr, digon i ddal y trên nesaf yn ôl am Manhattan, a phrin y byddwn i'n nabod y lle tase'n rhaid i mi ddychwelyd. Ond mae'r argraffiadau'n aros o le a welodd ddyddiau gwell, traethau budron, heddlu arfog, graffiti. A'r enw gwych yna, Far Rockaway.

Ers hynny fe sylwais ar yr arwydd ar raglenni teledu a ffilmiau heddlu. Derbyniais gopi mewn cyfieithiad o gerdd gan Miroslav Holub – 11.30 p.m., Far Rockaway' – 'And in the distance the last bus/leaves,/so now there's nothing/from which you can exit'. A chopi o gyfrol ddiweddaraf un o'r olaf o feirdd *beat* y 1950au a'r 1960au, Laurence Ferlinghetti. Ac mae ei eiriau o yn crynhoi yr hyn mae Far Rockaway, ac America, yn ei olygu i mi. Yr ymdeimlad yna o lacio cadwynau'r gorffennol, o fwynhau'r allblygrwydd a'r arwynebolrwydd, y 'wefr o fod yn nabod neb', ond eto, drwy'r adeg, y dyheu yna am wynfyd, am wlad yr addewid, er eich bod yn gwybod yn iawn mai dim ond yr enw sy'n aros o dan y sbwriel a'r graffiti.

Gair am air
(g)wleb   ffurf fenywaidd yr ansoddair 'gwlyb'
ffeirio   cyfnewid

Sylwi ac ystyried
1. Wrth deithio i diriogaeth ddieithr, down ar draws enwau newydd – enwau ar fapiau, enwau ar arwyddion ffyrdd. Bydd enwau'n canu yn ein pennau ac yn agor ffenestri'r dychymyg weithiau. Dyna brofiad T.H. Parry-Williams yn 'Santa Fe'. Fedrwch chi feddwl am enwau lleoedd mewn cerddi neu ganeuon eraill sy'n cyfleu'r dynfa honno i chi?
2. Wrth deithio yn nhalaith Efrog Newydd, daeth Iwan Llwyd ar draws Far Rockaway drwy ddamwain. 'Mae cusan hir yn enw'r lle' meddai ar ddiwedd y gerdd. Mae'n amhosibl esbonio rhai pethau yn rhesymegol, ddeallusol. Dychmygwch rywun yn ceisio disgrifio a dadansoddi beth yw 'cusan' mewn ffordd eiriadurol – go brin y byddai'n swnio'n rhamantus a deniadol iawn! Felly y mae hi gyda miwsig geiriau – mae hud a lledrith yn perthyn i rai enwau a difetha'r hud hwnnw fyddai goresbonio. Eto mae'n amlwg fod yr enw Far Rockaway yn canu clychau yn y meddwl – mae'r pellter, y roc-a-rôl a'i holl gysylltiadau, a'r elfen o deithio i ffwrdd i gyd wedi'u crynhoi mewn

un enw. Geiriau yn galw ar eiriau eraill yw hanfod barddoniaeth ac mae'n amlwg fod y bardd wedi'i ysbrydoli gan gysylltiadau geiriol Far Rockaway.

3. Nid oes sôn am gyrraedd y dref yn y gerdd. Mae pwyslais y bardd ar fynd â ni yno. Ai cerdd am yr edrych ymlaen, y rhamantu ar y daith, y cynnwrf o beidio â gwybod yn iawn beth sydd o'n blaenau yw hon? Beth arall sy'n awgrymu hynny i chi?

4. Wrth ddarllen llyfr taith, cawn ddisgrifiad cryno o le arbennig, ei hanes, ei bensaerniaeth, ei atyniadau. Bydd cyfres o sêr wrth yr enw os yw'n werth taith arbennig i fynd yno. Sut y byddech yn dangos bod dull y bardd o ddisgrifio Far Rockaway yn wahanol i natur teithlyfr?

5. 'Draw dros y don mae bro dirion' meddai T. Gwynn Jones am Ynys Afallon. Yno, nid oes haint na henaint ond mae hen freuddwydion yn dod yn wir ar yr ynys honno a hen obeithion yn byw am byth; nid oes neb yn colli ffydd na thorri calon yno. Yn ei ffordd ei hun, mae Iwan Llwyd yn consurio lluniau tebyg am y lle yma sydd ar ben draw ei daith yntau. Mae yma fflachiadau o bethau disgwyliedig bob dydd mewn lle dinesig – pick-ups, petrol, cefnffordd, budreddi, graffiti, waliau, trac, heddlu, trên – ond sylwch sut mae'r bardd wedi codi'r pethau bob dydd i fod ag arwyddocad lledrithiol a rhamantus iddynt. Pa un llinell sy'n apelio atoch fwyaf? Ceisiwch fynegi'r hyn a deimlwch.

6. Cwpledi yw prif fframwaith y gerdd. Mae'n canu fesul pâr o linellau'n odli – ac mae paru pethau â'i gilydd yn rhan amlwg o'i hadeiladwaith. Mae dau beth yn cael eu rhoi ochr yn ochr â'i gilydd, naill ai fesul llinell neu fesul cwpled. Sylwch yn arbennig ar werth cyfosod yn y llinell 'rhwng gwên nos Sadwrn a gwg y Sul'. Beth yw'r profiadau a'r cysylltiadau sy'n cael eu deffro yn eich dychymyg a'ch cof chi wrth glywed y geiriau hynny?

CHWARAE GOLFF

(i Linda, un o lwyth y Cree)
Dan Ddylanwad, Gwasg Taf, 1997, tud. 63

Cyflwyniad gan Iwan Llwyd

Mae gwareiddiad yn golygu gwahanol bethau i wahanol bobol. I ni, meysydd golff a chaeau parcio 'di gwareiddiad. I lwyth y Cree yng Nghanada anialdir, coed a llynnoedd ydi gwareiddiad. Weithiau dwi'n meddwl ein bod ni wedi colli cystylltiad â'n gwareiddiad ein hunain. Dewisodd Linda fyw mewn bloc o fflatiau ar gyrion dinas Saskatoon, ger y cwrs golff, oherwydd mai dyna yr agosa oedd hi'n nabod at y paith lle y'i magwyd fel geneth fach. Mae'r ffin rhwng dau wareiddiad yn berwi yn ei gwythiennau.

Gair am air

Saskatoon	un o brif drefi Saskatchewan
ystum arth	ystyr enw brodorol Linda yw 'ystum arth yn gwarchod ei chenawon'
tir cadw	gweddillion eu tiriogaeth a neilltuwyd i weddillion y llwythau brodorol – y *reservation camps*
drychiolaethau	ysbrydion, hunllefau

Sylwi ac ystyried

1. Yma yng Nghymru ac ar ei deithiau ledled y ddaear, mae Iwan Llwyd yn dod wyneb yn wyneb ag un gwareiddiad yn gwrthdaro ag un arall, heddiw yn sathru ar ddoe. Yn Ne America, gwelodd sut y ceisiodd y dyn gwyn danseilio hen grefyddau a threfn gymdeithasol yr Incas gyda'i Babyddiaeth a'i bwer ei hun. Ond hanes yr Indiaid Cochion – neu'r Americanwyr brodorol, fel y maen nhw'n dewis cael eu galw – yw cyd-destun y gerdd hon. Mae ganddo nifer o gerddi eraill am ei brofiadau wyneb yn wyneb â'r llwythau brodorol ac ynddynt mae'n synhwyro bod eu perthynas â'r tir yn llawer hŷn, llawer nes nag y gallwn ni ei ddeall. Un tro, clywodd hogyn yn gofyn i'w fam wrth wylio criw o Indiaid yn dawnsio – 'Ga' i fod yn Indian, Mam?' Chwiliwch amdani a sylwch sut mae'n wynebu apêl y plu amryliw a'r curiadau cyfrin, y sgrech coyote a'r hofran fel eryr ond yn gwybod mai 'ymwelydd yr ymylon' ydyw heb wybod dim am 'lwybrau'r hen bobol', am 'ganrifoedd eu doethineb na dyfnderoedd eu galar'. Mae'r gair 'gwareiddiad' yn cael ei ddefnyddio ddwywaith yn y gerdd 'Chwarae Golff' ond maent yn cyfeirio at ddau beth cwbl wahanol – ceisiwch eu diffinio.

2. Yn ei gerdd 'Castell Henllys a Nanhyfer' (*Dan Ddylanwad*, tud. 115), mae Iwan Llwyd yn sôn am y duedd i 'dwrio'n academaidd i'n hanes' a'r awydd

> i gloddio hen esgyrn, hen greiriau,
> ceisio datgloi cyfrinachau iaith estron
> â theclynnu gwyddor a thechnoleg –

Ein haddysg ni yw dadansoddi popeth a'u ffeilio mewn bocsys destlus, taclus – ond cwbl farw. Gwefr fawr y bardd yw 'gweld bod y cyfan dal yno' – bod

y Twrch Trwyth yn dal i chwythu bygythion yng nghoed Nanhyfer a hen
chwedlau yn dal i dyfu'n y derw

> a sancteiddrwydd y cyfan
> yn gylch na ellir mo'i dorri,
> yn freuddwyd heddiw, ddoe ac yfory.

Yn Saskatoon, daw'r 'paith i gwrdd â'r ddinas', medd y gerdd hon. I'r
bobol newydd a ddaeth i fyw i'r ddinas, diffeithwch yw'r paith – tir wast i'w
ddatblygu at eu diben a'u gwasanaeth hwy. Dewisant ran ohono a'i droi'n
gwrs golff. I lwyth y Cree, mynwent oedd y darn hwnnw o 'dir diffaith' ac ni
allant fyth anghofio hynny. Mae'r bardd yn dewis geiriau sy'n llawn o
deimladau sy'n gysylltiedig â mynwent. Pa effaith mae'r geiriau hynny yn ei
greu?
3. 'Tresbasu' a 'dwyn' y mae Linda yn ei wneud ar hen diriogaeth ei llwyth
ei hun. Safbwynt pwy sy'n cael ei fynegi yn y geiriau hyn? Rhywbeth gwyllt,
y tu allan i'r drefn sy'n rheoli, yw arth hefyd a sylwch mai mewn 'ffau uchel'
y mae Linda yn byw. Eto, yr hyn sy'n cael ei wynebu yn niwedd y gerdd yw
fod gan y paith a'i elfennau ei ddiwylliant ei hun hefyd.
4. Yng ngherddi Iwan Llwyd i America, mae deuoliaeth a chroesdynnu
rhyfedd ac eto cwbl ddealladwy rhwng dianc a dod yn ôl. Rhan fawr o apêl
America i Ewropeaid yw cael torri'n rhydd o gadwynau cymdeithasol,
gwleidyddol a chrefyddol eu gorffennol. Troi dalen newydd, teithio heb fagej,
heb gof, heb rwystrau. A heb iaith weithiau – roedd hi'n arfer gan rieni
Cymraeg, fel gan rieni Gwyddeleg, i beidio â throsglwyddo dim ond Saesneg
i'w plant fel y gallent 'ddod yn eu blaenau yn iawn yn Merica'. Hwn oedd
cyfandir y wawr newydd a'r cyfle newydd – cyfle cyfartal i bob un ddianc
rhag rhywbeth a chwilio am rywbeth. Ond y mae yn America hefyd orffennol
a chadwynau na ellir eu hanwybyddu'n hir. Dod yn ôl at hynny a wna Iwan
Llwyd yn ei gerddi i'r llwythau brodorol – wrth adael ei filltir sgwâr a'i
straeon ei hun, daw wyneb yn wyneb â milltir sgwâr arall sy'n cael ei diffinio
gan hanesion eraill sydd wedi'u plethu i'r tirlun. Yn y gerdd hon, mae clywed
stori'r Indiad yn ei alluogi i weld heibio'r cwrs golff, y tu hwnt i'r byncars.
Yn y ffordd honno, mae hanes yn ein rhyddhau, nid yn ein caethiwo – yn ein
rhyddhau i weld drwy'r manionach a'u trawsnewid yn greadigol drwy ein
profiadau ninnau ar ein taith.

Dyfyniadau am IWAN LLWYD

Yn 1979 yr oedd yna rai ohonom, yn anffodus ddigon, yn ifanc. Rhwng y deunaw a'r pump ar hugain y bydd delfrydau'n cael eu llunio. A beth oedd yna i ennyn breuddwydion llanc yn Aberystwyth a Bangor yn 1980? Cymru rydd Gymraeg? Senedd yng Nghaerdydd a Gwynfor yno'n ben? Na. Ond yr oedd yno ddigon o wacter a dadrith, bid siŵr. Ac yr oedd yno adweithio dealladwy ond *smug* yn erbyn y genhedlaeth hŷn. Yr oeddynt *hwy*, cenhedlaeth y pedwardegau a'r pumdegau wedi bod mor naïf â chredu eu breuddwydion. Ac onid *hwy* hefyd, yn eu diniweidrwydd, oedd wedi ein harwain at gachfa'r refferendwm? Yn y dyddiau hynny roedd bod yn fyfyriwr llidiog a sur yn *chic*, ac roedd Nihilistiaeth ac Angau'r hen genedl a Dewi *Cymru Fydd* yn gwmni lysh difyr.

I raddau helaeth, rhyw gychwyn o'r tirlun gwag a difreuddwydion yna a wnaeth pererindod farddol Iwan Llwyd. A dyna paham fod rhai yn teimlo'n anghysurus yn ei gwmni. Rhaid cydnabod bod rhwystredigaethau dechrau'r wythdegau wedi eu llarieiddio rhyw gymaint yn ei waith, ac wedi eu sianelu bellach at ymdeimlad mwy cyffredinol ynghylch rhagrith a hunan-dwyll cymdeithas.

'Y Beirdd Gwâr a Blin', adolygiad Peredur Lynch
Dan Fy Ngwynt/Galar y Culfor; *Barn* 360-361; Ion-Chwef 1993.

Bardd braf bod yn ei gwmni yw Iwan Llwyd. Mae dyn bellach yn gyfarwydd â'i lais, ac mae'r llais hwnnw'n medru canu'n hyderus, yn ystwyth, yn gymen bron yn ddieithriad, ac weithiau'n feistrolgar. Mae'n gysurus yn y wers rydd, mae ganddo gywyddau difyr, ac mae ei ddefnydd o'r mesur cwpledol yn gwneud i mi feddwl am Parry-Williams yn mwngial yn Springsteenaidd i gyfeiliant yr E-Street Band. Rhan fawr o'i apêl, wrth gwrs, yw ei fod yn uniongyrchol ei ddull, yn aml yn wir yn hen ffasiwn o swynol a thelynegol. Bardd y brif ffrwd, nid bardd *indie* arbrofol ac astrus, yw Iwan Llwyd yn y bôn, ond cofier ei fod yn ei gerddi gorau yn medru cyfuno, yn union fel ei gyd-Fangoriad, Gwyn Thomas, rwyddineb cyfathrebol a thrwch delweddol awgrymus.

'Bardd mawr ei genhedlaeth', adolygiad Robert Rhys o
Dan Ddylanwad, *Barn*, Rhif 419-20; Ionawr 1998

Gan mai rhywbeth llafar yn ei hanfod yw barddoniaeth, pa ffordd well i gyrraedd cynulleidfa newydd na mynd â'r farddoniaeth yn uniongyrchol at y bobol? Gwnaed ymdrech arbennig gan griw *Bol a Chyfri Banc* i'n hargyhoeddi mai rhywbeth byw, deinamig yw'r awen. Cyfunwyd nifer o wahanol gyfryngau – barddoniaeth, actio, cerddoriaeth gefndir gan Geraint Løvgreen, a delweddau ar fideo. Perfformiwyd cyfres o gerddi cyfoes mewn iaith a chywair cydnaws â'r iaith lafar. Roedd ymateb a chymeradwyaeth y gynulleidfa yn tystio i lwyddiant y sioe.

'Chwil ar eiriau', Nia Heledd Jones,
adolygiad *Bol a Chyfri Banc, Taliesin*, Cyf 93, Gwanwyn 1996

I raddau helaeth, er mor amlwg yw'r ffin yn ei waith, mae Iwan Llwyd yn fardd *sans frontiére* a'i filltir sgwâr yn fyd-grwn.

'Bardd *sans frontiére*', Llion Elis Jones
- adolygiad o *Dan Ddylanwad, Taliesin*, Cyfrol 102, Haf 1998

Mae yma gywyddau, englynion, a hir a thoddaid yn cloi. Rhyw lun ar y wers rydd yw mwyafrif y cerddi, fodd bynnag. Ychydig iawn o feirdd y Gymraeg heddiw ac erioed sy'n meddu'r fath feistrolaeth ar y cyfrwng hwn. Nid oes triciau nac ystumiau yma; nid oes gorlwytho chwaith; hepgorwyd bron pob ystrydeb farddol. Y canlyniad yw cerddi sy'n canu, cerddi sy'n rhoi inni sŵn a synnwyr.

adolygiad o *Dan Ddylanwad* Dafydd J. Pritchard, *Llais Llyfrau* 1/98

Mae barddoniaeth bellach wedi ailgydio'n y genedl medden nhw. Y genedl mewn mwy o gyfanrwydd y tro yma. Gyda nosweithiau llefaru barddoniaeth yn uchel ar agenda ein ieuenctid bellach, mae hi'n cŵl i glecian cynghanedd ac mae hi'n iawn i gael eich gweld rhwng mydr ac odl.

Mae'r diolch am y diddordeb newydd wrth gwrs i'r to o feirdd ifanc ddewisodd ymateb i negyddiaeth yr wythdegau drwy 'sgwennu am eu gobeithion, eu canu nhw a phrofi bod barddoniaeth dda wastad yn goroesi ac yn datblygu.

Nôl i gychwyn y pethe, nôl i ddiwylliant gwrando yn ogystal â darllen, ac yn arbennig bellach gweld llais a chlywed llun, go iawn ...

Adolygiad *Eldorado*, Elin Mair, *Y Cymro*, Hydref 1999

Dyfyniadau gan IWAN LLWYD

Mae'r ysfa yma erioed,
i ddilyn yr haul mawr melyn i'w orffwysfa ola',
i chwilio'r sach o aur lle derfydd yr enfys:

beth ddaeth â ni,
yn ôl pan oedd hanes yn ifanc,
i'r tiroedd tlawd ar gyrion Ewrop,
i'r ynysoedd bychain a'u mynyddoedd balch?
onid yr ysfa i wynebu pen draw'r llwybyr,
i orfod ystyried troi'n ôl?

Route 66, Bol a Chyfri Banc, 1995

... Un o'r golygfeydd rhyfeddaf wrth deithio ar draffyrdd Lloegr yn gynharach eleni oedd gweld y cannoedd a dyrrai i wasanaethau'r drafffordd i fwynhau pnawn Sul yn yr haul. Er bod yna lecynnau a thafarnau hyfryd ychydig filltiroedd y tu hwnt i'r draffordd, mae'n amlwg bod i fwydlen a bwyd hwylus y 'Gwasanaethau', a'r dieithrwch cyfarwydd, ryw hud; hud sy'n ymestyn i galon Cymru. Dyma'r un hwylustod â hwylustod yr archfarchnadoedd sy'n lladd y siopau bychain.

Unffurfiaeth a hwylustod a laddodd draddodiad y cywyddwyr yn y pen draw. A hynny ar ôl i unffurfiaeth a hwylustod ffafrau Lloegr ladd cyfoeth amrywiol y noddwyr. Wrth deithio priffyrdd a chefnffyrdd Cymru, boed i amrywiaeth y tafarndai croesawgar oroesi gormes gwên-deg y *Little Chefs.*

'Ar y ffordd', Iwan Llwyd; *Barn* 405, Hydref 1996

Ga' i fod yn Indian, Mam?
ga' i olrhain llwybrau'r hen bobol
a chroesi'r anialwch ar feirch fy nychymyg?

'Ga' i fod yn Indian, Mam?', *Bol a Chyfri Banc,* 1995

... Dydw i ddim yn cytuno â'r rhai hynny sy o'r farn bod rhaglenni fel *Talwrn y Beirdd,* a sioeau fel *Cicio Ciwcymbers* yn 'dibrisio' barddoniaeth. Rhywbeth cymdeithasol fu barddoniaeth Gymraeg erioed ac mae'r ymateb a gefais eisoes i gerddi'r goron yn dangos bod y Cymry'n dal i werthfawrogi gwaith beirdd. Dylai unrhyw un sy'n sgrifennu fod yn ymwybodol mai cyfathrebu â chynulleidfa yw ei nod, hyd yn oed os mai dim ond un sydd yn y gynulleidfa honno. Chwilio am glust i wrando, i rannu profiad mae pob bardd.

'Barddas yn holi Iwan Llwyd', *Barddas*, Rhif 161

Droeon bûm i a chyfeillion eraill yn ymweld ag ysgolion er mwyn darllen ein gwaith a thrafod barddoniaeth. A throeon, o ofyn i'r plant, a'r bobol ifanc, beth oedd eu hargraff o farddoniaeth – *'boring'* oedd yr ateb. Mae barddoniaeth, a barddoniaeth Gymraeg yn arbennig, wedi cael ei chysylltu'n rhy aml â'r gair ysgrifenedig, y gyfrol lychlyd, a'r unig brofiad o gymeriad y bardd a geir yw'r hyn a gaiff ei gyfleu gan athro neu ddarlithydd.

'Roc a Rôl a Barddoniaeth', Colofn Iwan,
Barddas, 224-5; Rhag/Ion 1995-96

... 'Does 'na ddim ffasiwn beth â dalen lân yn Gymraeg – mae Pwyll a Rhiannon a Llywarch Hen a Dafydd ap Gwilym a Pantycelyn a Caradog Pritchard yn siarad drwy bob gair a sgrifennwn ac a ynganwn. 'Does dim rhaid bod yn ymwybodol o hynny i gyfranogi o'r profiad. Ond mae 'na'r ffasiwn beth â bod yn 'annibynnol yn y pen', yn annibynnol ar y gwaethaf o'n culni a'n traddodiadau ni, ac yn annibynnol hefyd ar gysgod enfawr y byd Eingl-Americanaidd o'n hamgylch. Heb i ni ddechrau wynebu'r her honno, a'r cyfle newydd mae hynny'n ei gynnig, fe ddaliwn i lenwi'n penawdau â mân siarad a dadlau oes a aeth heibio.

'Dalen Lân', Colofn Iwan,
Barddas, Rhif 229-230; Mai-Meh 1996

Wrth sôn am feirdd Cymraeg yr ugeinfed ganrif:
Y rhai a lwyddodd orau i greu cerddi arhosol yw'r rhai a fedrai synhwyro arwyddocâd y gyfres a'r oesol er mwyn creu barddoniaeth sy'n canu â llais newydd.

'Beirdd y Ganrif', adolygiad Iwan Llwyd o
Y Grefft o Greu (Alan Llwyd) *Taliesin*, Cyf. 104, Gaeaf 1998

Er gwaethaf y chwalfa economaidd a chymdeithasol, a dryllio hen batrymau byw a bod a ymddangosai'n ddi-sigl, mae modd creu llenyddiaeth a diwylliant newydd ar sail y chwalfa honno, yn rhydd o ragdybiaethau a rhagfarnau'r gorffennol. Ac mae yna awydd i rannu, i greu cysylltiadau, rhyw haelioni brwdfrydig yn ganolog i'r profiad.

'Far Rockaway yn y Galon', Iwan Llwyd, *Gweld Sêr: Cymru a Chanrif America*, Gol: M. Wynn Thomas, Cyfres y Meddwl a'r Dychymyg Cymreig (gol: John Rowlands), Gwasg Prifysgol Cymru 2001

... mae eisio i fwy o'r beirdd eu hunain fynd i'r ysgolion ac i'r colegau yn arbennig, achos dwi'n dal i deimlo mai un olwg arbennig ar farddoniaeth a llenyddiaeth Gymraeg sy'n cael ei rhoi i blant a phobl ifanc, ac mae hynny'n achos gelyniaethu nifer fawr ohonyn nhw ... Dwi'n meddwl fod yna le i'r beirdd eu hunain fynd i'r ysgolion – mi fuaswn i'n dweud bod eisio mwy o hynny, er mwyn i blant a phobl ifanc weld fod yna fodd o fynegi teimladau a phrofiadau cyfoes, newydd trwy gyfrwng yr iaith Gymraeg.

'Y Bardd yn ei Archfarchnad', Holi Iwan Llwyd, *Barn*, Rhif 355-6, Awst/Medi 1992.

DARLLEN PELLACH

Sonedau Bore Sadwrn, Iwan Llwyd, Cyfres Beirdd Answyddogol y Lolfa, 1981

Dan Anasthetig, Iwan Llwyd – Iwan Bala, Gwasg Taf, 1987

Dan fy Ngwynt, Iwan Llwyd – Martin Roberts, Gwasg Taf 1992

'Colofn Iwan Llwyd', *Barddas*, o ddechrau'r 1990au ymlaen

Cywyddau Cyhoeddus, gol. Iwan Llwyd, Myrddin ap Dafydd, Gwasg Carreg Gwalch, 1994

Bol a Chyfri Banc, Ifor ap Glyn, Iwan Llwyd, Myrddin ap Dafydd, Gwasg Carreg Gwalch, 1995

Dan Ddylanwad, Iwan Llwyd – Anthony Jones, Gwasg Taf 1997

Eldorado, Iwan Llwyd, Twm Morys, Gwasg Carreg Gwalch, 1999

Syched am Sycharth, Iwan Llwyd, Geraint Løvgreen, Myrddin ap Dafydd, Ifor ap Glyn, Twm Morys; Gwasg Carreg Gwalch, 2001

Pac o Feirdd, Gwasg Carreg Gwalch, 2002

T. H. PARRY-WILLIAMS

1887-1975

Ganwyd Thomas Herbert Parry-Williams, un o feirdd a llenorion Cymraeg pwysicaf yr 20fed ganrif, yn fab i ysgolfeistr Rhyd-ddu, sir Gaernarfon, ac mae ôl dylanwad ei gartref, Ty'r Ysgol, Rhyd-ddu, a'i fro enedigol wrth droed yr Wyddfa, yn drwm ar ei gerddi a'i ysgrifau.

Cafodd ei addysg yn ysgol uwchradd Porthmadog, ac yna yng Ngholeg Prifysgol Cymru, Aberystwyth, lle y graddiodd yn y Gymraeg yn 1908. Ar ôl cyfnodau yng Ngholeg Iesu, Rhydychen a phrifysgolion Freiburg yn yr Almaen, a Pharis, dychwelodd i Aberystwyth yn Ddarlithydd Cynorthwyol yn Adran y Gymraeg yn 1914.

Dechreuodd wneud ei farc fel bardd tra oedd dal yn fyfyriwr. Yn 1912 enillodd T.H. Parry-Williams y Gadair a'r Goron yn Eisteddfod Genedlaethol Wrecsam, gydag awdl ar y testun 'Y Mynydd' a phryddest ar y testun 'Gerallt Gymro'. Cyflawnodd yr un gamp am yr eildro yn Eisteddfod Genedlaethol Bangor yn 1915 gydag awdl enwog i 'Eryri' a phryddest ar y testun 'Y Ddinas'. Roedd dwy o themâu cyson y bardd, sef ei ymlyniad dwfn at ei fro enedigol yn Eryri, a'i ymateb i'r byd modern yn ei ddefnydd o iaith lafar, lliwgar y stryd, eisoes i'w gweld yng ngherddi buddugol 1915.

Yn 1920 penodwyd Parry-Williams yn Athro y Gymraeg yng Ngholeg Aberystwyth, ac arhosodd yno nes iddo ymddeol yn 1952. Cafodd yrfa ysgolheigaidd ddisglair, a chyhoeddodd nifer o gyfrolau a gafodd ddylanwad eang ar yr iaith a'r diwylliant Cymraeg. Roedd ei waith ar y *Canu Rhydd Cynnar* (1932) a *Hen Benillion* (1940) yn arbennig o bwysig o ran ei batrymau llafar ei hun, a hefyd fel sbardun i ryddhau barddoniaeth a'r iaith Gymraeg o gadwynau iaith a thraddodiadau clasurol y 19eg ganrif.

Yn 1942 priododd Parry-Williams ag Amy Thomas o Bontyberem, ac yr oedd eu cartref yn Aberystwyth, Y Wern, yn gyrchfan i fyfyrwyr ac ysgolheigion eraill. Meddai un o'i fyfyrwyr, Islwyn Jones, 'Yma, yn y tŷ, caem weld dawn fawr yr Athro fel cwmnïwr ac ystorïwr ac y mae'n rhaid cofnodi yma ei fod yn hael iawn â'i sigarennau hefyd – yr oedd yr ystafell yn fwg i gyd gennym ymhell cyn amser ymadael'.

Rhwng 1928 a 1966 cyhoeddodd Parry-Williams naw cyfrol o gerddi ac ysgrifau, yn ogystal â chyfieithiadau Cymraeg o operâu. Yr oedd hefyd yn ffigwr amlwg iawn mewn sefydliadau fel yr Eisteddfod Genedlaethol a'r Llyfrgell Genedlaethol, a chafodd ei urddo yn farchog am ei gyfraniad i fywyd Cymru yn 1958.

Wrth i radio a theledu ddod yn fwy a mwy amlwg yng Nghymru, bu gan Parry-Williams ran fawr yn y gwaith o sicrhau bod gan yr iaith a'r diwylliant Cymraeg le teilwng ar y tonfeddi a'r rhwydweithiau. Roedd y rhaglen a gyflwynai, *Lloffa*, yn ymdrin â chreiriau ac arferion traddodiadol Cymru, ac yn gadarn yn llinach ei gyfrolau yn ymwneud â cherddi a chaneuon traddodiadol y Cymry. Bu T.H. Parry-Williams farw yn 88 mlwydd oed yn 1975. Mae lle i ddadlau mai ef yn fwy nac unrhyw fardd arall yn ystod yr 20fed ganrif a wnaeth yr iaith Gymraeg yn gyfrwng naturiol i farddoniaeth fodern a pherthnasol.

TRWY LYGAID IWAN LLWYD

Saith deg pum mlynedd yn ôl teithiodd y llanc o Ryd-ddu ar fordaith i Dde America. Treuliodd dri mis ar y fordaith honno, ac ymweld ag arfordir y Môr Tawel a'r Iwerydd, a theithio ar hyd Camlas Panama, ac roedd hi'n dipyn o fenter i groesi'r Iwerydd i Dde America bryd hynny. Roeddwn i'n hoff iawn o Gerddi Taith T.H. yn yr ysgol. Yn wir, fe fûm i wrthi'n trio eu gosod nhw i alawon gitâr. Esgyrn y daith ydyn nhw wrth gwrs – ond ar y pryd roedd cael bardd Cymraeg yn sôn am lefydd egsotig ym mhen pella'r byd yn dipyn o brofiad i lanc ifanc.

Dyma sut mae T.H. yn disgrifio dieithrwch cyrraedd cyfandir arall:

A'i lygaid ar lesni trofannol goed,
Ac India'r Gorllewin dan ei droed,
Ni ddysgodd y truan eto mai hud
Enwau a phellter yw 'gweld y byd'. ('Yng Ngwlff Mexico')

Am y tro cyntaf dyma fardd o Gymro yn gweld Cymru o bell, sy'n ei orfodi i ailystyried ei holl agweddau tuag at ei wlad a'i gefndir. Mae'r broses yma o ailystyried a holi perfedd rhai o'n profiadau a'n teimladau mwyaf sylfaenol – serch, ofn, cariad, angau – yn rhedeg drwy holl waith Parry-Williams.

Gan amlaf meddyliwn am T.H. Parry-Williams fel bardd ei filltir sgwâr yn Rhyd-ddu ac Eryri. Ond y gwir yw iddo adael cartref yn gynnar, i'r ysgol uwchradd ym Mhorthmadog i ddechrau ac yna i lu o golegau yng Nghymru, Lloegr ac Ewrop. O bell y gwelai ac yr hiraethai am ei Ryd-ddu, ac i raddau creadigaeth ei ddychymyg yw'r lle, er bod ei ddefnydd cyson o enwau llefydd yn yr ardal yn ceisio ei hoelio mewn rhyw fath o realiti. Ond anian y 'teithiwr talog', y crwydryn, fel Dic Aberdaron, sydd yn Parry-Williams, ac fel pob crwydryn mae o'n dyheu am ryw fan gwyn fan draw.

Er mwyn cyfleu ei awydd a'i ymdrech i holi ac ailystyried, defnyddiodd T.H. Parry-Williams dri chyfrwng llenyddol nad oedden nhw'n ffasiynol gan lenorion ar y pryd, a chefnu'n fwriadol ar ffurfiau mwy aruchel a chlasurol – fel y mesurau caeth. Lansiodd y cyfryngau newydd hyn yn ei ddwy gyfrol gyntaf – *Ysgrifau* (1928) a *Cerddi* (1931). Eisoes roedd Parry-Williams yn ŵr canol oed yn cychwyn ar ei yrfa lenyddol go iawn (er ei fod wedi cyhoeddi cerddi ac ysgrifau mewn cylchgronau fel *Y Llenor*). Ac yn rhyfedd iawn, er mai yn y byd ysgolheigaidd ac academaidd yr oedd ei gefndir, dewisodd gyfryngau a mesurau syml ac uniongyrchol, yr ysgrif, y soned, a'r mesur y rhoddodd ei stamp arbennig ei hun arni – y rhigwm. Aeth i'r afael â rhai o gwestiynau athronyddol mawr ei gyfnod gan ddefnyddio iaith lafar gyffredin ei fro yn Eryri. A defnyddiodd ei wybodaeth fawr am ddylanwadau ieithoedd eraill, fel y Saesneg a'r Lladin ar y Gymraeg, a'i ddiddordeb ysol mewn enwau a geiriau o bob math, er mwyn gwneud iaith ac arddull ei ysgrifau a'i gerddi yn gyfoes a chyfoethog – heb orfod troi, fel cymaint o feirdd eraill ei gyfnod, at Gymraeg hynafol a chlasurol.

Roedd ei ddiddordeb mewn teithio – yn Ewrop, Gogledd a De America – yn rhan fawr o'r diddordeb yma mewn enwau newydd a dieithr. Ac mae enwau dieithr yn hudolus – dyma ei gerdd 'Santa Fe', dinas ym Mecsico Newydd:

> Rwy'n mynd yn rhywle, heb wybod ym mhle,
> Ond mae enw'n fy nghlustiau – Santa Fe,
> A hwnnw'n dal i dapio o hyd
> Y dagrau sydd gennyf i enwau'r byd –
>
> Yr enwau persain ar fan a lle:
> Rwy'n wylo gan enw – Santa Fe.

Mae cerddi ac ysgrifau Parry-Williams yn llawn o'r enwau hyn – yn enwau dieithr fel Pica, Havana, Callao a Rio yn Ne America, neu yn hen enwau cyfarwydd fel Oerddwr, Llyn y Gadair, Nant y Betws a Drws-y-coed yn ei fro yn Eryri. Yr enwau hyn yw'r mynegbyst ar daith ei fywyd. Maen nhw i gyd yn golygu rhywbeth iddo – yn brofiad neu'n deimlad, neu trwy geisio egluro neu ddyfalu ystyr yr enwau, mae o'n dadansoddi rhywbeth yn ei gyfansoddiad ei hun. Dyma fo eto mewn rhigwm i Chicago:

> Yma y bu 'mrawd ar ôl mynd o dre,
> Ond *enw'n* unig i ni oedd y lle.

Ac mae teithio yn rhoi cyfle iddo brofi gwirionedd yr enwau, gweld y llefydd y mae o wedi darllen neu glywed amdanyn nhw drosto'i hun. Ac allan o'r broses honno y mae ei gerddi a'i ysgrifau o'n codi. Dyna i raddau helaeth yw'r broses greadigol, profi digwyddiad neu deimlad, neu ddod ar draws lle neu berson, ac yna dadansoddi neu ddehongli'r profiad drwy gyfansoddi cerdd neu ysgrif.

T. H. PARRY-WILLIAMS

'STUDIO 4 CERDD

Y FERCH AR Y CEI YN RIO

Cerddi, Gwasg Aberystwyth,1931, tud.

Cyflwyniad

Yn ôl Twm Morys, erbyn heddiw mae'n amhosib gweld y cei yn Rio gan ferched. Ond yr hyn sy'n taro rhywun ar unwaith yn y gerdd hon yw mai ar un ferch y sylwodd y bardd, a hynny er y 'cannoedd oedd yno'. Pam hynny? Drwy holl waith T.H. Parry-Williams mae 'na ymdeimlad o ddieithrwch, o fod ar wahân i bawb arall. Yr elfen wrthrychol yma sy'n ei alluogi i ddadansoddi teimladau a phrofiadau mewn ffordd finiog, oeraidd a chlinigol bron. Dyma ddangos y gwyddonydd ynddo, a'r ieithydd sy'n hoff o ddadansoddi enwau a geiriau.

Yn Rio eto mae'r bardd yn teimlo yn ddieithr ac ar wahân. Mae o ar ddec y llong wrth iddi adael Rio, yn edrych yn ôl ar y cei. Mae 'na gannoedd yno o bob lliw a llun yn ffarwelio a chwythu cusanau, chwifio hancesi a fflagiau, neu fod yn fusneslyd. Yn eu canol mae'r ferch. Ac mae'r ferch ryfedd hon yn tynnu sylw'r dieithryn o Gymro.

Gair am air

plyciai	tynnu, hwylio
Rio	Rio di Janeiro, Brasil
adwaenai	nabod
Llygoden Ffreinig	llygoden fawr

Sylwi ac ystyried

1. Mae o wedi dewis mesur telynegol, ysgafn, ac mae'r geiriau wedi eu gosod i alaw ac wedi cael eu canu fel cân boblogaidd. Ond ai cerdd ysgafn ydi hon? Neu oes 'ma ryw deimlad mwy tywyll ac anghysurus? Sut un ydi'r ferch, yng nghanol y dorf?

2. Mae'n amlwg yn wahanol – yn 'anwesu llygoden Ffrengig wen ar ei hysgwydd', ac mae awgrym ei bod yn dioddef 'penwendid' a'i bod hyd yn oed yn 'ynfyd'. Mae'r bardd hefyd yn awgrymu iddi fod yn dlws yn ei dydd

– 'i rywun yn Lili neu Lio' – ond bellach does neb eisiau ei hadnabod. Er hynny, does neb o'r dorf 'filain eu moes' yn ei difrïo – mae yna ryw anwyldeb trist yma.

3. Pam felly mai arni hi y mae'r bardd yn sylwi? Ai oherwydd ei fod yntau yn teimlo yn anghysurus yng nghanol y dorf ddiarth yn Ne America. Yn nifer o'r cerddi taith o Dde America mae T.H. Parry-Williams yn mynegi rhyw atgasedd tuag at y bobol o'i amgylch:

> Carcharor ydwyf ynghanol sŵn
> Ciwed gymysglyd gwledydd y De.
> Anodd yw credu i Iesu Grist
> Farw ar groesbren "Ei Hun yn eu lle".

meddai yn y gerdd *Carchar*. Wrth deimlo'n unig ac yn wahanol ar fwrdd y llong, mae y bardd yn sylwi ar ferch sydd yr un mor unig a gwahanol yng nghanol y dorf ar y cei. Ac wrth bendroni amdani, mae o fel petai yn mynd yn fwyfwy i'w chymeriad, nes ei fod erbyn diwedd y gerdd wedi dychryn ei hun wrth bitio 'Penwendid y ferch â'r llygoden wen – Y ferch ar y cei yn Rio?'

4. Mae'r mesur yn rheolaidd drwyddi draw, ac mae'n rhyfedd cymaint o eiriau sy'n odli â Rio! Mae ailadrodd yr un linell dro ar ôl tro yn dyfnhau'r teimlad, ac yn ein tynnu ninnau i mewn i'r darlun. Meddai R. Gerallt Jones, 'y mae'n sylwi ar y ferch hon, ynghanol miri a physurdeb y cei, fel pe bai ei lygaid yn gamera ffilm, yn closio i mewn ar wyneb y ferch arbennig hon'. Mae o fel cyfres o luniau camera yn mynd â ni yn nes ac yn nes at y ferch nes ei bod hi erbyn diwedd y gerdd yn llenwi'r sgrîn. Mae gallu T.H. Parry-Williams fel cynganeddwr i'w weld yn y ffordd mae'n ateb cytseiniaid – 'Lili neu Lio' ac yn odli'n fewnol – 'Efallai ei bod wedi bod rhyw dro'. Ond er y mesur rheolaidd a'r tinc telynegol, mae 'na ryw deimlad anghyffyrddus ac annifyr yn y gerdd enwog hon.

LLYN Y GADAIR

Cerddi, Gwasg Aberystwyth, 1931, tud.

Cyflwyniad

Mae yna ddwy elfen amlwg a phwysig yng ngwaith T.H. Parry-Williams, sef ei hoffter o deithio, a'r gafael mawr a oedd gan ei gynefin yn Eryri arno. T.H.

Parry-Williams oedd un o'r beirdd Cymaeg cyntaf i gael cyfle i deithio'r byd, yn bennaf oherwydd bod teithio yn gynyddol haws yn ystod yr ugeinfed ganrif. Oherwydd hynny, am y tro cyntaf roedd cerddi Cymraeg yn sôn am wledydd de America, a Chicago, a Santa Fe, a hynny'n gwbwl naturiol. Ond yn aml iawn yn y cerddi hyn, hiraethu am adref mae'r bardd, neu gweld rhyw gymhariaeth ag adref. A'r ardal oedd yn ei dynnu'n ôl o hyd oedd ei gartref yn Rhyd-ddu yng nghanol moelni Eryri.

Ochr yn ochr â'i gerddi taith mae ei gerddi i Eryri. Un o'r mwyaf arwyddocaol o'r rheini yw ei gerdd i Lyn y Gadair. Fel y mae T.H. Parry-Williams ei hun yn dweud, 'ni wêl y teithiwr talog mono bron'. Ond mae y llyn yno, a'i fodolaeth sy'n atgoffa y bardd o bwysigrwydd ei fro iddo yntau. Wrth godi o'i wely ac a welai yn y gwyll wrth fynd i'w wely'n ôl'. Ond yng nghyffredinedd yr olygfa mae ei wychter. Hyd yn oed yn ne America, 'does yna ddim i'w guro.

Gair am air

basddwr	dŵr isel, heb fod yn ddyfn
adyn	dyn gwallgof

Sylwi ac ystyried

1. Fel llawer o'i gerddi, digon ffwrdd-a-hi yw ei deyrnged i'r llyn. Rhywbeth di-ogoniant yw'r cyfan – hyd yn oed yr olygfa – 'Dau glogwyn a dwy chwarel wedi cau'. 'Y mae Llyn y Gadair yn arbennig oherwydd y profiadau sydd ynglŷn wrtho,' meddai R Gerallt Jones, 'oherwydd ei dad a Dafydd Ffatri a'r rhai a ddysgodd iddo bysgota, ac yn wir oherwydd ei fod yn rhan ddisymud o'r byd y tyfodd i fyny'n rhan ohono, yn ffenomen a welai bob bore.'

2. Mesur y soned mae T. H. Parry-Williams yn ei ddefnyddio yma. Dyma'r ail fesur y mae'n hoff iawn ohono. Mae mesur y soned yn llawer mwy rheolaidd a ffurfiol na'r rhigwm, ac i raddau mae'r iaith y mae'r bardd yn ei defnyddio yn ei sonedau yn fwy ffurfiol na iaith lafar ei rigymau. Mae'r soned yn symud yn fwy pwyllog a myfyrgar, ac fe ellid dadlau mai siarad efo fo'i hun mae T. H. Parry-Williams yn ei sonedau, tra ei fod yn siarad â phobol eraill, â'i gynulleidfa yn ei rigymau.

Y TRIP

Ugain o Gerddi, Gwasg Aberystwyth, 1949, tud.

Cyflwyniad

Dyma 'gerdd daith' arall gan T.H. Parry-Williams, ond un wahanol y tro hwn. Aeth rhai blynyddoedd heibio ers i'r bardd deithio i dde a gogledd America, ac mae o'n dwyn y teithiau hynny, a rhyfeddodau Rio a Christ yr Andes, y Porth Aur yn San Fransisco a Santa Fe, i gof. Mae ganddo awydd ailymweld â'r llefydd a'r rhyfeddodau hynny, i wneud yn siŵr eu bod yn dal yno. Rhaid cofio bod rhyfel wedi chwalu'r ddaear ers i'r bardd fynd ar ei daith gyntaf. Ond mae'r bardd hefyd yn mynd yn hŷn, ac fe fyddai'n rhaid trefnu pasport a fisa, a threfnu ei 'ystad' – rhag ofn iddo beidio dychwelyd o'i daith. Does ganddo ddim llawer o galon i fynd i'r trafferth hwnnw.

Wrth gwrs, eironi'r gerdd ydi nad yw'r bardd yn bwriadu gwneud y daith enfawr honno eto. Yn nodweddiadol o hiwmor T.H. Parry-Williams, chwarae tric â ni mae o. Yn y dychymyg y mae'r daith y tro yma, a'r sbardun i'r dychymyg yw gwylio'r haul yn machlud yn y gorllewin lle mae'r holl ryfeddodau a welodd o unwaith. Ac mae T.H. Parry-Williams yn cyffwrdd rhyw reddf waelodol yn y gerdd hon. Mae dyn erioed wedi dyfalu be sydd i'w weld tua'r gorllewin, dros y gorwel lle mae'r haul yn machlud. Mae'n siwr mai dyna a ddenodd y Celtiaid i'r ynysoedd hyn, a dyna'n sicr a ddenodd Columbus, a'r rhai â'i ddilynodd, i groesi'r Iwerydd a chanfod America. Ac ar ôl cyrraedd cyfandiroedd America, roedd yna ryw ysfa o hyd i ddilyn yr haul tua'r gorllewin, nes cyrraedd y Pasiffig, fel T.H. Parry-Williams ei hun.

Gair am air

Panama	lle mae camlas enwog
New Mexico	talaith yn yr UDA
Rio	Rio di Janeiro
Valparaisio	dinas yn Uruguay
Môr y De	y Môr Tawel
Havana	prif ddinas Ciwba
San Fransisco	dinas yn yr UDA
Y Ceunant Mawr	Grand Canyon
Y Porth Aur	*Golden Gate Bridge*, San Fransisco
Y Coed Sequoia	hen hen goed

y Gamlas	camlas Panama
Croes y De	croes ar ben un o fynyddoedd yr Andes
Crist yr Andes	cerflun arall ar ben y mynyddoedd hynny
Llyn Heli	Salt Lake City
Diffeithwch Paent	Painted Desert
Fforest Garreg	coedwig sy' wedi ei throi'n ffosiliau yn America

Sylwi ac ystyried

1. Wrth gwrs, eironi'r gerdd hon ydi nad yw'r bardd yn bwriadu gwneud y daith enfawr honno eto. Yn nodweddiadol o hiwmor T.H. Parry-Williams, chwarae tric â ni mae o. Yn y dychymyg y mae'r daith y tro yma, a'r sbardun i'r dychymyg yw gwylio'r haul yn machlud yn y gorllewin lle mae'r holl ryfeddodau a welodd o unwaith. Mae'n profi un o wirioneddau mawr barddoniaeth - y gallwch chi greu taith neu le neu berson yn gyfangwbl yn y dychymyg.

2. Mae T H Parry-Williams yn cyffwrdd rhyw reddf waelodol yn y gerdd hon. Mae dyn erioed wedi dyfalu be sydd i'w weld tua'r gorllewin, dros y gorwel lle mae'r haul yn machlud. Mae'n siŵr mai dyna a ddenodd y Celtiaid i'r ynysoedd hyn, a dyna'n sicr a ddenodd Columbus, a'r rhai â'i ddilynodd, i groesi'r Iwerydd a chanfod America. Ac ar ôl cyrraedd cyfandiroedd America, roedd yna ryw ysfa o hyd i ddilyn yr haul tua'r gorllewin, nes cyrraedd y Pasiffig, fel T.H. Parry-Williams ei hun.

BRO

Myfyrdodau, Gwasg Aberystwyth,1957, tud.

Cyflwyniad

Mae moelni Eryri yn elfen bwysig yn holl waith T.H. Parry-Williams a 'does dim yn mynegi hynny'n well na'r gerdd hon, un o'i gerddi olaf, a gyfansoddwyd ym 1954, er na fu farw'r bardd tan y 1970au. Ynddi mae'r bardd yn wynebu ei farwolaeth ei hun, pan fyddai'n 'llithro i'r llonyddwch mawr yn ôl' fel y dywedodd yn ei soned 'Dychwelyd'. Mae'r gerdd honno yn awgrymu nad oes dim yn ein haros ar ôl marwolaeth, ond yn y rhigwm heriol hwn, mae'r bardd yn fwy cadarnhaol. Yng ngeiriau R. Gerallt Jones, mae'n datgan 'ei gred gwbl lythrennol fod dyn yn gadael ei farc ar y lleoedd y mae wedi bod yn trigo ynddynt; ac yn y marciau hynny'n unig y gorwedd ei anfarwoldeb'. Fe fydd rhywbeth yn aros ar ôl iddo fynd, oherwydd mae o'n rhan o'i fro a'i amgylchedd, a'r amgylchedd honno, y mynyddoedd a'r llynnoedd yn rhan ohono yntau.

Gair am air
Angau Gawr - marwolaeth

Sylwi ac ystyried
1. Sylwch ar y ffordd y mae'n ailadrodd y sŵn caled 'cr...' drwy'r gerdd – crawc, cri, craith, crych, crac, cric, cramp a creu. Sŵn caled i gyfleu mor ofnadwy ydi marwolaeth, ond sŵn hefyd sydd fel petai o'n herio marwolaeth.
2. Sylwch hefyd ar bwysigrwydd enwau llefydd sy'n gyfarwydd i'r bardd yn y gerdd – y Pendist Mawr, yr Wyddfa, Nant y Betws, Drws-y-coed, Cae'r-gors, Llyn Cwellyn, Llyn y Gadair, Afon Gwyrfai. Y llefydd hyn sy'n rhoi ystyr i fywyd iddo. Mae nhw'n bethau real, diriaethol. Dyma ei fap personol ei hun, a wnaeth ei alluogi i fyw ei fywyd fel y gwnaeth.
3. I raddau ysgrifennu ei farwnad ei hun a wnaeth T.H. Parry-Williams yn y gerdd hon, ond mae o hefyd fel petai o'n rhoi allwedd i ni i agor drws ar ystyr ei holl waith.

T. H. PARRY WILLIAMS

Dyfyniadau am T.H. PARRY-WILLIAMS

Yr oedd ei gyfuniad o lymder deallusol, symlrwydd ieithyddol uniongyrchol a synwyrusrwydd cyfriniol yn chwyldroadol yn ei gyfnod, ac mae'n gyfraniad unigryw i lenyddiaeth Gymraeg.

Cydymaith i Lenyddiaeth Cymru, gol. Meic Stephens, Gwasg Prifysgol Cymru, 1997

. . . er na allai neb yn 1915 oedd wedi darllen y pedair cerdd eisteddfodol broffwydo pa fath gyfraniad a geid gan eu hawdur, eto i gyd . . . gellir edrych yn ôl a gweld yn y cerddi cynnar yr egin a roddodd inni'r cynhaeaf yn ei bryd.

Gwilym R. Tilsley

Mae'n debyg mai gyda'r rhamantwyr mawr y dylem restru Syr Thomas Parry-Williams.

Alun Llywelyn-Williams

Myfyrdod ar angau, yn wir, sy'n symbylu'r rhan helaethaf o'i gerddi, yn sonedau a rhigymau.

Alun Llywelyn-Williams

Ac yntau'n rhamantydd wrth natur, ymwrthododd â breuddwydion rhamantiaeth, a'i niwl hiraethus, a'i hud a'i lledrith. Edrychodd ar y byd o'i gwmpas ac arno ef ei hun, a mynegodd yr hyn a welodd yno yn wrol onest. Chwiliodd haenau'i brofiad yn drwyadl, ond ni pheidiodd â rhyfeddu at ddirgelwch bod. Ymdeimlodd â'r diddymdra eithaf, ac efô yn anad neb o'n beirdd a roes dafod a llais yn Gymraeg i ddilema mawr dyn yn yr ugeinfed ganrif, a hynny cyn i'n hathronwyr ddechrau sôn am yr argyfwng gwacter ystyr. Ac eto nid bardd anobaith mono.

Alun Llywelyn-Williams

Am farddoniaeth mae'n ddi-werth heb gyffro, heb apêl sicr at deimlad yn ogystal â meddwl 'yn tanio meddwl dyn a'i fêr' fel y dywed Robert Williams Parry. Barddoniaeth fel hyn yw ysgrifau T.H. Parry-Williams.

John Gwilym Jones

Ar ôl y Rhyfel Byd Cyntaf y dechreuais i ymhél â llenyddiaeth Gymraeg ...
Ond pwy yw'r llenor pwysicaf ei ddylanwad ar feirdd a llenorion eraill a fu'n
cyhoeddi eu gwaith yn yr un cyfnod? Mi gredaf i mai'r ateb cywir yw – y Dr
T.H. Parry-Williams.'

Saunders Lewis
ysgrifau'r uchod i gyd yn: *Cyfrol Deyrnged Syr Thomas Parry-Williams*, Llys yr
Eisteddfod Genedlaethol, 1967

Yn ddiweddar fe deithiais i a Twm Morys gyfandir de America, gan
gynhyrchu a chyfansoddi nifer fawr o gerddi a chaneuon. A rhywsut
roeddwn i'n teimlo cysgod T.H. Parry-Williams ar fy ysgwydd mewn sawl lle
yn ystod y daith.

Iwan Llwyd, Barddas, 1998

Dyfyniadau gan T.H. PARRY-WILLIAMS

Canodd ei gerdd i gyfeiliant berw ei waed;
Canodd hi, a safodd gwlad ar ei thraed.
Canodd ei gân yn gyfalaw i derfysg Dyn;
Canodd hi, ac nid yw ein llên yr un.   (*'Bardd'*)

... y mae pawb yn agored i ddylanwadau llenyddol – egwyddorion,
traddodiadau a thueddiadau celfyddyd ac arddull, ond y mae benthyca'n
ddi-wrid a dynwared yn ddigywilydd yn anfaddeuol o beth.
THPW, *Cofnodion a Chyfansoddiadau Eisteddfod Genedlaethol Cymru*, 1919

... yn amlach na pheidio rhaid cael dau fynegi gwirionedd – a hynny
weithiau yn groes i'w gilydd – i wneud un mynegiant cyflawn.
THPW 'Ar ei Hanner' *Lloffion*, tud. 38

Aethom ein pedwar dros drothwy cartref a thros ffin y plwyf yn gynnar; ac
nid oes dim fel crwydro i fagu nwyd meddwol, rymus, lywodraethol. Megir
hi'n ddistaw ddwys, a rhyw fore fe'i gwelir yn y llygaid, ac nid oes dim ond
carreg fedd a all atal ei phelydr.
THPW 'Y Trydydd', *Y Wawr*, IV, 2, tud. 41

Erbyn meddwl, y mae geiriau'r hen wraig honno gynt yn eithaf gwir, – nad yw pawb yn wirion, neu'n wallgof, yr un fath. Pwy sydd nad yw? Pan fo dyn ar ei ben ei hun y mae fwyaf felly, a phan fo dyn ar ei ben ei hun ym mhob ystyr, y mae mwyaf gobaith amdano.

THPW 'Yr Hen Ysfa', Y *Wawr*, III, 3, Haf 1916, tud. 88-92

Y mae'r dyn sy'n llenydda yn mynd weithiau i fyd neu ystâd neu fodd ddieithr; neu, beth bynnag, y mae'n synio ambell dro am bethau cynefin a chyffredin fel petaent yn bethau anghynefin ac anghyffredin.

THPW, *Synfyfyrion*, tud. 11

Rhyw hanner ieuenctid a gefais gynt,
A hanner henaint fydd diwedd fy hynt.

'Dau Hanner', *Cerddi*, 1931

DARLLEN PELLACH:

Ysgrifau, Gwasg Aberystwyth, 1928
Cerddi, Gwasg Aberystwyth, 1931
Olion, Gwasg Aberystwyth, 1935
Synfyfyrion, Gwasg Aberystwyth, 1937
Lloffion, Gwasg Aberystwyth, 1942
Ugain o Gerddi, Gwasg Aberystwyth, 1949
Elfennau Barddoniaeth, Gwasg Prifysgol Cymru, 1952
Myfyrdodau, Gwasg Aberystwyth, 1957
Casgliad o gerddi T.H. Parry-Williams, Gomer, 1972
Casgliad o ysgrifau T.H. Parry-Williams, Gomer, 1984
Cyfrol Deyrnged, gol. Idris Foster, 1967
Y Traethodydd, Hydref, 1975
Poetry Wales, Haf, 1974
Rhyw Hanner Ieuenctid, Dyfnallt Morgan, 1971
Writers of Wales, gol. R. Gerallt Jones, 1978
Bro a Bywyd, gol. Ifor Rees, 1981
Dawn Dweud T.H. Parry-Williams, R. Gerallt Jones, Gwasg Prifysgol Cymru, 1999

T. JAMES JONES T. JAMES JONES
T. JAMES JONES T.
T. JAMES T.
T. JAMES T.
T. JAMES JONES T.
JONES T.
T. JAMES JONES T.
T. JAMES JONES T. JAMES JONES

T. JAMES JONES

Aelod o deulu enwog Parc Nest, ger Castellnewydd Emlyn yw T. James (neu Jim) Jones, ac fel ei frodyr John Gwilym ac Aled Gwyn, a'i nai, Tudur Dylan, daeth i amlygrwydd fel enillydd rhai o brif gystadleuthau llenyddol yr Eisteddfod Genedlaethol.

Fe'i ganed yn 1934, ac ar ôl derbyn ei addysg yng Ngholeg y Brifysgol, Aberystwyth, a'r Coleg Bresbyteraidd, Caerfyrddin, aeth i'r weinidogaeth, gan wasanaethu gyda'r Annibynwyr yn Mynydd-bach, Abertawe a'r Priordy, Caerfyrddin. Er iddo adael y weinidogaeth am swydd fel Darlithydd yn y ddrama yng Ngholeg y Drindod, Caerfyrddin, yn 1975, mae nifer fawr o'i gerddi yn myfyrio ar bresenoldeb neu amhresenoldeb Duw, ac ar gyflwr crefydd a chrefydda yn y Gymru gyfoes.

Dechreuodd ysgrifennu'n greadigol ar ôl derbyn clod eang am ei gyfieithiad o *Under Milk Wood* Dylan Thomas, sef *Dan y Wenallt* a gyhoeddwyd ym 1968. Roedd ei ddefnydd o dafodiaith bro ei febyd yn gweddu'n berffaith i naws drama fydryddol Dylan Thomas, ac weithiau'n taflu goleuni newydd ar yr iaith wreiddiol:

Ac wrth drosi fe ddaeth ambell wefr. E.e., dyma ran arall o sylwebaeth Capten Cat ar fynd a dod trigolion y pentre'n y bore: *'Who's that talking by the pump? Mrs Floyd and No Good Boyo talking flatfish. What can you talk about flatfish?'* – 'Pwy sy'n cloncan ar bwys y pwmp? Mrs Ffloid a Dai Di-ddim yn trafod fflwcs. Be' all dyn weud am fflwcs?' – Ystyr fflwcs i mi yw sothach. Ac fel yna y dehonglwn i sylw'r Capten. Ond y wefr oedd darganfod fod trigolion Llansaint, eto'n Sir Gâr, yn defnyddio fflwcs am flatfish.

Aeth ymlaen i ddefnyddio y dafodiaith honno'n gyson wedyn yn ei gerddi a'i ddramâu.

Datblygodd yr awydd yma i gyfieithu ac i osod y ddwy iaith ochr yn ochr droeon, yn arbennig yn ei berthynas â'r bardd o America, Jon Dressel. Ar ôl llwyddiant *Dan y Wenallt* cyhoeddodd nifer o ddramâu eraill, gan gynnwys *Dramâu'r Dewin* (1982), *Pan Rwyga'r Llen* (1985), *Nadolig fel Hynny* (1988) a *Herod* (1991). Ysgrifennodd *Pwy biau'r gân?* (1991) ar y cyd â Manon Rhys, ac mae hefyd wedi cyfieithu gwaith N. F. Simpson a Richard Vaughan i'r Gymraeg. Arweiniodd y diddordeb a'r llwyddiant yma ym myd y ddrama iddo ymuno ag Adran Sgriptiau BBC Cymru ym 1982, gan ysgrifennu ar gyfer cyfresi poblogaidd fel 'Pobol y Cwm'.

Er mai fel dramodydd, a chyfieithydd dramâu y daeth i'r amlwg gyntaf, fel aelod o deulu yr oedd barddoniaeth yn rhan hanfodol o'i fyd a'i fetws, 'doedd sŵn a sigl barddoniaeth fyth ymhell o waith T. James Jones. Ei glust fel bardd a'i galluogodd i gyflawni'r gamp o gyfieithu *Under Milk Wood* mewn ffordd mor llwyddiannus. Ac yn gyson yn ei farddoniaeth mae'n defnyddio sefyllfaoedd a chymeriadau dramatig. Ochr yn ochr â'i yrfa fel dramodydd, datblygodd ei grefft fel bardd.

Cyflwyniad i waith T. JAMES JONES

Cyhoeddodd ei gyfrol gyntaf o farddoniaeth, *Adnodau a cherddi eraill* yn 1975, ond yr hyn a ddaeth ag o i sylw cenedlaethol fel bardd oedd ei gynnig ar Goron yr Eisteddfod Genedlaethol yng Nghaernarfon ym 1979.

Yn ystod y flwyddyn honno gadawodd dau ddyrnod y refferendwm ym mis Mawrth a'r etholiad cyffredinol yn ddiweddarach yr un gwanwyn, pan ddaeth plaid Dorïaidd Mrs Thatcher i rym, argraff ddofn ar gymdeithasau Cymru. I'r Cymry Cymraeg bu'r '70au yn gyfnod cyffrous – cyfnod deffroad diwylliant yr ifanc yng Nghymru, yn grwpiau roc a beirdd, dramodwyr ac ymgyrchwyr gwleidyddol. Yn hwylio ar don hyderus ieuenctid y '60au, roedd byd undebau'r myfyrwyr yn ferw o brotestio a dadlau – am Gymru a Phrydain, ond hefyd am Chile a Chambodia, ac roedd Cymdeithas yr Iaith ac Adfer ar eu hanterth, yn sicrhau bod pob sgwrs yn seiat wleidyddol. I'r rhai oedd yn eu harddegau a'u hugeiniau cynnar, fel y dywedodd Ifor ap Glyn yn ei gerdd wych, 'Cegin Gareth Ioan' sy'n cofnodi diwedd y ddelfrydiaeth hon, roedd popeth yn bwysig, popeth yn bosib – o eiriau cân ddiweddaraf Edward H i arwyddocâd carcharu aelod arall o'r Gymdeithas. Gyda Chymru'n teyrnasu'n athrylithgar ar gaeau rygbi'r byd, roedden ni ar ben ein digon, ac yn cerdded yn hyderus tuag at y Gymru Rydd Gymraeg.

Roedd pobl mwy hirben wedi hen weld y drwg yn y caws. Ond i lawer o blith y genhedlaeth ifanc, roedd '79 yn glec, yn gychwyn cyfnod o ddadrithio ac ailgloriannu delfrydau a gobeithion. Ac efallai mai'r cerddi a fynegodd ddadrithiad '79 orau oedd *Cerddi Ianws*, cerddi T. James Jones a Jon Dressel a gyflwynwyd yng nghystadleuaeth y Goron yn Eisteddfod Genedlaethol Caernarfon yn Awst yr un flwyddyn.

Roedd diwedd y '70au yn gyfnod cyffrous yn hanes cystadleuaeth y Goron. Cafwyd cerddi ysgytwol Siôn Eirian yng Nghaerdydd yn '78, a cherddi dwys-gyfoethog Siôn Aled ym Machynlleth yn '81. Ond ni achosodd yr un cynnig gymaint o gyffro â cherddi 'Ianws'. Dyma'n amlwg gerddi gorau y gystadleuaeth, yn ymateb yn gignoeth i ddigwyddiadau y cyntaf o Fawrth:

> Eto, ni bu dydd fel hwn
> ers saith gan mlynedd.
> Hon yw'r hin na welsom

ni, y rhai byw, mo'i thebyg.
Ac yn codi cwestiynau yr oedd pawb yn eu gofyn yr haf hwnnw:

> Can gwanwyn eto, a bydd yr holl golledion
> dan gloeon hen glai hanes,
> ynghyd â'n cywilydd.
> Cenedl arall a geiriau newydd a gân
> gerdd i ddydd dychwel yr haul.

Unwaith yn rhagor yr oedd T. James Jones yn datblygu ei ddiddordeb mewn cyfieithu ac addasu. Cerddi'r bardd o'r Unol Daleithiau, Jon Dressel a ddaeth gyntaf, yn edrych â llygad rhywun o'r tu allan ar fethiant y bleidlais ar ddatganoli ym 1979. Yn y rhagair i'r gyfrol, mae'r ddau'n trafod y berthynas rhyngddynt wrth gyfansoddi'r cerddi. Meddai T. James Jones, 'Pa hawl oedd gan lanc o Missouri gyhoeddi angladd y Cymry? Eto, o'r diwedd, mi welais mai un o blant cymhathiad o genhedloedd yw Jon Dressel ... Trwy ei lygaid profiadol ef cawsom weld ein bod ninnau'r Cymry, o bosibl, yn rhan o'r un broses.'

Ac fel gyda Dan y Wenallt, mae cyfoeth tafodiaith T. James Jones yn rhoi lliw a blas cwbl Gymreig i'r cerddi, gan ddefnyddio deialog i amrywio'r arddull:

> Gwelw ddydd yn y glaw.
> Ddim yn anghyffredin yr adeg 'ma o'r flwyddyn.
> Ac o barhau gêm tenis y siarad tywydd,
> 'Dyna'r cwbwl y gallwn ni erfyn 'nawr.
> Rhaid cofio taw dechre Mowrth yw hi.'   ('Sadwrn')

Er bod dau awdur ynghlwm â'r gwaith, yng ngeiriau Jon Dressel, *'in our feeling for Wales and our concern over the future of the Welsh language and nation Jim Jones and I are virtually identical twins, and there is a very real sense in which these poems are the work of one personality.'*
Mae'r ddau fardd yn amlwg yn finiog ymwybodol o arwyddocâd dyddiau a dyddiadau, ac o'r modd y gellir cyfeirio atynt a'u defnyddio i greu naws ac effaith. Yn *Cerddi Ianws*, marwnad fawr Gruffudd ab yr Ynad Coch i Lywelyn II yw'r man cychwyn, a'r beirdd yn medru uniaethu â galar a chywilydd Gruffudd yng ngoleuni cywilydd y cyntaf o Fawrth, 1979. Ond yr hyn a

roddodd fwy o fin ar eu llafn barddol yr haf hwnnw oedd na chafodd cerddi 'Ianws', y bardd gorau yn y gystadleuaeth, eu gwobrwyo, a hynny ar y funud olaf, oherwydd bod yr amlen gaeëdig yn cyfaddef bod 'Ianws' yn ddau fardd, ac na ellid coroni dau dan reolau'r Eisteddfod Genedlaethol. I lawer, ychwanegodd hyn at gyfriniaeth y gyfrol pan gyhoeddwyd hi yn ddiweddarach y flwyddyn honno.

Mae teimladau cryfion T. James Jones tuag at ei iaith a'i genedl yn rhan o nodwedd bwysig yn ei holl waith, sef ei ymdeimlad o 'berthyn'. *Eiliadau o Berthyn* yw teitl ei ail gyfrol o farddoniaeth, a gyhoeddwyd yn 1991, ac sy'n cynnwys cerddi 'Ianws', a phryddestau 'Llwch' a 'Ffin' a enillodd iddo goron yr Eisteddfod Genedlaethol o'r diwedd yn Abergwaun yn 1986 ac yng Nghasnewydd yn 1988. Mae cerddi'r gyfrol yn ymdrin â phob agwedd ar berthyn – y berthynas rhwng dyn a'i gyd-ddyn, rhwng cariadon, rhwng unigolyn a'i gymdeithas a'i genedl. Mae'r gerdd 'Johnny' yn enghraifft o sawl perthynas yn cyd-daro. Mae'r bachgen yn ddigartref 'ar lan afon Tafwys', ond adre yn sir Aberteifi,

> Mewn mynwent ar lan afon Teifi
> ma'i enw ar glawr -
> 'Er cof am Marged Ifans y Felin,
> annwyl fam Johnny ... '
> Y gymdogaeth a dalodd am lechen,
> o barch iddi hi,
> rhag c'wilydd iddo fe ...

Mae'r bachgen bellach yn ddi-berthyn yn Llundain, a'i gymdogaeth adre wedi troi ei chefn arno, er eu bod wedi talu am fedd i'w fam. Mae trwch cerddi T. James Jones yn trafod y berthynas hon â'i ardal enedigol ger Castellnewydd Emlyn. Ac mae ei ddefnydd cyson o dafodiaith yn arwydd arall o'r berthynas honno. Mae'n ymwybodol iawn o'r newidiadau mawr a ddaeth i ran y rhan honno o gefn gwlad Cymru, ac yn ingol ymwybodol ei fod yntau yn rhan o'r newidiadau hynny, fel un a aeth i goleg ac a aeth i weithio ymhell o'i fro.

> Troi'n fab-yn-dod-gatre.
> Cerdded lle bues i'n rhedeg
> 'â'm llyfr yn fy llaw'.

Ond er nabod rhai wynebe,
naw o bob deg heb enwe ...
A'r cloc yn taro'r unfed awr ar ddeg ...
Bro'r hud yn fro'r mewnfudwyr.   ('Dyfed a Siomwyd?')

Perthynas bwysig arall i T. James Jones yw y berthynas rhwng gŵr a gwraig neu rwng dau gariad. Dyna thema ei bryddest 'Llwch' a enillodd y goron yn Eisteddfod Genedlaethol Abergwaun, ac mae'n dychwelyd at yr un thema dro ar ôl tro. Mae ei awdl, 'Gwaddol', a ddaeth yn agos at gipio'r gadair yn Eisteddfod Genedlaethol y Bala ym 1997, yn cloi gyda'r englyn,

I oedfa'r seintwar dôi siant i'n dwgyd
        o ogof ein methiant;
    carol ddyrchafol ein chwant
    yn ddeuawd o faddeuant.

Mae'r englyn yma yn clymu sawl un o themâu cyson T. James Jones. Mae yma ymdeimlad o golli ac ennill perthynas bersonol drwy faddeuant. Mae yma elfen o ennill a cholli cred grefyddol, ac mae'r is-lais o ennill a cholli Cymru a'r iaith Gymraeg yna hefyd. A'r cyfan ar y mesurau cynganeddol, sy'n rhan o draddodiad teuluol y bardd, ac yn amlygu unwaith eto y berthynas rhyngddo a'i gefndir, perthynas gymhleth unwaith yn rhagor, gan mai ar y mesurau rhydd y mae wedi cyfansoddi ei waith amlycaf.

Ym Medi '97, daeth cylch 'Ianws' yn gyfan. Bryd hynny, o drwch blewyn brithyll, unionwyd y cam, ac mewn pryd i'r mileniwm roedd gan Gymru Gynulliad. Ac unwaith eto dyma 'Ianws' yn llefaru, ond y tro hwn nid tros war ond *Wyneb yn Wyneb*. Mae cerddi'r gyfrol honno'n llawer mwy pwyllog a bwriadus na *Cerddi Ianws*. Roedd y rheini'n ymateb yn gignoeth uniongyrchol i ddigwyddiadau '79. Mae'r rhain yn cymryd cam yn ôl, ond unwaith yn rhagor yn dwyn eu hysbrydoliaeth o hanes. Yng ngoleuni bywydau dau rebel athrylithgar, Owain Glyndŵr a Robert E. Lee, mae'r cerddi yn pwyso ac yn mesur arwyddocâd Medi '97, a'r dyfodol. Efallai bod hyn ynddo'i hun yn cyfleu y gwahaniaeth rhwng ymgyrchoedd '79 a '97 dros Ddatganoli i Gymru. Roedd yr ymgyrch o blaid datganoli y tro hwn, er gwaethaf tensiwn y noson fawr, yn llawer mwy disgybledig a bwriadus. Roedd yn rhan ganolog o bolisi llywodraeth Llafur Newydd. Roedd y rhai oedd yn gwrthwynebu o fewn y blaid Lafur yn cael eu mygu. Er gwaethaf pob ymgais gan y cyfryngau i siglo cwch yr ymgyrch o blaid, digon amaturaidd oedd lluoedd y gwrthwynebwyr, a llwyddodd disgyblaeth yr ymgyrch o blaid i gario'r dydd.

Mae'n iawn felly bod y beirdd hefyd yn ymbwyllo, ac yn hytrach na dathlu'n reddfol, yn defnyddio bywydau dau a fethodd yn y tymor byr, ond a gadwodd y fflam ynghynn, fel drych i'r posibiliadau sy'n agor o'n blaenau ni wrth edrych tua'r ganrif newydd. Ac mae'r aeddfedrwydd yma'n cael ei ymgorffori yn noethineb a phwyll y ddau hen rebel. Meddai Glyndŵr wrth Lee:

> Pe derbyniaswn bardwn ni fyddwn wedi gallu
> a bod yng nghysgod y blynyddoedd,
> yn obaith oesol, yn unol â dyhead rhai o'm cenedl.
> Wrth fynd yn gysgod mae fy enw'n fyw,
> yn datgan yr hyn a fu dros dro,
> yn darogan, yr hyn a fydd, myn Duw, ryw ddydd.

Mae hyd yn oed y mesur yn fwy ara' deg a phwyllog na *Cerddi Ianws*, ac yn cyfleu y teimlad dramatig o ddeialog ar draws y canrifoedd rhwng y ddau hen rebel yn ystod diwrnod y refferendwm, 18 Medi, a thrannoeth. Er gwaethaf colledion y gorffennol, daethant drwy'r drin, ac mae gorwel newydd yn agor o'u blaen:

> Dônt wyneb yn wyneb yn llygaid ei gilydd.
> Dwy wên dau debyg, dwysach na geiriau.
> Gollyngir y fraich a sbardunir y cadfarch
> i gario'r Cadfridog i dalaith ei chwedlau.
> Ymsytha'r Tywysog tal yn ei gyfrwy,
> cyn carlamu tua thref i ail-fyw ei chwedl.

Efallai nad yw cerddi *Wyneb yn Wyneb* mor ingol heriol â *Cerddi Ianws* yn '79. Aeth blynyddoedd heibio i feirioli'r profiad. Ond unwaith eto mae'r cerddi hyn yn dwyn ynghyd themâu cyson T. James Jones – perthynas pobl â'i gilydd a pherthynas pobl â'u gwlad a'u hanes. Mae'r themâu hyn yn cael eu datblygu ymhellach yn ei gyfrol ddiweddaraf, *Diwrnod i'r Brenin*.

T. JAMES JONES

SUL

Cerddi Ianws Poems, Gomer, 1979, tud. 20
Eiliadau o Berthyn, Cyhoeddiadau Barddas, 1991, tud. 55

Cyflwyniad gan T. James Jones

Er mwyn cwrdd â dyddiad cau cystadleuaeth y Goron yn Eisteddfod Genedlaethol Caernarfon, sef y cyntaf o Ebrill, 1979, bu raid i Jon Dressel a minnau gyfansoddi 'Cerddi Ianws' mewn llai na mis – cyfnod anarferol o fyr i lunio cyfres o gerddi. Er i ni, fel amryw o'n cyd-Gymry, ragweld siom canlyniad y Refferendwm ar ddatganoli Ddydd Gŵyl Dewi ymhell cyn y diwrnod hwnnw, daliem i obeithio tan y diwedd mai fel arall y byddai hi, neu o leiaf y gwelem ganlyniad clos a fyddai'n cynnal llygedyn o obaith ar gyfer y dyfodol. Ond ni ragwelem ganlyniad cynddrwg â'r un gafwyd. Dim ond ychydig dros hanner y boblogaeth a ffwdanodd bleidleisio, a dim ond tua chwarter o'r rheiny a oedd o blaid ennill rhywfaint o ymreolaeth i Gymru. Roedd hwn yn ganlyniad mor affwysol, fe'n llethwyd i'r byw ganddo yn feunyddiol yn ystod cyfnod y cyd-gyfansoddi. Yn ôl Wordsworth, deilliai ei symbyliad i farddoni o *emosion recollected in tranquillity*. Mor whaanol oedd ein profiad ninnau. Cyd-gyfansoddwyd 'Cerddi Ianws' mewn cyfnod hynod o fyr dan boen uniongyrchol y gofid am y cam a wnaethom ni'r Cymry â'n hunain y diwrnod tywyll hwnnw.

Gair am air

arfaeth	pwrpas neu gynllun
swmpo	teimlo maint neu bwysau
tymp	amser, yr adeg benodedig

Sylwi ac ystyried

1. Mae'r gerdd hon yn rhan o'r gyfres o gerddi, 'Cerddi Ianws' a gyfansoddodd T. James Jones a'r bardd Americanaidd, Jon Dressel, yn ymateb i fethiant y bleidlais ar ddatganoli ym mis Mawrth 1979. Mae'r cerddi yn dilyn dyddiau'r wythnos yn arwain at ddydd y bleidlais a thu hwnt at y Sul canlynol. Cyfansoddodd Dressel ei gerddi yn Saesneg yn gyntaf, ac yna fe wnaeth T. James Jones eu haddasu i'r Gymraeg. Mae'r cerddi Cymraeg

yn adleisio cerdd farwnad fawr Gruffudd ab yr Ynad Coch i Lywelyn ein Llyw Olaf pan laddwyd Llywelyn yng Nghilmeri yn Rhagfyr 1282. Mae'r un teimlad bod natur yn cydymdeimlo â theimladau dyn yng ngherddi Ianws. 2. Y gerdd hon yw'r gyntaf yn y gyfres. Mae'r bardd yn ei defnyddio i chwarae gydag amser. Mae'r bardd a'r darllenwyr yn gwybod beth fydd yn digwydd erbyn diwedd yr wythnos, ond mae yna ryw ddiniweitrwydd rhyfedd yn y gerdd hon. Mae'r gwanwyn yn deffro, yr ymwelwyr cynta'n cyrraedd y pentref, sef Llansteffan ger Caerfyrddin. Maen nhw'n ymweld â'r castell – sydd hefyd yn ddiniwed, ddi-berygl. Ac mae'r plant yn chwarae, a'r ddaear yn 'feichiog' – yn disgwyl geni'r gwanwyn. Erbyn diwedd y gerdd mae cysgod digwyddiadau'r wythnos yn disgyn dros y darlun hapus – ac nid geni a geir, ond erthyliad. Mae'r holl themâu hyn yn cael eu datblygu yng ngweddill cerddi'r gyfres.

DYFED A SIOMWYD?

Eiliadau o Berthyn, Cyhoeddiadau Barddas, 1991, tud. 31

Cyflwyniad gan T. James Jones

Pan oeddwn yn ddisgybl yn ysgol gynradd Castellnewydd Emlyn, dysgais yr hwiangerdd hon:

> Fe af i'r ysgol fory
> Â'm llyfyr yn fy llaw,
> Heibio i Gastellnewy'
> A'r cloc yn taro naw.

Ceir sawl adlais o hon yn y gerdd, gan gynnwys y cyfeiriad at y cloc sydd bellach yn taro'r unfed awr ar ddeg, sef yr awr olaf ond un.

Sylwer mai cwestiwn yw ei theitl, a chwestiwn hefyd sydd yn y llinell glo. Rwy'n ceisio cyfleu dyfnder fy mrogarwch, a'r siom fod y fro honno'n colli ei Chymreictod. Ond yr hyn a wna hynny'n anodd yw'r ofn fy mod innau, wrth ddewis gadael bro fy mebyd, wedi cyfrannu at y golled honno. Y cewstiwn sydd ymhlyg yng nghwestiynau eraill y gerdd yw a ydyw fy ymlyniad wrth fro fy mebyd yn ddigon cryf ac mewn gwirionedd, yn un cwbl ddilys. (Gweler sylwadau Alan Llwyd ar y gerdd yn *Y Grefft o Greu*, tt. 100-01.)

Gair am air

gwynt tra'd y meirw   gwynt y dwyrain

perci   lluosog 'parc'; caeau

Sylwi ac ystyried

1. Cerdd mewn tafodiaith yw hon, tafodiaith de Ceredigion a gogledd sir Gaerfyrddin, sef ardal Castellnewydd Emlyn lle ganwyd a magwyd T. James Jones yn un o feibion teulu enwog Parc Nest.

2. Mae'r teitl yn gymal o linell gan Ddafydd ap Gwilym o awdl farwnad i'w ewythr, Llywelyn ap Gwilym, a oedd yn gwnstabl, neu brif swyddog Castell Newydd Emlyn. Mae'n debyg mai Llywelyn a ddysgodd ei grefft fel bardd i Ddafydd ap Gwilym. Yn ôl yr awdl mae'n bur debyg mai cael ei lofruddio a wnaeth Llywelyn. Mae'r un teimlad o golled a marwolaeth yn y gerdd hon.

3. Effaith y mewnlifiad ar froydd Cymraeg cefn gwlad yw testun y gerdd. Fel yr oedd Dafydd ap Gwilym yn gofidio y byddai Dyfed yn ddiamddiffyn ar ôl i'w ewythr farw, mae'r bardd yn gweld ei gynefin o yn ddiamddiffyn am ei fod o wedi mynd i ffwrdd i'r coleg ac i weithio. 'Mab-a'th-o-gatre' yw o bellach. Mae'n dod adre 'â'm llyfr yn fy llaw', ac mae popeth wedi newid. Mae Saeson yn ei holi am yr ysgol leol, a dim ond atgofion sydd ganddo o gyfnod ei blentyndod, a'r enwau cyfarwydd. Mae hon yn thema gyffredin ym marddoniaeth T. James Jones, ac mae'n defnyddio tafodiaith er mwyn pwysleisio yr hyn sy'n cael ei golli.

4. Mae delwedd ddiddorol yn clymu'r gerdd ynghyd, sef criced. Mae T. James Jones yn hoff iawn o griced, ac mae'n hel atgofion am chwarae criced gyda'i dad, ac mae'r gêm yn dod i ben 'pan ele'r bêl i'r llyn'. Beth yw arwyddocâd y linell olaf felly – 'Ody'r bêl yn y llyn?' A fedrwch chi gael hyd i ddelweddau eraill yn y gerdd sy'n awgrymu bod yr ardal, a chynefin y bardd wedi newid?

AMSTERDAM

O Barc Nest, Cyhoeddiadau Barddas, 1998, tud. 11

AMSTERDAM

(Awst 1995)

Pâr tawedog
yn y cyhûdd ar lan canal
wedi bod yn nhŷ Rembrandt.

Daeth chwa o chwerthin.
Aderyn wedi disgyn
i hawlio briwsionyn,
nid o'r llawr o dan draed
ond o lestri'r fod!

'Adar dof sy'n Amsterdam'
oedd blaen ei baladr.
'Dof' oedd y gair
a fynnai'r gynghanedd.

Chwilio eto am ansoddair ...
 Eger
ewn
   beiddgar
haerllug ...

Ond dihangodd y deryn yn
     ddiansoddair
i glwydo yng ngwyll coeden
oedd eto'n olau gan belydrau'r diwedydd.

Tra llyfnai
dau gwch
heibio i'w gilydd
mor ddidaro
ar lafn o ganal,
chwiliai yntau am linell,
â'r gynghanedd yn cynnig
'anhydrin ei ddiniweidrwydd'
'yn draean o'r hen driongl' ...

Plufiai hithau bob ansoddair
o'i cherdd gyfrin,
gan ddyheu am gynghanedd ...

Byddai'n rhaid wrth athrylith Rembrandt
i ddarlunio, rhwng cysgodion a gwawl,
y deigryn yn ei thawedogrwydd.

T. JAMES JONES

Cyflwyniad gan T. James Jones

Nodweddir amryw o ddarluniau Rembrandt gan ei ddefnydd crefftus o'r cyferbyniad rhwng golau a chysgod. Hon yw'r grefft sy'n aml yn creu'r tyndra dramatig yn ei ddarluniau. Roedd hyn ar fy meddwl wrth gyfansoddi'r gerdd, er mwyn adlewyrchu'r tyndra a fodolai ar y pryd rhwng dau yn ceisio adfer cynghanedd perthynas a gollwyd dros dro. Un canlyniad i'r tyndra arbennig hwnnw yw prinder geiriau i fynegi'r profiad, ac yn aml iawn, taw piau hi. Nid wrth bentyrru ansoddeiriau y deuir at graidd y gwir mewn bywyd go iawn. Y mae hyn hefyd yn wir am lunio cerdd, fel y cynghorwyd Waldo gan ei chwaer Morvydd (gweler tudalen 151).

Gair am air

cyhûdd   cysgod rhag gwres yr haul; lle i guddio. Mae hefyd yn adleisio 'cyhuddo'.

Rembrandt   artist enwog o'r Iseldiroedd

Sylwi ac ystyried

1. Cerdd serch yw hon, a'r bardd a'i gariad yn cael hoe ar lan camlas y Amsterdam. Mae'r gerdd yn gweithio ar ddwy lefel. Yn gyntaf mae'n gerdd am greu, neu geisio creu. Mae'r ddau gariad wedi bod yn nhŷ'r artist, Rembrandt, oedd wrth gwrs yn athrylith o grëwr. Ac wrth weld aderyn yn dwyn briwsionyn o flaen eu trwynau, mae'r bardd, gyda chymorth ei gariad yn ceisio creu englyn, ac yn methu!

2. Mae ail haen o ystyr wrth gwrs i'r gerdd. Cerdd am ddau gariad sy'n ceisio ail-afael yn eu perthynas sydd yma. A fedrwch chi ganfod geiriau neu linellau sy'n awgrymu bod eu perthynas wedi bod mewn trafferthion? Mae methu cwblhau'r englyn, methu cael hyd i gynghanedd, yn ddelwedd o fethu canfod cynghanedd, neu harmoni yn eu perthynas.

O BREN BRAF

(I Tegid)

Diwrnod i'r Brenin, Cyhoeddiadau Barddas, 2002, tud. 13

Cyflwyniad gan T. James Jones

Seiri coed yw fy meibion, Tegid a Bedwyr. Pan oedd Tegid ar ddathlu ei ben-blwydd yn ddeugaid oed, gwelais gyfle i fynegi fy edmygedd o'i grefft ac ohono fel aelod o'i gymdeithas. Ond fel pob crefft, gan gynnwys barddoni, nid er ei mwyn ei hunan y dylai hi gael ei harfer, ond er mwyn sylweddoli diben mewn cyd-destun ehangach na hi ei hunan. Canfod y diben hwnnw yw nod gwaelodol y crefftwr a fynn ddod i berthynas â phobl ei amgylchfyd, boed hynny fel aelod o deulu neu gymuned neu genedl. Ceisiais ddatblygu'r thema hon ymhellach yn fy ngherdd i Bedwyr (*Diwrnod i'r Brenin*, tt.14-5).

Gair am air
cymesuredd   cydbwysedd

Sylwi ac ystyried
1. Cerdd yw hon i Tegid, mab i'r bardd, sy'n saer wrth ei alwedigaeth. Mae perthyn a pherthynas yn bwysig yn holl waith T. James Jones – yr ymdeimlad o fod ymhell oddi wrth ei wreiddiau yn sir Gaerfyrddin, ond hefyd y chwilio am berthyn a pherthynas gydag aelodau eraill o'r teulu, cariadon neu gyfeillion. Mae'r gerdd hon yn dathlu perthynas y bardd a'i fab ar benblwydd Tegid yn ddeugain.

2. Mae Tegid yn saer, yn grefftwr, fel y bardd ei hun. Sylwch fel y mae'r bardd yn rhestru elfennau o grefft y saer yn y gerdd – 'profi pren', 'darnau da'. A fedrwch chi ganfod geiriau neu ymadroddion eraill sy'n ymwneud â chrefft y saer?

3. Mae'r gerdd ar ffurf y mesur rhydd cynganeddol. Mae T. James Jones wedi cyfansoddi llawer ar y mesur yma, ac mae'r ffaith ei fod yn defnyddio'r gynghanedd yn deyrnged i grefft y mab. Mewn ambell linell mae'r gynghanedd yn gyfan – 'Bwrw ati i brofi dy bren'. Dro arall mae'r gynghanedd yn goferu dros fwy nac un linell – 'mor synhwyrus/ rhwng bys a bawd'. A fedrwch chi ganfod llinellau eraill sydd ar gynghanedd, a dadansoddi y cynganeddion hynny.

4. Mae'r gerdd yn cloi gyda'r saer yn codi tŷ, dyna yn y pen draw 'ddiben dŷ bren braf'. Mae hyn, a theitl y gerdd, yn adleisio yr hen gân adnabyddus – 'Ar y bryn roedd pen, o ben braf'. Ond mae'r cyfeiriad at godi tŷ hefyd yn cyfeirio at hen ddelwedd mewn barddoniaeth Gymraeg – y tŷ, y neuadd, yr aelwyd. Roedd yr hen gywyddwyr yn canmol tai eu noddwyr – dyna symbol o'u gwareiddiad, eu diwylliant. 'Cadw tŷ mewn cwmwl tystion' yw gwladgarwch meddai Waldo Williams, ac mae T. James Jones yn adleisio hynny yma. Yn ddeugain oed, drwy feistroli ei grefft fel saer, mae Tegid yn medru 'creu aelwyd' a dyna yn y pen draw yw diben y pren a chrefft y bardd.

T. JAMES JONES

Dyfyniadau am T. JAMES JONES

Y mae graen nodedig ar ei ddewis o eiriau, a symudiad llinellau'r dilyniant o'r gerdd gyntaf hyd yr olaf yn esmwyth ac yn gadarn.

W R P George yn beirniadu *Cerddi Ianws*, Caernarfon 1979.

Gofynnodd Ianws gwestiynau caled ar adeg anodd. Gofynnodd hwy drwy herio rheolau un o brif gystadleuthau'r Brifwyl. Ac o'u gofyn, galluogwyd cenhedlaeth newydd o feirdd i chwilio cyfeiriadau a delweddau newydd er mwyn ymateb i gyfnod o newid a gwrthdaro cymdeithasol na welwyd ei debyg er y 30au.

Iwan Llwyd, *Barddas*, Mai/Mehefin 1999

Y peth cyntaf a'm trawodd ynglŷn â'r cerddi newydd hyn yw eu bod yn llawer mwy pwyllog a bwriadus na 'Cerddi Ianws'. Roedd y rheini'n ymateb yn gignoeth uniongyrchol i ddigwyddiadau '79. Mae'r rhain yn cymryd cam yn ôl, ond unwaith yn rhagor yn dwyn eu hysbrydoliaeth o hanes.

Iwan Llwyd yn adolygu *Wyneb yn Wyneb* yn *Barddas*, Mawrth/Ebrill 1998

Pan fo ei fynegi yn uniongyrchol ddiamwys, heb unrhyw glyfrwch slic na gormes y gynghanedd i wahodd delweddau afrwydd ac amwysedd syniadol, y mae T. James Jones yn argyhoeddi fel bardd.

Gwynn ap Gwilym yn adolygu *O Barc Nest* yn *Barddas*, Mai/Mehefin 1998

Yn ei gerddi penrhydd, boed y rheini'n dafodieithol neu'n ddidafodiaith, llwydda'n gyson i fynegi'i weledigaeth mewn arddull sy'n gynnil-gofiadwy; mewn gair mae'n meddu 'llais' sy'n unigryw ym maes barddoniaeth Gymraeg gyfoes.

... Y gwahaniaeth rhwng Cerddi Ianws yn sgil pleidlais '79 a cherddi Wyneb yn Wyneb yn dilyn pleidlais '97 ydi bod y cerddi cyntaf yn drosiadau tra mae'r rhain yn gerddi a luniwyd ar y cyd.

Cyril Jones, Ianws a Nest, *Taliesin*, Haf 1998

Dyfyniadau gan T. JAMES JONES

Pwytho ein hamwisg ein hunain yw byw. Cuddio'r cnawd nad yw'n ddim amgenach na phryd o fwyd i'r haul gwancus. Ymwisgwn ar gyfer siwrne i gyfeiriad tref na ellir byth mo'i chyrraedd gan fod ein cerddediad cnawdol yn llawn balchder a'n bryd mor faterol ariangar.

'Beirdd Cymru ac America', *Barddas*, Mehefin/Gorffennaf 1997

Y cyfuniad yma rhwng goleuni a thywyllwch, a chymysgu comedi a thrasedi, oedd un o'r elfennau a'n denodd at y ddrama o'r dechrau...

Un ffordd o adfer Cymreictod Llaregyb oedd gwreiddio'r pentref mewn lle arbennig. A'r lle naturiol wrth gwrs oedd rhywle ar arfordir Shir Gâr gan roi tafodiaith Shir Gâr ar wefusau'r trigolion. Yr oedd hyn eto'n rhan o broses yr adfer gan fod unrhyw dafodiaith yn rhwym o newid. Mae colli amryw o eiriau, ymadroddion ac idiomau cyfoethog tafodieithoedd yn anorfod. Un ffordd o arafu'r golled yw dal ar bob cyfle i'w cofnodi mewn print...

Cymeriadu caricaturaidd, cartwnaidd a geir yma. Y mae'r portreadu yn enghraifft lachar o ormodiaith ddisgybledig y Cyfarwydd, yn nhraddodiad Cyfarwydd Y Mabinogi...

Roeddwn i'n weinidog yr Efengyl yng nghyfnod y trosi, ac fe ddysgodd gweddi fachlud gartwnaidd Eli Jenkins yn niniweidrwydd ei diwinyddiaeth, i mi chwerthin am fy mhen fy hunan. Ac efallai mai dyma gymwynas fwyaf y trosi.'

'O Milk Wood i'r Wenallt', *Barddas* Tachwedd/Rhagfyr 1998

Yn y ddrama *Nest* fe geisiaf bortreadu cynnwrf nosau Nadolig a Gŵyl San Steffan 1109 yng 'Nghenarth Bychan' ... Dychmygaf hefyd fod gan Nest, ar y nosau tyngedfennol rheini, ddewis rhwng parhau i ildio i goncwest Gerald y Norman ac agor y porth i Owain y Cymro treisgar. Tybed a oedd ganddi drydydd dewis? Ac a fu gan Gymru ddewis tebyg, ar hyd canrifoedd y mileniwm yr ydym ar ffarwelio ag ef?

Rhaid i mi wneud un cyfaddefiad. Oherwydd lle fy ngeni a'm magu fe fu'r ysfa i sgrifennu'r ddrama hon yn un gref am flynyddoedd lawer ... Mae ymchwil diweddar bellach yn dangos mai yng Nghastellnewydd y codwyd y castell, ac y lluniwyd y parc i'r bwch y danas a elwir hyd heddiw yn Parc Nest.

'Stori Nest', *Barn*, Rhagfyr 1996/Ionawr 1997

Safbwynt gwleidyddol a geir yn y cerddi ac anogaeth i weithedu'n ymarferol wleidyddol er ceisio diogelu parhad ein gwlad a'n hiaith.

Rhagair i *Cerddi Ianws*, Gomer, 1979

Fan hyn yr ychwanegwyd Robert E. Lee i'r coctel. O safbwynt ein bwriad ynglŷn â chynnig dilyniant i Gerddi Ianws, dyma'r cynhwysyn pwysicaf. Gobeithiwn ddangos cymhariaeth rhwng sefyllfa'r Taleithiau Cyd-ffederal yn yr Unol Daleithiau ganol y ganrif ddiwethaf ag un Cymru fel rhan o deyrnas Prydain ym 1997.

... Gobeithio nad ofer y bydd ein caru ninnau eleni. Ni fedr Jon Dressel a minnau sgrifennu clo'r dilyniant heb wybod canlyniad y refferendwm. Os bydd 'NA' hyglyw ym '97, nid ailadrodd siom '79 y byddwn, ond datgan difancoll llwyr ein cenedl. Os ceir 'IE' cryf, digamsyniol, bydd ein cân yn orfoledd. Byddwn yn mynegi hyder cenedl i gefnu ar awch angau.

'Beirdd Cymru ac America', *Barddas* Mehefin/Gorffennaf 1997

Hoffwn weld hiwmor tebyg i'r hyn a welwn yn y *Cywyddau Cyhoeddus* yn treiddio trwy ein holl farddoniaeth, oherwydd mae hiwmor yn arwydd o hyder.

Barddas, Rhagfyr 1999/Ionawr 2000

Os gwir y ddihareb 'Gweddw crefft heb ei dawn' gwir hefyd yw 'Gweddw awen heb wybodaeth'. A rhag ofn unrhyw gamddeall, dylwn ddiffinio beth a olygaf wrth 'wybodaeth' yn y cyd-destun hwn. Ni fedr unrhyw awdur greu onid oes ganddo/ganddi afael sicr ar deithi'r iaith y bydd ef/hi yn ei defnyddio. A'r gofyn sylfaenol cyntaf yw cywireb.

'Cusanau Eironig', *Taliesin*, Haf 2001

DARLLEN PELLACH

Dan y Wenallt, (cyf. o *Under the Milk Wood*, Dylan Thomas) Gomer, 1968
Adnodau a cherddi eraill, Gomer, 1975
Cerddi Ianws Poems, Gomer, 1979
Eiliadau o Berthyn, Cyhoeddiadau Barddas, 1991
Wyneb yn Wyneb, Cyhoeddiadau Barddas, 1997
O Barc Nest, Cyhoeddiadau Barddas, 1998
Diwrnod i'r Brenin, Cyhoeddiadau Barddas, 2002

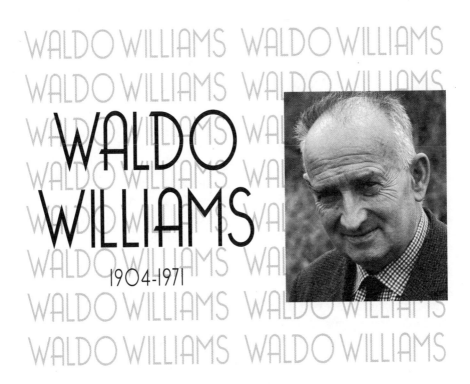

WALDO
WILLIAMS
1904-1971

Ganed Waldo Williams yn Hwlffordd, sir Benfro ar 30 Medi, 1904, i John Edwal Williams ac Angharad (née Jones). Roedd Edwal yn fab i David Williams a Martha (née Thomas), ill dau yn hanu o sir Benfro. Un o frodyr Edwal oedd Gwilamus, bardd gwlad yr honnai Waldo ei fod gyda'r cyntaf i ddefnyddio *vers libre* yn y Gymraeg, ac yr oedd ei ffraethineb yn ddiarhebol. Ond yr oedd i'w gymeriad hefyd elfen ddwys ddifrifol a amlygid yn ei radicaliaeth fel sosialydd ac yn ei ymlyniad wrth grefydd. Roedd i Waldo amlochredd cyffelyb.

Ganed Angharad yn Market Drayton, swydd Amwythig, a Saesneg oedd ei haith gyntaf, er iddi, yn ddiweddarach, ddod i ddeall a siarad Cymraeg. Yn ei gywydd iddi y mae Waldo yn canmol ei hamlochredd diwylliedig hithau:

> Dros lawer y pryderai
> Liw nos, a chydlawenhâi,
> Synhwyro'r loes, uno â'r wledd,
> Yn eigion calon coledd.

Ac fe bwysleisir ei gweithredoedd: 'Gŵn sgarlad Angharad oedd/Hyd ei thraed, o weithredoedd'. Dychwelwn at y pwyslais hwn ar weithredoedd ym mywyd Waldo ei hunan yn y man.

Yn 'Y Tangnefeddwyr' fe geir ganddo linell lachar am Angharad – 'Mae Maddeuant gyda 'mam', ond uwchben honno fe geir, 'Mae Gwirionedd gyda 'nhad'. Pan aned Waldo roedd Edwal yn brifathro Ysgol Gynradd Prendergast, un o ardaloedd Seisnig sir Benfro, ond yn 1911 symudodd i ardal Gymreig Mynachlog-ddu, ac yno y dysgodd Waldo Gymraeg. Symudodd Edwal wedyn yn 1915 i gymryd gofal Ysgol Gynradd Brynconin, gan ddod â'i deulu i ymgartrefu yn Elm Cottage, Llandysilio.

Roedd gan Edwal hefyd ddaliadau gwleidyddol radical. Fel ei wraig, Angharad, roedd yn heddychwr o argyhoeddiad, yn ogystal â bod yn sosialydd brwd ac yn wladgarwr Cymreig. Etifeddodd Waldo'r nodweddion hyn o'r 'Gwirionedd' a oedd 'gyda'i dad'.

Er i Waldo ddechrau ymhel â barddoni – yn Saesneg – pan oedd yn wyth oed dan ddylanwad ei chwaer Morvydd (a'i cynghorodd unwaith, *Your poetry won't be any good until you get rid of your adjectives*') ac er iddo gyfansoddi ei gerdd Gymraeg gyntaf pan oedd yn ddeuddeg oed yn ysgol Arberth (am wrthryfel 1916 yn Iwerddon), yn ystod ei gyfnod yng Ngholeg Prifysgol Cymru, Aberystwyth, ac yntau'n astudio Saesneg, y dechreuodd ddod i amlygrwydd fel bardd, a hynny drwy gyfansoddi caneuon ysgafn mewn partneriaeth ag Idwal Jones, y digrifwr a'r dramodydd. Felly, ar ôl blynyddoedd o gael profiadau hynod o ddwys (megis marwolaeth annhymig Morvydd pan oedd Waldo yn un ar ddeg oed, y sythwelediad dwfn ynglŷn â brawdoliaeth dynoliaeth yn y bwlch rhwng y ddau gae pan oedd yn bedair ar ddeg a esgorodd mewn blynyddoedd wedyn ar 'Mewn Dau Gae', ynghyd â'r penderfyniad i ymaelodi yn yr eglwys ymhen rhyw bedair blynedd wedyn), y wedd ysgafn ar fywyd oedd ei brif ysgogiad i farddoni yn ystod cyfnod ei brifiant fel bardd.

Gan mai canu ysgafn aeth â phrif fryd Waldo yn ystod ei gyfnod yn y coleg, amlygir mewn amryw o'r cerddi ddawn arbennig na ddylid ei dibrisio, yn enwedig o gofio mor brin yw'r ddawn i ysgogi chwerthin drwy gyfrwng barddoniaeth Gymraeg ymhlith gweithiau'r beirdd cydnabyddedig. Mynnodd Waldo barchu gwerth amlochredd dawn ei ewythr Gwilamus a'i debyg wrth ddewis cynnwys cynifer o gerddi ysgafn ochr yn ochr â rhai dwys yn *Dail Pren*; rhai megis 'Beth i'w Wneud â Nhw', 'Fel Hyn y Bu', 'Y Ci Coch', 'Y Sant', ac 'Ymadawiad Cwrcath'. Y mae'r rhain yn perthyn i draddodiad canu'r bardd gwlad. Meddai Waldo am y traddodiad hwnnw, wrth adolygu *Ail Gerddi Isfoel*, 'Glynu'n rhyfedd wrth ei briod swydd, fel beirdd y tywysogion gynt, a wna'r bardd gwlad, sef canu ffeithiau, a ffeithiau agored, gwybyddus i'w gynulleidfa'. Ond yn gynharach yn yr adolygiad sonia Waldo am y bardd gwlad fel un sy'n 'rhoi mynegiant i'w gymdeithas ynghylch ei phethau ei hun, a hwythau yn ymhyfrydu yn ei waith. Nid adlewyrchu ei hymatebion hi yn hollol union a wna ychwaith. Gweddw crefft heb ei dawn, ac fe gredaf i fod gan y bardd gwlad yntau y ddawn i sefyll ryw fymryn ar wahân.'

Wedi gadael y coleg bu Waldo yn athro mewn ysgolion cynradd yn Sir Benfro nes mynd i ddysgu (Mathemateg, Cymraeg ac Ymarfer Corff) yn Ysgol Uwchradd Botwnnog yn 1942 oherwydd tensiwn rhyngddo a Chyfarwyddwr Addysg Sir Benfro ynghylch ei safiad fel gwrthwynebydd cydwybodol yn ystod yr Ail Ryfel Byd. Flwyddyn ynghynt roedd wedi priodi â Linda Llewelyn, ond yn 1943 bu Linda farw o'r diclein, (ar ôl colli plentyn ar enedigaeth ychydig cyn hynny) ac o dan gysgod y brofedigaeth symudodd Waldo i Loegr i fod yn athro ysgol yn Swydd Huntington ac yn ddiweddarach yn Wiltshire, cyn dychwelyd i Gymru yn 1949 i fod yn athro yn sir Frycheiniog.

Yn ystod cyfnod ei alltudiaeth sgrifennodd amryw o gerddi am Genedlaetholdeb Cymreig, yn eu plith, 'Preseli', 'Cymru'n Un', a 'Cymru a Chymraeg'. Yn 1950, â rhyfel Corea ar ei anterth, ymddiswyddodd Waldo gan atal ei dreth incwm mewn protest yn erbyn gorfodaeth filwrol. Cymerodd waith achlysurol fel athro dosbarthiadau nos Efrydiau Allanol, Coleg Y Brifysgol, Aberystwyth. Yn 1953 ymunodd â'r Crynwyr. Rhwng 1954 a 59, ac yntau'n dal i atal ei dreth incwm, atafaelwyd ei eiddo a bu'n rhaid iddo ymddangos gerbron llysoedd i ddadlau ei achos. Yn 1959 ef oedd ymgeisydd cyntaf Plaid Cymru ym Mhenfro. Yna yn 1960 fe'i anfonwyd i garchar Abertawe ac yn ddiweddarach i garchar Oakham, Rutland am ddal i wrthod talu ei dreth incwm. Yn 1963 daeth gorfodaeth filwrol i ben ac fe ddechreuodd Waldo dalu'r dreth. Rhwng 1963-69 bu'n athro Cymraeg ail-iaith yn Ysgol Gynradd Gatholig Doc Penfro, Ysgol Gynradd Barham, Ysgol yr Enw Santaidd, Abergwaun, ac Ysgol Gynradd Wdig. Cafodd ei daro'n wael yng ngwanwyn 1971 a bu farw ar yr ugeinfed o Fai y flwyddyn honno yn Ysbyty Sant Thomas, Hwlffordd. Fe'i claddwyd ym mynwent Capel y Bedyddwyr, Blaenconin ar y pedwerydd ar hugain o Fai. Y mae cofeb iddo ar dir comin Rhos Fach ger Mynachlog-ddu.

Yn 1956 y cyhoeddwyd *Dail Pren*, ei unig gyfrol, a ystyrir yn un o glasuron yr ugeinfed ganrif. Y mae hanes ei chyhoeddi yn datgelu llawer am bersonoliaeth y bardd. Roedd J. Gwyn Griffiths ynghyd â J. E. Caerwyn Williams wedi bod wrthi'n gwneud gwahanol gasgliadau o gerddi Waldo. Bu D. J. Williams hefyd yn ceisio ei annog i gyhoeddi. Ond roedd gan Waldo resymau dros oedi. Meddai mewn llythyr at J. Gwyn Griffiths a Kate Bosse-Griffiths ar ddechrau 1956:

Rhaid imi ddweud nad swildod sydd wedi fy nghadw rhag cyhoeddi, ond beirniadaeth sydd gennyf ar yr oes hon, y gwareiddiad hwn, a'r wlad hon yn enwedig. Gormod o eiriau, rhy fach o weithredoedd. Gormod o 'Sut enjoioch chi'r bregeth?' Nid dyna'r ysbryd yn fy marn i, ac y mae'n bwyta Cymru'n fyw. Pe bai fy nai, Dafydd, yn y fyddin yng Nghyprus ... byddai gweld fy holl bropaganda wedi ei gasglu'n llyfr ... yn ddim ond pentyrru'r chwerwder. Fel y mae, y mae tristwch mawr i mi ynglŷn â'r cyhoeddi.

Yn y cyfamser, mynegodd mewn llythyr at D.J. Wiliiams:

... pan ddaeth Rhyfel Corea, chwi wyddoch fel yr oeddwn yn teimlo am fy nghaneuon heddwch. Yr oeddwn i'n teimlo y byddai eu cael gyda'i gilydd mewn llyfr yn ofnadwy, yn rhagrithiol, yn annioddefol heb fy mod yn gwneud ymdrech i wneud rhywbeth heblaw canu am y peth hwn.

Ac yna, yn 1958, ddwy flynedd ar ôl cyhoeddi *Dail Pren*, meddai mewn datganiad yn Baner ac Amserau Cymru:

Yr oedd casglu fy ngherddi yn llyfr yn fwriad gennyf ers blynyddoedd ... yn 1950 cefais brofiad a newidiodd fy agwedd at lawer o bethau a'm barddoniaeth yn un ohonynt. Profiad oedd hwnnw o euogrwydd personol, nid dirprwyol, mewn un modd, am erchyllterau Corea, am fy mod i, er cyfleustra imi fy hun, yn dygymod â gorfodaeth filwrol. Dyma'r pryd y dechreuais wrthod talu fy nhreth incwm, a dyma'r pryd y peidiais â chanu ... Yr oeddwn yn teimlo nerth beirniadaeth Gandhi ar Tagore: 'Yr wyt yn rhoi imi eiriau yn lle gweithredoedd' ...

TRWY LYGAID T. JAMES JONES

Roedd Waldo yn eisteddfodwr brwd; bu'n cystadlu ac yn beirniadu mewn eisteddfodau lleol a chenedlaethol. Yn 1936, daeth ei awdl 'Tŷ Ddewi' yn ail yn Eisteddfod Genedlaethol Abergwaun. (Fe'i diwygiwyd cyn ei chyhoeddi yn *Dail Pren*.) Trwy fy niddordeb innau fel cystadleuydd mewn eisteddfodau y deuthum i gysylltiad â Waldo. Fe'i cofiaf, sawl tro, yn gwefreiddio cynulleid-faoedd y Babell Lên wrth draddodi ei feirniadaethau, yn ei ddull diymhongar, unigryw ei hun. Wrth gystadlu ar adrodd dysgais rai o'i gerddi ar gof, rhai megis 'Menywod', 'Byd yr Aderyn Bach', a 'Cofio' ac fe gefais y fraint o gyflwyno 'Mewn Dau Gae' ar record *Barddoniaeth Gymraeg (550-1950)* Cyngor Celfyddydau Cymru/Recordiau Oriel (1977).

Yn bersonol, y wefr fwyaf oedd iddo osod fy mhryddest 'Y Cwmwl' ymhlith goreuon cystadleuaeth y Goron yn Llanelli (1962)! Bu ei sylwadau caredig ar gais 'Milwr Bach' yn sbardun i mi ymhél ymhellach â barddoni.

Ystyriaf iddo gael dylanwad mawr ar fy ngwaith yn rhinwedd arddulliau a themâu ei farddoniaeth. Dengys ei awdl 'Tŷ Ddewi', yn ogystal â cherddi cynganeddol eraill, ei fod yn feistr llwyr ar y cyfrwng. Ond ni fodlonodd yn unig ar hynny. Yn ei sgwrs â Bobi Jones (y cyfeirir ati isod wrth drafod 'Byd yr Aderyn Bach') mae Bobi Jones, ar ôl awgrymu y gellid dosbarthu ei gerddi, o ran eu rhythmau, yn ddwy adran, sef, rhythmau cynnar 'Yr Hen Allt' a 'Soned i Bedlar' a rhythmau diweddar, mwy amrywiol, 'Adnabod', 'Preseli' ac 'Mewn Dau Gae', yn dweud y cred 'fod yr "ymryddhau" hwn yn ddychweliad at rythmau'r canu caeth'. Yna, mae'n gofyn 'a fu gan y gynghanedd ddylanwad ar rythmau dy ganu rhydd?' Rhan o ateb Waldo oedd, 'Yr wyt ti'n iawn yn dweud fod fy rhythmau diweddaraf wedi ymryddhau. Yr oeddwn i'n cadw yn llawer rhy glòs at y patrwm ers llawer dydd ... Ac yr wyf yn ceisio meddwl yn awr pa bryd y dechreuais newid fy marn. Y tro cyntaf i mi sylwi y gallai cerdd mewn mydr afreolaidd fod yn bert iawn ... oedd wrth ddarllen *The Listener* gan Walder de la Mare . . . ar ôl i mi ddechrau sgrifennu cywyddau hirion aeth fy nghanu rhydd yn wahanol o ran rhythm, ac felly y mae cysylltiad rhwng y ddau beth, er na feddyliais am hynny o'r blaen'.

Gobeithiaf yr adlewyrchir y ddamcaniaeth hon, ambell dro, yn fy ngwaith innau. Credaf hefyd fod cyfuno'r caeth a'r rhydd yn yr un gerdd yn dechneg effeithlon, un a amlygwyd mor grefftus ganddo yn ei gerddi rhydd diweddaraf; e.e. 'Gobaith yr yrfa faith ar y drofa fer' ('Preseli') neu 'Daw'r Brenin Alltud a'r brwyn yn hollti' ('Mewn Dau Gae').

Bu'n ddylanwad mawr arnaf o ran ei themâu hefyd. Cefais fy ngeni o fewn chwe milltir i ffin sir Benfro, sir mebyd Waldo. Y mae llawer o'i gerddi yn ymwneud â'r sir honno. Ac fe ddywedodd yn ei sgwrs â T. Llew Jones (1965): 'Mae cynefin pob bardd yn bwysig iddo ... y golygfeydd o gwmpas yn golygu rhywbeth i fi ... Ambell waith chi'n teimlo'ch hunan yn un â'r wlad o'ch cwmpas, ma' rhyw gymundeb rhyfedd yn dod rhyntoch ... Ac ar wahân i hynny wedyn, yn nes byth, ro'dd 'na gymdeithas rwydd iawn. Ro'n i'n mynd o gwmpas y ffermydd ym Mynachlog-ddu a Llandysilio ... Roedd yn rhwydd iawn i chi deimlo'n un â'r gymdeithas ... ' Mynegodd ei gariad angerddol tuag at ei fro a'i phobl mewn amryw o'i gerddi, yn enwedig pan y'u peryglid gan ormes estron. O'i frogarwch hefyd y deilliodd ei ymroddiad rhyfeddol at Gymru, ac o'i frawdgarwch yr ymledodd ei barch digyfaddawd at y ddynoliaeth gyfan.

BYD YR ADERYN BACH
Dail Pren, Waldo Williams, Gwasg Gomer, 1956, tud. 102

Cyflwyniad
Gallai'r gerdd hon fod wedi ei chynnwys rhwng cloriau llyfr arall yr oedd Waldo yn rhannol gyfrifol amdano, sef *Cerddi'r Plant*, a sgrifennodd ar y cyd â Llwyd Williams. Naws hapus y cerddi hynny sy'n rhedeg trwyddi. Dengys y gyfrol honno y meddai Waldo ar y ddawn i fod yn 'fardd plant' o'r radd flaenaf. Y mae un o'r cerddi, 'Pitran Patran' yn glasur yn ei maes.

Yn wahanol i'w gerddi yn *Cerddi'r Plant*, cerdd mewn cynghanedd yw 'Byd Yr Aderyn Bach', sef cywydd. Dyma'r mesur cynganeddol mwyaf poblogaidd yn hanes y canu caeth. Cyfres o gwpledi sydd iddo, sef dwy linell seithsill yn odli â'i gilydd, un yn gorffen yn acennog a'r llall yn ddiacen. (Er mwyn llwyr werthfawrogi crefft y cywydd hwn byddai'n fuddiol dadansoddi'r cynganeddion yn y llinellau.) Yn ôl T. Llew Jones, mae'n debyg mai Waldo oedd y cyntaf i fentro llunio cerddi cynganeddol i blant. Mae'r cyfrwng yn gweddu i'r dim i thema'r gerdd hon, oherwydd rhinwedd amlwg y gynghanedd yw ei gallu i gyfleu miwsig geiriol sy'n rhagori ar odli yn unig. Dyma'r union gyfrwng i gyfleu sioncrwydd a hapusrwydd byd yr adar.

Mae'n debyg mai cerdd yw hon a seiliwyd ar atgofion Waldo am ddedwyddwch ei blentyndod ym Mynachlog-ddu ac yn ei gartref yn Elm Cottage yn Llandysilio. Dywed ei chwaer Dilys fod Waldo wrth ei fodd yn ei gynefin, sef 'byd yr anifeiliaid (a Byd yr Aderyn Bach) ac ardal lle'r oedd pawb yn adnabod ei gilydd'. Yn wahanol i'r mwyafrif o'r cerddi yn *Dail Pren*, ni cheir gair am na phryder na thristwch yn hon. Ceir cyfeiriadau cyson at adar mewn amryw o'r cerddi; roedd Waldo yn medru ei uniaethu ei hun ag aderyn, ond gan amlaf aderyn sy'n gorfod ymladd â rhyw ddrycin ydyw; e.e., yn 'Caniad Ehedydd' (tud. 94), er mai gobaith am oruchafiaeth a geir yn y clo, aderyn sy'n gorfod codi 'o'r cyni' yw'r ehedydd. Yn ei gerdd goffa i'w wraig Linda (nas cyhoeddwyd yn *Dail Pren*) geilw Waldo ei awen yn 'Aderyn bach uwch drain byd'.

Gair am air

mwswm	mwsogl
rhwm	ystafell
rhwth	agored (ceg ar agor led y pen)
cintach	grwgnach, achwyn

Sylwi ac ystyried

1. Rhoddir amlygrwydd i'r weithred hapus o ganu: 'Byd o hedfan a chanu', 'Dysgu cân, nid piano'. Mewn sgwrs â Bobi Jones (1958), wrth ateb cwestiwn am ddylanwad y gynghanedd ar ei waith, dywedodd Waldo ei fod yn hoff iawn o ganu, ond ei fod ef ei hun yn methu â chanu. Dewisodd Waldo ganu trwy gyfrwng geiriau, ac yng nghyswllt y gerdd hon, dewisodd roi cyfeiliant cynghanedd i'w eiriau. I gloi ei ateb i gwestiwn Bobi Jones, meddai, 'Fy ffordd i o ganu ydoedd, mae'n debyg.' Yn yr un sgwrs, mewn ateb i gwestiwn ynglŷn â rheolau'r gynghanedd, dywedodd Waldo, 'fod rheolau wedi eu gwneuthur er mwyn iaith ac iaith er mwyn profiad – nid profiad er mwyn iaith ac iaith er mwyn rheolau … yr wyf yn ystyried y gynghanedd yn hanfod gwrthrychol, yn gymaint felly â chynghanedd mewn cerddoriaeth, ac nid yn sgema wneuthuredig. Darganfod y rheolau a wnaeth y beirdd fel y mae'r mathemategwyr yn darganfod ym myd dichonoldeb. Yr oedd y pedair cynghanedd yn bod yn yr iaith lafaredig …' Mwy na thebyg mai awgrym o'r ddamcaniaeth hon yw'r ergyd sydd yn y cwpled: 'Dysgu cân, nid piano, / Dim iws dweud do mi so do.' A ydych yn cytuno â barn Waldo am natur cynghanedd?

2. Adeiladu nyth yw digwyddiad cyntaf y stori: 'A hwylio toc i gael tŷ.' Hwn yw'r cam angenrheidiol cyntaf er mwyn ymgyrraedd at hapusrwydd. Sylwer mor amlwg yw delwedd y 'tŷ' yng ngherddi Waldo. Byddai'n ymarferiad buddiol i wneud rhestr ohonynt. Yn y gerdd hon y mae llwyddo 'i gael tŷ' yn sicrhau lle diogel i genhedlu a magu cywion, a phob cyw yn cael chwarae teg ym meithrinfa'r nyth.

3. Elfen amlwg arall sy'n y gerdd hon yw ei hiwmor. Er mwyn cyfleu hapusrwydd 'byd yr aderyn bach' y mae'r bardd yn yn ein hannog i wenu dro ac i chwerthin hefyd. Ym mha gerddi eraill y mae Waldo yn dangos ei hiwmor?

PA BETH YW DYN?

Dail Pren, Waldo Williams, Gwasg Gomer, 1956, tud. 67

Cyflwyniad

Yr oedd ei chyhoeddi gyntaf (1952) yn *Y Ddraig Goch*, sef cylchgrawn misol Plaid Cymru yn arwyddocaol oherwydd amlygir ynddi yn bennaf athroniaeth Waldo ar genedlaetholdeb. Mae 'Beth yw bod yn genedl?' a 'Beth yw gwladgarwch?' ymhlith y cwestiynau. Y mae dyddiad y cyhoeddi hefyd yn arwyddocaol, oherwydd yn hanes Waldo, dyma ddechrau cyfnod gwrthod talu'r dreth incwm a'r carcharu mewn protest yn erbyn rhyfel Corea a gorfodaeth filwrol. Gofynnir 'Beth yw trefnu teyrnas?' a beth yw ystyr ei 'harfogi'?

Ond egyr y gerdd gyda'r cwestiwn 'Beth yw byw?' a'r ateb cryptig 'Cael neuadd fawr / Rhwng cyfyng furiau.' Mae gan Norah Isaac (*Barn*, Gorff./ Awst 1979) oleuni ar yr ateb. Dyma ran o'r stori fel y'i dywedwyd wrthi gan Waldo:

O'n i'n mynd ar 'y meic un dywrnod ... a dyma fi'n gweld capel bach ... ôdd e'n amboidus o fach ... a thu fas iddo fe ôdd dyn yn torri'r gwair ... a meddwn i ... 'Capel bach s'da chi ontefe?' ... Wel i chi, ma'r dyn bach yn codi ac yn iewnyd i gyd, a medde fe'n wyllt, 'Capel B-A-CH wedoch chi? Dewch miwn i weld 'i du fiwn e. Ma' fe'n fowr tu fiwn. Ody, mowr iawn 'fyd.' A miwn â fi ar 'i ôl e ... a 'na beth od! Ôdd e'n gapel mowr tu fiwn ... lawer mwy na'r tu fas! ... Ôdd y dyn bach yn iawn! ... A mi fues i'n meddwl am hyn lawer gwaith ac ymhen blynyddoedd wedyn, dath y syniad ...

Sylw Norah Isaac yw 'Prin y sylweddolai'r dyn torri gwair hwnnw ar ddaear Dyfed ei fod yn gyfrwng ysgogi delwedd a fyddai'n ateb i gwestiwn gwaelodol athronyddol artist o fardd ... O brofiad gwerinol a chapelyddol Cymraeg lluniodd Waldo gwestiwn-ac-ateb o epigram yn y traddodiad oesol glasurol.'

Gair am air

athrylith	medr, talent, gallu
(h)arfogi	gwisgo neu gael gafael ar arfau

Sylwi ac ystyried

1. Mae'r gair 'adnabod' yn un o eiriau pwysig *Dail Pren*. Mae 'Cael un gwraidd / Dan y canghennau' yn awgrymu bod y profiad o adnabod yn ein huno ni er gwaethaf ein gwahaniaethau fel personau unigol. Er ein bod ni fel canghennau gwahanol, wrth adnabod ein gilydd down i ddeall ein bod o'r un gwreiddyn.

2. Cwestiwn o ofynnir sawl gwaith yn y Beibl yw 'Pa beth yw dyn?' (Job 7.17, Salm 8.4; Hebreaid 2.6). Sylwer ar eiriau Beiblaidd fel 'credu' a 'maddau' ac y mae'r ymadrodd 'cwmwl tystion' hefyd o'r Beibl.

3. Yr ateb i'r cwestiwn 'Beth yw canu?' – byddai'n fuddiol croesgyfeirio â thema 'Byd yr Aderyn Bach'.

4. Wrth werthfawrogi pennill 4 cofier am brotest y bardd yn erbyn gorfodaeth filwrol a rhyfel Corea, ynghyd â'i ddrwgdybiaeth o drefn wladwriaethol.

5. Sut mae deall 'Dawn / Yn nwfn y galon'? Gall y gair 'dawn' gario amryw o ystyron: rhodd, medr, cynneddf gynhenid. Sylwer hefyd ar yr ymadrodd 'Cadw tŷ.' Dyma enghraifft arall o ddelweddu'r 'tŷ'.

6. Sylwer ar y cyferbyniad amlwg yn y pennill clo – rhwng y 'nerthol mawr' a 'p(h)lant y llawr'.

7. Mae'r adeiledd holi-ac-ateb yn cael ei ddefnyddio hefyd yn 'Mewn Dau Gae' (tud. 26).

8. Chwiliwch am enghreifftiau eraill o ddefnyddio'r gair 'adnabod' yn *Dail Pren*. Ai'r un ystyr sydd i'r gair bob tro?

YR EILIAD

Dail Pren, Waldo Williams, Gwasg Gomer, 1956, tud. 76

Ni wyddys pryd yn union y cyfansoddwyd hon. Y mae hi ymhlith yr ychydig gerddi na cheir cyfeiriad atynt cyn eu cyhoeddi yn 1956 yn *Dail Pren*. Nid oes sôn am hon yng nghasgliad ei ffrind agos D.J. Williams nac ychwaith ymhlith lloffion ei chwaer, Dilys. Yn *Dal Pridd y Dail Pren* (sy'n gydymaith ardderchog i *Dail Pren*) honna Dafydd Owen iddo glywed Waldo mewn cynhadledd yng Ngholeg y Drindod Caerfyrddin yn 1965 yn dweud iddo ei hanfon at Llwyd Williams. Awgrym Dafydd Owen yw iddi gael ei hanfon er mwyn cydlawenhau â Llwyd Williams ar achlysur ei benderfyniad i fynd yn weinidog. Ond yr oedd hynny yn 1931 a chredaf i'r gerdd gael ei chyfansoddi'n ddiweddarach o lawer. Ac nid yw'r dyfaliad yn taro deuddeg rywsut oherwydd y mae rhywbeth amgenach na 'chydlawenhau' â chyfaill yn neges y gerdd hon. Hefyd, ni cheir sôn amdani yn llawysgrifau Llwyd Williams.

Mwy na thebyg iddi gael ei chyflwyno gan Waldo yn ystod y trafod a fu rhyngddo a J. Gwyn Griffiths ac efallai J.E. Caerwyn Williams wrth benderfynu ar y casgliad terfynol. Ond y mae'r amwysedd ynglŷn â dyddiad ei chyfansoddi yn gwbl addas i thema'r gerdd, oherwydd sôn y mae hi am ddirgelwch amser yn sefyll. Er mwyn ceisio cyfleu syfrdandod y profiad sy'n sail i'r gerdd fe'i cymherir â phenomenon rhyfedd afon yn peidio â rhedeg. Ai ailgofio'r 'amgylchiad personol tra phendant' pan oedd yn grwt pedair ar ddeg oed yn y bwlch rhwng y ddau gae y mae Waldo fan hyn? Efallai yn wir. Arhosodd cyfriniaeth y profiad hwnnw drwy'r blynyddoedd megis goleuni mewnol y galon, a chofier iddo gymryd cam aruthrol o fawr yn 1953 wrth ymuno â'r Crynwyr, sef yr enwad a rydd bwyslais ar 'y goleuni mewnol'.

Ond cofier hefyd amdano'n sôn am y profiad mawr arall a gafodd yn 1950 yn ei ddatganiad ar gyhoeddi *Dail Pren* yn *Baner ac Amserau Cymru* yn 1958 (gweler uchod). At hwnnw, mae'n debyg y cyfeiria James Nicholas yn ei deyrnged yn angladd Waldo cyn adrodd 'Yr Eiliad': ' Cafodd brofiad mawr, profiad a benderfynodd lwybr y dyfodol iddo. Wynebodd Eiliad y Dewis Dirfodol. Nid profiad yn deillio o'i ddarllen na'i wybodaeth oedd hwn. Gwrandewch arno'n sôn amdano: 'Nid oes sôn am yr Eiliad / Yn llyfr un ysgolhaig ...'

Cawn ymhelaethu ar hyn yn y man.

Gair am air

| ysgolhaig | person dysgedig |
| cynefin | (fel ansoddair) cyfarwydd, arferol; (fel enw) cyrchfan gyffredin person, trigfan. |

Sylwi ac ystyried

1. Oherwydd ei hamwysedd y mae'r gerdd hon, i raddau mwy efallai na'r mwyafrif o gerddi *Dail Pren*, yn ei benthyg ei hun i amryw o ddeongliadau. Mentraf ddweud hyn er gwaethaf rhybudd Waldo yn ei 'Eglurhad ar "Mewn Dau Gae" ' (1958): 'Mae damcaniaeth ar gael heddiw fod sawl dehongliad o

gân yn bosibl a bod y rhai na feddyliodd yr awdur amdanynt gystal, os nad gwell weithiau, na'r un oedd ganddo. Ni chawn i flas o gwbl ar ganu yn yr ysbryd hwn.' Ac wrth agor yr eglurhad fe ddywed am 'Mewn Dau Gae': 'Ni byddwn wedi ei chyhoeddi pe gwyddwn ei bod yn dywyll.' Er gwaethaf y cerydd, oherwydd ei hamwysedd, a'r 'switches' chwedl Waldo yr honnodd iddo'u gosod i ddarllenwyr 'Mewn Dau Gae', daliaf fod gennym hawl am unwaith i anghydweld â Waldo ynglŷn ag 'Yr Eiliad'!

Gan fod Dafydd Owen yn dweud iddo glywed eglurhad Waldo ar y gerdd, y mae'n werth nodi rhai pwyntiau a awgrymir ganddo. Wrth drafod y pennill cyntaf fe ddywed:

Trefnus yw symiau ysgolheigion, a phob eiliad yn gyfwerth mwy neu lai. Disgyblaeth yw cyfrinach eu nerth... Ond y mae eiliad pan fo amser yn sefyll, – os nad yw hynny yn ormod gwrthddywediad! Popeth fel pe dan hud ...

Dyma roi'r gerdd ar ei phen ynghanol traddodiad chwedloniaeth y Mabinogi a stori 'hud ar Ddyfed'.

2. Yna, wrth drafod y clo, fe awgryma Dafydd Owen mai'r profiad gwaelodol y sonnir amdano yw sylweddoliad Waldo iddo gael ei eni i ddiben arbennig. Dyma ddehongliad tebyg iawn i un James Nicholas uchod. Os felly, dichon mai profiad mawr 1950 oedd yr ysgogiad i'r gerdd. A theg yw dyfalu mai penderfyniad Waldo i weithredu am gyfnod yn hytrach na chanu a'i cynhyrfodd i greu'r gân gynnil hon. (Yr unig gerdd sylweddol a gyhoeddodd wedyn oedd 'Pa Beth Yw Dyn?' yn 1952 – ac ni ellir bod yn siŵr na chrewyd honno'n gynharach – yn ystod y cyfnod o weithredu gwleidyddol cyn i 'Mewn Dau Gae' lifo'n orfoleddus o'i awen yn 1956.)

3. Sylwer ar gynildeb geiriau Waldo yn y gerdd fer hon. Y mae ei gwead hi'n dynnach na'r rhelyw o'i gerddi. Dyma arwydd arall ei bod hi'n gân am ymwrthod â chanu – am gyfnod. O gofio'r cyngor a gafodd Waldo gan ei chwaer ynglŷn â'r defnydd o ansoddeiriau, a fyddai hi'n hapus gyda'r gerdd hon? Sawl ansoddair sydd yn y gerdd?

PRESELI
Dail Pren, Waldo Williams, Gwasg Gomer, 1956, tud. 30

Cyflwyniad

Pan oedd Waldo yn alltud yn Lloegr ac yn dal i alaru ar ôl colli Linda y cyfansoddwyd y gerdd nodedig hon. Tybed a oedd ei alltudiaeth ymhell o fro ei febyd ynghyd â'r unigrwydd affwysol a ddeilliai o'i alar mewn rhyw ffordd gyfrin wedi rhoi mwy o awch eto ar ei farddoni? Oherwydd y farn gyffredinol yw mai hon yw un o'i gerddi mwyaf.

Ym mis Tachwedd 1946, cyhoeddodd llywodraeth Lafur Prydain ei bwriad i feddiannu 16,000 o erwau o dir y Preseli i'w troi'n faes ymarfer ar gyfer arfau rhyfel. Roedd dros bedwar ugain aelod o Fethel, Capel y Bedyddwyr Mynachlog-ddu dan fygythiad o golli eu cartrefi. Ac yr oedd yr ysgol gynradd lle bu Edwal, tad Waldo, yn brifathro, hefyd dan fygythiad. A chofier mai ar iard yr ysgol honno, yn ôl a ddywedir, y daeth Waldo yn Gymro Cymraeg.

Nid hwn oedd y tro cyntaf i dir Penfro ddod o dan fygythiad lluoedd arfog Prydain. Mae dwy gerdd arall yn *Dail Pren* sy'n cyfeirio at diroedd a aeth i ddwylo'r fyddin: 'Daw'r Wennol yn ôl i'w nyth' (tud. 28) a 'Diwedd Bro' (tud. 65). Cyhoeddwyd y ddwy yn 1939. Y mae'r gyntaf, er gwaethaf y tristwch, yn gorffen ar nodyn gobeithiol: 'Gaeaf ni bydd tragyfyth./ Daw'r wennol yn ôl i'w nyth.' Ond ceir yr argraff mai glynu wrth ryw optimistiaeth ddi-sail ydyw. A diflastod llwyr sy'n perthyn i'r ail: 'Ildiodd Saith gantref hud / Eu hysbryd, gyda'u hiaith.'

Ond yn 1946 roedd rhyw ysbryd newydd yn cyniwair. Adlewyrchir hwnnw yn y gerdd gref hon. Trefnwyd ymgyrch ac fe lwyddwyd i rwystro'r llywodraeth yn y diwedd.

Gair am air

gelaets	blodau gwyllt (iris)
medel	mintai o weithwyr yn cynhaeafu
gwanaf o'r ceirch	lled toriad pladur yw gwanaf, wrth dorri'r ŷd
(g)wystl	un sy'n cael ei gipio gan elyn er mwyn taro bargen
rhu	sŵn cryf, byddarol

Sylwi ac ystyried

1. Sylwer ar y cymal sy'n agor y pennill olaf: 'Hon oedd fy ffenestr ...' Trwy ffenest ei febyd, fel petai, fe gofia Waldo iddo weld uchelfannau'r Preseli

(Foel Drigarn, Carn Gyfrwy, Tal Mynydd) yn gefn iddo rhag colli ei hunaniaeth fel Cymro. Drwy'r un ffenest gallai weld heibio i'r Witwg a'r Wern bob cam i'r Efail (lle byddai gof yn peri i'r gwreichion dasgu). A thrwy'r un ffenest eto fe gofia weld pobol yn eu cynnal eu hunain a'u plant wrth gynaeafu'r ŷd a chneifio defaid; rhan o'i Gymru gyfan annwyl ef oedd y golygfeydd a'r atgofion hyn.

2. Nid oes ffenest heb dŷ. A dyma Waldo, unwaith eto, yn defnyddio delwedd y 'tŷ', ond y tro hwn, yn fwy celfydd a chyfoethog nag yn un o'i gerddi blaenorol. Dyna un rheswm pam yr ystyrir hi yn un o'i gerddi gorau. Y mae'r 'tŷ' y tro hwn yn balas. 'Mi welais drefn yn fy mhalas draw.' Ond pam y gair 'draw'? Yn sicr nis defnyddiwyd er mwyn cwblhau'r gynghanedd nac er mwyn medru odli â 'baw'! Cofier mai o bellter Lloegr yr oedd ef yn creu'r gerdd, ac felly 'draw' yw'r union air. Y mae i'r 'tŷ' ei fur, sef uchelfannau'r Preseli, a'i lawr, sef y ffermydd ac efail y gof. Ond erbyn hyn, drwy ffenest y tŷ, sydd bellach yn balas oherwydd ei werth, fe wêl 'fforest ddiffenestr'. Beth yw ystyr 'fforest ddiffenestr' i chi?

3. Sylwer ar y defnydd o gynghanedd o dro i dro.

4. Cymharer y llinell glo ag un o linellau enwog Saunders Lewis – 'Fel y cadwer i'r oesoedd a ddêl y glendid a fu.'

WALDO WILLIAMS

Dyfyniadau am WALDO WILLIAMS

Ar y dechrau, roeddwn yn cael peth anhawster i ddilyn sgwrs Waldo. Siaradai dafodiaith sir Benfro ond yr oedd ganddo duedd i wasgu ei eiriau'n ôl i'w wddf rywsut, ac at hynny, amrywiai traw ei lais yn fawr; weithiau traethai allan yn hyglyw ac yna, yn sydyn, tawelai ei lais fel petai'n siarad ag ef ei hun yn hytrach na chyda'r cwmni.

> 'Yn Olau Gan Lawenydd' – D.Tecwyn Lloyd,
> *Waldo Teyrnged*. gol. James Nicholas, tud. 59

Cyrhaeddai Waldo'r ysgol bob bore a thwr o blant o'i gwmpas – tri neu bedwar ohonynt bob ochr iddo wedi llwyddo i gael gafael yn ei ddwylo a'i lewysau; a phob un wrth ei fodd. Pan ymddangosai Waldo yn yr ystafell ddosbarth byddai gorfoleddu mawr, ac anodd iawn oedd cadw'r plant bach yn eu lle gan mor awyddus oeddynt i weld pa ryfeddod newydd a oedd ganddo ar eu cyfer. Braidd yn anghyffredin oedd ei gyfarpar, yn cynnwys wigwam lliwgar, mygydau gwahanol, llestri te, pypedau ... Roedd gan Waldo ei ddull arbennig ei hun o ddysgu Cymraeg a byddai'n dramaeiddio'n aml iawn. Roedd y plant wrth eu bodd yn actio, ac fe gymerai Waldo ei hun bob amser ran ... Roedd e'n olau gan lawenydd ar yr adegau hyn.

> 'Atgofion y Chwaer Bosco', *Y Traethodydd*, Hydref 1971, tud. 240

Nid oes ym marddoniaeth Waldo i blant ddim moeswersi ... Gweld trwy lygad plentyn y mae yn y cerddi i gyd, fel pe bai'r bardd – ar ôl tyfu i oedran gŵr – wedi llwyddo'n wyrthiol i gamu'n ôl i fyd meddwl a dychymyg plentyn. Nid yw hyn yn rhyfeddol gan fod Waldo'n deall plant ac yn eu caru'n fawr iawn.

> 'Waldo - Bardd y Plant' – T. Llew Jones,
> *Waldo* Teyrnged, gol. James Nicholas, tud. 27

... fe wnaeth ei brotest bersonol dra chostus yn erbyn gorfodaeth filwrol yn ystod y pumdegau a dechrau'r chwedegau. Ond fe fynnodd ddweud ei neges am frawdoliaeth dyn, am werth Cymru, ac am y bygythiadau o du'r wladwriaeth a Milwriaeth a Chyfalaf, ar gân hefyd. Mor llethol oedd ei argyhoeddiadau, mor bwysig yn ei feddwl oedd yr hyn yr oedd am ei ddweud, nes i'r mowld telynegol a etifeddasai gracio dan y straen ac fe fabwysiadodd rai o nodweddion y canu caeth yn ei ganu rhydd. Y pwysicaf o'r rhain oedd afreoleidd-dra rhythm, ac fe ychwanegodd at hynny amrywiaeth yn hyd llinellau (peth sy'n anathema i'r canu caeth, wrth gwrs) a hefyd amrywiaeth yn yr odlau a ddefnyddiai: yn arbennig fe ddechreuodd wneud defnydd pur helaeth o *broest* ... Ar brydiau y mae'n ategu rhythm llinell â chyffyrddiad o gynghanedd neu â chynghanedd gyflawn. Y mae ei eirfa hefyd yn mynd yn foelach, yn llai ansoddeiriol.

'Waldo Williams', R. Geraint Gruffydd,
Patrwm Amryliw, Cyf. 1 gol. Robert Rhys, tud.198

Anghenraid sy'n peri defnyddio'r gair 'ysbrydol'. Gellir osgoi ei ddefnyddio wrth sôn am y mwyafrif mawr heddiw, oblegid i'r rheini, rhywbeth deallusol yn unig ydyw. Siaradwn amdano a phriodolwn iddo ei hawliau, ond ni rown le iddo oddieithr yn ein hysgrifeniadau a'n llyfrau, ni rown le iddo yn ein gweithredoedd, yn ein bywydau. Nid yw'r ysbrydol yn gosod rhwymedigaethau arnom ni, ond yr oedd yn gosod rhwymedigaethau ar Waldo. Dyna paham y gwrthwynebodd wasanaeth milwrol yn yr Ail Ryfel Byd, dyna paham yn ystod Rhyfel Korea y gwrthododd ar ôl dychwelyd o Loegr i Gymru dalu treth incwm gan ddioddef colli ei eiddo a'i garcharu ddwy waith nes yr oedd y consgript olaf wedi ei ryddhau. Dyma paham y dewisodd ym 1959 sefyll fel ymgeisydd dros y Blaid am sedd yn y Senedd i gynrychioli Penfro. Dyna paham y peidiodd â chanu am gyfnod.

'Rhagymadrodd', J. E. Caerwyn Williams,
Cerddi Waldo Williams, detholiad J. E. Caerwyn Williams, tud.xii -xiii

Dyfyniadau gan WALDO WILLIAMS

GEIRIAU

Jibidêrs

Gwn o'r gorau fod ieithwyr yn honni bod jibidêrs yn fab gordderch i *geometrics*, ond ymddengys hyn i mi ar yr un tir ag ymgais i esbonio athrylith Shakespeare trwy sôn am ei hen dad-cu. Rwy'n sicr y buasai jibidêrs lawn cystal dyn pe bai'n fab i rywun arall.

Hiraeth

Daw pang o hiraeth dros ddyn weithiau wrth gofio llu mawr geiriau anghofiedig byd – geiriau coll yr ieithoedd byw, a holl eiriau yr hen ieithoedd diflanedig. Buont yn eu dydd yn hoyw yng ngenau dynion, a da oedd gan hen wragedd crychlyd glywed plant bach yn eu parablu. Ond erbyn hyn, ni eilw tafod arnynt ac ni ŵyr Cof amdanynt, cans geiriau newydd a aeth i mewn i'w hystyron hwy.

Dychmygaf am lawer ohonynt, hen eiriau prydferth fel 'clŷn' a 'chelli' a 'chlegyr', yn ein plith ni heddiw, wedi eu hymlid o gydymddiddan dynion, yn llochesu dros dro mewn enwau ffermdai a phentrefi hyd nes darfod amdanynt yn deg – ie, hyd nes darfod yn grwn o'r diwedd am yr iaith y perthynent iddi.

Y Ford Gron. Cyf. II Rhif 9, Gorff. 1932

Cymharu'r iaith Gymraeg rwyf â'r ieithoedd cydnabyddedig – y rhai sy'n gyfrwng i wladwriaethau'r byd. Yr urddas hynny yw pwynt y llinell gyntaf a'r ail linell: mae'r ieithoedd hyn yn ddisglair ynddynt eu hunain. Ond nid ydynt yn harddach na'r iaith Gymraeg, er bod honno bellach heb balas na thŷ o fath ond yn crwydro'r wlad yn dlawd, ond nid heb glywed lleisiau o'r amser a fu - rhai heddiw hefyd yn para'n ffyddlon iddi. Mae'r iaith Gymraeg fel rhai o'r arwyr dienw y sonnir amdanynt yn Hebreaid 11, y rhai nid oedd y byd yn deilwng ohonynt, yn crwydro mewn anialwch a mynyddoedd a thyllau ac ogofeydd y ddaear; ac wrth grwydro, y mae hi'n clywed y gorllewinwynt (hwnnw sy'n sgubo Cymru fwyaf) yn y tyllau a'r ogofeydd – a'r rheini fel cyrn iddo. Ac mae'r udo hwn yn ei gwawdio hi, ac yn mynegi teimlad dynion ati - y dynion sy'n annheilwng ohoni, fel roedd y byd yn anheilwng o'r arwyr uchod. Mae hi'n holi a all hi fyw.

Llythyr at Anna Wyn Jones ynghylch 'Yr Heniaith' (1967)
Waldo Williams Rhyddiaith, gol. Damian Walford Davies, t.102

Rhyw ddyn yn Honey Pot Lane, Llundain, sy'n pennu pensiynau'r athrawon. Mae hwnnw'n gweithredu fel unben ... Os nad wyf i gael pensiwn llawn, mae'n well gennyf beidio â gofyn amdano. Bydd dwy ran o dair gennyf – eithaf digon i mi. Rwyf wedi prynu tŷ a gwneud gwelliannau arno. Mae'n ddigon bach, ac yn ddigon mawr, i fod yn gyfleus i mi ... Ac mae'r tŷ o fewn lled tri neu bedwar parc i'r tŷ ces fy ngeni... os gallwch chi feddwl am ffordd o ddwyn Honey Pot dan hypnosis, byddaf yn falch iawn. . .

Trist oedd marw o Gwenallt. Cysur ymdeimlo â'i fawredd a'i ddilysrwydd...

Llythyr at J.E. Caerwyn Williams ynghylch y Pensiwn Gwladol (1969)
Waldo Williams Rhyddiaith, gol. Damian Walford Davies, t.104

Llawer tro y geilw'r awdur y Cymry yn genedl lofr, a bûm yn holi pa mor llwfr ydym ... Yn ddamweiniol y peidiais i â bod yn un o'r Cymry di-Gymraeg, a phe bawn i wedi aros yn un o'r rheini, a fyddwn wedi synhwyro Cymru a'i hadnabod yn ddigon da i wybod ei bod yn wlad y dylwn fod yn ffyddlon iddi? ... Pa beth bynnag a ddywedom am gyhuddiad terfynol D. J., y mae'r haint hon yn yr awyr i'r genedl i gyd. Ac mae'r un daran ar orwel y llyfr hyfryd hwn ag a gawsom yn torri dros gymdogaeth *Hen Dŷ Ffarm*: fel y ciliodd yr iaith, medd yr awdur, mewn dau o'r mannau lle y bu'n gweithio, sef Ferndale a Seven Sisters, ac mewn mannau eraill y sonia amdanynt. Ond ni allwn ddigalonni amdani ar ôl darllen y llyfr mawr hwn. Trwyddo i gyd, yn ei amrywiaeth bywiog a'i gyfanrwydd cadarn, llefara am y rhyddid sydd yng nghalonnau dynion ac am gyfoeth eu cymdeithas â'i gilydd.

Ysgrif-adolygiad ar *Yn Chwech ar Hugain Oed*, D.J. Williams ,
Y Genhinen, Cyf. X, Rhif 4, Hydref 1960

Blwyddyn ryfedd ac ofnadwy oedd y flwyddyn mil, naw cant, un deg a chwech. Yr oedd llywodraethau Ewrop wedi ystyfnigo yn eu gorffwylledd. Roedd eu deiliaid, gydag eithriadau prin, yn ymateb yn llwyr i'w hysgogiadau, dan haenau trwchus o'r un hunan-gyfiawnder a hunan-dwyll a rhagrith. Roedd y llenni i lawr ar ryddid. Roedd gwareiddiad yn suddo i'r llaid, i laid y Somme. Roedd y llywodraethau yn gyrru eu meibion yno i ymladd â'i gilydd ac i farw o heintiau yn y llaca ac ar waeren bigog, hyd at dri chwarter miliwn ohonynt pan fyddai'r cyfrif yn llawn. Yr oedd rhinwedd i'w rhyfeddu yn yr 'Hill 60' yr oedd y papurau'n sôn amdano. Yr oedd hwn yn fan strategol. Ped enillid hwn byddai buddugoliaeth yn y golwg. Yr oedd y gwleidyddwyr a'r cadfridogion yr un mor bendant. Ni fyddai un aberth yn ormod er mwyn ennill y bryn hwn. Mae strategwyr heddiw o'r unfarn mai twyll oedd y cwbl. Dim ond ton fawr o hysteria ... Ni allasai ennill 'Hill 60' fod ag unrhyw effaith o gwbl ar gwrs y rhyfel. Yr oedd twyll tebyg i bob cyfeiriad.

A dyma'r flwyddyn yr ysgrifennodd T.E. Nicholas y gerdd fawr, 'Gweriniaeth a Rhyfel'. Rwy'n cofio fy nhad yn ei darllen i'm mam allan o'r *Genhinen*. Ac fe'm gwefreiddiwyd ganddi yn y blynyddoedd ieuainc pan oedd teimladau'n rhedeg yn rhwydd. Ond fe'i darllenais hi eto echnos ymhen mwy na hanner canrif, ac fe'm gwefreiddiwyd eto, lawn cymaint.

Barddoniaeth T.E. Nicholas.
Y Cardi: Cylchgrawn Cymdeithas Ceredigion 6 (Gŵyl Ddewi 1970) tt. 3-6

Yr oedd Corea yn mynd ymlaen o ddydd i ddydd am yr un rheswm ag yr aethai Belsen ymlaen: am fod awdurdod yn gweithredu a phobol yn anghofio. Teimlwn mai ein Belsen ni oedd Corea. Belsen America a Lloegr a Chymru. Teimlwn gywilydd hyd drymder calon.

Pam y Gwrthodais dalu Treth yr Incwm
BAC , 20 Mehefin 1956, t. 8

...y mae dull y Crynwyr o addoli yn ei gwneud yn hawdd i ddyn edrych ar Dduw yn unol â'i deimlad ei hun ... ac eto deimlo'n un â'i gymdeithas – oherwydd y llawer o ddistawrwydd a'r weinidogaeth gydradd, a'r anogaeth sydd arnom i gadw meddwl agored i'r Goleuni. I fod yn onest, yr wyf yn credu mai'r peth hwn, y gred ynof er yn llanc, a'm rhoes ar y llwybr a'm harweiniodd at y Crynwyr ... *Ni chefais bethau newydd ganddynt ... ond pwyslais a datblygiad ar bethau y deuthum i'w hadnabod o'r blaen ymhlith y Bedwyddwyr.* Ac ... er mor fach o gymdeithas ydym, credwn fod y tebygrwydd rhwng dynion yn fwy na'r gwahaniaeth; yr ydym yn abl i dderbyn y Goleuni oddi mewn. Dyma sail yr heddychiaeth sydd yn gryf yn ein plith, a'n gwaith cymdeithasol. A mynegir ef yng ngeiriau George Fox: 'Cerddwch dros y byd yn siriol, gan gyfarch yr hyn sydd o Dduw ymhob dyn.'

'Paham yr wyf yn Grynwr', *Seren Cymru*, 25 Mehefin 1971, t. 8

DARLLEN PELLACH

Dail Pren, Waldo Williams, Gomer, 1956

Dal Pridd y Dail Pren, Dafydd Owen, Llyfrau'r Dryw, 1972

Waldo, Llên y Llenor, Ned Thomas, Gwasg Pantycelyn, 1986

Chwilio am Nodau'r Gân, Robert Rhys, Gomer, 1992

Waldo – Teyrnged, gol: James Nicholas, Gomer

Y Traethodydd (Hydref 1971), gol: J. E. Caerwyn Williams

Waldo Williams, Cyfres y Meistri 2, gol: Robert Rhys, Christopher Davies, 1981

Waldo Williams Rhyddiaith, gol: Damian Walford Davies, Gwasg Prifysgol
Cymru

Bro a Bywyd Waldo Williams, gol. James Nicholas, Cyhoeddiadau Barddas, 1996

Y Patrwm Amryliw (Cyfrol 1), gol: Robert Rhys, Cyhoeddiadau Barddas

Cerddi Waldo Williams (Detholiad), gol: J. E. Caerwyn Williams (Gwasg
Gregynog)

The Peacemakers, Tony Conran, (Gomer)

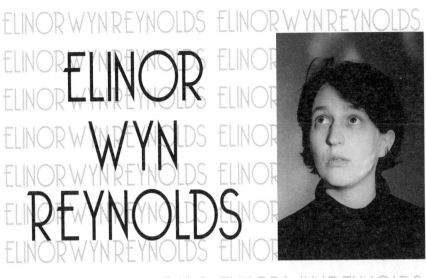

ELINOR WYN REYNOLDS

Ganwyd yn Nhreorci, y Rhondda, ond symudodd y teulu i fyw i Gaerfyrddin cyn iddi ddechrau cofio'n iawn. Merch o'r gorllewin ydyw felly ac mae'n dod o deulu sy'n hoffi geiriau. Roedd ei dau dad-cu yn barddoni tipyn a byddai hithau'n dysgu cerddi adref, yn yr ysgol a'r capel ac yn mwynhau adrodd o flaen cynulleidfaoedd. Cam bychan oedd i hithau ddechrau cyfansoddi ac mae'n mwynhau darllen ei cherddi'n gyhoeddus a chlywed ymateb cynulleidfa. Mae hefyd yn sgrifennu straeon a dramâu.

Mae wedi byw ym mhob cwr o Gymru ac erbyn hyn mae'n cartrefu yng Nghaerdydd gyda'i gŵr Ian a'i un mab, Caspar. Mae'n darlledu ar raglenni celfyddyd ar y radio a'r teledu, yn arwain dosbarthiadau creadigol ond bardd ydi hi'n bennaf. Bu'n fardd preswyl gyda'r Eisteddfod Genedlaethol a Gardd Fotaneg Genedlaethol Cymru ac mae'n golofnydd rheolaidd i'r cylchgrawn llenyddol, *Taliesin*. Bu'n gweithio mewn canolfan gelfyddydau yn Aberteifi ac mae'n mwynhau pontio rhwng byd barddoniaeth a chelfyddydau eraill – cyhoeddodd gerdd wedi'i ysgogi gan waith celf yn y gyfrol *Darllen Delweddau* (gol. Iwan Bala, 2000) a chyfansoddodd y ddrama *D.J. Ffawst* ar gyfer Theatr Bara Caws (2000). Yn y sioe *Lliwiau Rhyddid* (Theatr Bara Caws, 2001) roedd ei pherfformiad o'i cherddi yn rhan o gyflwyniad theatrig cyffrous oedd yn cynnwys cerddoriaeth a chelfyddyd wreiddiol.

Cyflwyniad i waith ELINOR WYN REYNOLDS

Mae'r bobol hynny sydd wedi gwirioni ar win yn medru'i dweud hi. Dydyn nhw ddim yn bodloni ar ansoddeiriau bach cymhedrol fel 'coch' a 'gwyn', 'sych' a 'melys'. Rhaid mynd iddi go iawn, yn amleiriog a brwdfrydig fel pwll y môr. Byddwn yn medru dychmygu un ohonynt yn mynegi ei deimladau wrth daro ar gasgliad o gerddi Elinor Wyn Reynolds:

> Arogleuwch yn gyntaf. Mae'n flodeuog – yn dyner a gwlithog fel llwyni'r gwanwyn. Briallu Mair, blodau'r gwynt, clychau'r gog – maen nhw yma i gyd yn codi yn eich pen ac yn agor eich ffroenau. Mai! Mai! – Mwy! Mwy! Gyda dim ond rhyw fymryn bach – ie, mymryn bach o wymon trai yn treiddio'n dawel ar yr awel gan roi glas y môr yn gefndir i'r tymor.
> Edrychwch wedyn. Pastelaidd yn bendant. Nid sgrech o goch, nid porffor pabaidd, nid glas brenhinol, seremonïol, ond cyffyrddiadau ysgafn o liw. Eidalaidd. Portmeirionaidd. Direidus.
> Blaswch. Atgofion o blentyndod. Diodydd Mam a mam-gu a hen, hen fam-gu. Picnics teuluol o'r gorffennol ond hefyd cappuchinos cyfoes, caffis stryd, gwylio'r byd yn mynd heibio, hamddena, busnesa ...
> Ac i gloi – y teimlad. Pefriog, bob amser. Bybyls bach o siampaen yn deffro'r synhwyrau ac yn ein cicio oddi ar ein soffa glyd ...

Dyna hen ddigon! Dyna'u drwg nhw – maen nhw bob amser yn mynd dros ben llestri. Eto, mae wedi cyffwrdd â sawl peth amlwg iawn yng ngwaith Elinor Wyn Reynolds. Gadewch inni ddechrau gyda'i hapêl at y synhwyrau. Byddwn yn aml yn sôn am yr hyn sydd i'w weld yn y lle a'r lle – ond dim ond un synnwyr sydd ar waith yn y cyflwyniad hwnnw. Llawer gwell wrth geisio cyfleu profiad yw rhoi'r synhwyrau i gyd ar waith. Dyna ddull Elinor Wyn Reynolds o ysgogi. Wrth gyflwyno ei cherdd 'Anghenfil y Sinc', meddai:

> Cerdd am deimlo'n gaeth i'r gegin – ai am fenyw mae hi? Ro'n i'n clywed sŵn y dŵr yn mynd lawr y plwg yn y gegin fel rhuo anghenfil ac o hynny daeth y syniad am anghenfil yn codi o'r sinc yn debyg i *genie* o botel i swyno person i aros yn y gegin er gwaetha' popeth; fel rhyw fath o Franwen fodern o Bedair Cainc y Mabinogi yn gorfod aros yn ei chegin

am fod ei gŵr wedi gorchymyn iddi wneud. Ydi merched yn dal i deimlo fel hyn yn yr oes hon?

Yn y gerdd, mae'n disgrifio cegin gaethiwus sy'n 'taflu trochion sebon dryslyd i'm llygaid/i 'nallu' (apêl at y teimlad); mae'n sôn am 'ddiferion bychain cyson' (apêl at y clyw); mae padell yno 'yn ffrwtian . . . hen sosejus o'r gorffennol' (clyw/arogli); mae'n disgrifio 'plât yn llawn saim ddoe a chraciau' (apêl at y llygad). Dyna'r stamp cyson ar ei gwaith – mae'n synhwyrus, gan wneud ei mynegiant yn afaelgar bob amser. Rydym yn ymateb yn gorfforol i'w geiriau.

Yn 2001, teithiodd Elinor Wyn Reynolds gyda Theatr Bara Caws, yn rhan o'r sioe *Lliwiau Rhyddid*. Gyda bardd arall – Ifor ap Glyn – hi, oedd yn cyflwyno'r geiriau i'r sioe gyda chyfeiliant cerddorol gan Pwyll ap Sion a delweddau gweladwy gan Elfyn Lewis. Y 'brîff' a dderbyniodd oedd 'sgrifennwch gerdd am bob lliw yn yr enfys ac un am ddu a gwyn'. Dyma ddisgrifiad Elinor o'r dull yr aeth ati i ateb y gofynion hynny. Po fwyaf o gyfyngiadau sydd ar y dweud, po fwyaf o ryddid sydd ar y mynegiant, weithiau:

Er mwyn creu cerddi fyddai'n gweu i'w gilydd ac yn perthyn digon i greu sioe, penderfynais fwrw iddi'n weddol systematig. Ces afael ar ddarn mawr o bapur, ysgrifennu'r holl liwiau lawr ac o dan bob lliw ro'n i'n ysgrifennu yr holl bethau oedd yn dod i 'meddwl i – o deimlad i flasau, digwyddiadau arbennig, graddfeydd gwahanol o liw; unrhyw beth, waeth pa mor anhebygol. Bobman o'n i'n mynd, ro'n i'n cofnodi'r lliw er mwyn ei ychwanegu at y *collage* oedd gen i.

Wedi casglu fy stôr o liw, ro'n i'n barod i ysgrifennu. Penderfynais fynd ati gan ddefnyddio'r lliw fel teitl i bob cerdd, do'n i ddim am roi teitl llenyddol i'r cerddi am fy mod i'n gofyn i'r gynulleidfa i ddod at bob cerdd drwy'r lliwiau, yn lân, glinigol a heb unrhyw ragdybiaethau eraill. Ro'n i am i'r lliwiau siarad drostynt eu hunain. A phan o'n i'n ysgrifennu'r cerddi, ro'n i'n meddwl ym mhob lliw hefyd. Bron fy mod i'n gofyn i'r gynulleidfa i wisgo sbectol las pan dwi'n cyflwyno'r gerdd las, sbectol felen pan dwi'n cyflwyno'r gerdd felen, ac yn y blaen er mwyn gweld pob cerdd yn ei phriod liw. Wrth gwrs, o gychwyn gyda'r lliw, mae'r dehongliadau a'r teimladau sy'n deillio o'r cerddi am fod yn rhai hollol bersonol – bydd pawb yn creu eu henfys eu hunain.

Lliwiau Rhyddid, rhaglen taith Theatr Bara Caws, Caernarfon 2001

Drwy synhwyro lliwiau y mae'n cyrraedd at deimladau dyfnach yn ei cherddi. Drwy synhwyro blodau, synhwyro heulwen, synhwyro wyneb plentyn, synhwyro aderyn, dilledyn, deilen y mae'n teimlo'n fyw ac yn ymateb yn fywiog.

Ddaw'r blodyn crin – y blodyn sydd wedi'i sychu a'i gadw rhwng dalennau rhyw lyfr i gofio am ddiwrnod neu brofiad arbennig – yn fyw drwy ddawn yr artist:

> Mae'r angerdd a'r cariad yno o hyd, wedi crino ychydig.
> Ond rhwng bys, bawd a dychymyg
> fe ddaw'r cyffyrddiad trydanol cynta' eto'n fyw.

Colli'r synhwyrau yw colli ieuenctid. Llawer gwell ganddi golli'i phen a mopio ar ei synhwyrau na cholli'r ddawn honno i ddotio. Mae'n haf, yn y gerdd 'Dŵr'. Byrstiodd pibau; trodd y ffordd yn llyn. Ond nid yw pawb yn gwirioni yr un fath:

> Mae'n haf! Mwynhewch!
> Daeth gwahoddiad i ddawnsio yn y dyfroedd,
> i roi'r gorau i'r car am ychydig o hwyl,
> tynnu'r esgidiau a sblashio.
> Ond mae'n rhaid mai dim ond fi glywodd,
> a thra 'mod i'n troelli a hercian
> yn y pyllau
> roedd ceir yn dal i fynd heibio'n araf
> a wynebau lliw uwd llipa'r gyrwyr
> yn goleuo am eiliad wrth weld y ffŵl yn y dŵr.   ('Dŵr')

Mae geiriau'n galeidosgop o liwiau a phrofiadau hefyd, ac yn ôl tystiolaeth y bardd ei hun, mae clywed pytiau o sgyrsiau yn ysbrydoliaeth gyson iddi. Daw ei defnydd o ddeialog â hiwmor, yn ogystal â mydryddiaeth amrywiol i'w cherddi. O ran ei mesurau, y *vers-libre* yw ei phrif ddull o fynegi ond camgymeriad yw ystyried hwnnw fel mesur unffurf. Mae patrwm mydryddol gwahanol i bob cerdd ganddi ac mae'n werth talu sylw i'r defnydd amrywiol o odl, cytseinedd a chynghanedd ganddi. Mae'n amlwg ei bod wedi gwirioni ar sŵn geiriau ac yn cael ei chyfareddu gan yr effaith a gaiff hynny arnom. Yn ogystal â sgwennu am y synnwyr clyw, mae'n defnyddio geiriau i apelio'n uniongyrchol at y glust:

Nôl wrth y bwrdd caiff y ddwy ochr gwrdd
a phob poc-poc-poc pêl yn dod ag ateb toc. (*Ping pong perthynas*)

Y dychymyg – hwnnw yw'r chweched synnwyr, medd rhai. Mae hwnnw, fel
y pum synnwyr, yn effro ac yn effeithiol iawn yng ngherddi Elinor. Daw atom
yn danbaid mewn cymhariaeth a delwedd ac yn y ddawn i dynnu ar
gysylltiadau geiriau wrth eu hel at ei gilydd mewn ambell gorlan annisgwyl:

Yn yr haf, mae bechgyn bach yn tyfu ar goed,
y blagur crynedig crwm yn byrstio gyda bywyd gwyllt
sy'n barod i redeg reiat dros y bryniau i bobman
a whilmentan i bob twll a chornel gyda bysedd prysur clychau'r gog.
Dyma'r pili palas bachgenaidd mewn trywsusau pen-glin a thrwynau gwlyb
yn dod i wibio'n wallgo fel glas y dorlan
i guriad pelydrau'r haul.   ('Glas')

Gwanwyn o haf; ieuenctid a chariad – bardd asbri bywyd yw Elinor Wyn
Reynolds yn anad dim arall, efallai. Mae doniolwch as ysgafnder bywyd yn
mynnu britho i'r wyneb wrth ddelio â dyfnder y galon hefyd a'r trampolîn ar
gyfer hynny weithiau yw 'cynghorion Mam'. Yng nghymeriad 'y fam' yn ei
cherddi y cawn gip ar y rhagfarnau cymdeithasol a'r gaethiwed gul y bu'n
rhaid i'w blagur ifanc hi wthio trwyddynt wrth i'w phersonoliaeth dyfu.

Mi dd'wedodd Mam, na ddylwn,
ar unrhyw gyfri'
rhoi fy nhryst mewn dyn sy'n tyfu
pethau gwyrdd da i'w bwyta:
fod 'na rywbeth anonest mewn un sy'n mwynhau mwytho pridd a thir
cyn cnawd, wir.   ('Gwyrdd')

Ond gan Mam y mae maldod i'w gael hefyd:

Mmmmm . . . moethusrwydd . . . . maldod . . .
ymlacio a gollwng gafael, slipo bant
a chofio shwd beth oedd hi i fod yn blant.

Toddi fel melyn diog neu driog tywyll a gwynto
gwres peraroglus ôl coginio cartref
ar gacen euraidd sydd mor ifanc ag erioed;
yn fwy bodlon na'r haul a'i fochau.
Cacen jycôs plentyndod
ar ganol bwrdd te ie'nctid.   ('Melyn')

O'r gegin y daw'r teimladau cynnes sy'n troi o gwmpas y pryd teuluol; oddi
yno hefyd y daw'r anghenfil sy'n byw yn y sinc sy'n mynnu ei chadw'n gaeth
yn ei chegin. Cerdd ddoniol ei dull o fynegiant yw 'Magu'r babi' (*Sach Gysgu
yn Llawn o Greision*, tud.48) ond mae'n ymateb i gamdriniaeth o fewn
perthynas dau riant a'r agweddau caethiwus mai lle'r fam yn unig yw gofalu
am y babi. Y tad sy'n siarad – tad sydd wedi'i adael yng ngofal y babi ar ei
ben ei hun:

> Sut wyt ti'n gwitho'r
> peiriant golchi?
> A beth yw'r gwanieth
> rhwng hwnnw
> a'r ffwrn?
> O's ots bod y napis yn
> *Whiter shade of spaghetti bolognaise?*
>
> Os wyt ti
> byth
> yn penderfynu, eto
> mynd at dy fam,
> er mwyn dyn,
> cer â'r babi
> gyda thi.
> Ma' fe'n drewi o'r ddou ben.
> A wir – ma'r stwff rhyfedda'n
> ca'l 'i gynhyrchu ganddo fe,
> ac ma'r sŵn yn ddychrynllyd.

Mae'r arddull yn ennill y gynulleidfa, fel yn y gerdd 'Fioled' (*Lliwiau Rhyddid*)
sy'n ddarlun pathetig o griw o ddynion yn gwrando ar jôcs merched mewn
clwb nos.

Ydi, mae'r gwin yn llifo drwy gerddi Elinor Wyn Reynolds – weithiau'n felys, weithiau'n sychach ac yn siarpach ei flas. A thra bo'r teimladau a'r ysbryd yn cael eu dadeni gyda dawns o linellau, mae yma deimlad hefyd fod rhai pethau ymhell o'n cyrraedd – y freuddwyd sydd yr ochr arall i'r wal; y ddelfryd sy'n llechu ar grib y to yng Nghynwyl Elfed. Does dim modd rhoi geiriau i bopeth, wedi'r cyfan. Dyna gamgymeriad y gwerthwyr gwin a dyna gyfrinach bywyd.

ÔL TRAED SIÔN CORN

Dyna'i gyd oedd hi eisiau –
Siôn Corn i adael ôl ei draed
ar garped y Nadolig
yn brawf o'i 'bresants'.

Credodd fod uchelwydd yn hudo pobl i gusanu
am iddi weld hynny,
a theimlo gwefus gwrw sawl wncwl
yn llusgo llwybr llac ar draws ei boch yn arw.

Credodd ym mhwer anhygoel anrhegion i siomi
bob tro'n addo'r byd
rhyngddi hi a'r papur yn siffrwd cyfrinachau gwych o focs,
yn clepian celwyddau am nirvana sydd mewn gwirionedd
yn sebon a phâr o socs.

Credodd yn arogl miniog y tangerîns
yn nwfn ym modiau hosan,
daw'r blas i ddawnsio'n bigog ar ei thafod fel celyn
a llenwi ei bochau â llawenydd.

Credodd yn ei gallu i gladdu cinio 'Dolig,
credodd yn y *Sound of Music*,
credodd mewn hetiau papur pathetig,
credodd yn araith y Frenhines,
credodd am faban yn ei grud,
credodd yn hyn i gyd,
ond chredodd hi ddim yn Santa.

Heb siâp ôl traed llawn eira o Lapland neu Wlad yr Iâ
yn eu hel nhw am y simdde,
'doedd Sant Nic yn ddim ond smic dychymyg
rhywun heb ddigon i'w diddanu.

ELINOR WYN REYNOLDS

Cyflwyniad gan Elinor Wyn Reynolds

Rwy'n nabod merch fach wnaeth ofyn am ôl traed Siôn Corn am Nadolig am nad oedd hi'n gwybod beth arall yr hoffai hi. Roedd hi am gael prawf ohono ac mi oedd hi'n teimlo fod popeth arall ganddi ond y byddai ôl traed Siôn Corn yn bethau sbeshial ar y naw i'w cael. Creais gerdd drwy gymharu yr hyn fyddai hi'n ei weld ar ddiwrnod Nadolig, y pethau o flaen ei llygaid gyda'r un peth na fyddai yn unman ond yn ei dychymyg.

Gair am air

nirvana   nefoedd, Afallon

Sylwi ac ystyried

1. Mae'r Nadolig yn ŵyl gymhleth iawn ac yn cynnig cyfle da i unrhyw sgwennwr godi stondin yng nghanol ei ffair. Mae hen gredoau ac ofergoelion yn gysylltiedig â hi, ond mae hefyd yn gyfle i ddangos cariad o'r newydd bob blwyddyn. Mae'n llawn gobaith, llawn sinigaeth. Mae'n anelu at yr angylion a hefyd yn crafu gwaelod y bwced.

Amheuaeth yw testun y gerdd hon – fel Tomos y disgybl gynt, na allai gredu yn yr atgyfodiad heb gael rhoi ei fysedd ym mriwiau'r Iesu, ni all y ferch yn y gerdd hon gredu bod rhoddion yn dod 'am ddim' heb weld eira traed Siôn Corn yn llwybr at y simnai.

Beth yw gwerth y rhestr hir o 'gredu' yn rhai o draddodiadau'r ŵyl ond heb dderbyn rhoddion Siôn Corn?

2. Gŵyl y goleuni, gŵyl lawen yw gŵyl y geni – ond yn hytrach na chredu hynny, mae'n haws gennym roi pwyslais ar ei hagweddau negyddol. Mae'r addewid wedi'i lapio mewn papur lliwgar a'i gau tan gaead bocs sy'n codi'r gobeithion – ond dim ond 'sebon a phâr o socs' sydd yna yn y diwedd. Sylwch ar yr adeiladwaith carlamus yn y pennill hwnnw sy'n ddisgynneb fflat ar ei hwyneb yn y llinell olaf.

Yn yr un modd, coel am gariad sy'n gysylltiedig â'r uchelwydd, ond mae'r cariad yn cael ei wyrdroi gan arferion 'sawl wncwl' dan ddylanwadau eraill i fod yn rhywbeth poenus a budur. Mae'n hawdd, meddai'r bardd, i gredu 'ym mhwer anhygoel anrhegion i siomi'. Y pwer negyddol sy'n cael y llaw uchaf – hyd yn oed yn ystod dathliadau'r ŵyl fwyaf calonogol ei neges yn ein calendr.

3. Mae odlau a chyflythrennu yn cael eu defnyddio'n gyson ac yn arwyddocaol drwy'r gerdd. Weithiau i bwysleisio ('brawf o bresants'); dro

arall i ferwino'r glust a chreu teimlad annifyr ('gwefus gwrw/arw', 'llusgo llwybr llac'); weithiau i greu doniolwch cocosaidd ('o focs'/'sebon a phâr o socs'); dro arall – gwrthgyferbyniad ('Dolig/Music/Pathetig').

CES SYNIAD REALLY DDA AM GERDD YNG NGHYNWYL ELFED

Fel plentyn yn chwarae pi-po â fi,
mae'r syniad yn fy synnu drwy neidio mas i ganol yr heol
yng Nghynwyl Elfed yn hy' i 'nghynhyrfu.
Sgrech teiars car ac arogl rwber fel brwmstan
yn fy nostrils
yn barod i greu damwain lenyddol yng nghefn gwlad Cymru.
Syniad Really Dda Am Gerdd
yn fy nharo â macrall drewllyd, gwlyb yr awen yn llawen
ar draws fy ngwep yn glep.
'Hei! Ti! Syniad Really Dda Am Gerdd ydw i!'
Ac yna mae'n dringo i ben to'r capel
jyst allan o gyrraedd fy mysedd newynog, di-awen, crafangus –
Daro ti! Syniad Really Dda Am Gerdd!
am ddianc i ben to
i lechu yng nghanol llechi eto.
Paid aros yno i 'nhemtio!
Diflanna i'r nos! Dos! Da ti!
Gad fi yma heb gyffwrdd yna' i!

Pa beth wyt ti, beth bynnag?
Pa fath gerdd fyddi pan gei di dy eni?

Arogl pluen yn disgyn o'r nen,
taith annisgwyl mewn car i 'nunlle,
hunlle lle mae lleianod yn llefain,
wylofain, chwerthin gwallgo' mewn chwarel wag,
mwytho sidan coban foethus, cof am rywbeth na fodolodd erioed,
ysbryd bregus coed gofidus – y math yna o beth mae'n siŵr.

Fardd, paid byth cysgu – rhag ofn i ti golli gem –
yr un gerdd ddisglair, wen fydd yn dy wneud di'n enwog,

dy urddo'n fardd tu hwnt i'th eiriau a'th garpiau.
Dysga neidio'n uchel, i ganol cerrynt meddal tawel yr awel
a chipio'r Syniad Really Dda Am Gerdd bondigrybwyll oddi yno
a'i ddal yn gadarn yn dy ddwylo, a'i anwylo.

Cyflwyniad gan Elinor Wyn Reynolds

Cerdd am yr awen ac am gael a chadw syniadau am gerddi. Ces y syniad yma am greu person allan o'r 'syniad' a'i wneud fel rhyw fath o gorach bach direidus yn chwarae mig gyda'r bardd ac yn dianc o'i afael cyn iddo fedru creu cerdd o'i gwmpas. Mae'n gerdd am yr helfa a'r ras i gydio'n gadarn mewn syniad ac ysgrifennu cerdd ar bapur cyn iddo ddiflannu.

Gair am air

brwmstan	arogl uffernol, swlffurig yn llosgi
fy ngwep	fy wyneb

Sylwi ac ystyried

1. Yn y gainc gyntaf o'r Mabinogi, mae Pwyll Pendefig Dyfed yn ceisio canlyn a dal y ferch harddaf yn y byd sy'n digwydd mynd heibio iddo ar ei cheffyl gwyn. Ceisio a methu yw ei hanes bob tro – a hynny er bod ganddo'r march cyflymaf yn ei stabal erbyn y diwedd. Dyna yw profiad llawer wrth geisio dal rhith o syniad mewn geiriau – mae'n anodd cipio'r freuddwyd i freichiau stori fer neu soned. Dywed Elinor Wyn Reynolds ei hun:

'Pan o'n i'n blentyn, doedd dim yn well gen i na chael dalen wag o bapur i gychwyn ysgrifennu stori arni, achos roedd y posibiliadau'n ddiddiwedd, gallai'r stori fynd â fi i unrhyw le – ond yn aml iawn, doedd y stori fyddai'n cael ei chreu fyth cystal â'r un oedd yn llechu yn fy mhen yn rhywle. Dwi'n dal i weld hynny'n wir gydag ysgrifennu cerddi, yn aml 'dyw realiti cerdd ddim cystal â'r syniad gwreiddiol yn fy nychymyg.'

Sylwch ar y dywediadau a'r berfau yn y gerdd sy'n awgrymu'r chwarae mig sydd rhwng bardd a barddoniaeth. Mae afon o ddychymyg yn llifo drwyddi, yn ymwybodol o fod ar gynffon rhyw brofiad ond yn methu â chael y cyflymder i'w oddiweddyd a'i ddal. Ai ansicrwydd y sgwennwr creadigol yw'r pwnc canolog? Erbyn y diwedd nid yw'n siŵr fod 'y peth' yn bodoli o gwbwl. Pam nad yw am i feirdd gysgu?

2. Er mai 'diffygion' y ddawn farddonol sydd amlycaf yn y gerdd hon, mae'n werth sylwi ar y bwrlwm o ddelweddau a chymariaethau sydd ynddi. Mae hi wrthi ei gorau glas yn mynegi'r methiant a ddaeth i'w rhan. Sylwch ar y lluniau mae'n eu creu yn ein pennau. Yr awgrym sydd yma yw ei bod hi'n llawer haws darlunio'r gwrthdrawiad â 'syniad' na rhoi'r syniad hwnnw mewn geiriau. Eto, does dim dwywaith nad yw'r bardd yn mwynhau'r cyfan, yn cael pleser o geisio defnyddio grym ei geiriau i gornelu'r bwbach drwg sy'n cadw 'hyd braich iddi. Mae digon o gyffyrddiadau o hiwmor yma sy'n awgrymu ei bod yn mynd i hwyl.

3. Cerdd *vers-libre* yw hon, eto nid yw mesur penrhydd yn golygu ei fod yn 'ddi-fesur'. Creu ei fesur ei hun i ateb y galw sydd arno y bydd bardd *vers-libre*. Dangoswch sut mae Elinor Wyn Reynolds yn defnyddio odlau mewnol, cytseinedd, odlau dwbwl, cynghanedd a mydr carlamus helfa i roi patrwm i'r gerdd hon.

4. Uchafbwynt y gerdd yw'r gair olaf. Mae'n taflu golau gwahanol ar yr helfa. Ymlid gyda theimlad sydd yma. Gall fod yn gariad, hyd yn oed. A fyddai'n deg edrych ar y gerdd gyfan fel trosiad o ffansi a chariad?

5. Sut mae'r bardd yn deffro'r synhwyrau gweld, clywed a theimlo yn y gerdd hon?

GWYN

Dwy wraig siâp dishgled fach gloi a sawl sleisen teisen 'dylwn-i-ddim' yn
ormod
yn cwrdd mewn caffi –
dau ben, un sgwrs yn codi'n stêm hislyd o gwpan.

'Glywest ti am honna lawr 'rewl . . . ? Yr *hussy!*'

'Na'th hi ddim . . . ! For shêm! Mae'n amlwg nad yw hi'n fussy!
Rhag 'i ch'wilydd hi!'

Dwy farshmalow mawr mewn ffrogiau
yn rhoi'r byd yn ei le;
llyfu'r plât *gossip* yn lân rhyngddynt
â'u chwip tafodau.

'Yn sydyn daw dydd Sadwrn,' medde mam-gu,
ond na'th hi briodi fel tyse Sadyrne'n bring,
priodi cyn bo' hi'n gall, ma' colled arni, myn yffach i . . . '

ELINOR WYN REYNOLDS

'. . . *Rîal shot-gun wedding* . . . '

'Ma'n rhaid bod ei rhieni hi mor siomedig,
dim cacen, dim car, dim caterers,
dim *reception*, dim *speeches*, dim *champagne*,
dim *wedding day stress* na *big dress* yn enwedig.'

'A'n fwy na' 'ny, glywes i bod hi 'di priodi mewn du!'

'Naddo! Y witsh!'

'Do! A dim ond llond llaw o dylw'th yno'n watsho yn eu anoracs yn union
fel 'sen nhw'n aros am fŷs yn yr oerfel,
mewn ryw eglwys fach *shitty* lan tsha'r north just cyn 'Dolig!'

'Pwy mae'n meddwl yw hi?! Amser i ddathlu yw priodas, w!
Family get-together, where blood is thicker than water
and a father gets rid of his daughter.

The 'appiest day of your life, the day you becme a wife.
The day you say 'I do',
and your 'usband gets to take care of you.'

Y ddwy yn blasu fy stori ar wefus farus yn awchus
yn ddi-halen ond llawn beirniadaeth hallt –
danteithion tudalennau cylchgronau clecs cyhoeddus.

Ond dwi'n poeni dim yn llawen.
Mae'n ddeuddydd cyn y 'Dolig
a'n hanrheg ni i'n gilydd fydd cydio bywydau am byth
a phlethu addewidion.

Pawb mewn du priodasol yn cadw cwmni i'r gaea'.
Ydy hi'n bwrw eira tu allan?
Weli di ôl dy draed drwy dy fywyd
yn dangos o'r lle doist ti ac i le mae'r cyfan yn arwain?
A chwch llawn amryliw olau yn dangos y ffordd yn y bae?

Cyflwyniad gan Elinor Wyn Reynolds

Efallai fy mod i'n paranoid ambell dro, ond mae'n siŵr ein bod ni i gyd wedi
cael y teimlad fod pobl yn siarad amdanom ni, yna, wrth i ni gamu mewn i'r

stafell, mae'r cyfan yn distewi. Rhyw deimlad felly oedd y tu cefn i'r gerdd hon. Rwy'n gwybod fod gan fenywod yn enwedig farn arbennig am briodasau pobl, beth oedd y briodferch yn ei wisgo, sut het oedd gan y mamau am eu pennau, pwy oedd yno, ansawdd y bwyd ... mae'r rhestr yn un ddiddiwedd. Mae wastad rhywbeth nad yw at ddant pobl, ac yn aml iawn mae menywod yn ddigon parod i ddweud eu dweud yn ddiflewyn ar dafod. Ro'n i'n gwybod felly, 'mod i am gael pobl yn siarad, am na ches i'r 'trimings' wrth briodi. Dim ond chwech oedd yn fy mhriodas i, saith os oeddech chi'n cyfri'r gweinidog, ac mi wnes i briodi mewn du yn nhrymder gaeaf. Mi gawson ni amser hyfryd iawn, bob un ohonom ni – a dydw i ddim un bripsyn yn llai priod na'r rhai sy'n gwneud sbloet fawr ohoni 'chwaith!

Gair am air
dishgled   cwpanaid
yn ddi-halen   yn bur, yn gyfangwbl, heb oedi i feddwl os ydynt yn wir ai peidio

Sylwi ac ystyried
1. Deialog a sylwebaeth ydi fframwaith y gerdd hon. Mae Elinor Wyn Reynolds wedi cyfeirio droeon at ei harfer o gario llyfr gyda hi i bobman a chofnodi syniadau, pytiau o ddeialog, geiriau ynddo.

'Yn aml iawn fydda' i'n clywed pethau mae pobl yn ddweud ac yn clywed barddoniaeth yn yr hyn maen nhw newydd ei ddweud ac mi fydda' i'n dwyn eu geiriau nhw heb iddyn' nhw wybod!'

Pac o Feirdd, Gwasg Carreg Gwalch, 2002

Weithiau, bydd y cofnodion yn aros yn y llyfrau bach am gyfnodau hir cyn iddi wneud dim â nhw. Yn y gerdd hon, mae'n sôn am ei phriodas ei hun y mae ('fy stori'), gan ddychmygu sgwrs y tu ôl ei chefn – ond y dychymyg wedi'i seilio ar sylwadaeth a chofnod o fywyd sydd ar waith.
2. Mae dawn gartwnaidd i greu cymeriadau yn amlwg yn nisgrifiadau'r 'sylwedydd' ar ddechrau'r gerdd. Gall cartŵn fod yn gas, yn ddychanol, yn greulon, weithiau. Sut fath o hiwmor sydd y tu ôl i'r cartwnau hyn?
3. Barn gytûn sydd yn sgwrs y 'ddwy farshmalo' – mae'r naill yn cefnogi ac yn annog y llall. Daw'r gwrthgyferbyniad rhwng yr hyn sy'n cael ei gyfri'n bwysig yng ngolwg helwyr 'clecs cyhoeddus' a'r hyn sy'n bwysig i'r bardd a'i chymar:
    Mae'n ddeuddydd cyn y 'Dolig

                       ELINOR WYN REYNOLDS

a'n hanrheg ni i'n gilydd fydd cydio bywydau am byth
a phlethu addewidion.

Nid barn yn unig sydd yn y 'feirniadaeth hallt', ond yn hytrach rhagfarn.
Beth yw'r gwahaniaeth rhwng y ddau yn eich meddwl chi? Rhestrwch
enghreifftiau o'r rhagfarnau. Beth yw ymateb y bardd? Er bod y feirniadaeth
yn hallt, does dim chwerwedd yn y dweud – canolbwyntio ar yr agwedd
gadarnhaol y mae hi yn yr uchafbwynt. Mae cael byd gwyn yn bwysicach na
chael ffrog wen.
4. Mae defnydd diddorol o odl a chyflythrennu yn y gerdd hon eto. Mae'n
cael ei ddefnyddio yn achlysurol i ddod â hiwmor ac elfen o fydryddiaeth i'r
sgwrs: ('hussy/fussy'; 'water/daughter'; 'do/you') a hefyd i gadwyno geiriau
mewn rhestrau, gan bwysleisio'r undonedd a'r ailadrodd (braidd yn
ddisynnwyr?) sy'n perthyn iddynt:

dim cacen, dim car, dim caterers,
dim reception, dim speeches, dim champagne,
dim wedding day stress na big dress yn enwedig.'

Sut effaith a gaiff y geiriau hyn ar y sawl sy'n clywed y llinellau yn cael eu
llefaru?

MAE 'NA DDYNION YN GORWEDD MEWN CAEAU YM MHOB MAN DRWY GYMRU

Pan ddaw'n dymor gorweddian
a'r haul yn ei hwyliau'n hongian
yn beryglus o isel oddi ar ganghennau a bargodion,
mae'r dynion yn ymddangos yn y glaswellt
mewn caeau ar ochr heolydd,
dan goed yn llonydd,
wrth fôn cloddiau ac ar lan afonydd,
ger hen byllau glo a mewn mynwentydd
yn eistedd, yn ystyried, yn pwyso a mesur, yn cnoi cil,
yn gwylio, yn macsu meddyliau, yn corddi breuddwydion.
Daeth yr haf ag amser newydd gyda hi
yn gwmwl gwybed digon diog i ddrysu

bysedd cloc.
Ac o'r lleiniau lle mae amser yn llonydd
mae'r dynion mudan yn gorffwys ar eu breichiau
ac edrych ar fwrlwma trwstlyd
y gweddill chwyslyd
yn glymau o geir a negeseuon.
Bob yn un, symuda eu llygaid tuag at y gorwel tawel
sy'n gyson wastad
ac o'r fan honno, pwyso yn ôl i gôl y gwair
a syllu i fyw llygad yr haul.

Cyflwyniad gan Elinor Wyn Reynolds

Roedd hi'n haf crasboeth, ac mi oeddwn i ar daith yn fy nghar o un lle i'r llall. Mi sylwes i ar ddynion oedd yn ei chymryd hi'n hamddenol yn y gwres. Mae'n siŵr nad oedd pwynt symud yn rhy gyflym rhag chwysu. Beth bynnag, wedi i mi weld fy nhrydydd dyn yn eistedd dan goeden, neu gorweddian ar laswellt, dechreuais feddwl – ysgwn i a oes dynion yn gwneud hyn ym mhob rhan o Gymru ar hyn o bryd? Yn y gwres, roedd fel petai amser wedi dod i stop, ac roeddwn i'n dychmygu fod amser wedi peidio â bod drwy Gymru gyfan a'n bod ni fel cenedl yn bodoli am ddiwrnod mewn cyfnod diamser, hudol, fel rhyw fath ar hud ar Ddyfed yn y Mabinogi. Ro'n i am blethu'r gwirionedd a realiti gydag ychydig o ffantasi a lledrith –a dyna o ble daeth y gerdd.

Gair am air

bargodion y rhan o'r to sy'n ymestyn dros y wal, bondo
macsu   bragu, eplesu, berwi yn llawn bywyd
gwybed   pryfaid
trwstlyd   swnllyd

Sylwi ac ystyried

1. Mae rhythm araf, hudolus i'r gerdd hon. Ystyriwch y llinell 'a'r haul yn ei hwyliau'n hongian' – mae'n amhosib ei brysio.

Mae sŵn meddal yr odl '-ydd' yn cael yr un effaith: 'heolydd/llonydd/afonydd/mynwentydd'. Chwiliwch am enghreifftiau eraill lle mae rhythm a sain y geiriau yn cael yr un math o effaith arnom.

2. Mae'r bardd yn defnyddio arddull y rhestr i arafu'r tempo ac i awgrymu

mai pwyll piau hi. Rhestr o leoliadau i ddechrau. Pa restr arall sydd yma a beth yw cyfraniad honno at naws y gerdd?

3. Yn y Mabinogi, niwl oedd yr hud a ddisgynnodd ar Ddyfed; yn y gerdd hon, mae'r lledrith sy'n taro'r wlad yn cael ei ddelweddu yn 'gwmwl gwybed digon diog'. Mae hwn yn drysu amser y byd a'i bethau. Cymharu a gwrthgyferbynnu yr 'amser newydd' a'r hen brysurdeb yw hanfod y gerdd – sylwch ar y mathau o ansoddeiriau a ddefnyddir i ddisgrifio'r ddau gyflwr yn ail hanner y gerdd.

4. Mae'r llinell glo yn un drawiadol. Gwyddom i gyd mai peth annoeth iawn yw edrych ar haul tanbaid gyda llygad noeth. Eto, dyna wneir yn hamddenol yn y gerdd hon. Beth yw'r effaith mae'r bardd yn ei geisio gyda'r llinell hon?

Dyfyniadau gan ELINOR WYN REYNOLDS

Mi fydda i'n dal i glustfeinio ar bobol, yn dwyn eu geiriau i'w hailgylchu ar bapur am fod bywyd mor ddiddorol ac ambel waith, pan nad ydych chi'n disgwyl hynny, daw rhai o wironeddau bychain bywyd o enau diymwybod a goleuo'r ffordd tuag at wironeddau mawr bywyd. Mae barddoniaeth ym mhob man, yn gorwedd, cuddio a chwarae dan bob bondo, yn y llefydd mwyaf annisgwyl – dyna pam mae gen i fy llyfr bach nodiadau i gofnodi'r holl bethau gwych rwy'n eu clywed a'u gweld, rhag ofn i mi anghofio a cholli cyfle am droi clustfeinio yn dusw o eiriau a fydd, rwy'n gobeithio, yn golygu rhywbeth i bobol eraill …

Y perl cyntaf i mi ei glywed a'i gadw oedd mewn ystafell newid i ferched mewn siop ddillad lle'r oedd mam a'i merch mewn un ystafell fach a'r ferch yn trïo dillad nofio amdani ac yn amlwg yn cael trafferth. Meddai'r fam wrth y ferch yn llawn doethineb ac awdurdod. *'It's yer boobs it is, they're the wrong shape'*. Druan o'r ferch, nid y dilledyn oedd o'i le ond hyhi! Pŵr dab! O'r clustfeinio hwnnw ganwyd cerdd ddigon gwamal, ond wedi hynny mae'r casgliad o syniadau wedi cynyddu ac o'u gadael i fwrw eu ffrwyth ac aeddfedu rhwng tudalennau llyfr nodiadau, mae cynhaeaf o waith creadigol wedi tyfu – wn i ddim beth yw'r *vintage* os oes un o gwbl.

'Clustfeinio', Elinor Wyn Reynolds, *Taliesin*, Cyfrol 112, Haf 2001

Does dim yn well gen i na derbyn blodau fel anrheg, maen nhw mor hardd, ond wrth gwrs maen nhw'n marw mor gyflym. Dyna pam mae blodau'n ddelwedd mor effeithiol wrth geisio cyfleu pethau sy'n dirwyn i ben ac yn marw, fel perthynas, er enghraifft. Dydw i ddim yn meddwl 'mod i'n hoffi un blodyn yn fwy nag un arall, er 'mod i'n hoffi'r blodyn gerbera yn fawr iawn ar hyn o bryd, sy'n flodyn tebyg i lygad y dydd mawr ac yn dod mewn gwahanol liwiau llachar; mae'n flodyn dramatig yr olwg ac yn edrych fel petai un llygad mawr, llonydd yn eich gwylio. Rwy'n hoff iawn o flodau gwyllt ac yn mwynhau edrych ar flodau allan yn y caeau – clatsh y cŵn, garlleg gwyllt (mae'r arogl yn hudolus), clychau'r gog, llygad y dydd ac eirlysiau. Mae blodau gwyllt yn arwydd gweledol o'r gwahanol dymhorau ac yn dangos bod byd natur yn newid o hyd, ac amser i bopeth a phopeth yn ei le ac mae gwybod hynny yn fy mhlesio'n arw.

Sgwrs gydag Elinor Wyn Reynolds, *Sach Gysgu yn Llawn o Greision*,
Gwasg Carreg Gwalch, 2000

Bûm am flynyddoedd yn gweithio mewn gwahanol rannau o Gymru yn gwneud hyn a'r llall, o gyfieithu i weithio mewn theatr ond bellach, rwy'n byw yng Nghaerdydd gyda 'ngŵr a 'mab bach, a phwy ŵyr am ba hyd fydda' i yno cyn symud ymlaen i ran arall o Gymru? Bellach, rwy'n gweithio ar fy liwt fy hun yn ysgrifennu a gwneud pob math o bethau gyda geiriau, gan mai dyna yw fy nileit i. Rwy'n mwynhau defnyddio, ystumio, goglish a chwarae gyda geiriau mas draw – wrth gwrs, os na sgwenna' i ddim byd, chaf i mo nhalu!

Rwy'n dod o deulu sy'n hoffi geiriau, yn hoffi chwarae gyda geiriau a gwneud jôcs allan o sŵn ac ystyr geiriau – mae'n debyg na fyddai neb arall yn gweld yr hyn sy'n gwneud i ni chwerthin fel teulu yn ddoniol, ond mi ydyn ni yn ein dwble bob tro!

'Pam fy mod yn hoffi goglish geirie', Elinor Wyn Reynolds,
Pac o Feirdd, Gwasg Carreg Gwalch, 2002

Rhyw ddiwrnod, fachgen, gwnei golli dy wallt a pharchuso,
ond ddim heno.
Mae dy fop tywyll di'n rhy wyllt i'w reoli,
yn fôr o fywyd
a choron ar dy ieuenctid.
A thra bo gen ti don ar ôl ton o flew hirion am dy ben
gwna bethau gwirion
cyn i ti golli arni, da ti.

'Gwallt', Elinor Wyn Reynolds

DARLLEN PELLACH

Yr Iawn Ryw, gol. Menna Elfyn, Cerddi Honno, 1991

Ffŵl yn y Dŵr, gol. Menna Elfyn, Gwasg Gomer, 1999

Sach Gysgu yn Llawn o Greision, gol. Myrddin ap Dafydd, Gwasg Carreg Gwalch, 2000

Rhiwlas – Cefn Gwlad mewn llun a llinell, Tim Collier/beirdd, Gwasg Carreg Gwalch, 2002

Pac o Feirdd, Gwasg Carreg Gwalch, 2002

T. GLYNNE DAVIES

1926-1988

Ganwyd Thomas Glynne Davies yn 1926 yn Llanrwst, sir Ddinbych. Cafodd ei addysg yn Ysgol Ramadeg Llanrwst cyn gadael yn gynnar i fynd i weithio ym Mae Colwyn yn Labordy'r Llywodraeth. Gweithiodd am gyfnod ym mhwll glo Oakdale, sir Fynwy, fel Bevin Boy yn ystod yr Ail Ryfel Byd. Bu'n gwasanaethu yn y fyddin ym Malta am gyfnod fel clerc. Roedd am gael ei ryddhau i fynd i Goleg Prifysgol Aberystwyth ar ôl hynny, ond cafodd waith mewn adran gynllunio mewn ffatri ym Machynlleth.

Yn 1950, ac yntau yn briod â Mair Jones o Esgairgeiliog bellach, ger Corris, aeth i weithio fel gohebydd i'r *Cambrian News* yn Aberystwyth. Symudodd wedyn at *Y Cymro* yng Nghroesoswallt fel is-olygydd. Yna yn 1955, aeth yn is-olygydd gyda'r *South Wales Evening Post* yn Abertawe.

Yn 1957, aeth i weithio i radio'r BBC yng Nghaerdydd fel dirprwy-olygydd cyntaf yr adran newyddion yno. Bu'n ohebydd, yn gynhyrchydd ac yn ddarlledwr yn ei dro a dyna sut mae pobl yn ei gofio orau. Bu'n gweithio am gyfnod gyda chwmni Teledu Cymru, a aeth i'r gwellt, ac wedi hynny aeth yn ôl i'r BBC, gan symud i'r Wyddgrug yn 1963. Bu ym Mangor o 1970 am chwe mlynedd yn cyflwyno'r rhaglen *Bore Da* ar Radio Cymru. Symudodd wedyn i Abertawe a chynhyrchu rhaglenni ar gyfer y Gorfforaeth o'r hen stiwdio yno. Bu'n gweithio hefyd ar raglenni newyddion a rhaglenni arbennig tra oedd yno. Roedd ganddo arddull ffraeth, dreiddgar, gynnes ar y radio ac roedd gwrando ar ei gyfraniadau cyson yn berlau o bleser bob tro. Yn 1987, symudodd i Ben-y-groes, sir Gaernarfon. Bu farw yn 1988.

O ran ei waith ysgrifennu, teimlodd iddo gael cyfoeth o brofiadau o weithio mewn sawl lle gwahanol a thrwy ddod i gysylltiad â phobl o amrywiaeth o cefndiroedd. Gwelodd freuder bywyd a breuder dyn oddi mewn i hynny. Adlewyrchir hyn yn ei waith.

Enillodd goron Eisteddfod Genedlaethol Llanrwst, 1951, ac yntau ddim ond yn 25 mlwydd oed, gyda phryddest oedd yn dwyn y teitl 'Adfeilion'. Cymerodd y bryddest naw mis iddo'i hysgrifennu. Yn y gerdd honno, bachgen ifanc yw Jo sy'n gweld ei fywyd yn adfail wedi iddo golli ei gariad, mae'n gorfod ailwynebu bywyd a cheisio gwneud synnwyr o'r llanast. Mae Jo'n ymddangos yn unig ac mewn poen galarus, yn dyheu amdani

> Yn nyfnder hen, f'anwylyd,
> O! Gwthia dy enaid
> I stafell fy nghysgu
> Lle mae fy ffroenau'n anadlu dy enw,
> Ar'r fflam
> Yn barus-fwyta'r gannwyll
> I'r byw;

Mae'n gerdd sensitif a sefydlodd T. Glynne Davies fel bardd o bwys, oedd yn gymhleth, amlhaenog a hynod deimladwy, ac un oedd yn medru taro'r hoelen ar ei phen o ran teimladau a mynegiant. Mae hefyd yn bryddest am ddiboblogi cefn gwlad, wrth i'r ddinas hudo trigolion yr ardaloedd gwledig, ac am farwolaeth hen ffordd o fyw.

Cyhoeddodd ddwy gyfrol o farddoniaeth, *Llwybrau Pridd* (1961) a *Hedydd yn yr Haul* (1969) yn ogystal â chasgliad, *Cerddi T. Glynne Davies* (Cyhoeddiadau Barddas, 1987). Rhoddodd gynnig ar ryddiaith hefyd: cyhoeddodd gyfrol o straeon byrion *Cân Serch* (1954), a ysgrifennodd pan oedd ar ei wasanaeth milwrol ym Malta; nofel (ond oherwydd prinder papur wedi'r Ail Ryfel Byd, chafodd hi mo'i chyhoeddi hyd 1954), *Haf Creulon* (1960). Dywed T. Glynne Davies ei hun am y nofel hon mai 'Portread o ofnau yw'r nofel hon, o ystyried ein bod ninnau fel cymeriadau dychmygol yr haf creulon hwn, yng ngafael rhyw bwerau nerthol nad oes gennym reolaeth drostynt.' ydyw. Mae'n dangos y berthynas gythryblus sydd rhwng y dref a'r wlad ynddi a daw'r thema yma'n amlwg drwy gydol ei waith. Cyhoeddodd hefyd y nofel epig, swmpus, *Marged* (1974) sy'n dilyn hanes teulu o ardal Llanrwst dros gyfnod o ganrif, 'ei waith mwyaf uchelgeisiol' medd *Cydymaith i Lenyddiaeth Cymru*.

Mae apêl ei gerddi yn eang a'r pynciau sy'n cael eu dewis ganddo yn amrywiol ac eclectig, mae hyn yn adlewyrchu'r ffaith ei fod yn ddyn oedd â diddordeb mewn bywyd a'i fod yn mwynhau gwahanol brofiadau. Fel bardd, roedd yn cymryd ei hun o ddifrif ond yn medru gweld ochr ddoniol pethau yn ogystal â theimlo pethau i'r byw – mae hyn yn amlwg yn ei waith.

TRWY LYGAID ELINOR WYN REYNOLDS

Dwi'n hoff iawn o waith T. Glynne Davies. I mi, mae'n fardd nad yw wedi heneiddio o ran ei waith (fel sy'n medru digwydd ambell waith yn hanes cerddi sy'n perthyn i gyfnod arbennig). Mae Bedwyr Lewis Jones yn dweud amdano, 'Y fath sylwgarwch synhwyrus ffresh!' ac mae'n rhaid i mi gytuno. Mae'i ffordd o weld pethau yn gwneud i mi wenu a meddwl yr un pryd.

Pan oeddwn i'n astudio barddoniaeth yn yr ysgol, mi o'n i'n dueddol o deimlo bod ffordd beirdd o ddweud rhywbeth un cam i ffwrdd oddi wrth fy reailiti i. Ond gyda gwaith T. Glynne Davies, mi o'n i'n teimlo ei fod e' yno gyda mi yn edrych dros fy ysgwydd, yn siarad gyda mi. Teimlais fod ganddo arddull uniongyrchol, lân ac mi o'n i wedi penderfynu, petawn i am fod yn 'sgwennwr, yna mi oedd yn rhaid i mi ysgrifennu'n lân a syth at y pwynt.

Mae rhai o'i gerddi'n dwyllodrus o syml, er enghraifft, 'Pe' lle mae'n dweud:

> Pe buaset ti'n frenhines
> Yn aur at dy draed
> A minnau yn frenin golud
> Â gwin yn waed ...

> Caem yr un hen fyd a'i ddeigryn a'i wên
> A thithau a minnau yn mynd yn hen.

Yn y gerdd uniongyrchol hon, mae tristwch a llawenydd bywyd, ac mi wn i mi deimlo'r teimladau hyn wrth dyfu; nes gweld y gerdd hon, doeddwn i ddim wedi sylweddoli bod modd teimlo'n hapus ac yn drist ar yr un pryd.

Y peth arall a'm trawodd fi am waith T. Glynne Davies oedd ei ddelweddau – mae'n defnyddio delweddau cryf iawn ac yn plethu darluniau hynod o ddifyr ac effeithiol at ei gilydd. Roedd yn amlwg i mi fod T. Glynne

Davies yn fardd oedd yn gweld pethau mewn lluniau. Dwi'n hoff iawn o'r gerdd fer, 'Fel Llong':

Y mae nghariad fel llong;
Serch yw'r gwynt yn ei hwyliau hi,
Uchel a dwfn yw'r môr amdani,
Pryderon ac ofn yw'r môr amdani,
Ond serch yw'r gwynt yn ei hwyliau hi.

Efallai fod bywyd yn anodd, ond mi ddown ni drwyddi, rywsut, medd y gerdd. Ac mae'r ddelwedd yn gyflawn yma – y llong yn ddelwedd o berthynas a thaith bywyd. Dwi'n cofio darllen dyfyniad yn rhywle, *'But how can we know what relationship has lasted until it has finished?'* – mae T. Glynne Davies ar fordaith.

Dyna oeddwn i'n hoffi am waith T. Glynne Davies, y ffaith nad oedd yn ceisio cuddio'r gwir, er y gallai'r gwir hwnnw ymddangos braidd yn 'anfarddonol' o ran naws, weithiau. Roedd yn cydio yn realiti, ac eto'n ei ofni ar yr un pryd – dyn dewr iawn!

Ond mae ganddo hiwmor hefyd – allwn i ddim fod wedi hoffi ei waith gymaint heb yr hiwmor. Yn y gerdd 'Rownd Cymru', mae'n chwarae ar synau'r Saesneg yn y Gymraeg ac yn gwneud hwyl am ben y ffordd mae Saeson yn camynganu enwau Cymraeg heb feddwl eilwaith. Wrth gwrs, mae ochr drist i'r gerdd hefyd, sef y ffaith fod ein hiaith, ein gwlad a phopeth cysylltiedig yn cael eu newid gan ddylanwadau estron:

Fe awn yn Gymru da bob yn *eyn*,
Yn llanciau llon o bendraw *Lleyn* ...

Wedyn i ddrachtio'r hyfryd *weigne*
Sy'n llenwi'r stenau ym *Mhresteigne*

I fagu nerth i fynd fel *ffool*
Bob cam o'r daith i *Bontypool* ...

A chloi'r holl daith mewn pwt o *gaugharne:*
'Does dim yn well na chalon *Laurghane.*

Boi clyfar iawn yw'r T. Glynne Davies 'ma!

Ambell waith, mae'n defnyddio iaith gyffredin y stryd yn ei gerddi ac yn

T. GLYNNE DAVIES

cael cryn effaith drwy wneud hynny, ac mae hynny'n fwy effeithiol fel neges yn fy marn i, er enghraifft yn y cerddi 'Nadolig 1960' a 'Nadolig 1972' lle mae'n sôn am ddiffyg Cristnogaeth ar adeg bwysicaf y flwyddyn, ac yn gweld gwagedd y cyfan a'r angen i fod yn fwy ysbrydol:

> Plant y gorthrwm ydyw'r Cymry
> Yn Radyr ac yn Sblot,
> Ac yn Llanfair Mathafarn Eithaf:
> Y cwbwl lot.

a

> Crafu'r hen emynau,
> Rhoi Leila ar y gram:
> A'r cwbwl lot heb gyfri'
> Dim dam.

Mae ei waith yn fy atgoffa i o farddoniaeth T.H. Parry-Williams, am fod llawer o'i gerddi'n eithaf telynegol ac eto'n cario neges gref. Cafodd ei ddylanwadu gan T. S Eliot hefyd o ran delweddau.

Mae ei ddewis o eiriau yn ei gerddi'n effeithiol bob tro, yn creu'r teimlad iawn o ddwyster neu ysgafnder – mae'n medru cyfleu llawer drwy hiwmor a chlatshen y gerdd yn fwy effeithiol o galed.

Dwi'n hoffi beirdd sy'n dweud eu dweud, ond heb bregethu – ac mae T. Glynne Davies, wedi profi sawl agwedd o fywyd. Mae hynny'n amlwg o'i waith, nid yw'n jycôs yn ei agwedd at fywyd, mae'n poeni am bethau yn aml – yn union fel ydw i'n poeni am bethau – ac mae gwybod fod bardd yn gwneud hynny, yn dangos fod beirdd yn union fel ni yn y bôn! Ac mae hynny'n gysur. Bardd â chydwybod cymdeithasol yw T. Glynne Davies ac yn ddyn sy'n meddwl y tu hwnt i'r nawr. Rhaid i fardd gwerth ei halen fod felly.

Dwi'n dal i fwynhau darllen gwaith T. Glynne Davies eto ac eto, ac yn canfod pethau newydd bob tro. Ambell wiath, mi af i chwilio am ychydig o ysbrydoliaeth yn ei waith i mi gael sgwennu, nid dwyn ei syniadau, ond yn hytrach i fenthyg ychydig o'r ysbryd, y rhuddin sydd yn ei waith am ychydig a gobeithio y medraf i sgwennu'n gryf fel yntau.

Mae gan T. Glynne Davies sawl thema sy'n ymddangos yn ei waith. Ymddengys yr hen elyn amser sy'n dinistrio ac yn torri pethau a'u malu, yn ei gerddi – mae amser yn ei boeni a dyw hyd yn oed cariad ddim yn medru gwrthsefyll treigl amser. Mae technoleg yn dadfeilio pethau hefyd yn ei dyb ef ac yn distrywio bywyd fel ag yr oedd o'r blaen – fydd pethau fyth 'run fath wedi i ni'u difetha. Wrth gwrs, bu'n gweithio mewn ffatri, yng nghanol technoleg, a siawns fod ganddo ddarlun mwy cytbwys na'r gweddill ohonom ar bethau o'r fath felly. Mae'r frwydr rhwng y dref a'r wlad ymhlyg yn y thema hon hefyd, y ffordd y maent mor wahanol ac anghymarus i'w gilydd, yn methu cyd-fyw. Efallai fod y ddau fwystfil yma'n byw y tu mewn i T. Glynne hefyd. Ac mae crefydd yn bwysig iddo – gwelir hynny yn sawl un o'i gerddi; iddo yntau, mae ei ffydd yn ymddangos yn rhywbeth cadarn, tawel. Yn gymysg yn hyn oll, mae digon o hiwmor a chlyfrwch iaith yn ogystal.

MAIR

Cerddi T. Glynne Davies, Cyhoeddiadau Barddas, 1987, tud. 97

Cyflwyniad

Cerddi uniongyrchol iawn yw hon o safbwynt menyw, sef Mair, mam Iesu. Mae ail-greu darlun o eni Crist, sydd wrth gwrs yn hanes yr ydym ni'n hen gyfarwydd â hi, yn rhy gyfarwydd efallai. Yr ydym ni i gyd yn mwynhau cyfnod y Nadolig, am wahanol resymau – bellach yr ydym ni'n profi prysurdeb o gwmpas adeg Nadolig; prynu anrhegion, gwledda, sgwennu cardiau a phob math o bethau eraill sydd yn rhan o ddathlu.

Mae'r gerdd hon yn dangos ychydig o'r symud a'r drafferth a'r sŵn oedd o gwmpas Mair adeg geni Iesu ac yn y canol roedd Mair, yn llonydd, yn 'cadw'r cyfan oll yn ei chalon'.

Gair am air

seraff	angylion o'r radd flaenaf yn y nefoedd
mansiar	preseb
Rhosyn Saron	planhigyn o'r Beibl ond hefyd yn ddelwedd o Iesu Grist fel presenoldeb gwych

T. GLYNNE DAVIES

Sylwi ac ystyried

1. Yn y gerdd mae T. Glynne Davies yn sôn am yr holl bethau ddigwyddodd i Mair – yr holl ffys a'r ffwdan – drwy ddweud nad oedd angen dim o'r pethau yma arni. Pam felly?

2. Mae gymaint o amser wedi mynd heibio ers i Iesu Grist gael ei eni ac mae gymaint wedi digwydd yn hanes Cristnogaeth, rydym ni fel pobl wedi adeiladu bywyd cyfan o gwmpas yr hyn ddigwyddodd ym Methlehem – bron nad yw'r ddau beth yn perthyn i'w gilydd bellach. Beth feddyliwch chi mae'r gerdd yn dweud am y fath o ddelwedd mae pobl yn medru creu a'r gwahaniaeth rhwng hynny a'r gwirionedd sydd yn digwydd y tu mewn i berson?

3. Mae Mair wedi datblygu i fod yn symbol gref yn ein hymwybyddiaeth ni yn y byd Cristnogol. O ble mae hynny'n tarddu gyntaf yng nghyd-destun y gerdd, yn enwedig yr ail bennill? Yn y pennill olaf, mae T. Glynne Davies yn sôn yn uniongyrchol am beth sy'n bwysig go iawn yn y fan a'r lle hwnnw – sef y plentyn, pwy bynnag ydyw.

4. Mae'r geiriau, "Doedd dim angen ..." yn cael eu hailadrodd drwy gydol y gerdd, beth yw bwriad gwneud hyn? Sylwch ar y patrwm odli, a'r mydr hefyd, pa effaith mae hynny'n cael ar eich mwynhad chi o'r gerdd?

Y SGWRS

Hedydd yn yr Haul, Llyfrau'r Dryw, 1969, tud. 45-46.

Cyflwyniad

Cerdd grafog, arbrofol, sy'n cyfeirio at y ffaith ein bod ni fel Cymy yn dueddol o weld yr ochr ddu i bopeth. Y sefyllfa yw fod pobl mewn car ac yn gweld pethau hyfryd y wlad o'u cwmpas, ond mae Cymro yn y car hefyd... mae yntau fel rhyw fath o gymeriad comedi, rhyfedd yn difetha'r holl fân siarad hyfryd am natur a pha mor brydferth yw'r byd y tu allan gyda'i sylwadau ffrwt am bethau cyffredin ac ofnadwy sy'n digwydd yn y byd sy'n lladd pethau gorau bywyd yn ei dyb ef. Mae'r Cymro anffodus yma ond yn gweld y gwaetha' ymhob sefyllfa.

Mae gan T. Glynne Davies gerdd arall debyg, sef 'Cyfathrach y Teleffon', mae hithau'n rhyw fath o sgwrs rhwng dau hefyd sy'n sôn am ddefnyddio'r dechnoleg y mae T. Glynne Davies mor ddifrïol ohoni. Nid ei fod yn condemnio ffonau fel dyfais ond, yn y cyswllt yma, mae'n tynnu'r enaid allan o sgwrs dyngedfennol, hynny yw, diwedd perthynas. Does dim byd mwy dan din na diweddu perthynas ar y ffôn. Mae T. Glynne Davies yn gresynnu na fyddai pobl yn siarad wyneb yn wyneb. Mae cynnwys y gerdd yn symbol o'r math o gymdeithas sy'n datblygu bellach. Wrth gwrs, erbyn heddiw, mi rydym ni wedi mynd gam ymhellach o ran medru e-bostio a defnyddio'r We, mae modd cadw'r holl fyd led braich bellach a dal i dderbyn gwybodaeth o bedwar ban y byd. Mae medru defnyddio techneg ymgom yn medru bod yn hynod effeithiol i greu pwynt.

Gair am air

Sprake, Henessey, Mielczarek...	arwyr pel-droed
Vietnam, Rhodesia, Biafra...	llefydd lle bu ryfeloedd
John Leias, Brynsiencyn, Ewenni...	arweinwyr crefyddol o Gymru a thu hwnt

Sylwi ac ystyried

1. Mae'r gerdd yn fath o ymgom rhwng dau feddylfryd – un sy'n gweld pethau hyfryd neu 'neis' fel mae T. Glynne Davies yn dweud:

> Oen bach yn sugno,
> A'i wlân i gyd yn siglo;
> Deryn llwyd yn dod o'r gwair,
> Pry genwair yn ei big-o.

Ond mae'r Cymro digywilydd yn torri ar draws y myfyrdodau gwledig yma gyda sylwadau hynod ddiflas a chomon ar bynciau'r dydd 'y *cliches* brodorol, Cymreig ... a'r rhai cyffredinol'. Mae'n siarad yn union fel y dyn ar y stryd, yn llawn doethinebau esgus. Sut effaith mae hyn yn ei gael o ran y gerdd? Beth yw bwriad T. Glynne Davies wrth wneud hyn?

2. Mae'n cyflwyno un llinell yng nghanol y testun sy'n cael ei ailadrodd dro ar ôl tro, sef 'Dagâ, dagâ, dagadagâ, coc a dwdl dŵ'. Mae'n swnio fel nonsens, ac efallai mai nonsens y mae'n ceisio'i gyfleu. Mae dau sŵn, sef sŵn gwn a sŵn ceiliog – pa fath o deimladau y mae'r synau yma'n eu cyfleu i ni? Sut fath o ddyn yw'r Cymro yn y gerdd, felly?

3. Mae'r bobol eraill yn y car yn ceisio'n ddygn i anwybyddu'r Cymro drwy ddal i restru'r pethau hyfryd maen nhw'n eu gweld. Bron na fedrwch chi'u gweld nhw'n crensian eu dannedd gan ei fod yn mynd cymaint ar eu nerfau! Mae'n ymddangos fel sgets gomedi, braidd, y ddwy ochr yn dal i geisio para gyda'u llinell meddwl hwy. Pa effaith mae'r ddeialog abswrd yma'n cael

T. GLYNNE DAVIES

mewn cerdd? Beth am y datganiadau mae'r Cymro'n ei wneud – ydyn nhw'n wir? Mae cymeriadu fel hyn yn ffordd dda o gyfleu neges, drwy enau rhywun arall. Pa mor effeithiol ydyw? Medd T. Glynne Davies, 'Yn y pennill olaf teflir yn ôl i'ch wyneb yr union simbolau a oedd yn peri hyfrydwch i chwi ar y daith: yr union hyfrydwch a ddifethwyd' – fedrwch chi esbonio pam?

HEDYDD YN YR HAUL
(detholiad – Llyfr Hanes)
Hedydd yn yr Haul, Llyfrau'r Dryw, 1969, tud. 25 – 27.

Cyflwyniad
Darn allan o gerdd goffa yw hwn, mae'r gerdd gyfan i gyfaill T. Glynne Davies, Owen Talfan Davies, fu farw mewn damwain foduro yn 1963 yn yr Alban. Dywed T. Glynne Davies amdano, '… o'i ddechrau yr oedd yn enaid anesnwyth a mympwyol hefyd, ond i chwi beidio â meddwl am hynny fel bai'.

Bu'r digwyddiad yn drychineb ym mywyd T. Glynne Davies gan iddo golli ffrind agos, 'Yr oedd yn un sydyn i ddysgu ac yn llawn egni.' Daethant yn gyfeillion tra oedd T. Glynne ac yntau'n gweithio yn y BBC yng Nghaerdydd. Teimlodd T. Glynne Davies iddo golli cyfaill oedd o'r un anian ag ef yn Owen, 'Yr oeddem yn debyg iawn i'n gilydd o ran hiwmor a daliadau cymdeithasol a chrefyddol. Gwnaeth hynny hi yn haws imi sgrifennu'r HEDYDD YN YR HAUL … Ond fel yr oedd yr Hedydd yn y gerdd yn bwriadu bod yn Eryr, felly y bwriadai Owen fod yn frenin. Mi fydda hwnnw yn gymal brawddeg rheolaidd ganddo: 'Pan fydda' i'n frenin …' Credaf mai fi oedd yr unig un a wyddai nad jôc arwynebol oedd y dywediad cyson hwn.'

Mae'n debyg y medrwch ddweud fod yn rhaid i T. Glynne Davies ysgrifennu'r gerdd hon, os nad i Owen, yn sicr iddo ef ei hun.

Gair am air
gwaradwydd   sen, cywilydd

Sylwi ac ystyried
1. Y Llyfr Hanes sy'n siarad yn y gerdd, sydd yn y wers rydd. Mae'n rhoi cyddestun i Gymru, yn esbonio o'r lle y daeth. Drwy wneud hynny, mae'n gwneud Cymru i ymddangos yn fach iawn, yn ddistadl. Mae'n rhoi persbectif

arall i ni ar y byd, o fan pell i ffwrdd rhywle yn y ffurfafen, bron, ac yn y byd hwnnw, mae Cymru. Mae'n crynhoi ein cenedlaetholdeb ni'n dwt yma. Dylsem gofio efallai mai 'dim ond smotyn' ydym drwy'r cyfan. Pa mor bwysig ydyw i ni sylweddoli'n gwir le ni yn y bydysawd?

2. Er hyn, mae T. Glynne Davies yn rhoi mwy o bwys arnom ni gan ein bod ni yn 'wyrth fwy nag electron'. Efallai, er mor ddistadl yr ydym, ein bod ni'n cyfrif wedi'r cyfan am ein bod ni bob un yn 'rhyfeddod'.

3. Mae sôn am Gymru fel siâp arbennig yn effeithiol hefyd. Rydym ni'n hen gyfarwydd â gweld Cymru ar fap. Mae'n bwysig iawn i ni fel Cymry i adnabod siâp ein gwlad. Pa fath o effaith mae rhoi gymaint o ddisgrifiadau gwahanol, un ar ôl y llall, o sut siâp sydd ar Gymru yn eu cael?

4. Mae sawl arddull o fewn y gerdd, o'r beiblaidd, 'Duw a gymerth...' i'r 'Hwdiwch,' mwy llafar. Mae plethu arddulliau fel hyn yn creu argraff ysgafn, fel petai'r bardd yn neidio o un mŵd i'r llall.

5. Creodd T. Glynne Davies stori o gwmpas creu Cymru. Mae'n un nad yw'n wir ond rydym ni'n gwybod hynny. Beth mae'n ei wneud mewn gwirionedd yw esbonio pa fath o bobol ydym ni – yn llawn 'trugaredd', 'hanes' a 'phob calon yn gignoeth', 'hiraeth' ac yn y blaen i esbonio pwy ydym ni – nid mewn ffordd wyddonol ond mewn ffordd sy'n dangos perthynas, tynerwch a chynhesrwydd tad at ei blentyn. A dyna'n perthynas ni â Chymru, mae'n siŵr.

LLEUAD
Cerddi T. Glynne Davies, Cyhoeddiadau Barddas, 1987, tud. 43

Cyflwyniad
Cerdd fer ond hynod uniongyrchol. Mae'n cyfeirio at y lleuad, neu at eistedd a gwylio'r lleuad, sydd wastad yno yn ein gwylio ni, waeth beth sy'n newid lawr fan hyn ar y ddaear.

Gair am air
| 'Doedd wiw | feiddien i ddim |
| crechwen | gwên ffals neu gas |

1. Yn y pennill cyntaf mae'r person yn y gerdd yn eistedd, yn ymlacio ac yn myfyrio, yn gwylio'r lleuad. Mae'r machlud wedi hen fynd, felly, 'wedi suro'.

Mae'n amlwg yn y pennill cyntaf ei fod yn ifanc, ac mewn cariad am nad oes ganddo ond 'un fraich yn rhydd' – mae'r fraich arall dros ysgwydd ei gariad. Gan ei fod mewn cariad, mae popeth yn edrych yn dda, yn wych; mae'n galw'r lleuad yn 'brenhines gogoniant' ac mae'n 'gwenu uwchben' – rhaid ei fod dros ei ben a'i glustiau! Wrth gwrs, syllu ar y lleuad y mae cariadon yn ei wneud drwy'r amser!

2. Yr un amser yw hi eto gyda diwedd y dydd yn yr ail bennill – mae'r ailadrodd yma'n dechneg effeithiol i fedru atgyferthu'r effaith. Hefyd, mae'n dangos sut mae'r person yn y gerdd yn gyson, yn gwneud yr un pethau dro ar ôl tro – gyda'r diweddydd, mae'n amser pwyso a mesur y dydd a aeth heibio. Mae'n effeithiol iawn bod nôl yn yr un amser yn y ddau bennill.

3. Yn yr ail bennill mae pethau wedi newid. Yr un sefyllfa yw hi o ran y lleuad ond, mae ei 'ddwy fraich yn rhydd', hynny yw mae wedi colli cariad – naill ai mae hi wedi gadael neu wedi marw. Yn sydyn, 'dyw pethau ddim mor dda ac mae'r iaith flodeuog, ramantus yn newid. Nid yw am syllu tua'r lleuad – mae'n ei atgoffa o'r amser a fu, yn chwerw-felys. Mae'r lleuad yn 'hen wrach gomon sbeitlyd' bellach; mae'r byd wedi gwyrdroi yn gyfangwbl. Gall y gerdd yma fod yn sôn am heneiddio a bod bywyd yn colli ei flas wedi colli ieuenctid, fel yn y gerdd 'Pan Ewch yn Ganol Oed' (*Hedydd yn yr Haul*).

4. Mae'n gerdd fer ac i'r pwynt – ydi hynny'n beth da? Pa mor effeithiol yw cael cerdd gyda gwrthgyferbyniad y *'before'* a'r *'after'* ynddi? Ydi hi'n ddoniol?

Dyfyniadau am T. GLYNNE DAVIES

All T. Glynne Daveis ddim bod yn ddiflas. Oherwydd ei ffordd wahanol o edrych ar bethau, oherwydd y tro gwahanol sydd i'w ymadrodd, mae T. Glynne Davies bob amser yn ddifyr – wrth sgwrsio ac wrth sgwennu.

'Cyflwyniad', Bedwyr Lewis Jones, *Cerddi T. Glynne Davies*, Cyhoeddiadau Barddas, 1987, tud. 9

Mae ganddo ddawn arbennig i gael hyd i ffigurau addas ac anghyffredin yn ei ganeuon; y bardd yn siarad trwy'r delweddau gan adael i'w ddarllenydd feddwl am unrhyw arwyddocâd pellach.

'T. Glynne Davies', Philip Wyn Jones, *Dyrnaid o Awduron Cyfoes*, gol. D. Ben Rees, Cyhoeddiadau Modern, 1975, tud. 73

Bydd y gerdd yma yn iechyd i farddoniaeth Gymraeg heddiw, oherwydd fe ddengys y gellir cynhyrchu gwaith o radd uchel yn y dull newydd yn ein hiaith ni, a hynny heb fod yn euog o rai pethau ag y bydd condemnwyr y canu modern yn hoff o'u hanelu ato.

J. M. Edwards, un o feirniaid y bryddest fuddugol, *Cyfansoddiadau* Eisteddfod Genedlaethol Llanrwst, 1951

Dychwelir at yr un thema... effaith ddinistriol y dref neu'r ddinas ar y ddynoliaeth a'i hanallu i'w hachub ei hun rhag ei gormes. Yn y wlad, nid adeiladau'n unig sy'n adfeilio, ond ffordd o fyw.

'T. Glynne Davies', Philip Wyn Jones, *Dyrnaid o Awduron Cyfoes*, gol. D. Ben Rees, Cyhoeddiadau Modern, 1975, tud. 78

Mae'n amlwg fod y dref, i T. Glynne Davies, yn elyniaethus i'r diwylliant Cymreig, ac mai yn y wlad y mae calon y genedl.

'T. Glynne Davies', Philip Wyn Jones, *Dyrnaid o Awduron Cyfoes*, gol. D. Ben Rees, Cyhoeddiadau Modern, 1975, tud. 77

Y mae'n fardd sy'n gallu dwysáu a llawenhau, hiraethu a brathu, pêr-ganu a dychanu.

Rhagair Alan Llwyd, *Cerddi T. Glynne Davies*, Cyhoeddiadau Barddas, 1987

Wrth gwrs, nid llestr gwag llawn o syniadau a dylanwadau beirdd eraill yr T. Glynne Davies. Y mae i'w ganu ei arbenigrwydd.

'T. Glynne Davies', Philip Wyn Jones, *Dyrnaid o Awduron Cyfoes*, gol. D. Ben Rees, Cyhoeddiadau Modern, 1975, tud. 72

He then produced two collections of poetry in which the chief characteristic is a kind of caustic nostalgia...

'Wales: Welsh Literature', *Artists in Wales*, gol. Meic Stephens

Dyfyniadau gan T. GLYNNE DAVIES

Un droed yn y gors, y llall yn y concrid: felly y gorfu i lawer o brydyddion ifainc fy nghenhedlaeth i weithio.

Llwybrau Pridd: Cerddi Cyntaf, Gomer, 1961

... rhaid wynebu'r ffaith mai cerddi gwr canol oed ydynt at ei gilydd. Er hynny y mae yma elfen o brotest gwr sydd rhwng dwy genhedlaeth.

Hedydd yn yr Haul, Gomer, 1969

Cynnyrch dros ddeugain mlynedd o dristau a llawenhau yw cynnyrch y gyfrol hon...'

Cerddi T. Glynne Davies, Cyhoeddiadau Barddas, 1987

Efallai fy mhryddest orau er nad oedd beirniaid Eisteddfod Genedlaethol Bro Ddyfi yn 1981 yn meddwl dim ohoni.

Am ei bryddest 'Wynebau', *Cerddi T. Glynne Davies*, Cyhoeddiadau Barddas, 1987

Mi wn i gystal â chi fod sawr braidd yn hen ffasiwn ar deitl y gyfrol hon. O ran hynny, mae sawr hen ffasiwn ar lawer o'i chynnwys hefyd er mai'r idiom fodern yw cyfrwng llawer o'r gwaith

Llwybrau Pridd: Cerddi Cyntaf, Gomer, 1961

DARLLEN PELLACH

Cân Serch a Storïau Eraill, Gomer 1954
Haf Creulon, Gomer, 1960
Llwybrau Pridd: Cerddi Cyntaf, Gomer, 1961
Hedydd yn yr Haul, Gomer, 1969
Marged, Gomer, 1974
Cerddi T. Glynne Davies, Cyhoeddiadau Barddas, 1987
Artists in Wales, gol. Meic Stephens, Gwasg ,1997
Mabon, gol. Gwyn Thomas, 1972
'T. Glynne Davies', Philip Wyn Jones, *Dyrnaid o Awduron Cyfoes*, gol. D. Ben Rees, Cyhoeddiadau Modern, 1975
Erthygl am Marged gan John Rowlands, *Ysgrifau Beirniadol XI*, gol. J. E. Caerwyn Williams, Gee, 1979
Taliesin, erthygl gan Bethan Mair Hughes, cyf LXXII, 1990-91

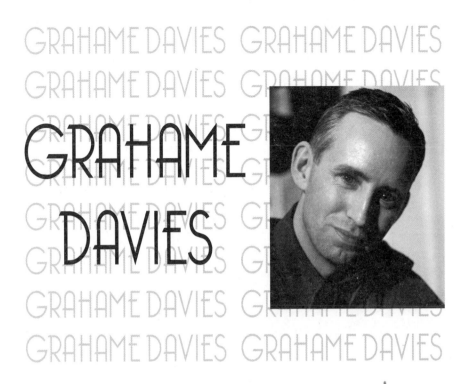

GRAHAME
DAVIES

Ganed Grahame Davies ym mhentre Coed-poeth ger Wrecsam yn 1964, a
derbyniodd ei addysg yn Ysgol Morgan Llwyd a Choleg Iâl. Ar ôl graddio
mewn Llenyddiaeth Saesneg yng Ngholeg Celf a Thechnoleg Caergrawnt, fe'i
hyfforddwyd fel newyddiadurwr yn Newcastle-upon-Tyne. Yn 1986, aeth i
weithio ar y *Merthyr Express* ym Merthyr Tudful, a bu'n byw yno am ddeng
mlynedd a rhagor wedyn, gan weithio yn eu tro i'r *South Wales Echo*, *Wales
on Sunday* a BBC *Cymru*, ei gyflogwr presennol. Mae'n uwch-gynhyrchydd, yn
gyfrifol am safle gwe'r BBC: Cymru a'r Byd, ac yn byw yng Nghaerdydd.

Mae'n gyfrannwr cyson i *Barddas*, ac roedd yn gyd-fuddugol ar
gystadleuaeth y *vers libre* yn Eisteddfod Genedlaethol Nedd a'r Cyffiniau,
1994. Daeth yn ail am Goron y Brifwyl yn 1998 gyda'r dilyniant 'Rhyddid'.
Mae hefyd wedi ennill gwobrau cenedlaethol am ei newyddiaduriaeth, ac yn
1996, cafodd ddoethuriaeth gan Brifysgol Cymru, Coleg Caerdydd, am waith
ymchwil ar bedwar llenor Ewropeaidd. Cyhoeddwyd y gyfrol
Sefyll yn y Bwlch yn 1999. Mae hefyd wedi cyhoeddi dwy gyfrol o

farddoniaeth: *Adennill Tir* (Barddas, 1997), a enillodd Wobr Goffa Harri Webb iddo a *Cadwyni Rhyddid* (Barddas, 2001), a enillodd wobr Llyfr y Flwyddyn 2002 iddo. Mae'n olygydd Cymraeg y cylchgrawn *Poetry Wales*.

Mae'n briod â Sally, ac mae ganddyn nhw ddwy ferch, Haf Morlais ac Alaw Medi. Wrth olrhain y dylanwadau arno fel bardd, mae'n nodi Bryan Martin Davies (a fu'n ddarlithydd ac yn athro barddol iddo yng Ngholeg Iâl, Wrecsam) a hefyd Harri Webb ac Idris Davies.

Cyflwyniad i waith GRAHAME DAVIES

Mae barddoniaeth Gymraeg yr ugeinfed ganrif, ar y cyfan, yn gorff gwleidyddol iawn o ganu. Mae'n ymateb yn uniongyrchol i ddigwyddiadau mawr gwleidyddol sy'n effeithio ar Gymru a'r Gymraeg – mae rhai yn ddigwyddiadau byd-eang fel y rhyfeloedd byd, Hiroshima, y perygl o ryfel niwclear; mae eraill yn ddigwyddiadau yn hanes gwleidyddol Cymru – llosgi'r Ysgol Fomio; boddi Cwm Celyn; ymgyrchoedd dros statws yr iaith; arwisgo 1969; y bleidlais yn erbyn datganoli 1979; Thatcheriaeth; y bleidlais o blaid datganoli 1997.

Gwleidyddiaeth ehangach na gwleidyddiaeth plaid yw'r pynciau hyn sy'n procio'r beirdd – maent yn agweddau ar y bygythiad neu'r gobaith i'n parhad fel cenedl, fel siaradwyr Cymraeg. Yn y cerddi hefyd mae agweddau ar ymdrech, dyfalbarhad a dioddefaint personol yr ymgyrchwyr. Anodd yw cyfeirio at yr un bardd Cymraeg yn ystod y ganrif heb gyfeirio at ddigwyddiadau a thueddiadau gwleidyddol cyfnod ei ganu.

Nid yw Grahame Davies yn eithriad. Cyhoeddodd ei gyfrol gyntaf cyn y bleidlais 'Ie' yn refferendwm Medi 1997 a'r ail ar ôl sefydlu'r Cynulliad Cenedlaethol. Mae'r gwahaniaeth rhyngddynt yn amlygu'r newid fu yng ngwleidyddiaeth Cymru rhwng y bleidlais honno a throad yr unfed ganrif ar hugain. Yn ei gyfrol gyntaf, *Adennill Tir*, mae'r rhesymau pam y pleidleisiodd ardaloedd penodol o Gymru o blaid datganoli yn amlwg. Roedd etholaethau'r gorllewin Cymraeg a'r cymoedd diwydiannol Cymreig yn gadarn dros weld newid gwleidyddol ar ôl cyfnod maith o ddioddef o dan lywodraeth ganolog, Lundeinig yr 'oes Thatcheraidd'. Mae'r testunau a'r themâu yn yr adrannau 'Cerddi'r Cymoedd' a 'Cherddi'r Clawdd' yn llawn o'r datod cymdeithasol ddigwyddodd yn y cyfnod hwnnw pan roed uchelgais, hunanoldeb ac elw personol o flaen y gwerthoedd cymunedol a gysylltir â'r dosbarth gweithiol Cymreig. Dyhead a gobaith am weld adennill y tir a gollwyd sydd yn y gyfrol gyntaf.

Mae Grahame Davies yn frodor o Goed-poeth, ger Wrecsam – hen ardal ddiwydiannol y glo, y calch a'r haearn ers canrifoedd. Ardal Gymraeg hefyd hyd ganol yr ugeinfed ganrif. Gwelodd y bardd drai yn y ddwy agwedd hon a roddodd cymaint o'i chymeriad i'r fro honno. Bu Seisnigo o fewn ei oes ei hun ('Lerpwl'):

Pan oeddwn i'n llanc yn Sir Ddinbych
dydd Sadwrn i'w gofio i mi
oedd mynd dros y ffin am y diwrnod
i'r ddinas yn ymyl y lli . . .

Ond heddiw 'dyw lleisiau y Glannau
ddim mwyach yn arwydd o sbri.
'Does dim angen siwrne i Lerpwl
a Lerpwl 'di dod ataf i.

Cododd y diwydiannau trymion, er caleted oeddent, gymdeithas gynnes, frawdgarol. Caewyd gwaith dur Brymbo yn 1991 – penderfyniad busnes o Lundain, er bod y gwaith yn dangos elw cyson. Ni wnaeth y gwleidyddion ymyrryd. Taflwyd dros fil o weithwyr ar y clwt er mwyn symud y llyfr archebion i waith dur newydd yn Sheffield ('Oeri'):

i'r fro hon erioed bu'r gwaith
yn galon a chynhaliaeth;
ei ddwndwr pell gyda'r nos,
ei oleuadau marwydos,
a fu'n gefndir digwestiwn
i'n byd yn y pentre hwn . . .

Pan oerodd ei ffwrneisi
caledodd fy nghalon i,
a minnau'n ddyn llai cyfan
er pan ddiffoddwyd y tân.

Symudodd Grahame Davies o'r gogledd-ddwyrain diwydiannol i'r de-ddwyrain diwydiannol gyda'i waith. Wynebodd yr un colledion yn y cymoedd hynny. Nid yw'n rhamantu am galedi'r gwaith a gollwyd ('Merthyr'):

Ni all fod enw mwy addas
i'r dref hon a waedodd dros eraill.

Dros elw eraill, hynny yw.

Ond gŵyr i'r gweithfeydd esgor ar ddelfrydaeth a chydymdrech ('Dic Penderyn'):

O'r hualau, hanes;
o'r brad, brawdgarwch;
o'r gefynnau, gwerin.

Dolenni eu dolur,
yn clymu
cymdogion yn gymrodyr;
y rhesi tai yn rhengoedd byddin
y dosbarth deallus, di-ildio
a'i ddydd ar ddod.

Ddoe.

Wrth i'r glofeydd gau; wrth i'r tomenni gael eu chwalu, newidiodd mwy na
thirwedd y cymoedd. Aeth y pwyslais oddi ar anghenion y gymdeithas i apêl
at unigolyn. Gwelodd Grahame Davies hynny yn cael ei amlygu yn y stadau
tai newydd – tai modern unigol – a dyfodd ar y llethrau uwchben y terasau
cymunedol traddodiadol ('Gwastraff'):

Mae hen domen y pwll wedi mynd;
yr wyddfa fawr slag wedi'i hwfftio ymaith;
ac yn ei lle mae'r tai preifat yn tyfu fel gwellt . . .

Preifat;
pob un yn sefyll ar ei blot bach neilltuol,
fel pe bai cyffwrdd yn embaras.
Teganau o dai unnos;
mynwent o anheddau mân.
Mae'n anodd credu y byddai modd
hagru tomen slag.

Un o'r dadleuon dros gael Cynulliad yng Nghaerdydd oedd bod angen
gwarchod ein cymunedau – yn economaidd a diwylliannol. Defnyddia
Grahame Davies y gair 'datganoli' mewn cyd-destun gwahanol iawn yn ei
ddarlun cignoeth ef o'r gymdeithas ôl-ddiwydiannol ('Gwastraff'):

Mae datganoli wedi dod i'r cwm:
pob tŷ yn annibynnol;
celloedd corff cymuned
yn ymrannu, yn encilio;

Y teimlad yng ngherddi *Adennill Tir* yw bod rhaid i rywbeth ddigwydd ar
fyrder i achub bywyd ac enaid y Cymoedd ('Dic Penderyn'):

> Mae safle gwesty'r Castell
> yn sinema ers degawdau;
> lle bu'r dorf yn mynnu bara,
> bingo;
> lle bu'r gwrthryfel yn gwaedu,
> mae Schwarzenegger yn lladd ei fil o filoedd.

> Ar safle'r hen ffwrneisi
> mae shantis y stad ddiwydiannol:
> fideos, coluron, teganau;
> y meistri plastig
> yn lle'r meistri haearn;
> a ni, 'ddinasyddion' di-undeb,
> â morgais i'n cadw
> mewn carchar carpedog.

Mae ei ddarlun yn ddu, ac mae'n siarad o brofiad ('Gwastraff'):

> Dim clymau, dim cymuned;
> dim cadwyn, dim cadernid.

> Mae cadwyni'r cymoedd yn ymddatod;
> ddolen wrth ddolen:
> mae'r haearn a fu'n herio
> gordd y gormeswyr
> yn rhydu,
> yn rhoi.

Ochr yn ochr â'r dirywiad materol, gwêl ddirywiad ysbrydol. Mae gan
Grahame Davies adran 'Cerddi Crefydd' yn *Adennill Tir*, yn trafod ei ffydd a'i
ddadrith, a'r tir llwyd yn y canol. Mae gweddillion y cynulleidfaoedd sy'n
mynnu cadw rhes o gapeli'n agored mewn un cwm yn dystion i fethiant yr
ysbryd brawdgarol meddai yn y gerdd 'Capeli'r Cymoedd'. Aeth enwadaeth
yn bwysicach na'r Gair:

> Nid testun balchder, o ddifri,
> yw bod Bethelau'n britho ein bro;

GRAHAME DAVIES

nid testun tristwch yw eu tranc.
Cofebau ydynt i'n cecru;
meini ein hymraniadau
a godwyd yn enw cariad
i gadw cymdogion ar chwâl.

Er mai gwleidyddol yw deunydd llawer o gerddi Grahame Davies, mae egni crefyddol ac ysbrydol i'w deimlo trwyddynt yn gryf iawn. Crefydd ymarferol, tebyg i'r hyn a gynrychiolir gan Gymorth Cristnogol, efallai yn hytrach na chrefydd ddogmataidd, enwadol, sy'n eu cymell. Mae ei sylwebaeth gymdeithasol yn cael ei ysgogi gan werthoedd crefyddol megis cyfiawnder, euogrwydd, cymod, tosturi. Dyna'r cerddi sy'n dangos cryfder y teimlad y tu ôl i'r bleidlais dros ddatganoli yn 1997. Erbyn 2001, dyddiad cyhoeddi *Cadwyni Rhyddid*, mae'r wleidyddiaeth newydd yng Nghymru yn ysgogi math newydd o ganu gan Grahame Davies yn ogystal. Oes, mae yn ei gerddi ddadrith nad yw'r gwyrthiau'n digwydd yn ddigon sydyn i arbed dirywiad pellach, ond y mae ynddynt hefyd siom fod y broses o ddatganoli o Lundain yn arwain at ganoli yng Nghaerdydd. Symudodd llawer o'r delfrydwyr cynnar o'r Cymoedd ac o'r ardaloedd Cymraeg i fyw mewn rhannau ffasiynol o Gaerdydd. Newidiodd gwleidyddiaeth Cymru eto a thra bo cyffyrddiadau dychanol yn y cerddi diweddar hyn, mae'r tristwch a'r tosturi'n gryfach ynddynt. Fel y dywed Grahame Davies amdano'i hun ('Rhyddid'):

Golygfa Pedwar: Hen warws a addaswyd yn siop hen bethau

Mae'n gyflwr cyffredin, mi wn;
yn y ddinas *déracine*,
bod rhai a gefnodd ar gymuned
am gyflog, am gyfleoedd,
yn trefnu rhyw du-fewn tyddynnaidd
i'w cartrefi dau-gan-mil-o-bunnoedd,
fel pe bai'r ceginau pren,
y bathiau Fictorianaidd ffug,
rywsut yn costrelu, fel creiriau crefyddol,
werthoedd gwirionedd coll.

A rwyf i 'run fath . . .

Mae bywyd dinesydd o Gymro yn ei flino yn aml, ond mae hefyd yn medru darlunio rhai o'r mân flinderau hyn yn ddychanol-ddoniol dros ben o'u cyfosod â phroblemau gwirioneddol pobloedd difreintiedig Cymru a'r byd. Llun crefftus ar wal swbwrbia yw dioddefaint merch fach o Rwmania bellach; y pethau 'pwysig' sy'n codi'r felan ymysg dosbarth canol y ddinas yw ('Blues Pontcanna'):

> Dim byrddau yn *Les Gallois* ar ôl saith.
> Baglais dros ddyn digartref yn y stryd.
> 'Dyw 'nynes llnau i ddim yn medru'r iaith.
> Mae *blues* Pontcanna yn diflasu 'myd.

Gonestrwydd sydd yma yn hytrach na chwerwder. Aflonyddu, cadw'r cof pam fod angen newid y mae. Ac er bod ambell grafiad yn ei ganu, mae'r ffydd, gobaith a chariad yn amlwg hefyd. Mae'n edrych yn ôl ar hanes Cymru yn arddull sylwebydd gêm bêl-droed mewn un gerdd, gan gyfaddef inni gael mileniwm cyntaf digon gwael ('Hanner Amser, y Flwyddyn 2000'):

> Yr unig beth a'n cadwodd ni yn y gêm
> oedd gwaith caled William Morgan yng nghanol cae,
> ac wedyn ymosodiadau Gwynfor lawr yr asgell chwith,
> a Saunders lawr yr asgell dde, yn rhoi'r cyfle i Big Ron gael
> yr equaliser arall 'na jyst cyn hanner amser.
> Trueni iddo gael ei hel o'r cae yn syth wedyn.

Ond mae'n edrych ymlaen tua'r dyfodol:

> Yn yr ail hanner, hoffwn ein gweld ni'n chwarae gyda mwy o hyder.
> As os oes angen, hoffwn i weld Arthur yn dod *off* y fainc.
> Doedd y mil o flynyddoedd cynta' 'na ddim yn rhai da i ni.
> Ond mae'n rhaid cofio:
> mae'n gêm o ddau fileniwm,
> a'r tro hwn, rhaid i *ni* fynd ar y blaen.

GRAHAME DAVIES

STUDIO 4 CERDD

UNFFURF
Adennill Tir, Cyhoeddiadau Barddas, 1997, tud. 29

Cyflwyniad gan Grahame Davies

Un o swyddogaethau gohebydd papur newydd yw mynychu pob math o ddigwyddiadau cyhoeddus: cyfarfodydd cyngor, achosion llys, ac agoriadau swyddogol gwahanol fentrau. Bûm yn ohebydd ar y *Merthyr Express* o 1985 tan 1988, ac ar y *South Wales Echo* ym Merthyr o 1988 tan 1990. Dyna bum mlynedd o ymwneud â chymunedau'r Cymoedd mewn modd dwys iawn, gan gwrdd â'u trigolion mewn pob math o amgylchiadau dwys a digri. Ymgais i ddangos un o'r adegau mwy digri yw 'Unffurf'.

Yn ystod fy amser ar yr *Express*, bûm yn dyst i'r digwyddiad a ddisgrifir yn y gerdd: yn wir, y fi oedd un o'r Daviesiaid dan sylw. Adeg cyhoeddi agor y ffatri ddeunyddiau electroneg Aiwa yn ardal Crymlin ger y Coed Duon oedd hi. Fe ddigwyddodd yn union fel y'i ceir yn y gerdd, ac eithrio'r ffaith mai *pedwar* Davies oedd yn y cyfarfod go-iawn. Meddyliais y byddai'r gwirionedd yn rhy anghredadwy ar gyfer y gerdd!

Wrth geisio ail-greu'r profiad yn y gerdd, rhaid oedd rywsut gyfleu naws yr anghysur a'r anghynefindra yr oedd pawb yn ei deimlo yn y cyfarfod. Mae llinellau hirion a brawddegau estynedig yn y paragraff cyntaf a'r olaf, lle mae llais sydd yn debyg i lais y bardd ei hun yn cyflwyno ac yn cloi'r gerdd gyda sylwadau o naws 'nodyn gan yr awdur'. Ond fframio'r digwydd yng nghanol y gerdd y mae'r paragraffau yna; hanfod y gerdd yw'r ail-gread o'r cyfarfod, ac er mwyn cyfleu'r stiffrwydd, defnyddir llinellau a brawddegau byrion, ac fe symudir ambell dro i'r presennol dramatig er mwyn tynnu'r darllenydd i mewn i'r profiad – effaith sydd yn angenrheidiol os yw ergyd y gerdd yn mynd i daro. Sylwer hefyd ar yr oedi bwriadol, drwy ddefnyddio'r sylw *in parenthesis*, cyn cyflwyno'r ergyd, sef y trydydd Davies.

Er mai codi gwên oedd yr amcan, fe geir rhai agweddau mwy dwys fel cefndir i'r gerdd. Sonnir pa mor ddiarffordd yw'r cwm, ac os achubir cannoedd o'r ciwiau dôl gan y ffatri newydd, yna afraid dweud mai digon llwm yw amgylchiadau llawer o drigolion y fro hon. Ond yn y bôn, procio a chwarae gyda disgwyliadau diwylliannol y mae'r gerdd, gan ddangos bod y

Cymry fel cenedl yn ddigon o ryfeddod eu hunain.

Gair am air

diarffordd	pell o bob man
etiquette	arferiad, moesgarwch, steil o ymddwyn
catecism	rheolau pendant
dirnad	deall ystyr, teimlo
annirnadwy	amhosibl ei ddeall

Sylwi ac ystyried

1. Mae hen ffiniau economaidd y byd yn prysur ddiflannu – dyddiau'r farchnad fyd-eang a'r arian sengl yw hi bellach. Mae cwmnïau'n sefydlu ffatrïoedd, hyfforddi gweithlu a symud eto yn ôl gwahanol ffactorau economaidd. Ond er mai'r arian sy'n rheoli, mae gan y gwahanol ddiwylliannau sy'n cyfarfod eu rhan yn y gweithgareddau o hyd. Dyna'r llwyfan ar gyfer y ddrama fach yn y gerdd hon.

Y Siapaneaid drwy lygaid Cymry'r Cymoedd a geir ar ddechrau'r gerdd. Mae dysgu sut i blesio'r ymwelwyr yn rhan o'r pecyn economaidd bellach ac mae rhestr barod ar agenda'r cyfarfod, fel petai. Pa sylwadau tu ôl i lawes yn y gerdd sy'n bradychu rhagfarnau tuag at arferion sy'n wahanol i'n rhai ni? Y trobwynt yn y gerdd yw'r geiriau 'gyda'u henwau a swniai mor debyg i'w gilydd'. Eir ymlaen i gyflwyno enwau'r Cymry, sydd yn *union yr un fath* â'i gilydd, gan awgrymu bod rhaid inni edrych o'r tu allan er mwyn gweld ein hunain weithiau.

2. Mae teimlad o chwithdod 'y cyfarfod bach stiff' drwy'r llinellau. Mae'r dewis o eiriau a'r disgrifiadau yn creu golygfa o wynebau ansicr yn ceisio gwneud y peth iawn, heb fedru ymlacio yng nghwmni'i gilydd. Sylwch fel mae'r gynghanedd lusg yn cloffi'r cyflwyniad yn y llinell gyntaf: 'unffurf o ffurfiol'. Mae'r cwm yn 'ddiarffordd', y defodau yn 'ddieithr'. Pa eiriau eraill sy'n creu argraff o chwithdod?

3. Chwerthin a chrio sy'n ein gwneud yn bobol – ac yn sicr mae apêl at hiwmor yn y gerdd hon. Chwerthin am ben pwy y mae'r gerdd mewn gwirionedd? Pa werth sydd i hynny?

COCH
Cadwyni Rhyddid, Cyhoeddiadau Barddas, tud. 22

Cyflwyniad gan Grahame Davies

Digwyddiad go-iawn arall a geir yn y gerdd hon, ond mae ei chefndir cymdeithasol yn dra gwahanol i 'Unffurf'. Bellach, mae dros ddeng mlynedd wedi mynd heibio ers yr Wythdegau Thatcheraidd, ac ers 1996 rwyf wedi byw yng Nghaerdydd yn ardal Pontcanna – ardal a gysylltir gyda Chymry Cymraeg da-eu-byd y cyfryngau. Fe nodweddwyd cymdeithas Merthyr gan ei gwerthoedd dosbarth gweithiol oedd yn gydnaws â nghefndir a'm cyneddfau personol i. Dipyn o sioc, felly, oedd imi fy nghael fy hun yn sydyn yng nghanol cymdeithas gymreiciach na'r Cymoedd o ran ei hiaith ond llawer mwy cosmopolitaidd a dosbarth canol o ran ei gwerthoedd. Daw fy ngwraig o Gwm Rhymni, lle bu ei thad-cu yn Gomiwnydd blaenllaw. Ef a roddodd iddi'r cerflun o Lenin a dderbyniodd yn rhodd gan yr Undeb Sofietaidd ac sydd bellach yn syllu i lawr ar aelwyd gyfforddus ddinesig Gymraeg.

Y sioc ddiwylliannol yma sy'n cymell llawer iawn o gerddi *Cadwyni Rhyddid*; rwyf hefyd yn arddangos ansicrwydd ynglŷn â sut i ymateb i'm hamgylchiadau newydd, ac yn dangos elfen sylweddol o euogrwydd o'm cael fy hun mewn sefyllfa gymharol lewyrchus. Diau fod yr anesmwythyd hwn yn brofiad cyffredin i nifer cynyddol o bobol ar ddechrau'r unfed ganrif ar hugain, wrth iddynt heidio o'r broydd Cymraeg i Gaerdydd er mwyn bachu'r cyfleoedd niferus sy'n cael eu creu yn y brifddinas ddatganoledig. Y man cyffwrdd hwn rhwng gwahanol ddisgwyliadau yw prif thema *Cadwyni Rhyddid*: gwrthdaro rhwng gwerthoedd dosbarth gweithiol a rhai'r dosbarth canol; rhwng gwerthoedd unigryw Gymreig a rhai cosmopolitaidd; rhwng gwerthoedd gwledig a rhai dinesig; ac yn fwyaf oll, rhwng gwerthoedd crefyddol a rhai materol.

Yn 'Coch', defnyddir yr enwau tramor ar y bwydydd yn fwriadol er mwyn dangos mor eang yw adnoddau diwylliannol y ferch dan sylw. Nid yw cymreictod bellach yn rhywbeth a dderbynir fel cynhysgaeth naturiol bro, mae'n un dewis ymhlith degau o hunaniaethau eraill. Mae arferion cymdeithasol y dosbarth gweithiol a gynrychiolid gan y tad-cu hefyd wedi eu disodli gan rai dosbarth canol. Yng nghanol ansicrwydd a newidiadau felly, mae 'Coch' yn ceisio pwysleisio'r gwerthoedd sylfaenol o gyfiawnder cymdeithasol sydd yn cysylltu'r Comiwnydd o'r Cymoedd a'r genedlaetholwraig ddinesig, gan fod y gwerthoedd hynny yn ganllaw sicr i'r unigolyn ac i gymdeithas, beth bynnag fo amgylchiadau allanol y gymdeithas honno.

Gair am air

feta	caws Groegaidd
ciabatta	bara Eidalaidd
antipasti	dechreufwydydd Eidalaidd; hors d'oeuvres
baguette	bara hir Ffrengig
CF Un	côd post rhan arbennig o Gaerdydd – Treganna/Pontcanna (lle mae llawer o'r Cymry Cymraeg ifanc sy'n gweithio yn y cyfryngau ac i gyrff eraill yn y brifddinas yn byw)
Sofietaidd	yn perthyn i wladwriaeth gomiwnyddol 'Rwsia' a sefydlwyd ar ôl y chwyldro yn 1917
rhecsyn lleol	gair amharchus am y papur newyddion lleol
gwyrdd	lliw cenedlaetholdeb Cymru

Sylwi ac ystyried

1. Geiriau sy'n ysgogi cerddi, nid syniadau, ac mae'n amlwg mai cael gafael ar y gair 'coch' oedd man cychwyn y gerdd hon i'r bardd. Beth yw cysylltiadau'r gair a sut mae'r bardd yn defnyddio'r rheiny? Fedrwch chi daro ar enghreifftiau eraill o eiriau â dau ystyr iddyn nhw yng ngherddi Grahame Davies?

2. Mae naws ryngwladol i'r wledd fys a bawd sydd wedi'i arlwyo ar gyfer mynychwyr y cyfarfod. 'Workers of the world, unite!' oedd cri ryngwladol y gweithwyr ddwy genhedlaeth yn ôl. Gwleidyddiaeth ryngwladol oedd ar fwrdd y tad-cu; danteithion rhyngwladol sydd ar fwrdd yr wyres.

Ond yn ogystal â gwrthgyferbyniad, mae yma ragarwydd o'r cyd-deithio a fynegir yn y pennill olaf. Wedi'r cyfan, 'trafod achub Cymru' a wneir yn y cyfarfod ym Mhontcanna – ac mae elfen ryngwladol i'r ymdrech honno hefyd. Oes yma gydymdeimlad yn ogystal â dychan chwareus?

3. Mae Grahame Davies yn defnyddio mesur ac odl yn aml wrth ddod ag elfen o finiogrwydd i'w ganu. Cymharer y gerdd hon â 'Cadwyni Rhyddid', 'Blues Pontcanna' a 'Newid Byd'. Mae mydr ac odl yn medru swnio'n fwy slic ac mae'r ergyd yn gadarnach yn aml nag ydyw ar vers-libre. Ystyriwch y dechneg yn y penillion hyn, lle mae'r mydr a'r odl yn cael eu defnyddio i amseru a chyflwyno'r ddyrnod yn ofalus:

Rwyt ti'n 'nabod Cerys Mathews; rwyt ti'n 'nabod Dafydd Êl,

ac ambell uwch-gyfryngi fu – unwaith – yn y jêl;
ond ni wyddost ddim am hanes na thras dy ddynes llnau,
am nad oes gan Dreganna ddiddordeb yn Nhrelái.

('Cadwyni Rhyddid')

Rwy'n gweld eu heisiau'n aml erbyn heddiw,
y pethau a fu imi'n ffordd o fyw,
cyn ennill arian mawr – a cholli acen,
cyn newid byd, cyn galw secs yn rhyw.   ('Newid Byd')

Mi alwodd rhywun 'yuppie' ar fy ôl i,
wrth ddod yn ôl o'r deli gyda'r gwin;
rwy'n methu ffeindio'r fowlen guacamole,
ac nawr rwy'n ofni y bydd fy ffrindiau'n flin.
Anghofion nhw fy nghredit ar y sgrîn.
Does neb yn gwybod fy nhrafferthion i gyd,
does neb i 'nghanmol heblaw fi fy hun.
Mae blues Pontcanna yn diflasu 'myd.   ('Blues Pontcanna')

WYDDEN NI DDIM
Cadwyni Rhyddid, Cyhoeddiadau Barddas, tud. 32

Cyflwyniad gan Grahame Davies

Mae'r euogrwydd a deimlir yn 'Coch' uchod i'w weld ar ei gryfaf yn y gerdd hon, sy'n defnyddio mewn modd estynedig yr arddull rethregol a geir mewn nifer o fy ngherddi. Nid procio cymaint â chystwyo a geir yma, wrth ddefnyddio un o feini prawf moesol pwysica'r Byd Gorllewinol, sef yr Holocost, er mwyn herio gwerthoedd y byd cyfoes.

Ar ôl i erchyllterau hil-laddiad y Natsïaid yn erbyn yr Iddewon gael eu dinoethi ar ddiwedd yr Ail Ryfel Byd, teimlwyd bod eithafion drygioni'r natur ddynol wedi eu mynegi o'r diwedd, ac fe unodd pawb i'w ffieiddio a'i wfftio. Ond fel yr âi'r degawdau heibio, gymaint fu'r pwyslais ar osgoi ac ar gondemnio rhagfarn hiliol fel bod modd dadlau y bu tuedd mewn rhai pobl i'w ystyried fel yr *unig* bechod gwerth poeni amdano; dychenir hyn yn y gerdd 'Rhinwedd', lle darlunir un o Gymry Pontcanna y mae ei fywyd cyffordddus yn un rhestr o ffaeleddau moesol, ond sy'n cysuro'i hun nad yw'n euog o'r pechod gwaethaf – yn ôl ei gyfundrefn gwerthoedd ef – sef rhagfarn hiliol.

Apelio at yr hunan-gyfiawnder tybiedig hwn y mae rhan gyntaf 'Wydden ni Ddim', sy'n dinoethi i ddirmyg gwybodus y gynulleidfa yr esgusodion pitw ac anghredadwy a gynigid gan yr Almaenwyr a fethodd ag atal yr Holocost. Ond ar ôl bodloni'r dicllonedd cyfiawn rhwydd hwn, mae'r gerdd yn troi ar echel y geiriau 'Cwestiwn da', ac o'r pwynt hwn ymlaen, y mae'n gofyn i'r gymdeithas gyfoes yr un cwestiynau anodd ag a ofynnid am yr Almaenwyr. Yng Nghymru ar droad yr unfed ganrif ar hugain, mae rhagfarn hiliol – pechod yr oedd gofyn arwriaeth i'w wrthwynebu yn Almaen y 30au a'r 40au – bellach yn beth cymharol hawdd ymwrthod ag ef mewn cymdeithas lewyrchus, ryddfrydol ac aml-ddiwylliannol. Ond beth, felly, am ryw ddrwg cyfoes y mae gofyn arwriaeth i'w wrthsefyll, fel y fateroliaeth a'r gyfalafiaeth rhemp sy'n nodweddu ein cymdeithas ni ac sy'n seiliedig i raddau sylweddol ar reibio tlodion y Trydydd Byd? Ble mae'n dicllonedd cyfiawn nawr, os gofynnir inni herio gwerthoedd sylfaenol ein cymdeithas? Ble mae'n hunan-gyfiawnder? Ble mae'n parodrwydd i aberthu? Ble, bellach, mae'n cydwybod?

Gair am air

heimat	mamwlad; gwlad frodorol (gair Almaeneg)
Reich	y wladwriaeth Almaenaidd yng nghyfnod yr Ail Ryfel Byd; cyfeirir ati fel arfer fel y Trydydd Reich (y gyfundrefn Natsïaidd)
Aryaid	hil Almaenig, Diwtonig sef y genedl groenwyn o bennau golau, llygaid gleision a gysylltir â'r Almaen
Cohen, Abraham, Rosenberg	cyfenwau Iddewig
Schindler, Eichmann	cyfenwau Almaenig (Oskar Schindler yn Almaenwr a achubodd gannoedd o Iddewon; Eichmann yn un o benseiri'r Holocost)
anfadrwydd	erchylltra, ysgelerder, drygioni mawr
gefynnau	hulalau, cadwyni, hand-cyffs
llindagu	tagu, mygu, mogi
usuriaeth	benthyca arian o log afresymol o uchel

Sylwi ac ystyried
1. Dywed y cyflwyniad mewn italig o dan deitl y gerdd ei bod wedi'i

chyfansoddi i gefnogi ymgyrch arbennig. 'Dduw mawr! Fe droes y bardd yn bamffletîr' oedd ochenaid R. Williams Parry gan waredu at duedd ymysg beirdd ifanc ei gyfnod i godi eu lleisiau yn eu cerddi dros anghyfiawnderau'r werin. 'Ni ddring [y bardd] i bulpudau'r oes', meddai mewn soned arall, 'Ni saif ar ei focs yng nglaswellt Parc y Penboethyn', gan awgrymu mai canu ei weledigaeth ei hun yn hytrach na glynnu at ddogma plaid neu faniffesto mudiad y mae.

Sut y byddai cerdd fel hon yn apelio at R. Williams Parry tybed? A fyddai'n croesi'r trothwy o fod yn ddarn o gelfyddyd i fod yn bropaganda noeth? Beth sy'n arbed y gerdd rhag troi'n bregeth?

2. Gwneir defnydd o eiriau propaganda yn y gerdd – mynd i'w 'hailsefydlu' yr oedd yr Iddewon, yn ôl datganiadau'r Natsïaid; 'datrys' y broblem oedd yr enw ar eu diflaniad. Bob tro y bydd gwladwriaeth neu fudiad arbennig yn ceisio lliwio barn y cyhoedd, bydd yn dyfeisio termau a defnyddio geiriau mewn ffordd arbennig er mwyn celu'r gwirionedd; mae bardd hefyd yn dyfeisio a defnyddio geiriau er mwyn dylanwadu mewn ffordd arbennig. Fedrwch chi daro ar enghreifftiau eraill o hynny yn y gerdd hon?

3. Dadl y 'ni' yn rhan gyntaf y gerdd yw ei bod yn anodd credu'r bobol gyffredin a honnai na wyddent beth oedd yn digwydd, wrth dystio i ddiflaniad 'cyn-gymdogion':

> a ffieidd-dra'n ffrydio heb 'run gair croes
> o bosteri, o'r wasg, o'r sinemâu.

Rydym 'ni' yn gallu edrych yn ôl ar yr hanes yn hunangyfiawn a gofyn 'Be wnaethoch chi i'w atal?' Dyna farn ddisgwyliedig y dorf.

Yna, mae'r bardd yn troi'r pwnc ar ei ben. Mae'n mynnu ein haflonyddu 'ni' drwy droi'r un cyhuddiadau yn erbyn Almaenwyr cyfnod y Rhyfel at Orllewinwyr heddiw. Cawn yr esgusodion cyfarwydd dros fethu â gwneud dim dros ddioddefaint y Trydydd Byd ac mae rhoi'r ddau gyfnod yn gyfochrog â'i gilydd yn ein hanesmwytho. Dyma'r brathiad yng nghynffon y sgorpion. Mae'n gerdd wleidyddol iawn, ond mae'n gwrthod cyfaddawdu â gwleidyddiaeth y byd. Mae'n mynnu rhoi pobl o flaen llywodraethau ac arian. Ar ba ochr y mae'n ei roi ei hun yn y ddadl hon, yn eich barn chi?

MARW

Adennill Tir, Cyhoeddiadau Barddas, tud. 61

Cyflwyniad gan Grahame Davies

Perthyn i'r gorffennol y mae crefydd ac ieithwedd crefydd i'r rhan fwyaf o'r bobol yng Nghymru ers tro. Ond os yw crefydd gyfundrefnol ar drai, parhau y mae llawer o'r cwestiynau y mae crefydd wedi ceisio eu hateb, ac yn arbennig felly, y cwestiwn o farwolaeth. Ymwneud â her oesol y dirgelwch eithaf hwn yr wyf yma drwy ddefnyddio trosiad estynedig o fyd y dechnoleg fodern, bûm yn delio ag ef yn llawn-amser ers blynyddoedd.

Fel gyda 'Coch' ac 'Unffurf', dyma fan cyffwrdd dau fyd gyda gwerthoedd gwahanol iawn: mae byd technoleg yn ymddangos yn wrthrychol, yn wyddonol ac yn ddi-emosiwn, tra bod byd crefydd yn ymddangos yn oddrychol, yn annelwig ac yn bersonol. Ond nid gwrthgyferbynu'n syml yw'r nod; yn hytrach, rwy'n canfod yn egwyddorion y dechnoleg newydd gymariaethau gydag egwyddorion y bywyd ysbrydol fel y'u dehonglir gan grefydd draddodiadol. Mae i'r cymariaethau hynny agweddau cysurlon sydd fel petaent yn dilysu'r gred draddodiadol mewn Duw trosgynnol. Ond mae iddynt agweddau tywyllach hefyd, ac er i'm rheswm i, a'm synnwyr o gyfiawnder efallai, ymgroesi rhag y syniad anhygoel o uffern, eto, ni allaf ymysgwyd â'r ofn y gall fod yn wir. Nid yw gwyddoniaeth wedi llwyddo i ateb cwestiynau na lleddfu'r ofnau; nid yw ond wedi rhoi ieithwedd newydd imi drafod y materion hyn.

Mewn cyfweliad gyda *Golwg* adeg cyhoeddi *Cadwyni Rhyddid,* disgrifiais fy hun fel pesimist o reddf ac optimist o ddyletswydd. Er gwaethaf ysgafnder llawer o fy ngherddi, sefyllfaoedd o dyndra, o ansicrwydd ac o ymdrech sydd yn ysgogi llawer iawn ohonynt. Hyd yn oed gyda rhyddid holl adnoddau'r byd technolegol modern ar flaenau ei fysedd, i ba raddau y mae'r unigolyn wedi ei gyflyru, neu ei raglennu gan ei gefndir personol, ei hanes diwylliannol a'i bersonoliaeth?

Gair am air

limbo	rhwng byw a marw; cyflwr rhwng dau fodolaeth yn disgwyl am y ddedfryd derfynol
Sheol	is-fyd yr Iddewon; byd y meirwon
Lasarus	gŵr a atgyfodwyd o'r marw yn fyw yn y Testament Newydd
merwino	cnoi, llosi, ysu

GRAHAME DAVIES

Sylwi ac ystyried

1. Cyd-destun cyfrifiadurol cyfoes sydd i'r gerdd hon, ac mae dylanwad hynny'n amlwg iawn ar y dewis o eirfa. Mae gwrando ar y gerdd fel gwrando ar ddyfyniad o lawlyfr termau. Rhestrwch yr enwau, yr ansoddeiriau a'r berfau technegol hynny.

Ond mae geirfa arall o faes gwahanol yn plethu drwy'r rhain, weithiau'n hollol gyfochrog. Geirfa grefyddol yw honno: tragwyddoldeb, atgyfodi, Sheol, Lasarus, dwyfol, gobaith, annwfn, ffydd, uffern.

Mae'n amlwg fod 'marw' yng nghyd-destun cyfrifiaduron wedi ysgogi'r bardd i ystyried agweddau crefyddol y gair. Mae'r ysbrydol a'r materol yn dod yn un neu ambell air – fel yn y defnydd modern o'r gair 'marw'. Geiriau eraill sy'n perthyn i'r un dosbarth sydd hefyd yn ymddangos yn y gerdd yw *gorchymyn, ffaeledig, colledigaeth dragwyddol.* Mae cyd-blethiad y geiriau yn arwain y bardd at ystyried a thrafod cyd-blethiad y syniadaeth y tu cefn iddynt.

2. Mae cryn bwysau i'w deimlo yn y llinellau hyn:

Ni welais y lle erioed –
annwfn y ffeiliau ffaeledig –
ond derfyniaf y stori mewn ffydd.

Pe cyfnewidid y gair 'ffeiliau' am 'eneidiau', byddai'r ystyr yn gyfangwbl grefyddol. Eisoes, mae'r dweud yn awgrymu'r haen honno o feddwl yn gryf iawn. Ym myd ein cyfrifiaduron modern, does fawr ohonom yn honni deall sut maen nhw'n gweithio – dim ond ein bod yn gyfarwydd â sut i gael gwaith allan o'u siliconau rywfodd neu'i gilydd. Derbyniwn eu cyfrinach 'mewn ffydd', medd y bardd, heb weld, heb ddeall y cyfan. Ond mae'r awgrym yn gryf nad felly'r ydym yn ystyried cyfrinachau bywyd – heb brawf, heb weld, nid ydym yn fodlon derbyn dogma grefyddol.

3. A yw'r bardd yn derbyn cysur o'r stad 'farw – gyfrifiadurol' nad yw'n farw go-iawn ar ddechrau'r gerdd? Gallwn dybio ei fod gan fod pob 'neges a ddilewyd', 'pob hanes a ollyngwyd' yn cael ei chadw yn rhywle ar y ddisg galed. Mae modd eu hatgyfodi, hyd yn oed – a dyna gyffwrdd â'r gobaith crefyddol. Dyna'r syniad sy'n ei gysuro: 'ei bod yn amhosib colli dim ohonom'. Nid ydym yn marw.

Ond wrth feddwl yn ddyfnach ar hyd y llwybrau hyn, mae'n cael ei anesmwytho. Disgrifiwch ei ymateb a'r hyn mae'n ei wynebu.

Mae'r gerdd yn cloi drwy sôn am yr ofnau sylfaenol hynny, boed neu ofergoel, gan ddefnyddio termau technoleg fodern. Heddiw, yng nghanol ein clyfrwch cyfrifiadurol, fedrwn ni fyth ddianc rhag yr ansicrwydd cyntefig sydd wedi'i wreiddio yn nyfnder ein bodolaeth. Ai dyna sy'n cael ei fynegi yn y cydblethiad hwnnw?

Dyfyniadau am GRAHAME DAVIES

Dychanwr heb ei ail.

John Gruffydd Jones

Gall weld drwy dwyll a ffalster y bywyd dinesig, cyfryngol yn well na neb, ac mae'n ddeifiol yn ei weledigaeth o wacter y bywyd dinesig . . . mae gan y bardd hwn ddigon o feistrolaeth ar iaith i aflonyddu arnom, ac i gyrraedd at wraidd yr enaid.

Alan Llwyd

Ceir yma fyd-olwg newydd ar ein bywydau bob dydd ac mae'n orlwythog o ddelweddau ac ymadroddion cofiadwy.

Menna Elfyn

Mae ganddo ddawn dweud anhygoel. Nid oes un gerdd yn y gyfrol bron nad yw'n cynnwys brawddegau gwirioneddol dreiddgar a chlyfar.

Meirion MacIntyre Huws
(yr uchod i gyd o feirniadaethau'r Eisteddfod Genedlaethol)

. . . dyma ganu cymdeithasol-wleidyddol hollol wyneb agored o gymharu, ac mae hynny hefyd, yn ei ffordd ei hun, y dipyn o sioc o ryfeddod. Hynny yw, bu rhywfaint o adwaith – anorfod a dealladwy – i gerddi cenedlatholaidd y 1960au a'r 1970au, cerddi am is-etholiad Caerfyrddin, yr Arwisgiad, ymgyrchoedd Cymdeithas yr Iaith, cerddi a wisgai'r Achos ar eu llawes. Aethpwyd i amau'r uniongyrchol a'r amlwg: oni swniai'n fwyfwy treuliedig, yn rhy hawdd a rhagweladwy? Yr hyn a gafwyd i raddau helaeth yng ngherddi'r 1980au a'r 1990au, nid yn lle ymrwymedigaeth yn gymaint ag ymrwymedigaeth dryloyw, oedd defnydd o danosodiad, islais ac isdestun. Ond tystiolaeth y gyfrol hon yw nad oes ar Grahame Davies ddim ofn canu am anghyfiawnder a rhagrith cymdeithasol yn gwbl wyneb-agored. Ar ôl cyfnod o beth distawrwydd o ran y math hwn o ganu, daw ei ddull fel chwa o awyr iach.

'Cydwybod yn y Ddinas', adolygiad Gerwyn Williams o *Cadwyni Rhyddid*,
Taliesin, Cyfrol 113, Hydref 2001.

Dyma fardd cyfoes dychanol, bardd sicr ei drawiad a chanddo lawer iawn o hiwmor brathog. Apeliodd y cerddi hyn yn fawr ataf, am eu bod yn treiddio y tu hwnt i'r croen a'r cnawd at yr asgwrn. Mae'n ddeifiol o ddychanol ar adegau.

Alan Llwyd, Beirniadaeth y Goron, *Cyfansoddiadau a Beirniadaethau Eisteddfod Genedlaethol Bro Ogwr*, 1998

Cynddaredd, eironi a dadrithiad sydd yma wrth weld a theimlo'i gwmwd diwydiannol yn ymddatod, diwylliant aliwn a dieithrwch iaith yn dibersonoli ac yn llwydo'r lle. Mae yma ffresni llygadog a delweddau sy'n glynu yn y cof ...
... Dyma lais newydd. Nid yw heb ei gyffyrddiadau rhyddieithol ac fe droes ar brydiau yn bamffletîr! Ond diolch wna' i am y tân yn ei fol ac am oleuni a rhyferthwy ei fflam. Heb sôn am ddisgleirdeb ei ddarluniau.

Gwyn Erfyl, adolygiad o 'Adennill Tir', *Llais Llyfrau*, Rhifyn 4/97, Gaeaf 1997

Mae'r iaith yn braf a rhwydd i'w darllen heb fod yn wastraffus a ffwrdd-â-hi.

Meirion MacIntyre Huws, adolygiad o 'Adennill Tir', *Cristion*, Ionawr/Chwefror 1998

Hyd yn oed mewn rhyddid ceir cadwyni o wahanol fathau. Mae llawer o'r cerddi hyn yn rhybudd i'r Cymry Cymraeg rhag iddynt anghofio am eraill sy'n mwynhau llai o ryddid na hwy. Prif gyfrwng y rhybudd hwn yw dychan, a phrif darged y bardd yw'r dosbarth canol ffyniannus yng Nghaerdydd. Carfan hawdd gwneud hwyl am ei phen efallai, ond nid rhyw 'nhw' dirmygedig yw'r garfan hon i'r bardd, ond yn hytrach 'ni'. Mae yma lawer mwy na rhyw elyniaeth naïf tuag at y ddinas. Dyma fardd sydd yn cynnwys ef ei hun yn y dychan a cheir ganddo gerddi rhyfeddol o sylwgar ar fywyd y brifddinas, ei ragoriaethau a'i wendidau. O'r tu mewn y daw'r dychan yma, gan un sy'n hollol gyfarwydd â byd y *cappuccino* mewn caffi ar y stryd; byd y *couscous* a'r *feng shui*; byd y *feta*, y *ciabatta* a'r *objet d'art*. Angst dosbarth canol sydd yma efallai, ond o leiaf angst sy'n cydnabod ei fod yn angst dosbarth canol.

'Bardd Treganna', Dylan Foster Evans yn adolygu *Cadwyni Rhyddid* yn *Barn*, rhif 464, Medi 2001

GRAHAME DAVIES

Dyfyniadau gan GRAHAME DAVIES

Cymry Cymraeg yw fy rhieni, yn hanu o'r un pentref, Coed-poeth, lle mae'n perthnasau, Cymry Cymraeg i gyd, yn byw. Ond erbyn i mi gael fy ngeni yn y 60au, yr oedd y Gymraeg yn dechrau colli tir yn y pentref, ac yr oedd nifer o bobol o genhedlaeth fy rhieni wedi dechrau peidio â throsglwyddo'r iaith i'w plant. Yr oedd fy rhieni wedi treulio cyfnodau yn Lloegr tra oeddynt yn blant, ac yr oedd hyn wedi effeithio ar eu hyder fel siaradwyr Cymraeg ac ar eu parodrwydd i ddefnyddio'r iaith ar yr aelwyd. Serch hynny, trwy groen fy nannedd, fe gefais yr iaith gan mai fy nwy nain a edrychai ar fy ôl tra oedd fy mam yn y gwaith, a Chymraeg oedd yr iaith a siaradent â mi. Erbyn imi fynd i ysgol y pentref – i'r ffrwd Saesneg, nid yr un Gymraeg – yr oedd digon o Gymraeg gennyf imi fedru deall y gwasanaethau dwyieithog a gynhelid bob bore. Wedyn, pan oeddwn yn rhyw wyth oed, fe symudais i'r ysgol Gymraeg newydd, Ysgol Bryn Tabor, a oedd wedi agor yn y pentref. Nid rhesymau ieithyddol oedd y tu ôl i'r penderfyniad, ond rhai ymarferol – yr oeddwn yn cael fy mwlio yn yr ysgol arall gan fy mod yn llyfrbryf bach oedd yn gwisgo sbectol. Meddyliodd fy rhieni y byddai'n well arnaf mewn ysgol fach, er y byddai hynny'n golygu newid iaith. Roedden nhw'n iawn. Yn Ysgol Bryn Tabor, gyda Dewi Humphries yn brifathro, fe brofais rai o ddyddiau dedwyddaf fy mywyd, ac roeddwn yn hyderus yn y Gymraeg o fewn wythnosau.

> 'Adennill Tir', Grahame Davies, *Merthyr a Thaf*, Cyfres y Cymoedd,
> gol. Hywel Teifi Edwards, Gwasg Gomer, 2001

Un encilgar a fûm erioed, ac i ddathlu gorffen arholiadau fy lefelau A, fy syniad i o amser da oedd mynd ar daith gerdded ar fy mhen fy hun yng ngorllewin yr Alban. Nid oedd gennyf yr un bwriad ysbrydol; fy unig amcan oedd ymgolli yn y llefydd gwyllt, ac, yn neilltuol, ymweld ag Ogof Fingal ar ynys Staffa, gan fy mod wedi darllen amdani yn llythyrau Keats. Er mwyn cyrraedd yno, rhaid oedd mynd ar daith drefnedig a oedd hefyd yn golygu glanio ar ynys sanctaidd Iona ar y ffordd yn ôl o Staffa. Ni wyddwn ac ni faliwn ddim am arwyddocâd Iona fel crud Cristnogaeth yn yr Alban, ac ni thrafferthais fynd draw i weld yr abaty enwog yn ystod y deugain munud a dreuliais ar yr ynys. Ond wrth adael yr ynys, fe ddigwyddodd rhywbeth hynod: cefais brofiad ysbrydol cwbl annisgwyl. Nid af i fanylder mawr ynglŷn â'r profiad, ond bodlonaf ar ddweud ei fod yn enghraifft o ymyrraeth oruwchnaturiol hollol ysgytwol a phendant, ymyrraeth a newidiodd fy mywyd mewn amrantiad ac a'm hamgylchynodd yn syth â phresenoldeb y dwyfol.

Erbyn hyn, mae'n anodd gennyf ddeall sut y gallasai rhywun nad oedd ganddo'r mymryn lleiaf o ddiddordeb mewn Duw cyn hynny fod wedi ei adnabod a'i groesawu mor barod. Mae hefyd yn anodd gennyf gredu nawr sut y bu imi dderbyn digwyddiad mor eithriadol fel pebai'n gwbl normal. Ond yr oedd y profiad mor real, mor naturiol, fel nad oedd yn ymddangos yn rhyfedd o gwbl ar y pryd. Parodd y profiad am ryw dridiau, a thrwy gydol y profiad hwn, fe deimlais lawenydd a rhyddhad a chariad nid yn unig at gyd-ddyn ond at bob manylyn o'r cread. Ar ôl yr ychydig ddyddiau hynny, a minnau erbyn hynny wedi teithio ymhellach i Ucheldir yr Alban, fe ddeffrois ryw noson a'r teimlad wedi fy ngadael.

'Adennill Tir', Grahame Davies, *Merthyr a Thaf*, Cyfres y Cymoedd,
gol. Hywel Teifi Edwards, Gwasg Gomer, 2001

Ymdeimlais â'r gorthrwm dychrynllyd a ddioddefodd y Cymoedd o'u cychwyn cyntaf, ac fe sylweddolais fod effeithiau'r gormes hwnnw, a'r chwerwder a grëwyd ganddo, yn dal i lywio bywyd y cymunedau hynny. Roedd eu hanes wedi creu ym mhobl y Cymoedd y disgwyl mai i'w hecsbloetio y crëwyd hwy. Mater o ecsbloetio adnoddau naturiol oedd diwydiant, busnes a gwaith fel y cyfryw. Yn ôl y meddylfryd hwn, lle cyflogwyr oedd dod i Ferthyr ac wedyn, gan mai ardal o lafur rhad ydoedd, cyflogi niferoedd mawr o bobol ar delerau sâl a thrwy hynny wneud elw mawr; lle'r gweithiwr oedd cwyno am y telerau hynny a'u gwrthsefyll trwy'r undeb cymunedol a grëir mewn adfyd. Yr oedd yn gylch creulon a olygai fod perthynas elyniaethus y cyflogwyr a'r gweithwyr yn y dref yn ailadrodd ei hun o genhedlaeth i genhedlaeth. Wedi cau'r pyllau glo a'r gweithfeydd dur, aed ati i gael cyflogwyr mawr eraill o dramor i'r dref. Ond o ddenu cwmnïau fel Hoover a Thorn, cael eu cyflogi gan gyfalaf estron yr oedd pobl Merthyr o hyd, ac yr oeddynt yn gwbl ddibynnol ar fympwyon a thrugaredd – neu ddiffyg trugaredd –y cwmnïau tramor hynny.

'Adennill Tir', Grahame Davies, *Merthyr a Thaf*, Cyfres y Cymoedd,
gol. Hywel Teifi Edwards, Gwasg Gomer, 2001

GRAHAME DAVIES

Credaf fod profiad y Cymoedd o ormes a thlodi wedi creu ysbryd cymunedol unigryw, a dyna un o 'wynfydau gwendid' sy'n gwneud y lle yn arbennig. Roedd gwerthfawrogi'r cryfderau hyn yn cryfhau'r dicter a deimlwn wedyn wrth weld y gwerthoedd hynny yn cael eu tanseilio, fel y maent yn y dyddiau hyn. Nid tlodi sy'n eu tanseilio bellach, ond cynnydd materol. Nid fy mod yn mynnu y dylai pobl fyw mewn tlodi-tai-teras jyst er mwyn y profiad, fel petai'r gymuned yn rhyw fath o *theme park*. Gwn mai dyhead cwbl ddosbarth-gweithiol ydyw dod ymlaen yn y byd a cheisio mwy o sicrwydd economaidd ac annibyniaeth ariannol. Nid yw hynny'n fy mhoeni; ond nid yw'r ffaith fy mod yn cydnabod hynny yn fy atal rhag teimlo pryder wrth weld yr hen ysbryd cymunedol yn diflannu, ac ysbryd unigolyddol, hunanol ac ariangar yn cymryd ei le, ac nid yw'n fy atal rhag gofyn pa werthoedd a gymer le'r hen rai.

'Adennill Tir', Grahame Davies, *Merthyr a Thaf*, Cyfres y Cymoedd, gol. Hywel Teifi Edwards, Gwasg Gomer, 2001

I mi, mae'r adennill tir yn nheitl y llyfr yn cyfeirio at ddadeni gwleidyddol ac ieithyddol y Cymoedd. Ar adeg ysgrifennu'r llyfr, a gyhoeddwyd ym mis Gorffennaf 1997, dim ond y dadeni ieithyddol a oedd yn amlwg. Ond erbyn mis Medi 1997 roedd y dadeni gwleidyddol wedi ei amlygu ei hun hefyd wrth i'r Cymoedd bleidleisio'n drwm o blaid datganoli, gyda Merthyr yn recordio'r bleidlais 'Ie' gyntaf o holl ardaloedd Cymru ar y noson honno – unwaith eto roedd Merthyr yn dangos y ffordd. Roedd canlyniad y bleidlais yn syndod imi. Er imi ddyheu am adfywiad, ni ddisgwyliais am funud y byddai'r Cymoedd yn profi mor gadarnhaol. Fe'm synnwyd ac fe'm siomwyd ar yr ochr orau gan y cymunedau y tybiais fy mod yn eu hadnabod. Er imi dreulio'r rhan fwyaf o'm bywyd fel oedolyn yn y Cymoedd, sylweddolais mai dim ond o ran yr oeddwn wedi adnabod y lleoedd hynny.

'Adennill Tir', Grahame Davies, *Merthyr a Thaf*, Cyfres y Cymoedd, gol. Hywel Teifi Edwards, Gwasg Gomer, 2001

DARLLEN PELLACH

Adennill Tir, Grahame Davies, Cyhoeddiadau Barddas, 1997
Cadwyni Rhyddid, Grahame Davies, Cyhoeddiadau Barddas, 2001
Sefyll yn y Bwlch, Grahame Davies, Gwasg Prifysgol Cymru, 1999
'Adennill Tir', Grahame Davies, *Merthyr a Thaf*, Cyfres y Cymoedd, gol. Hywel Teifi Edwards, Gwasg Gomer, 2001

BRYAN MARTIN DAVIES BRYAN MARTIN DAVIES
BRYAN MARTIN DAVIES B
B
B
B
B
B
BRYAN MARTIN DAVIES B
BRYAN MARTIN DAVIES BRYAN MARTIN DAVIES

BRYAN MARTIN DAVIES

Ganed Bryan Martin Davies yn 1933 ym Mrynaman, yn fab i löwr o'r pentref a merch o Flaengwynfi. Drwy'r capel a'r ysgol leol, fe gyfranogodd o ddiwylliant barddonol bywiog y fro, a oedd â'r englynwr Gwydderig a'r bardd a'r emynydd Watcyn Wyn ymhlith ei harwyr lleol. Drwy'r Urdd, fe ddaeth yn gyfeillgar gyda meibion y bardd J.M.Edwards ac yn ymwelydd rheolaidd â'i gartref yn y Barri, ac fe ddaeth dan ddylanwad ei foderniaeth ef. Tra oedd yn y coleg yn Aberystwyth, fe ddaeth hefyd i edmygu gwaith dau o'i ddarlithwyr yno, Gwenallt a T.H. Parry-Williams, ac fe ddechreuodd farddoni ei hunan, gan ennill coron yr Eisteddfod Ryng-golegol yn ei flwyddyn olaf, 1955. Ar ôl cyfnod yn y fyddin, yng nghatrawd y North Staffordshire, fe ddaeth i ardal Wrecsam fel athro ysgol, ac yno y treuliodd weddill ei yrfa, gan ymgartrefu yn ardal Rhiwabon gyda'i wraig, Gwenda, a'u dwy ferch.

Daeth i amlygrwydd cenedlaethol fel bardd ym 1970 pan enillodd Eisteddfod Pantyfedwen a'r Eisteddfod Genedlaethol yn ei gwm genedigol, yn Rhydaman, a phan gyhoeddodd *Darluniau ar Gynfas*, ei gyfrol gyntaf. Craidd y gyfrol yw dilyniant buddugol Prifwyl Rhydaman y flwyddyn honno, ac yn y cerddi hyn fe welwn, nid bardd ar ei brifiant, ond un aeddfed ei agweddau a'i adnoddau, beiddgar ei ddelweddau ac eang ei gyfeiriadaeth, wrth iddo ddarlunio gwahanol gymeriadau a golygfeydd y cwm. Darlunio cymdeithas a thirlun yn dirywio a wnâi, gan roi, yn y Gymraeg, un o'r ymdriniaethau estynedig cyntaf o'r Cymoedd ôl-ddiwydiannol. Daeth ei ail gyfrol, *Y Golau Caeth*, yn 1972, yn sgîl ennill coron Prifwyl Bangor yn 1971 gyda dilyniant o'r un enw. Yma fe welwn un o brif ffynonellau delweddau gwaith Bryan Martin, sef ein llên gynnar a'r Mabinogi yn arbennig, wrth iddo ddefnyddio'r dilyniant i ddangos parhad hen gyneddfau a chymhellion y Cymry o'r oesoedd cynnar hyd heddiw.

Yn 1976 cyhoeddwyd ei drydedd gyfrol, *Deuoliaethau*: enw addas pan ystyrir bod ei chynnwys, a luniwyd rhwng 1971 a 1975, yn arddangos fel y bu'r bardd bellach yn byw'n gynyddol rhwng deufyd, gydag ychydig dros hanner cerddi'r llyfr yn ymhél ag atgofion am ardal ei fagwraeth 'i lawr yn Ne fy nghof' ('Llwch'), a'r gweddill, gan gynnwys y dilyniant 'Y Clawdd', yn ymwneud â realaeth gyfoes ardal Wrecsam. Ardal y ffin hefyd a fu'n gefndir i ran sylweddol o'i bedwaredd gyfrol, *Lleoedd*, a gyhoeddwyd yn 1984. Yn rhagair y llyfr, cyfeiria at yr afiechyd a wnaeth lunio cerddi yn orchwyl anodd iawn iddo: bu'n rhaid iddo gael llawdriniaeth fawr ddechrau'r wythdegau o achos canser, ac ymddeolodd yn gynnar o'r gwaith. Tua'r un pryd, fe ddatblygodd ei wraig Gwenda sglerosis ymledol, a bu ei chyflwr hi'n dirywio dros y degawd canlynol nes iddi farw. Mae ôl y cyfnod poenus hwn i'w weld ar ei gerddi diweddarach.

Un o'r tensiynau hanfodol yng ngwaith Bryan Martin Davies yw hwnnw rhwng creadigrwydd golau, crefftwaith lluniaidd a threfnus, ac anrhefn dywyll a dinistr direswm. Y mae gallu dyn i greu ymhlyg yn ei allu i ddinistrio, ac y mae amgyffred y bardd o hyn yn ddwys ac yn ddirdynnol, gan mai ag adnoddau creadigrwydd y mae ei fusnes. Y mae'r berthynas boenus rhwng y tywyll a'r golau yn rhedeg trwy waith Bryan Martin Davies, ac y mae ef, hyd yn oed yn ei gerddi cynnar, yn dywysydd profiadol iawn yn y diriogaeth beryglus hon. Trist yw cofnodi fel y daeth ochr dywyll bywyd, a rag-gysgodwyd mewn modd mor realistig yn ei gerddi cynnar, yn rhan go-iawn o'i brofiad yn ei ganol oed, drwy ei salwch enbyd ef a'i wraig. Y mae darllen y cerddi cynnar yng ngoleuni hyn yn lliwio'r dioddefaint diweddarach gyda rhyw anocheledd dychrynllyd.

Âi i'r afael â dirgelwch dioddefaint ac â'r argyfwng gwacter ystyr yn ei gyfrol olaf hyd yn hyn, sef *Pan Oedd y Nos yn Wenfflam*, 1988. Y mae'r gyfrol hon yn cynnwys nifer o gerddi eraill, wrth gwrs; rhai yn delio â phrofiad y ffin fel yn *Lleoedd*, eraill yn cyfarch cyfeillion o feirdd, ac eraill yn tynnu ar atgofion am y De. Ond 'Ymson Trisco' yw calon y llyfr a'i elfen fwyaf hynod. Yn y gerdd hon, cerdd unigol hwyaf y bardd, fe welwn brif elfennau ei waith yn cyfuno: creadigrwydd yn ymgodymu â difodiant a dioddefaint, a hynny i gyd mewn cyd-destun a gyfyd o gefndir diwydiannol garw Brynaman. Rhydd y gerdd hanes ceffyl a weithiai mewn pwll glo, a'i enw'n Trisco, sy'n rhyw fath o anagram o 'Crist'. Mae'r stori'n drasiedi ar lefel faterol ond yn fuddugoliaeth ar lefel ysbrydol. Drwyddi fe bwysleisir droeon yr haeriad heriol 'Nid oes i dywyllwch ystyr'. Yr oedd y düwch a rag-gysgodwyd yn y cerddi cynharach wedi dod i'w ran, ond y reddf greadigol a drechodd.

TRWY LYGAID GRAHAME DAVIES

'Oes rhaid i fardd ddioddef?' Dyna a ofynnais i Bryan Martin Davies, tra oeddwn yn fyfyriwr ac yn gyw-fardd 16 oed dan ei diwtoriaeth yng Ngholeg Iâl yn Wrecsam. Rhyw led-amgyffred yr oeddwn, a hynny'n betrusgar, y berthynas rhwng dioddefaint a chreadigrwydd, heb ddeall pa mor ddibynnol ar ei gilydd yr ydynt mewn gwirionedd. Flynyddoedd wedyn, sylweddolais na allaswn fod wedi dewis bardd mwy addas i ofyn y cwestiwn hwnnw iddo, gan mai'r ymrafael rhwng creadigrwydd a difodiant, rhwng y goleuni a'r tywyllwch, sy'n ffurfio calon ei farddoniaeth.

Oni bai am Bryan Martin Davies, ni fyddwn wedi dysgu crefft barddoniaeth; efallai na fyddwn hyd yn oed wedi trafferthu i gadw fy Nghymraeg, a minnau newydd adael ysgol Gymraeg am Goleg y Chweched Saesneg. Ond drwy i Bryan Martin Davies ddangos diddordeb ynof, a meithrin hynny o addewid oedd gennyf, fe'm rhoddwyd ar ben ffordd.

Cymer Bryan Martin ei fyd o ddifri'. O'r braidd yr edrych neb yn ei waith am ysgafnder, heblaw am ambell fflach o eironi chwerw. Cymer ei grefft o ddifri' hefyd, gan gynnal delweddau estynedig cyson, a chan saernïo cystrawen a geirfa yn ddygn. Ei barch at ei gyfrwng, sef geiriau, sydd i gyfrif am un o'r setiau pwysicaf o ddelweddaeth yn ei gerddi, sef delweddaeth barddoniaeth ei hunan. Dro ar ôl tro yn ei gyfrolau diweddarach fe ddychwela at y storfa hon o ddelweddau. Iddo ef, mae 'y gerdd' yn ddelwedd lwythog, aml-ystyr. Ar un wedd fe olyga grefft dechnegol yr artist; ar wedd arall fe olyga'r egni creadigol a fynegir mewn celfyddyd; ar wedd arall, y gerdd yw greddf greadigol sylfaenol bywyd. Nid gormod yw dweud mai rhyw fath o grefydd amgen ydyw yn y rhan fwyaf o waith Bryan Martin, hyd nes i ddelweddaeth Cristionogaeth gael ei harddel yn fwy ganddo erbyn ei gyfrol ddiweddaraf hyd yn hyn, sef *Pan Oedd y Nos yn Wenfflam*. Yn sicr, am y rhan fwyaf o'i waith, y 'gerdd' nid y groes yw peth sancteiddiolaf ei brofiad.

Yn y gerdd 'Rhiannon y Gerdd', sydd yn y gyfrol *Y Golau Caeth*, fe gyfunir dwy o ysbrydoliaethau sylfaenol y bardd, y Mabinogi a'r 'gerdd', wrth iddo gymharu'r broses greadigol â'r broses o ennill cariad merch. Yma, fe ddelia â serch cnawdol yn onest ac yn naturiol, agwedd sy'n nodweddu ei ymdriniaeth â phynciau fel rhyw a dioddefaint, pynciau sydd yn peri hunan-ymwybyddiaeth letchwith mewn cerddi llawer o feirdd, hyd yn oed rhai mwy diweddar. Medr Bryan Martin ddelio â'r pynciau hyn heb na swildod na gor-ymdrechu ac fe rydd hyn egni a chyffro neilltuol i'w waith.

Mae'n arwyddocaol pa mor gyson fu nodweddion pum cyfrol Bryan Martin: o ran pwnc, fe gawn atgofion am brofiad creiddiol y De, myfyrdodau ar brofiadau presennol ardal y Clawdd, ambell i gerdd yn codi o ymweliadau tramor, ac ambell un yn sôn am gyfeillgarwch, a hynny â beirdd eraill yn bennaf; o ran technegau, fe gawn y wers rydd gyflythrennog, delweddaeth gyson o farddoni, o gelfyddyd ac o'n llên gynnar, a chydnabyddiaeth o hollbwysigrwydd greddfau golau creadigol dyn ynghlwm â holl-bresenoldeb ei reddfau dinistriol tywyll. Cyson, felly, ond cyson o dda. Er mai o fewn y ffiniau hyn y gweithiai yn bennaf, ffiniau digon eang ydynt, ac nid oes, o reidrwydd, rinwedd i amlder pynciau: y mae modd i awen fynd yn fasach wrth ledaenu. Yr hyn a wnaeth Bryan Martin Davies fel bardd oedd canfod yn gynnar ei offer, ei awydd a'i wythïen o fwynau, ac yna mynd ati i gloddio'r wythïen werthfawr honno o ddeunydd yn ddyfnach ddyfnach o hyd. Nid oedd angen iddo fynd i chwilio yn unman arall, dim ond cloddio'n ddyfnach i'r cyfoeth a gafodd, ac fe dalodd ei ddoethineb fel artist yn hynny o beth ar ei ganfed.

Gydag 'Ymson Trisco' yn *Pan Oedd y Nos yn Wenfflam*, fe gawn uchafbwynt gwaith Bryan Martin Davies o ran crefft a chynnwys. Mae'r gerdd yn un ddirdynnol wrth i'r ceffyl Trisco gael ei groeshoelio am aflonyddu ar weithwyr eraill y pwll gyda'i freuddwydion chwyldroadol am well byd. Ond er mai'r tywyllwch sy'n ennill ar un lefel, mae'r gerdd yn ei hanfod yn un gadarnhaol wrth i Trisco, hyd yn oed yn ei fethiant materol, dystio i'r goleuni dirgelaidd sy'n rhoi ystyr i fywyd. Buddugoliaeth i'r reddf greadigol, felly, ond buddugoliaeth wedi brwydr egr iawn. Wrth ei darllen, fe'm hatgoffir i'n bersonol o'r cwestiwn hwnnw a ofynnais i Bryan Martin ddechrau'r wythdegau: a oes rhaid i fardd ddioddef er mwyn creu? Wrth weld y modd y tynnodd Bryan Martin olau caeth i'r lan o byllau anobaith a phoen, credaf mai'r ateb i'r cwestiwn hwnnw – os ydym yn meddwl am farddoniaeth wir fawr sydd yn mynd i galon y profiad dynol – yw 'oes'.

EFNISIEN

Y *Golau Caeth*, Bryan Martin Davies, Gwasg Gomer, 1972, tud. 55

Cyflwyniad

Yn gynharach yn y gyfrol hon fe geir y gyfres o gerddi 'Y Golau Caeth', y cymer y llyfr ei enw ganddi. Ynddynt, fe ddefnyddia'r bardd ddelweddau o'r Mabinogi i ddangos fel y mae'r greddfau dynol sy'n cael eu harddangos yn y storïau hynny o'r Canol Oesoedd cynnar yn dal yn ein corddi heddiw:

> Ynom
> mae golau'n gaeth,
> hen olau
> sy'n ymgronni yn ein celloedd isel.

Ceir goleuni ar ein cyflwr presennol, a'n cyflwr oesol, drwy gyfrwng yr hen storïau, felly. Ond tywyllwch yn hytrach na goleuni yw testun 'Efnisien', sydd unwaith eto yn defnyddio stori o'r Mabinogi fel allwedd i'r deall.

Delweddaeth barddoniaeth a'r Mabinogi, ynghyd ag ymwybyddiaeth boenus o alluoedd dinistriol dyn, dyna rai o hanfodion barddoniaeth Bryan Martin Davies. Fe'u ceir i gyd yn y gerdd 'Efnisien'.

Efnisien, yn Ail Gainc y Mabinogi, yw brawd Branwen a hanner brawd brenin Prydain, Bendigeidfran. Ef sy'n gyfrifol am y gweithredoedd direswm o drais sy'n creu trasiedi'r stori.

Ni cheir esboniad am drais a drygioni digymell Efnisien. Mae ei weithredoedd anesboniadwy yn elfen o anarchiaeth ac anrhefn sy'n dryllio cymdeithas a pherthnasau dwy ynys, ac maent yn llawer mwy dychrynllyd o fod yn annealladwy. Nid ydynt hyd yn oed yn unrhyw beth mor syml â hunanoldeb, gan i Efnisien ddod â dinistr arno ef ei hunan yn ogystal ag ar bawb arall.

Cawn weld rhai o dechnegau a chymhellion Bryan Martin Davies ar eu gorau yn y gerdd hon, wrth iddo gyfarch Efnisien fel symbol o holl ddrygioni calon dyn. Cyfunir delweddaeth y Mabinogi a delweddaeth 'y gerdd' – ochr dywyll y gerdd yn yr achos hwn – wrth iddo weld Efnisien yn 'gynhaliwr y garwedd/sy'n clera llysoedd ein hymwybod/â'i gerddi chwith.' Dyma hefyd y cignoethni y medr Bryan Martin Davies ei ddefnyddio mor effeithiol: 'grefftwr galanas,/y sudda dy fysedd dur/drwy esgyrn ein pennau/hyd at graidd yr ymennydd noeth.' Ac fe ddengys y gerdd fawr hon feistrolaeth lwyr y bardd ar fydr ac ar gyflythreniad lled-gynganeddol.

Er mor ffiaidd yw gweithredoedd Efnisien, a'u goblygiadau, nid yw Bryan Martin Davies yn un i droi ymaith oddi wrth erchylltra. Mae'n mynnu wynebu'r gwaethaf. Wrth ystyried y reddf ddinistriol sy'n bygwth difa popeth y mae creadigrwydd yn ei garu, mae'n gallu syllu i fyw llygaid Efnisien a dweud 'Ni a'th adwaenwn'.

Gair am air

trawster	gormes, trais
cymydau	darn o diriogaeth yn ôl trefn gymdeithasol y Canol Oesoedd
clera	gweithio fel bardd crwydrol
petryal	â phedair ochr; claddwyd Branwen mewn 'bedd petryal'
dryll	darn

Sylwi ac ystyried

1. Mae'r gerdd wedi ei thrwytho yn ieithwedd y Mabinogi. Cyfyngir yr eirfa at eiriau sy'n gyffredin i'r testun canol oesol; ni cheir geiriau modern na chymariaethau gyda digwyddiadau ein hoes ni. Yn hytrach, sonnir am Efnisien yn nhermau perthnasau cymdeithasol ei oes ef: 'teyrn' ydyw ef, neu'n 'arglwydd' ar 'gymydau', neu'n un sy'n 'clera llysoedd'. Ac eto, serch hynny, mae'r gerdd yn llwyddo i siarad am ein cyflwr presennol. A yw'r ieithwedd henffasiwn yn rhwystr i ni ddeall y gerdd heddiw?

2. Er mai ieithwedd y Canol Oesoedd sydd iddi, yn yr amser presennol mae'r gerdd i gyd. 'Ti yw teyrn y trawster'. Nid sôn am hen gamweddau sydd yn ddiogel yn y gorffennol mae'r bardd, ond yn hytrach erchyllterau sy'n rhannu'r un oes â ni. Ni sonnir am law Efnisien fel un 'a rwygodd weflau oddi ar bennau', ond am un 'a rwyga ...' Mae fel petai'r creulonderau yn digwydd o hyd. Ni rydd y gerdd gyfle inni ffoi rhag cyfoesedd dychrynllyd Efnisien. Mae ef yma gyda ni.

3. Mae gweithred sancteiddiolaf y bardd, sef barddoni, yn cael ei defnyddio yn gyson yn y gerdd hon fel trosiad am weithgareddau dinistriol Efnisien. Gwelir ef yn glerwr, yn 'grefftwr' ac yn 'artist'. Y peth dychrynllyd am

Efnisien yw nid yn unig ei afreswm, ond y creadigrwydd a'r dychymyg tywyll y mae'n defnyddio wrth greu gwae. Nid rhyw fwystfil rheibus diddeall mohono; mae'n defnyddio ei ddeall – i greu dioddefaint. Mae'r ewyllys rydd a'r dychymyg sy'n gallu creu pethau gorau dyn, hefyd yn gallu creu ei bethau gwaethaf. Sut mae'r elfen fwriadol yn ymddygiad Efnisien yn cael ei chyfleu?

4. Cysondeb yw cywair y gerdd hon drwyddi. Mae'n gyson ei hieithwedd ganol oesol, ei defnydd o amser presennol y ferf, ei chymhariaeth o Efnisien i artist, a'i hailadrodd effeithiol 'Ni a'th adwaenwn'. Mae'n gyson hefyd yn ei defnydd tynn a chywasgedig o'r wers rydd gyflythrennol: 'Ti yw teyrn y trawster' ... 'gynhaliwr y garwedd'. Ceir rhyw dau drawiad cyflythrennol yn y rhan fwyaf o linellau, a thri yn y llinellau agoriadol a'r llinell glo. Mae crefft y bardd wrth gydnabod perygl Efnisien yn dyst i'w ymroddiad a'i ofal a'i gariad ef ei hun at ei waith creadigol. A fyddai'r gerdd wedi elwa o fod yn hirach, gyda mwy o enghreifftiau o erchylltra Efnisien?

YNOM MAE Y CLAWDD

Deuoliaethau, Bryan Martin Davies, Gomer, 1976, tud. 47

Cyflwyniad

Er mai yn ardal ffiniol Wrecsam yn y gogledd ddwyrain y mae wedi treulio y rhan fwyaf o'i fywyd, mae gwreiddiau Bryan Martin Davies yn ddwfn yng Nghwm Aman ei ieuenctid. Byddai cryfder Cymreictod a chlosrwydd cymdeithas Cwm Aman yn sylfaen hollbwysig i'w waith bob amser. Da y dywedodd Dafydd Johnston yn ei astudiaeth o waith Bryan Martin yn *Cwm Aman* (gol. Hywel Teifi Edwards, 1996) mai tyndra rhwng y craidd a'r ffin a geir yn y profiadau a fynegir gan y bardd, gyda Brynaman yn cynrychioli'r craidd ac ardal Wrecsam y ffin. Yn hynny o beth gellir sylwi ar natur y ddelweddaeth a ddefnyddir i ddehongli'r ddau le hyn sy'n cynrychioli dau begwn profiad y bardd. Darlunnir Cwm Aman â delweddaeth y gwaith glo: düwch, cyfyngdra, cloddio, claddu, siafftau, pyllau. Geirfa tirlun mewnol, caeëdig ydyw – cyflwr sydd ar un wedd yn gyfyng ac yn glawstroffobaidd, ond ar y llaw arall yn gynnes ac yn sicr, sef dwy agwedd y gymuned glòs.

Os mai clawstroffobia yw'r perygl yn yr atgofion am y gymuned lofaol hon, yna agoraffobia yw'r perygl yng nghynefin diweddarach y bardd, sef y ffin yn ardal Rhiwabon. Yma, mae'r ddelweddaeth yn awgrymu tirlun agored:

y clawdd, coed, adar, gorwelion. Ond nid rhyddid a gysylltir gyda'r cyflwr agored hwn, ond perygl; daw gwyntoedd main o'r dwyrain – o'r dwyrain y dônt bob amser, fel y sylwa Dafydd Johnston – gan sgubo ymaith dyfiant bregus Cymreictod: y 'gwynt o du Amwythig,/a'r glaw o dueddau Caer'. ('Storm ar y Clawdd', *Deuoliaethau*, tud. 51). Mae bod yn agored yn y cyswllt hwn yn golygu bod yn ddiamddiffyn, yn ddiymgeledd. Er mai cyson â thirlun go-iawn ardal Wrecsam yw'r ddelweddaeth hon i raddau, delweddaeth ddethol ydyw, serch hynny, gan mai pentrefi glofaol Cymraeg-eu-hiaith tan yn gymharol ddiweddar fu'r rhai yn y bryniau ar gyrion gorllewinol y dref megis Rhosllannerchrugog, Coedpoeth a Phonciau, ac, i raddau llai, Rhiwabon, ac nid anaddas fuasai delweddaeth Cymreictod, closni, cymuned a'r gwaith glo i'w disgrifio. Ond gan nad ardaloedd magwraeth greiddiol y bardd mo'r rhain, dewisa'r bardd bwysleisio eu cyflwr ffiniol yn hytrach na'u closni, ac fel tirlun y gwelir ardal y Clawdd yn bennaf ganddo. Ceir cyfres gyfan o unarddeg o gerddi, 'Y Clawdd', yn Deuoliaethau lle na chrybwyllir yr un enaid byw, bron, tra bod cerddi Brynaman, ble bynnag y digwyddont yng nghorff gwaith y bardd, yn llawn o sôn am gymeriadau a pherthnasau. Er y ceir ambell i gerdd yn sôn am unigolion yng ngherddi diweddaraf Bryan Martin Davies am ardal Wrecsam, fel unigolion ac nid fel aelodau o gymdeithas y gwelir hwy gan amlaf, ac ar y cyfan erys yn wir mai golygfa yw ardal y ffin i 'gerddi'r Clawdd' Bryan Martin, nid cymuned.

'Ynom Mae y Clawdd' yw'r gerdd gyntaf mewn cyfres o unarddeg o gerddi dan y teitl 'Y Clawdd'. Y clawdd yw Clawdd Offa, sef y gwrthglawdd pridd a adeiladwyd gan y Brenin Offa o Loegr yn yr Wythfed Ganrif i wahanu ei diriogaeth ef a Chymru ac sydd yn rhedeg drwy ardaloedd fel Rhiwabon lle trigai'r bardd. Er nad y clawdd bellach yw'r ffin wleidyddol rhwng y ddwy wlad, y mae o hyd yn symbol o'r gwahaniaeth rhwng y ddwy. Mae cerddi Bryan Martin Davies yn defnyddio'r clawdd fel symbol o gyflwr ffiniol. Weithiau mae'n amddiffynfa, weithiau mae'n fygythiad, ac weithiau mae'n rhywbeth i'w ddathlu oherwydd ei ddeuoliaeth gynhenid. Mae posibiliadau dehongli cyflwr ffiniol bron yn ddibendraw. Ceir deuoliaeth rhwng dihangfa greiddiol y gorffennol Cymraeg – gorffennol sicr ei wreiddiau diwylliannol a dynol lle y mae i'r 'gerdd' ystyr a chyd-destun – a realaeth ansicr y presennol ffiniol lle y mae'r gerdd fel petai'n brwydro am ei heinioes. Mae teitl y gerdd yn addasiad o linell gan y bardd rhamantaidd Islwyn (1832-78), 'Ynom mae y sêr a phob barddoniaeth'.

Gair am air

ceulo	troi'n galed
ceuedd	ceudod, gwacter, twll
dihewyd	ymroddiad, awydd
llathraidd	llyfn, wedi tyfu'n dda

Sylwi ac ystyried

1. Yng nghyfres 'Y Clawdd', defnyddir delweddaeth byd natur - yn gymysg weithiau â delweddaeth celfyddyd - i gyfleu ceinder y diwylliant Cymraeg, ac fe bendilir rhwng gobaith ac anobaith wrth i'r ceinder ymgiprys â 'Philistiaeth yr hydrefwynt dig/o gyrrau estron y tir llwyd/i ddifa'r Clawdd'. Dyma gyflwr o dyndra peryglus lle mae'r adnoddau creadigol yn cael eu hogi gan y bygythiad sydd i'w hamgylchedd. Pa dechnegau a ddefnyddir i ddangos y gwrthgyferbyniadau?

2. Mae closni ac agoredrwydd yn un ddeuoliaeth bwysig, ond lluosog yw teitl y llyfr, Deuoliaethau, ac yn y sefyllfaoedd ffiniol a ddarlunir ynddo fe gawn ddeuoliaethau amlwg eraill hefyd – rhwng Cymreictod a Seisnigrwydd, rhwng celfyddyd a Philistiaeth, rhwng ystyr ac afreswm a rhwng creadigrwydd a difodiant. Maen nhw i gyd yn dangos fel y mae cyflyrau o dyndra yn hanfodol i awen y bardd hwn. Ar ddechrau a diwedd y gerdd hon, gwrthgyferbynnir nodweddion Cymru fynyddig gyda 'gwastadedd blin' Lloegr. Sawl enghraifft o ddeuoliaeth a geir yn y gerdd?

3. Ieithwedd brwydr yn ôl termau'r Canol Oesoedd a geir yma, a honno wedi ei chydblethu gyda delweddaeth natur: 'caer' yw'r dirwedd goediog; 'llysoedd' yw'r wig o goed masarn; 'llafnau noeth' yw cangau'r llwyfen. Priodolir nodweddion grym dynol i'r dirwedd wrth ei defnyddio fel amddiffynfa yn erbyn grymoedd y 'gwastadedd blin'.

4. Mae'r ymwybyddiaeth ddynol wedi plethu'n ddwfn gyda'r dirwedd. 'Ynom mae y Clawdd a phob ymwybod'; mae'r 'pridd pêr a'r Cerrig Cymreig' yn gaer 'yng nghelloedd y cof' ac yn 'crynu fel grym yng ngwthiadau'r gwaed'. Sonnir am y 'penderfyniadau gwyrdd/yn naear ein dihewyd', ac am 'lysoedd ein hewyllys frwd'. Soniodd yr athronydd J.R. Jones (1911-70) am 'gydymdreiddiad iaith a thir', sef y modd yr oedd yr iaith Gymraeg a'r ymwybyddiaeth Gymreig wedi plethu gyda phrofiad y Cymry o'u cynefin. Ceir rhywbeth tebyg yn y gerdd hon, lle mae hunaniaeth llefarydd y gerdd fel petai wedi ei uno gyda'r wlad. Ai gormodiaith yw meddwl am y berthynas â'r wlad fel hyn? A yw'r gerdd yn awgrymu mai dyna deimlad y bardd am y berthynas?

LASARUS
Lleoedd, Bryan Martin Davies, Barddas, 1984, tud. 46

Cyflwyniad

Mae celfyddyd yn un o'r pethau sy'n ysbrydoli Bryan Martin Davies. Gwelwyd eisoes fel y mae celfyddyd barddoniaeth yn un o bynciau mawr ei waith ac yn storfa ddihysbydd o ddelweddau iddo. Ond mae'n tynnu ysbrydoliaeth o fathau eraill o gelfyddyd hefyd, yn enwedig y celfyddydau gweledol megis arluniaeth, pensaernïaeth a cherfluniaeth. Er enghraifft, yn y dilyniant 'Darluniau ar Gynfas', o'i gyfrol gyntaf o'r un enw, cyfeirir at yr arlunwyr Hogarth, Van Gogh a Cezanne.

Dyma ef yn y gerdd 'Glaw yn Auvers' o Y *Golau Caeth* unwaith eto'n uno delweddaeth celfyddyd, barddoniaeth a dioddefaint wrth iddo fyfyrio uwchben darlun gan Van Gogh, a gedwir yn Amgueddfa Genedlaethol Cymru yng Nghaerdydd, sy'n dangos glaw yn syrthio ar gae ŷd:

> Hwn oedd y glaw trist
> a afaelodd ynot,
> pistylliad y boen
> a fu'n ymgronni cyhyd
> yn y cwmwl creulon
> ac a dywyllodd o'r diwedd
> mewn arllwysiad o ddolur
> felynedd y caeau ŷd
> yn Auvers.

Diwedda drwy gydymdeimlo â gwewyr y creadigrwydd rhwystredig, dioddefus, gan gyfeirio at gyflwr sathredig Cymru:

> A ninnau,
>   yma,
> rydyn ninnau'n
>   gynefin â glaw.

Yn y gerdd dan sylw, 'Lasarus', cyfeirir at gerflun gan yr arlunydd Jacob Epstein (1880-1959), un o gerflunwyr cynrychioladol mwyaf yr ugeinfed ganrif. Ganed ef yn Efrog Newydd ac fe ddaeth i Ewrop yn gynnar yn yr ugeinfed ganrif gan ymsefydlu yn Llundain. Er mai Iddew ydoedd o dras, fe ymgymerodd â sawl comisiwn ar gyfer eglwysi Cristnogol, gan gynnwys cerflun o Sant Mihangel a'r Diafol ar wal Eglwys Gadeiriol Coventry, a'r cerflun enfawr a thrawiadol o'r Crist atgyfodedig uwchben corff eglwys gadeiriol Llandaf yng Nghaerdydd. Yn y gerdd dan sylw, cyfeirir at gerflun yng nghapel New College yn Rhydychen. Ceir stori Lasarus yn y Testament Newydd. Ffrind i Iesu o Nasareth ydoedd, ond fe aeth yn sâl ac fe anfonodd ei deulu neges at Iesu, oedd mewn rhan arall o'r wlad, gan ofyn iddo ddod i Bethania i'w iacháu. Nid aeth Iesu yn syth, a phan gyrhaeddodd ymhen rhai dyddiau, roedd Lasarus eisoes yn ei fedd ers pedwar diwrnod a phawb yn galaru drosto. Wylodd Iesu o dosturi, oedd yn ymateb digon naturiol, ond yna, er syndod i bawb, fe wnaeth rhywbeth a ymddangosodd yn gwbl wallgof: fe alwodd ar i'r dyn marw godi o'r bedd. A dyna, yn ôl yr hanes, a ddigwyddodd. Fe gododd Lasarus o'i fedd (oedd yn rhyw fath o ogof yn ôl dulliau claddu'r cyfnod) yn dal i wisgo rhwymau ei gladdedigaeth. Fe ddychwelwyd Lasarus i'w deulu, yn brawf byw o alluoedd rhyfeddol ei ffrind o Nasareth.

Gyda storïau Beiblaidd yn dal yn weddol gyfarwydd i'r gynulleidfa, sut mae'r bardd yn gallu ail-greu syndod a chyffro digwyddiad fel hyn? Dyna oedd un her a wynebai Bryan Martin Davies wrth ysgrifennu'r gerdd hon. Y gerdd olaf yn y gyfrol *Lleoedd* yw hon, ac mae'n garreg filltir yn natblygiad gweledigaeth Bryan Martin Davies. Dyma le mae'r ffydd a'r gobaith a roddwyd i gelfyddyd yn ei waith hyd yn hyn yn dechrau trosglwyddo i wrthrych arall, sef y grefydd Gristnogol. Bu celfyddyd, sef creadigaethau dynion a merched ysbrydoledig, yn rhyw fath o grefydd iddo hyd yma. Ond o hyn ymlaen byddai'n troi ei sylw at darddiad creiddiol y cymhelliad creadigol daionus. Yr ysbryd fydd gwrthrych y sylw o hyn ymlaen, nid yr hyn mae'r ysbryd yn ei ysgogi. Chwilio am y creawdwr a fyddai, nid am waith ei greadigaethau.

Gair am air

ana'l	ffurf gywasgedig o'r gair 'anadl'
angau	marwolaeth
swrth	heb ynni, yn stond, yn sarrug
treiddio	gwthio drwodd

Sylwi ac ystyried

1. Yng ngherflun Epstein, ymddengys fel pe bai corff Lasarus yn rhwygo ei hun allan o'r graig. Mae hi'n syniad gan rai cerflunwyr fod siâp y cerflun

gorffenedig rywsut ynghudd yn y graig y gweithient arno. Gwaith y cerflunydd felly yw rhyddhau'r ffigwr o'r graig, drwy weithio gyda graen y deunydd er mwyn ei ddinoethi. Mae'r syniad hwn y tu ôl i'r sôn yn y gerdd am Lasarus yn gaeth yn y graig ei hun, yn hytrach nag yng ngwacter y bedd. Mae'r cerflunydd yn anelu am fynegiant naturiol. A yw'r gerdd wedi llwyddo i ryddhau ei hystyr mewn modd naturiol?

2. Gwelir dawn Bryan Martin Davies i ddefnyddio cyflythreniad yn eglur yma: 'garreg/grym', 'sugniad syn', 'rhwygir y rhwymau' ac yn y blaen. Sonnir yn y gerdd am 'gryndod' grym y deffro. Hanfod cryndod yw ailadrodd sain, a dyna yn union yr effaith rythmig sy'n cael ei chreu drwy ailadrodd y cytseiniaid. Dyfal donc a dyrr y garreg, ys dywedir.

3. Cerdd fer yw hon; ugain llinell yn unig. Ac mae ffrâm y gerdd yn dynn hefyd. Mae'r llinellau'n rhai byrion, a phob un yn dechrau gyda'r un patrwm 'Yn y garreg', 'Yn y maen', 'Yn y marmor'. Mae hyn yn atgyfnerthu'r synnwyr o rythm y sonnid amdani uchod. Mae effeithiau synhwyrol y gerdd, fel y cyflythreniad, y rhythm, yr ailadrodd o batrymau brawddegol a hyd yn oed siâp y penillion ar y tudalen yn ail-greu'r syniad o gaethiwed yn cael ei herio gan straen ac ymdrech – ymdrech sydd, yn y diwedd, yn llwyddo i chwalu'r caethiwed. A yw'r effeithiau hyn yn cael eu datblygu drwy'r gerdd?

4. Ceir gwrthgyferbyniad cryf rhwng geirfa symudolrwydd a geirfa sadrwydd. O ran sadrwydd ceir 'y garreg', 'stond', 'y maen', 'rhwymau swrth', ac yn y blaen. O ran symudolrwydd, ceir ymadroddion megis 'grym y deffro', 'gryndod sydyn', ac 'wthiad brwd'. Mae pob un o'r tri phennill yn crynu drwyddynt gyda thyndra'r gwrthgyferbyniad hwn, nes i batrwm y dweud o'r diwedd gracio, gan ryddhau'r ddau air olaf i sefyll ar wahân fel pe baent wedi llwyddo i dorri'n rhydd o ffrâm y gerdd. Pa enghreifftiau eraill o eirfa sadrwydd a symudolrwydd a geir yma?

YMSON TRISCO (y saith pennill olaf)

Pan oedd y Nos yn Wenfflam, Bryan Martin Davies, Barddas, 1988, tud. 22.

Cyflwyniad

Fe gyffyrddwn â thir uchaf awen Bryan Martin os ystyriwn sut y gwelodd ef, pan oedd hi dduaf arnom fel cenedl ac arno ef fel unigolyn, y potensial bythol o ailenedigaeth a fodola yng nghanol y tywyllwch eithaf, sef 'Ymson Trisco' o Pan Oedd y Nos yn Wenfflam. Yn y gyfrol hon ceir cerddi yn delio â phrofiad y ffin fel yn *Lleoedd*, eraill yn cyfarch cyfeillion o feirdd, ac eraill yn tynnu ar atgofion am y De. Ond 'Ymson Trisco', cerdd unigol hwyaf y bardd, yw calon y llyfr a'i elfen fwyaf hynod. Ynddi fe welwn brif elfennau ei waith yn cyfuno: creadigrwydd yn ymgodymu â difodiant ac â dioddefaint a hynny i gyd mewn cyd-destun a gyfyd o gefndir diwydiannol garw Brynaman.

Rhydd y gerdd hanes ceffyl a weithiai mewn pwll glo, a'i enw'n Trisco, sy'n rhyw fath o anagram o 'Crist'. Darlunnir rhai o geffylau eraill y pwll fel ei ddisgyblion: 'Mati a Marco, Lyci a Siôn, a Phedro o'r anwadal fryd', sef enwau a seilir ar enwau apostolion Iesu Grist. Fe'i herlidir ac fe'i croeshoelir gan rai o weithwyr y pwll – Twm Cesar (sy'n cyfateb i Iwl Cesar) a 'Cei y ffas' (sy'n cyfateb i'r archoffeiriad Caiaffas) – am iddo aflonyddu ar waith y ceffylau eraill gyda'i weledigaeth o weddnewid y pwll:

Peth giometrig, mewn gwirionedd, oedd y syniad, sef i
  droi'r pwll din dros ei ben,
i osod y weindar â'i ben ar i lawr, i roi gwaelod y pwll yn y nen.
Fe fyddai'r gwaith wedyn yn yr wybren, a'r glo nid yn ddu ond yn las,
ac yn pefrio yn yr awyr, i fyny, nid i lawr yn y t'wllwch
  crechwenus, cas.

Medrir clywed yn y darn uchod adlais bwriadol o arddull Gwenallt yn nodweddu'r gerdd hon wrth i'r bardd herio gydag arfau'r ysbryd yr un fateroliaeth gyfalafol greulon y bu Gwenallt yntau yn brwydro yn ei herbyn. Dengys y gerdd hon, fel rhai eraill yn y gyfrol, fod y bardd bellach yn gweld delweddau ac egwyddorion Cristionogaeth fel y rhai mwyaf addas i ddisgrifio ac i ddadansoddi dirgelwch dioddefaint. Dyma broses y gwelwn ei ddechreuadau gyda'r gerdd 'Lasarus' a drafodir uchod. Ymosoda'r gerdd hefyd ar egwyddor grym ac ar 'foderniaeth', term a ddefnyddir am nihiliaeth anghyfrifol a feiir am bob math o ddrygau llenyddol, moesol a chymdeithasol. Medrir clywed yno hefyd yr arddull lafar rywiog sydd yn nodweddu'r gerdd, ac sydd yn defnyddio'n gyson effeithiol y cignoethni diflewyn-ar-dafod hwnnw mewn geirfa a phwnc sy'n nodweddiadol o Bryan Martin Davies. Medrir gweld yno hefyd ddelwedd ganolog sy'n swrealaidd, yn feiddgar, ac sydd eto'n gwbl argyhoeddiadol ac effeithiol – uchafbwynt teilwng iawn o grefft y bardd hwn.

Dyma ymdriniaeth fwyaf estynedig y bardd o unrhyw bwnc, wrth iddo fynd i'r afael yn boenus o onest â dirgelwch dioddefaint, gan dynnu ar brofiad personol dirdynnol mewn rhai delweddau: 'Fe ddywed y dyn y naddwyd/ei gorff gan golostomi, 'Ni fedraf gachu'. Fe ddywed y wraig/sy'n sglefrio ar iâ ei sglerosis, 'Ni fedraf gerdded'. Ond trwy hyn oll, fe bwysleisir droeon yr haeriad heriol 'Nid oes i dywyllwch ystyr'. Y goleuni gwyn sy'n trechu Efnisien yn y diwedd. Ac nid rhyw obaith bregus y daw haul ar fryn yw hwn, fel a geir yn rhai o gerddi gobeithiol cynharach Bryan Martin; yn hytrach, argyhoeddiad pendant ydyw, un y daethpwyd ato ar ôl ymrafael â thywyllwch yn ei wedd dduaf, a hynny fel profiad go-iawn, nid fel bygythiad haniaethol.

Gair am air
gwala   llawnder, bod yn llawn
llecyn   lle, man
teios   tai bychain dinod. Mae'r ôl-ddodiad 'os' yn bychanu'r gwrthrych.
ffetan   sach

Sylwi ac ystyried
1. Mae'r llinellau hirion yn nodweddiadol o arddull y bardd Gwenallt, sef David James Jones, (1899-1968). Roedd ef yn un o athrawon barddol Bryan Martin Davies ac yn ddylanwad mawr arno. Roedd yntau'n un â'i gefndir yn un o gymoedd diwydiannol y Gorllewin, sef Cwm Tawe yn ei achos ef. Roedd caledi, annhegwch a hagrwch y bywyd diwydiannol wedi effeithio'n ddwfn arno, ac yn ddiweddarach yn ei fywyd fe drodd yntau, fel Bryan Martin Davies, at dermau Cristnogaeth fel modd i wneud synnwyr o boen bywyd. Ym mha ffyrdd y mae crefydd yn amlygu ei hun yn y gerdd?
2. Yn wahanol i'r tair cerdd a astudiwyd uchod, defnyddir cwpledi odledig yn y gerdd hon. Mae hyn yn cael sawl effaith. Mae cyfuno'r rhythm a'r odl gyda'r dafodiaith anffurfiol ('yfed eich gwala', 'heibio'r relwê', 'yr hewl', 'mewn hast') yn creu rhywfaint o naws yr hen faledi a oedd yn boblogaidd yn y cymoedd diwydiannol. Mae'n rhoi rhyw deimlad gwerinol i'r dweud. Ar agwedd arall, mae'r ffaith ei fod yn natur pob cwpled i anelu am ryw fath o gyflawnder yn ei sain yn awgrymu bod yn y gerdd hon ymgais i gyfannu, i wneud synnwyr, i greu patrwm ystyrlon allan o'r digwyddiadau erchyll a gofnodir. Defnyddiai'r rhan fwyaf o'r baledwyr eu mydrau gan mai dyna'r unig ffordd a wyddent o fynegi eu syniadau. Mae gan Bryan Martin Davies holl adnoddau'r vers libre ar flaenau ei fysedd. Os mae ef yn defnyddio mydr

ag odl, bid sicr mae bwriad celfyddydol iddo. Beth fyddai'r amcan hwnnw?

3. Lleolir y gerdd ym Mhwll y Steer, man a ddarlunnir gan y gerdd o'r un enw yng nghyfrol gyntaf Bryan Martin Davies, *Darluniau ar Gynfas*, lle defnyddir delweddaeth sŵ i ddangos mor ddieithr yr edrychai'r hen offer diwydiannol segur. Wrth ddychwelyd at yr un lleoliad chwarter canrif yn ddiweddarach, mae fel petai'r bardd yn cau'r cylch cyflawn yn ei brofiad, gan ddychwelyd i fro ei febyd yn dristach ond yn ddoethach dyn. Sut mae'r gerdd yn cymharu gyda'i rai cynnar am Gwm Aman?

4. Cyfuniad cymhleth o gyweiriau ieithyddol yw'r gerdd. Ceir elfennau gwerinol fel y cyffyrddiadau tafodieithol y sonnir amdanynt uchod, a chyfeiriadau at feddwdod tybiedig y darllenydd. Ond ceir ffurfiau llawer mwy barddonol hefyd, megis 'Cans' (y ffurf hen-ffasiwn o 'oherwydd', sy'n gywasgiad o'r gair 'canys'), ac, 'ei farwol hynt' (lle mae rhoi'r ansoddair cyn yr enw yn dechneg hen-ffasiwn arall) ac 'yn yr entrych', (lle defnyddir hen air am 'yr awyr'). Wedyn ceir ymadroddion Beiblaidd fel 'Canys, yn wir, yn wir, fe ddywedaf i chwi, hyn:', ymadrodd sy'n adleisiau geiriau Crist yn yr efengylau ac sydd yn yr achos hwn yn tanlinellu'r gymhariaeth rhwng Trisco a Christ. Felly, wrth i'r bardd roi ei weledigaeth ddwysaf o'r cyflwr dynol, mae gwahanol elfennau o'i adnoddau ieithyddol a diwylliannol yn cyfuno yma. Ceir yr ymdeimlad greddfol o ymberthyn i fro arbennig a'i hadnabod yn drylwyr; cryfder y Gymraeg naturiol, rywiog a thafodieithol; adnabyddiaeth o amrywiaeth o dechnegau barddonol gan gynnwys hen ffurfiau llenyddol; a gwybodaeth drylwyr o'r Beibl, nid yn unig ei ieithwedd ond hefyd yn ei gynnwys a'i neges chwyldroadol o gyfiawnder, aberth ac ystyr.

Dyfyniadau am BRYAN MARTIN DAVIES

... bardd lleoedd yw Bryan Martin Davies, neu'n hytrach bardd y bobol a'r cymunedau sy'n rhoi i leoedd eu cymeriad arbennig. Mae'r ddwy ardal sy'n ganolog i'w farddoniaeth yn gwbl wahanol i'w gilydd, y naill yn bentref diwydiannol ac iddo gymuned ddosbarth-gweithiol glos, Gymraeg ei hiaith, a'r llall yn ardal drefol fwy cymysg ei phoblogaeth lle mae'r Gymraeg yn prysur golli tir ...

Mae cysgod Gwenallt yn drwm dros waith cynnar Bryan Martin, a hawdd y gellid meddwl mai problem bennaf bardd ifanc a fynnai sgrifennu am y De diwydiannol oedd sut i ddianc rhag ei ddylanwad gormesol ...

Y *Golau Caeth* yw cyfrol fwyaf llenyddol Bryan Martin Davies, ond mae'r gyfeiriadaeth lenyddol yn nodwedd amlwg ym mhob un o'i gasgliadau, yn enwedig at chwedlau'r Mabinogion. Mae talu gwrogaeth i'r traddodiad llenyddol ac ymfalchïo yn ei barhad yn gallu bod yn ystrydeb yn llenyddiaeth Gymraeg y ganrif hon, ond yn achos Bryan Martin fe ymddengys fod arwyddocâd cyfrin yn perthyn i'r hen chwedlau yng nghyd-destun barddoni, a bod y golau sy'n gaeth neu'n guddiedig ynddynt yn gysylltiedig â'r broses greadigol ei hun.

Mae ystyried syniadau Bryan Martin Davies am farddoniaeth yn gymorth i ddeall seiliau ei grefft wrth lunio cerddi. Mae 'llunio' yn air ystyrlon iawn yng nghyd-destun barddoniaeth Gymraeg yn gyffredinol gan ei fod yn cyfleu pwysigrwydd ffurf cerdd a chrefft y bardd, ond mae'n arbennig o briodol yng nghyswllt gwaith Bryan Martin oherwydd y pwyslais y mae'n ei roi ar siâp gweladwy cerdd. Mae hyn yn deillio yn y bôn o'r arfer sydd ganddo o synied am eiriau fel gwrthrychau sylweddol y gellir eu trin a'u trafod. Mae'n debyg bod pob bardd yn tueddu i feddwl felly i ryw raddau, ond gyda Bryan Martin mae fel petai'n reddf sydd wedi dod yn rhan o'i ddull barddol.

'Barddoniaeth Bryan Martin Davies', Dafydd Johnston, gol: Hywel Teifi Edwards, *Cwm Aman*, Gomer, 1996.

Mae'n hyddysg yn hanes y Cwm - ei draddodiad, ei bobol, ei broblemau -

ei bopeth. Hwyrach fod 'profiadol' yn well gair na 'hyddysg'. Canu ei brofiad ei hun a wna hwn. Ac fel pob gwir artist, mynnodd gamu allan o ganolbwynt y gymdogaeth a'r gymdeithas, a sefyll draw dipyn ar wahân, o'r naill ochr, fel petai, wrth eu darlunio. Medrodd gamu'n ddigon pell i ffwrdd i weld yn iawn. Cafodd yr ecstasi o ganfod ei gylch yn gyfan am ei fod wedi ei weld, megis o'r tu allan. Fel bardd fe gymerodd y safbwynt iawn tuag at ei destun. Canodd am brofiadau ddoe ar delerau heddiw.

Eirian Davies yn ei feirniadaeth ar gerddi buddugol Bryan Martin Davies yng nghystadleuaeth y Goron, 1970. *Cyfansoddiadau a Beirniadaethau*, Gomer, 1970.

Llwyddodd *Lleufer* [ffugenw Bryan Martin Davies] nid yn unig i ddigaethiwo'r golau cudd ond i ail-greu, mewn arddull sensitif, lais y cyfarwydd ar wyneb y memrwn a threiddio i awyrgylch yr amseroedd meirwon lle gorwedd eu llwch.

Caradog Prichard yn ei feirniadaeth ar gerddi buddugol Bryan Martin Davies yng nghystadleuaeth y Goron, 1971. *Cyfansoddiadau a Beirniadaethau*, Gomer, 1971.

Bellach, treiddia golau i'w liwiau, nid lliwiau llonydd mohonynt, lliwiau'n disgleirio a llewyrchu, yn fflachio a dawnsio. Yn wir, mae'r golau'n bwysicach na'r lliwiau yn 'Y Golau Caeth', gan mai

hen olau cof ein hil,
Yn barod i'w gloddio.

ydyw. Nid bardd 'y filltir sgwâr' mohono bellach, ond bardd wedi ei drwytho yn nhraddodiadau gwareiddiad a diwylliant ei genedl ac yn mynnu chwilio am olau yn y Mabinogion a'r Cynfeirdd, nid am olau llonydd, marw, ond am,

Ymgryniadau
Ymloywadau,
ymbelydriadau,

golau ag sydd yn rhaid ei ryddhau fel y rhyddhawyd 'Mabon Fab Modron', golau sydd â'i angen ar Gymru heddiw.'

'Bryan Martin Davies', Marged Pritchard, *Portreadau'r Faner*, Cyfrol 3, Llenorion Cyfoes, (Y Faner, 1976).

Dyfyniadau gan BRYAN MARTIN DAVIES

Y golau caeth ydy'r symbol sydd gen i o'r cof yma sydd yn gof hiliol y genedl Gymraeg, yn yr ystyr Jungaidd ... fy nghof i fel Cymro, fel aelod o genedl y Cymry. Ac y mae llawer o'r cerddi yn y gyfrol honno yn ymwneud gyda'r Hengerdd, gyda barddoniaeth gynnar Cymru, a hefyd gyda rhyddiaith gynnar Cymru, y Mabinogion. Rwy'n defnyddio rhai o'r ffigyrau sydd yn y fytholeg yma sy'n perthyn i ni fel cenedl ac yn defnyddio'r rhain fel rhyw fath o symbol sydd yn ymwneud â'n cof llwythol fel cenedl ... Rwy'n gobeithio mai nid ailadrodd y cerddi ydw i. Rwy'n cymryd cymeriadau fel Blodeuwedd a Gwydion a hefyd rhai o'r themâu – Canu Aneirin a Thaliesin – ac yn ceisio cymhwyso rhai o'r themâu mawr hynny sydd yn esgyrn cof ein cenedl i'r hyn yr oeddwn i'n ceisio ei wneud yn y saithdegau yng Nghymru.

Mae'n anodd iawn i gyffredinoli ynglyn â sut mae cerdd yn dod i'm meddwl i. Mae'n siŵr mai rhywbeth sydd yn dod drwy gyfrwng y synhwyrau ydy e, yn ddechreuol – 'dych chi'n gweld rhywbeth, neu 'dych chi'n clywed rhywbeth, neu, yn aml iawn gen i, rwy'n darllen rhywbeth. Mae'r ysgogiad o'r tu allan megis, ac yna yn aml iawn efallai mai delwedd yw e, ac mae un ddelwedd yn dilyn efallai at un arall – neu 'falle 'dych chi'n ymhelaethu ac yn gweithio un ddelwedd allan – nes bod y gerdd yn datblygu yn un undod delweddol.

Technegau

Rwy'n byw mewn gwlad lle mae'r gynghanedd yn bod, lle mae'r pedwar mesur ar hugain [ffurfiau traddodiadol y gynghanedd] yn bod, felly yn draddodiadol mae barddoniaeth Cymru yn farddoniaeth ddisgybledig dros ben. Ond rwyf wedi defnyddio gan fwyaf y *vers libre* fel cyfrwng i 'marddoniaeth i, ond 'dydw i ddim yn ei weld yn gyfrwng hawdd o gwbl, dwi'n meddwl ei fod yn gyfrwng anodd dros ben, sydd yn gofyn llawer iawn o ddisgyblaeth. Fe allwn i fod wrthi am fisoedd yn gweithio ar un gerdd fer yn aml iawn. Falle 'mod i'n ysgrifennwr araf iawn, 'dwi ddim yn gwybod. Ond agwedd ddisgybledig, dwi'n teimlo, sydd gen i at ysgrifennu oblegid dwi bob amser wedi teimlo mai proses anodd yw ysgrifennu, yw gweithio cerdd, i mi,

Yr ymwybyddiaeth o fy nghymreictod fy hunan ydy'r peth sydd wedi fy nghadw i sgrifennu yn y Gymraeg er fy mod wedi byw ar ororau Cymru drwy fy oes, fel athro mewn pentre Saesneg iawn – Rhiwabon – o ran iaith.

Parhad
Dyna ydy cyfran helaeth iawn o'r identiti yma sydd gyda ni fel Cymry heddiw yw y busnes yma o barhad. Hynny yw, 'dyn ni'n ymladd i oroesi fel cenedl, 'dyn ni'n ymladd i gadw ein diwylliant ni yn fyw a dwi'n meddwl bod hynny yn thema sydd wedi cael gafael ynof fi.

Pesimistiaeth:
Rwy'n meddwl fod pesimistiaeth yn elfen gref iawn mewn llenyddiaeth fodernaidd. 'Rwy'n meddwl fod y peth yn bodoli yn fawr iawn yng ngweithiau rhai o artistiaid Ewrop. Dydy e ddim mor wir am feirdd cyfoes Cymru, beirdd ein canrif ni yng Nghymru. Mae llawer o obaith Cristnogol yn nodweddu barddoniaeth gyfoes Gymraeg. Rwy'n meddwl am farddoniaeth Gwenallt, barddoniaeth Waldo, a barddoniaeth Bobi Jones. Ond mae'n wir fod elfen o besimistiaeth yn llawer o'm cerddi i, pesimistiaeth yn yr ystyr fy mod yn ansicr iawn a fydd yr iaith Gymraeg a'r diwylliant fel 'dyn ni'n ei pharchu hi ac yn ei charu hi – a yw hynny'n mynd i barhau. Mae'r busnes 'ma o oroesi yn sicr o arwain weithiau at deimladau o anobaith – a fyddwn ni yn goroesi? – ac mae hynny yn elfen alla' i ddim ei hosgoi yn rhai o 'ngherddi i.

> Cyfweliad ar gyfer cyfres o gyfweliadau fideo gydag awduron,
> *Llên a Llun*, (Cymdeithas Celfyddydau Gogledd Cymru ac
> Awdurdod Addysg Clwyd)

DARLLEN PELLACH

'Barddoniaeth Bryan Martin Davies', Dafydd Johnston,
gol: Hywel Teifi Edwards, *Cwm Aman*, Gomer, 1996.
'Bryan Martin Davies', Marged Pritchard, *Portreadau'r Faner*,
Cyfrol 3, Llenorion Cyfoes, Y Faner, 1976
Darluniau ar Gynfas, Gomer, 1970
Y Golau Caeth, Gomer, 1972
Deuoliaethau, Gomer, 1976
Lleoedd, Cyhoeddiadau Barddas, 1984
Pan Oedd y Nos yn Wenfflam, Cyhoeddiadau Barddas, 1988

Dinas Llundain oedd cartref plentyndod Ifor ap Glyn. Fe'i ganed yn 1961, ei fam o Lanrwst a'i dad yn Gymro Llundain. Cafodd Gymraeg ar ei aelwyd yn Pinner, yn y capel a'r Ysgol Sul yn Willesden Green a Harrow a phasiodd arholiadau ysgol yn y Gymraeg, er na chafodd addysg ffurfiol yn yr iaith. Derbyniodd ei addysg mewn ysgol lle'r oedd y mwyafrif o'i gyd-ddisgyblion yn Iddewon. Pan ddaeth yn ddyddiau coleg arno, penderfynodd ddilyn cwrs ym Mhrifysgol Cymru, Caerdydd. Aeth ymlaen i dderbyn gwaith yn y cyfryngau ac mae bellach yn byw yng Nghaernarfon, yn briod â Bethan, yn dad i Lowri, Gruffudd, Gwion a Rhys ac yn gynhyrchydd teledu i Gwmni Da, yn paratoi rhaglenni dogfennol ac ar y celfyddydau yn bennaf.

Mae Llundain yn ddinas gosmopolitan. Mewn cyfres o gerddi i Ysgol Gymraeg Llundain ('Babi Pwy', *Cerddi Map yr Underground*) mae'n sôn am Ysgol Stonebridge sy'n rhannu'r un safle â hi. Mae 27 o ieithoedd gwahanol yn cael eu siarad yn yr ysgol honno. Mae pob cenhedlaeth yn dod â mewnfudwyr ac ieithoedd newydd yno. Bu adeg pan sefydlodd y Cymry yno yn eu miloedd gan godi eu capeli, cynnal eu cymdeithasau diwylliannol, sefydlu Clwb y Cymry Llundain a chodi timau rygbi. Roedd llawer o hyn ar drai erbyn plentyndod Ifor; ac ar ben hynny, tueddu i wasgaru trwy'r ddinas mae'r Cymry wedi'i wneud ar hyd eu hanes yn Llundain:

Fuon ni 'rioed yn sgut am ghettos yn Llundain;
fuo 'na rioed Kilburn Cymraeg
nag ail Lanrwst yn Lewisham;   ('Ysgol Pentre Llundain')

I'r genhedlaeth newydd o Gymry yn Llundain, mae hi'n anoddach fyth dod ar draws pobl ifanc tebyg iddyn nhw'u hunain. Mae'r hen batrymau cymdeithasol oedd ganddynt yn datod, ond un o'r ychydig bethau sy'n tynnu rhai o'r Cymry at ei gilydd bellach yw'r Ysgol Gymraeg. Eto i gyd, mae Ifor yn medru cyd-gerdded ysgwydd wrth ysgwydd â'i gymdogion o sawl diwylliant arall ar draws y glôb gan gyhoeddi mai:

'Civis Cambrensis sum'
Dinesydd o Gymru wyf.   ('Patagonia Newydd')

Er y pellter rhwng Cymry'r ddinas a'i gilydd, 'pell o agos yw popeth yn Llundain' meddai:

cwlwm llac oedd alltudiaeth y Cymry
ond cwlwm yr un fath   ('Ysgol Pentre Llundain')

Erbyn hyn, mae'r datod fu ar y gymdeithas Gymraeg yn Llundain yn cael ei ailadrodd mewn cymunedau eraill o Ben Llŷn i Benbrê – yng Nghymru ei hun y tro hwn. Mae'r syniad o berthyn yn glòs i un filltir sgwâr, i fod yn gaeth i ddylanwadau un diwylliant yn unig wedi hen ddiflannu erbyn yr unfed ganrif ar hugain. Yn ei gerddi, mae Ifor ap Glyn yn dangos sut y bu raid iddo ef ddygymod â hyn yn bersonol ers blynyddoedd. Ar y cyrion y mae llawer yn byw bellach ac eto mae modd gwneud hynny heb golli cymeriad na gwreiddiau.

I'r gymuned Iddewig yr oedd yn byw ar ei chyrion yn blentyn, un o'r seremonïau mwyaf arwyddocaol oedd y bar mitzvah, pan dderbynnid Iddew ifanc yn ddyn ar ei ben-blwydd yn dair ar ddeg oed. Seremoni oedd yn cynnwys parti a gwledd oedd honno. Cafodd wahoddiad i un achlysur, ond methodd â mynd gan ei fod ar ei wyliau, felly yr agosaf y daeth at gymryd rhan yn y dathliadau oedd gwaith achlysurol yn golchi llestri mewn synagog. ('Cofiwch – mae'r sinc cig ar y chwith a'r sinc llefrith ar y dde!') Mae'n bosib bod yn bell ac agos yr un pryd. Fel y dywed ei hun: 'Wedi'r cyfan, mae cryn hwyl i'w gael yn golchi llestri mewn *bar mitzvah*'.

Ochr arall y geiniog ydi'r dyhead cryf yn Ifor ap Glyn i ddal i sugno'i orffennol drwy wahanol wreiddiau ei deulu yng Nghymru – 'yr alltud sydd wastad yn gaeth' ('Branwen', *GLLMBM*). Roedd ganddo hen hen dad-cu ar ochr ei dad oedd yn borthmon yng nghysgod Bannau Brycheiniog mewn lle o'r enw Cwm Caerfanell. Mae'r cartref, Glynderi, bellach yn adfail dan goed bythwyrdd ond mae'n ymhyfrydu fod yr enw wedi'i gadw gan y teulu ar eu tai eu hunain ac, yn bwysicach na hynny, bod yr iaith yn dal i gael ei siarad ganddynt.

Roedd ganddo nain a thaid yn byw yn Llanrwst a threuliodd pob gwyliau Pasg a haf yno yng nghwmni plant Jorj Strît ac eraill oedd yn chwarae, cwffio a gweiddi yn Gymraeg (gweler 'fy milltir sgwâr fenthyg' yn 'Llanrwst yn fy Mhen'). Drwy'r canghennau hyn, mae'n dal i deimlo cryfder y berthynas. Weithiau, pethau penodol fel ffrog fedydd a wnaed gan ei hen fam-gu neu weld het tebyg i het cymanfa ei nain sy'n clymu gwead y teulu'n glosiach at ei gilydd. Mae ei gerddi yntau i'w blant ac i'w deulu ei hun yn llawn o'r agosatrwydd a'r chwilio am sicrwydd yma.

Yn ei ddyddiau coleg, bu Ifor ap Glyn yn aelod o grŵp y Treiglad Pherffaith, (enw amhosibl ei gyfieithu – yn wahanol i gynifer o enwau grwpiau roc Cymraeg eraill) a datblygodd ei arddull ei hun wrth gyflwyno cerddi ar ffurf rant a rap. Trodd at berfformio cerddi ar deithiau yng nghwmni nifer o feirdd: *Fel yr hed y frân* (1986), *Cicio Ciwcymbars* (1988), *Dal Clêr* (1993), *Bol a Chyfri Banc* (1995), *Y Ffwl Monti Barddol* (1998), *Syched am Sycharth* (2000), *Lliwiau Rhyddid* (2001), *Rough Guide to Cymru* (2002) a *Taith y Saith Sant* (2002). Datblygodd ei awydd i gyfansoddi cerddi mwy llenyddol yn ogystal, gan osod ei stamp ei hun ar dri chasgliad llawn o'i gerddi a thrwy gipio coron yr Eisteddfod Genedlaethol ym Môn yn 1999. Cyflwynodd y cerddi buddugol hynny yn fyw i gyfeiliant grŵp ac ar ffilm ar ôl hynny. Mae'r ffiniau yn dal i'w ddiddori, yn dal i'w herio – nid yw llwyfan a theledu, yn y diwedd, ddim ond yng nghornel yr ystafell, ar gyrion y bobol.

Cyflwyniad i waith IFOR AP GLYN

Mae mwy nag un adolygydd wedi dweud eu bod yn mwynhau clywed llais Ifor ap Glyn yn eu pennau yn cyflwyno ei gerddi ar lwyfan wrth ddarllen ei waith mewn cyfrol. Heb os, ef yw bardd-berfformiwr mwyaf ymroddedig y Gymraeg. Mae wedi bod ar fwy o deithiau barddol yng Nghymru na'r un o'i gyfoedion ac wedi mentro at gynulleidfaoedd newydd yn gyson – gan gynnwys heclars yn nhafarnau Caernarfon a chynulleidfa fyddar Gŵyl Erddi Glynebwy, fel y gwelir yn rhai o'i gerddi. Er ei fod yn mwynhau dipyn o hunan-ddychan wrth sôn am ddarlleniadau trychinebus, mae unrhyw un sydd wedi'i weld yn bwrw iddi i hawlio sylw, i hoelio sylw ac i godi cynulleidfa fywiog ar flaenau'i thraed yn ymwybodol o'i ddawn cwbl arbennig. Gyda'i hiwmor, ei slicrwydd, ei swrealaeth, y lle mae'n ei roi i rythm a chryfder llais ac i ailadrodd yn ei gerddi, mae wedi datblygu techneg uniongyrchol y gall rhai ei ystyried fel un anllenyddol. Mae'n cydnabod ei hun mai sgwennu i gyfathrebu â chynulleidfa y mae – nid i ateb unrhyw ryddhad mewnol rhamantaidd y bardd a'i bagej emosiynol. Nid llestri glas ar ddresal, nid cyllyll ffrwythau nad ydan ni byth yn eu defnyddio ydi iaith a llenyddiaeth iddo ond rhywbeth byw sy'n perthyn i bawb. Diben iaith yw siarad â chymdeithas, wedi'r cyfan, a dyna'n union sut y gwêl lenyddiaeth yn ogystal.

Yn ôl un adolygydd, mae poblogeiddio barddoniaeth a chael ymateb yn y fan a'r lle yn werthfawr, gan ychwanegu'n graff y bydd cynulleidfa sy'n mwynhau'r cyflwyniad yn debycach o brynu llyfr sy'n cael ei ddal o dan eu trwynau. Does dim gwaeth na chael dim ymateb wrth gyhoeddi gwaith creadigol. Prin yw'r cyfleoedd i adolygu cyfrolau yng Nghymru heddiw; prin yw'r trafod ar lenyddiaeth ar y cyfryngau. Gall cyhoeddi cerddi ar ddu a gwyn yn unig deimlo eich bod yn bodoli mewn gwagle. O leiaf, gall cynulleidfa fyw chwerthin, curo dwylo – neu heclo ...

Wedi'r cwbl mae niferoedd y Cymry llengar sy'n prynu cyfrolau o farddoniaeth Gymraeg yn fychan i'w ryfeddu. Heb gynulleidfa does dim ymateb, ac fe fyddwn yn dychmygu bod difaterwch yn rhwystredigaeth enbyd i unrhyw artist. Os na ddaw Cadwaladr at y cerddi, rhaid mynd â'r

cerddi at Cadwaladr.
Adolygiad o *Bol a Chyfri Banc*, Len Jones, *Barn*, Cyf 395/396,
Rhagfyr 1995/Ionawr 1996

Agwedd arall ar berfformio'n llafar yw bod hyn yn hen draddodiad gan feirdd Cymru ar hyd y canrifoedd. Rhywbeth diweddar (eisteddfodol?) yw rhoi cerddi ar bapur. Datblygodd mesurau, addurniadau ac arddull barddoniaeth Gymraeg o'r rheidrwydd hwn i ddenu clust a dal sylw. Mae Ifor ei hun yn gynganeddwr, yn arddel mesurau'r englyn a'r cywydd – yn aml iawn (ac mae hyn yn ddiddorol) i ateb swyddogaeth draddodiadol y bardd gwlad Cymraeg sef i gyfarch, i ddathlu, i gofio. Wrth gamu ar lwyfan heddiw, mae bardd o Gymro yn camu'n nes at y baledwyr, y cywyddwyr, beirdd y Tywysogion, Aneirin a Thaliesin a'r hen feirdd-dderwyddon Celtaidd.

Mae amryw o'r beirdd 'cyhoeddus' yn tystio i'r boddhad mawr a gânt wrth gyfathrebu'n fyw â chynulleidfa. Ond beth am y gynulleidfa? Sut brofiad yw hwn iddi hi?

Dyma farn un adolygydd am noson o'r fath yng Nghlwb y Felin yn y Felinheli:

Profiad cwbl unigryw ... cyflwynodd y tri bardd ... amrywiaeth eang o gerddi gyda'r fath afiaith nes peri i ni'r gynulleidfa ymgolli'n llwyr yn y farddoniaeth ... Mewn gwirionedd mae beirdd y teithiau clera wedi ei gweld hi. Sylweddolant fod dyfodol barddoniaeth Gymraeg, fel pob agwedd arall o'n diwylliant, yn dibynnu ar sicrhau cynulleidfa. Gan mai rhywbeth llafar yn ei hanfod yw barddoniaeth, pa ffordd well i gyrraedd cynulleidfa newydd na mynd â'r farddoniaeth yn uniongyrchol at y bobol? Gwnaed ymdrech arbennig gan griw *Bol a Chyfri Banc* i'n hargyhoeddi mai rhywbeth byw, deinamig yw'r awen. Cyfunwyd nifer o wahanol gyfryngau – barddoniaeth, actio, cerddoriaeth gefndir gan Geraint Løvgreen, a delweddau ar fideo. Perfformiwyd cyfres o gerddi cyfoes mewn iaith a chywair cydnaws â'r iaith lafar. Roedd ymateb a chymeradwyaeth y gynulleidfa yn tystio i lwyddiant y sioe ...

Adolygiad *Bol a Chyfri Banc*, Nia Heledd Jones,
Taliesin, Cyf. 93, Gwanwyn 1996

Gair allweddol yn y dyfyniad hwn yw 'amrywiaeth'. Mae tuedd ymysg rhai beirniaid llenyddol i gredu mai rhaffu jôcs ar fydryddiaeth y mae perfformwyr y sioeau barddoniaeth. Soniodd Bobi Jones am *'pub songs'* Iwan

Llwyd mewn un ysgrif, o'i gymharu â *'serious muse'*. Mynegodd Gwynn ap Gwilym yntau (*Barddas*, Rhif 258) mai 'gwaelod y pyramid' barddonol yw barddoniaeth lafar; aeth ymhellach (*Barddas*, rhif 265) i lambastio'r gwrandawyr a'u galw'n 'gynulleidfa hollol ddiddiwylliant, sy'n hanner gwrando ar adrodd y gerdd, efallai mewn tafarn'. Swm a sylwedd y sylwadau hyn yw nad yw llenyddiaeth lafar sydd wedi ei hanelu at gynulleidfa fyw yn llenyddiaeth sy'n ei chymryd ei hun o ddifri. Clownio ydyw, nid yr awen go-iawn, yn ôl rhai.

Yn ôl un ysgol, creaduriaid sensitif ar ymylon cymdeithas yw beirdd, yn byw â'u pennau yn y cymylau neu yn y tywod yn ôl y galw. Mae cyfansoddi cerdd yn rheidrwydd ar eu heneidiau ingol ac maent yn ei gyrru ar e-bost digyfeiriad i'r gwagle mawr heb ddisgwyl ateb. Y cyfansoddi yw'r cyfan. O safbwynt darllenwyr yr e-byst crwydrol hyn, pethau i'w darllen yn breifat mewn tawelwch ac yng nghysur cadair freichiau'r stydi ydynt.

I ysgol arall, rhywbeth cymdeithasol yw barddoni. Mae traddodiad y talwrn, yr ymryson a'r eisteddfod eisoes wedi cadw lle canolog i farddoniaeth ym mywyd bob dydd. Wrth i'r cyfleoedd parod i ddefnyddio iaith leiafrifol leihau, felly yr eir ati i greu cyfleoedd newydd. Datblygodd y sioeau beirdd ac yn ddiweddarach y stomp farddonol gyda'u cymeriad unigryw yn y traddodiad Cymraeg. Daeth y cydbwysedd a welir mewn ymryson, lle bydd y dwys a'r digri yn corddeddu drwy'i gilydd, yn nodwedd hanfodol. Mae chwerthin, fel ochneidio, yn rhyddhad. Ni chlyw'r bardd unrhyw ymateb uniongyrchol o'r stydi breifat, ond dyna yw ei betrol mewn perfformiad byw.

Wrth gydymdeimlo â'i gynulleidfa fod rhaid iddi gael pleser wrth wrando, ac wrth wneud iddi chwerthin o dro i dro, nid yw hynny'n golygu nad yw Ifor ap Glyn o ddifri ynglŷn â'r hyn mae'n ei ddweud. Nid 'mwyaf trwst llestri gweigion' bob tro. Yn ôl un adolygydd i'r gyfrol *Golchi Llestri mewn Bar Mitzvah*:

> ... y mae cyfrol ddiweddaraf Ifor ap Glyn yn erfyn am ailddarlleniad. Barddoniaeth i'w dadansoddi sydd yma, cerddi sy'n cosi'r llwnc yn hir ar ôl eu treulio y tro cyntaf.
>
> 'Nid Llestri Gweigion', Llion Roberts,
> *Barn*, Cyf. 433, Chwefror 1999

Mae clywed a darllen cerddi yn broses sy'n agor y meddwl a'r synhwyrau ac sy'n newid yn barhaus. Dywedodd y bardd o Wyddel, Brendan Kennelly, ei fod wrth ddarllen cerdd yn teimlo bod y gerdd yn ei ddarllen yntau. Dyna'r math o ymateb agored y bydd bardd yn chwilio amdano – a dyna a geir mewn cynulleidfa fyw yn aml. Bydd honno yn ymateb i gerdd fel y bydd yn ymateb i gân, gan impio ei phrofiadau ei hun ar y geiriau mae'n eu clywed a'r lluniau mae'n eu synhwyro. Bydd y darllenydd stydi yn fwy oeraidd ac ymchwilgar efallai, yn ceisio diffinio'r gerdd yn hytrach na gadael iddi hi ei ddiffinio ef. Yn y gynulleidfa neu yn y gadair, chwilio am ymateb i effaith y gerdd arnom sy'n rhoi'r pleser dyfnaf, yn hytrach na 'chwilio am ystyr'. Bydd yr ystyr yn newid efallai gyda phob darlleniad – dyna brofiad y rhai sy'n dweud: 'Dwi'n gweld mwy yn hon gyda phob darlleniad/gwrandawiad'. Dyna pam fod cerddi Ifor ap Glyn yn werth eu darllen yn ogystal â'u mwynhau'n llafar. Ac wrth ofyn 'Pam ei bod yn cael yr effaith hon arnaf?' y down i ymateb i'w grefft fel sgwennwr.

Y WERS RYDD

Holl Garthion Pen Cymro Ynghyd, Ifor ap Glyn, Y Lolfa, 1991, tud. 7

Cyflwyniad gan Ifor ap Glyn

Dwi wastad wedi edmygu'r bardd W.J. Gruffydd am y ffordd mae'n creu geiriau newydd i ddisgrifio pethau e.e. dwysbectolheigaidd, sydd yn fy nhyb i yn cyfleu mwy na'r geiriau unigol, 'dwys' + 'sbectol' + 'ysgolheigaidd'. Yn Saesneg, roeddwn hefyd yn mwynhau'r ffordd roedd John Lennon yn chwarae o gwmpas hefo'r iaith:

About the Awful:
I was bored on the 9th of Octover 1940 when, I believe, the Nasties were still booming us led by Madalf Heatlump (Who only had one). Anyway they didn't get me.
(o *In his own write*, John Lennon, 1964)

Dwi wastad wedi teimlo y dylai beirdd geisio bod yn hy hefo'r iaith; dyna un o'r ffyrdd gorau o ymestyn ei hadnoddau hi. Mae llawer iawn o feirdd Cymraeg yn gwneud hynny wrth gwrs, ond fedra' i ddim llai na theimlo fod 'na gryn geidwadaeth yn eu rhengoedd hefyd. Rhyw ddychan ysgafn ar y geidwadaeth honno sydd yn 'Y Wers Rydd' – ond dwi wedi'i sgwennu hi safbwynt y sawl sy'n cael ei ddychanu, er mwyn twyllo'r darllenydd i gydymdeimlo â nhw! Ac i gymhlethu pethau'n fwy fyth, mae'r 'ceidwadwr' sy'n traethu yn mynegi'i hun trwy ddefnyddio'r union arddull mae'n ei chollfarnu! Ai enghreifftio'r 'beiau' hyn mae o, ai eu parodïo? Ynteu ydi o, mewn gwirionedd, yn llai cadwedig nag y mae o'n tybio? Bernwch chi drosoch eich hunain ...

(Un nodyn bach cyn cloi: yn yr ysgol ers talwm, rôn i'n astudio Lladin ac weithiau'n gorfod dadansoddi darnau o ryddiaith a barddoniaeth gan dynnu sylw at y gwahanol addurniadau rhethregol a ddefnyddid ynddynt. Un o'r rhyfeddaf yw hwnnw lle gosodir gair yng nghanol gair arall; gwnaeth William Williams, Pantycelyn hyn wrth sôn am 'Constantfawrinople'; felly mae'n rhaid gen i ei fod o wedi elwa o'i wersi Lladin hefyd. Enw'r addurn rethregol hon yw 'tmesis' (gair Groegaidd sy'n golygu 'toriad' neu 'trychiad') a dwi wedi disgwyl pum mlynedd ar hugain am gyfle i ddefnyddio'r gair bach yna eto!).

Gair am air

ensynio	awgrymu, cyfeirio'n anuniongyrchol, insiniwetio
traws fantach	math arbennig o gynghanedd draws (un wan iawn pan nad oes ond un sill ar y dechrau yn cyfateb cytseiniaid sill arall ar y diwedd)
bregliach	siarad am ddim byd, clebran, baldorddi, jabran
petryal	hirsgwar, ond mae'n canu clychau hefyd: mae'n air clasurol o'r Mabinogi yn disgrifio bedd Branwen yn yr ail gainc ac fe'i defnyddiwyd yn ddychanol gan R. Williams Parry i ddisgrifio siap y tost a fwynhâi'r darlithwyr ym Mhrifysgol Cymru.

Sylwi ac ystyried

1. Mae Ifor ap Glyn yn fardd sy'n hoffi chwarae gyda jig-sô iaith – nid i greu y llun disgwyliedig gewch chi ar wyneb y bocs, ond i greu rhywbeth annisgwyl, picaso-aidd bron, gyda'i wreiddioldeb ei hun. Mae'n rhaid *gwrando* ar ei gerddi, nid yn unig eu darllen, er mwyn gwerthfawrogi ei grefft. Mae'n cyplysu geiriau yn ei jig-sô drwy ailadrodd cytseiniaid weithiau – sylwch ar gytseiniaid 'ensynio' yn cael eu hailadrodd yn 'synnu' (llinellau 1,2); dro arall, bydd yn defnyddio odl – a honno'n odl gocosaidd weithiau: synnu/fynnu/aildrefnu (llinellau 2,3,4); gall fod mor hyf ag agor geiriau a stwffio gair arall i mewn i'w canol – 'llin-mewn-ellau' (sy'n darlunio yr hyn mae'n trio'i ddweud). Bydd weithiau'n creu mwysair er mwyn dod ag ystyr ychwanegol i'r gwaith – yn y gerdd hon mae clogyrnaidd yn cael ei ailwampio i greu dau air, a dau ystyr: 'clogyrn-eiddgar'. Mae ailadrodd cymalau a llinellau yn ddyfais a ddefnyddir ganddo yn aml yn adeiladwaith cerdd. Yma, mae'r llinell 'rhwydd hynt iddynt' yn cael ei hadrodd ddwywaith – gan gryfhau ei heffaith ar y gwrandawr.

Sylwch ar ei ddefnydd o ebychnod. Beth mae hynny yn ei awgrymu i chi am ei ffordd o'i fynegi'i hun?

2. Amddiffyn rhyddid mynegiant y mae'r bardd yn y gerdd hon. Mae cylch barddoni yn y Gymraeg yn ymhyfrydu mewn dadlau gydag ef ei hun ar hyd y canrifoedd ynglŷn â dulliau mynegi. Datblygodd y gynghanedd a mesurau

cerdd dafod i greu yr hyn a elwir yn 'ganu caeth'. Yn cydredeg â hynny, roedd rhai yn canu ar fesurau rhydd nad oedd yn arddel fawr mwy o addurniadau crefft na mydr ac odl. Galwyd y beirdd hynny yn 'glêr' gan y beirdd swyddogol a ganai i'r tywysogion a'r uchelwyr ac roeddent yn cael eu cyfri'n israddol. Yn ddiweddarach, doedd gan y beirdd eisteddfodol a enillai gadeiriau cenedlaethol fawr o feddwl o'r baledwyr a'r rhigymwyr lleol. Yn yr ugeinfed ganrif, daeth mesur y *vers libre* yn gyffredin yn y Gymraeg. Dyma'r 'wers rydd' – roedd rhai yn y garfan gaeth, draddodiadol yn wfftio at hwn fel mesur nad oedd yn fesur. Nid oedd yn ddim ond rhyddiaith wedi ei dorri mewn llinellau rhyfedd, afreolaidd, meddent. Mi all hynny fod yn ddigon gwir mewn ambell achos. Eto, yn nwylo crefftwr, yr hyn a geir mewn *vers libre* yw creu mesur newydd i ffitio yr hyn mae'r bardd am ei ddweud. Yn hytrach na dilyn mesur parod oddi ar y silff, fel petai, mae'r bardd yn gorfod pensaenïo mesur newydd. Mae hyn yn rhoi rhyddid iddo, ond mae hefyd yn ei feichio â'r cyfrifoldeb i greu mesur sy'n llwyddo i ddal clust y gwrandawr a mynegi ei hun yn effeithiol. Gall hyn olygu *mwy* o grefft na dilyn patrwm traddodiadol weithiau. Dyna efallai y mae Ifor ap Glyn yn ei ddangos wrth ddefnyddio cymaint o elfennau crefft y cyfeiriwyd atynt uchod.

3. **'di-ryddm di-ri, di-ryddm di-ri'/'Ffaldi raldi dwdl lal'** – Mae'r ddau ddyfyniad yma yn llawn o'r hiwmor, clyfrwch a'r dychan tafod-yn-y-boch sy'n nodwedd mor amlwg o ganu Ifor ap Glyn. Mae jingls bach fel 'dirym-di-ri, dirym-di-ro' a 'ffaldi raldi dwdl lal' yn britho ein caneuon gwerin. Yn y gerdd hon, maent yn darlunio'r math o nonsens geiriol y gellid ei ganiatáu drwy lynu at batrwm traddodiadol mydr ac odl. Yr hyn sy'n od o slic yn y rhan hon o'r gerdd yw bod y *di-ryddm di-ri* cyntaf yn cyfeirio at y llinellau sy'n cael eu rhaffu gan wers ryddwyr. Maent – yn ôl y gornel draddodiadol – yn ddi-rhythm ac yn ddirifedi, heb unrhyw batrwm o gwbl iddynt. Ond wrth ailadrodd y *di-ryddm di-ri* mae Ifor ap Glyn yn dangos pa mor wag yw moli curiad cyson dim ond er mwyn cael curiad cyson. Mae'r ail ddyfyniad yn ddisgyneb wedyn ar ôl inni gael ein codi i ddisgwyl enghraifft o un o 'betha gora ein traddodiad'.

4. **'geiriau barddonol'** – Mae'n debyg mai cyfrol John Morris Jones, *Cerdd Dafod* (1925) oedd penllanw y duedd hon o ddosbarthu geiriau fel rhai 'barddonol' ac 'anfarddonol'. Roedd hi'n iawn rhoi 'grudd' mewn telyneg, meddai'r gyfrol honno, ond naw wfft i'r bardd fyddai'n defnyddio'r gair 'boch'! Ni fynnai chwaith weld geiriau gwerinol na geiriau haniaethol mewn cerddi, ond croesawai hen eiriau cyfweddol a phersain. Y mudiad

rhamantaidd a'i ganu mindlws gafodd y bai am gam gwag yr hen Athro, ond does dim dwywaith ei fod wedi dylanwadu ar genhedlaeth o feirdd a fu'n cystadlu ar yr awdl yn y Genedlaethol ac ar y delyneg mewn mân eisteddfodau eraill. Wrth i'r ugeinfed ganrif fynd rhagddi, fodd bynnag, daeth yn fwyfwy cyffredin i arddel unrhyw air sy'n cael yr effaith cywir mewn cerddi. Trodd T.H. Parry-Williams a Williams Parry o ganu'n glasurol a Chanol Oesol yn eu hawdlau at arddulliau mwy llafar a rhigymllyd, wrth i farddoniaeth ganfod lle iddi'i hun ar lwyfannau cyfoes. Daeth llafareiddio ac arfer geiriau tafodieithol a 'choman' yn fwyfwy amlwg. Y gair mae Ifor ap Glyn yn ei ddefnyddio i hoelio hynny adref ydi 'phlegm' – digon i wneud i Syr John gael pwl o besychu yn ei fedd! Diddorol yw sylwi ar y dyfyniad gan Wiliam Salesbury sydd gan Ifor ap Glyn o dan ei ragair i'r gyfrol hon:

'A ydych chi yn tybied nad raid amgenach eiriau ... i draethu ... athrawiaeth a chelfyddydau nag sydd gennych chi yn arferedig wrth siarad beunydd yn prynu a gwerthu a bwyta ac yfed?'
(Wiliam Salesbury yn ei ragair i *Oll Synnwyr Pen Cymro Ynghŷd*)

5. I gloi, felly – cerdd sy'n ymdrin â llawer o ragfarnau ynglŷn â mynegiant cyfoes ar wers rydd, ond yn gwneud hynny mewn ffordd na fedrwch lai nag edmygu a mwynhau'r grefft. Mae'n llawn o eironi direidus.

I GRUFFUDD
Golchi llestri mewn bar mitzvah, Ifor ap Glyn, Gwasg Carreg Gwalch, 1998, tud.18

Cyflwyniad gan Ifor ap Glyn
Mae hiraeth fel arfer yn rhywbeth sy'n edrych yn ôl; hiraethwn am yr hyn a fu, ond dwi'n credu fod modd hiraethu am y dyfodol hefyd, hiraethu am yr hyn efallai na fydd.

Fel llawer o dadau, am wn i, dwi'n edrych ymlaen at gael gwneud 'pethau dynion' hefo fy meibion, ac yn gobeithio y cawn ni fod yn dipyn o fêts. A pham lai? Wedi'r cyfan dwi'n dal i deimlo'n ifanc ... wel ar hyn o bryd o leia.

Daeth y gerdd hon o'r ymwybyddiaeth fod hynny'n debyg o newid. Os ydw i dal yn ddigon heini a gwirion ar hyn o bryd i wneud y pethau a ddisgrifir yn y gerdd, erbyn y daw Gruffudd i'w arddegau hwyr a gallu gwneud y pethau gwirion yma ei hun, mi fydda' i wedi hen chwythu 'mhlwc! (Gyda llaw, peidiwch â defnyddio'r *chat-up lines* ym mhennill 5. Dwi wedi'u trio nhw i gyd ac maen nhw i gyd yn anobeithiol.)

Gair am air

soft tops	car to clwt
Lios Dúin Bhearna	tref yng ngorllewin Iwerddon sy'n enwog am ei gwyliau cerddorol lle bydd llawer o offerynwyr 'sesiwn' yn ymgynnull, yn ogystal ag ambell offerynwr bysgio, yn ceisio cael ceiniog neu ddwy ar y styrd
tutus	dillad balé
Bolshoi	cwmni balé enwog yn Moscow
Wormwood Scrubs	carchar yn Llundain

Sylwi ac ystyried

1. Y geiriau ar ddechrau pob pennill o'r gerdd hon sy'n rhoi fframwaith iddi – edrych tua'r dyfodol y mae'r bardd gan siarad yn ddychmygol gyda'i fab deng mis oed ac mae'r ddau air 'rhyw ddydd' yn cyfleu y dyfodol pell a niwlog hwnnw. Profiad cyffredin i sawl rhiant yw meddwl mwy am yfory nag am heddiw wrth fagu plant – fedran nhw ddim llai na meddwl sut le fydd yn y byd yma pan fydd y bychan hwnnw yn ugain oed, yn ddeugain oed . . . Mae cael to iau ar yr aelwyd yn golygu bod y rhieni yn hŷn o genhedlaeth hefyd. Mae'r gŵr ifanc yn troi i fod yn dad – ac mae'n anodd i dad gofio bod yn fab ei hun weithiau. Mae'n anorfod bod tyndra a chroesdynnu rhwng pob cenhedlaeth ond ymdrech i gau'r bwlch cyn iddo agor yn rhy lydan sydd yn y gerdd hon.

Beth yw'r ystyr dan wyneb y frawddeg olaf i chi? Hon yw unig frawddeg y mab ac mae'n mynegi rhyfeddod ac anghredinedd llwyr fod ei dad yn medru meddwl am y fath stranciau gwallgof i'w cyflawni. Erbyn y 'rhyw ddydd' hwnnw, efallai bod Ifor ap Glyn yn ofni y byddai'i fab yn ei weld fel gŵr sy'n cynnal trefn ar ei deulu, yn eu hannog i ddewis y llwybrau cywir, i beidio â mynd dros ben llestri ac yn y blaen. Yn y gerdd hon, mae'n ei atgoffa iddo yntau fod yn ifanc ei ysbryd unwaith, yn byw bywyd i'r eithaf, heb boeni'n ormodol am fân reolau.

2. Er mor wallgof yw'r dyheadau am y dyfodol, sylwch fod y bardd yn ymwybodol yn nau ddarlun cyntaf y gerdd o'r hyn sy'n gyfrifoldeb arno fel tad. Gŵyr mai y nhw fel rhieni fydd yn dysgu'r bachgen i fwyta cinio (yn lle ei wisgo!) a'u breichiau nhw fydd yno i'w gynnal pan fydd yn simsanu. Gall

IFOR AP GLYN

y rhestr honno gael ei hymestyn i gynnwys holl brofiadau bachgendod a llencyndod – ond mae'r awgrym yn ddigon. Sadio'r plentyn yw dyletswydd y tad, nid ei annog i gadw reiat. Dyna pam efallai bod amheuon yn llechu yng nghalon y tad y bydd ei fab yn ei weld fel disgyblwr yn hytrach na chymar ar anturiaethau mawr bywyd. Beth sydd y tu ôl i'r llinell 'a minnau heb heneiddio' – sicrwydd, gobaith neu amheuaeth?

3. Er bod y penillion yn amrywio o ran hyd a hyd llinellau, mae diwedd llinell ganol pob un ohonynt yn odli â diwedd y llinell olaf: wisgo/Moscow; ha/iâ; deuawda/Bhearna ac ati. Nid hap a damwain yw hyn ond gofal bardd sy'n hoff o fanylu ar addurniadau bychain wrth ei waith. Mae'r elfen o odl yn gymorth i bwysleisio'r hiwmor hefyd – yr odl ydi'r ergyd olaf yn y pennill hwnnw, gan ryddhau'r gynulleidfa i ymollwng i chwerthin cyn symud ymlaen.

4. Mae newid cywair yn y pennill olaf. Ffantasi yw'r penillion eraill – breuddwydion ffŵl, efallai. Yn yr efallai y mae'r gobaith, wrth gwrs, ond yn y pennill olaf mae'r bardd yn wynebu'r gwirionedd tebygol y bydd ei fab yn rhyfeddu bod ei dad yn medru hyd yn oed sgwennu am y fath bethau heb sôn am eu cyflawni. Mae tristwch y pellter rhwng dwy genhedlaeth i'w glywed yma ar ôl hwyl yr ymgais i bontio rhwng tad a mab.

FFROG FEDYDD

– i Rhys

(Ym mis Mai 1998 bedyddiwyd ein mab Rhys. Roedd y ffrog fedydd amdano yn un a wnaed yn wreiddiol gan fy hen fam-gu yn 1905)

Pan oedd Evan Roberts yn rhodio'r tir,
cymerodd hi'r sidan a gweithio ffrog i'r cyntaf-anedig,
gwnïo adnodau o les, yng ngolau lamp olew,
pwytho'r Diwygiad i'w phlygiadau,
a darllen Beibl wrth glymu'r incil.

Y wisg hon
fu unwaith yn weddus
i wŷr aeth wedyn i ryfel,
ac i blanta eu hunain;

y wisg hon
fedrai unwaith amgáu
gwddw tarw nwncwl Ieuan,
arddyrnau golffio 'nhad-cu,
a 'nghoesau heglog fy hun.

Anodd dweud pa mor dduwiol
oedd tenantiaid amrywiol
tŷ capel y ffrog,
ond cefais anwes ei ffydd
a diléit yn yr allanolion, fan lleia;

roeddwn yn medru canu
'pan ddelai'r plant ynghyd'
yn Ystrad-fflur, wrth gladdu
'y rhai fu oddi cartre cyhyd'
(hyd yn oed os casét
Caradog Roberts mewn car
a chydganu mewn bar oedd fy ysgol gân
– yn Old Deer Park, nid yn 'capel,
oedd ein heneidiau ni ar dân.)

Dychwelwyd tri o ddeiliaid y ffrog,
i gapel eu bedyddio eisoes.

Wedi hen basio'r pedwar ugain,
yn yr un capel, bu llefain
wrth gwblhau'r daith yn ôl i'r Bont o Lundain,
ac ymlaen i'r nefoedd claear
yn naear Ystrad Fflur.

Y wisg hon
fu ar bererindod
gyda'r diaspora'r dauddegau;

y wisg hon
ddaeth yn ei hôl

i dalaith fwy gogleddol;
y wisg hon
sy'n gyffyrddiad cariadus
gan hen fam-gu na chwrddais;
y wisg hon
sy'n ein clymu'n deuluol
â'i hincil, i'n gorffennol.

Rydym, Rhys
yn cadw'r ffrog,
gan geisio hefyd
gadw'r ffydd . . .

(cyhoeddwyd y gerdd yn wreiddiol yn *Golchi llestri mewn bar mitzvah*,
Ifor ap Glyn, Gwasg Carreg Gwalch, t.32;
newidwyd ychydig arni erbyn hyn)

Cyflwyniad gan Ifor ap Glyn

Dyma'r peth agosaf at gerdd grefyddol imi ei sgwennu erioed. Dwi'n
mynychu capel ond mae ffydd yn lôn hir a minnau megis ar ddechrau'r
daith. Mae'n hawdd iawn ymserchu ym mhethau allanol crefydd, ond 'gwae
inni wybod y geiriau heb adnabod y Gair', chwedl Gwenallt. Rôn i'n poeni
'mod i'n mawrygu'r ffrog yn hytrach na'r bedydd ei hun. Dwi hefyd yn
mwynhau emynau, ond yn y car hefo 'Nhad, ac yn y bar ar ôl gwylio tîm
rygbi Cymry Llundain y dysgais i ganu; rhyw ganu digon merfaidd oedd yn
y capel fel arfer.

Mae llawer yn ffieiddio at y syniad o bobol yn canu emynau wrth yfed
ond dwi ddim mor siŵr. Roedd fy Nain yn ddynes fwy defosiynol nag y
bydda' i fyth ac roedd 'na rywbeth digon gwreiddiol yn perthyn iddi hefyd.
Un nos Sadwrn wrth ddreifio trwy dyrfa yn yfed ar ochr stryd, dyma hi'n
cynnig, 'Pam na rôn nhw far yn y festri? 'Sa'r capal yn llawn wedyn!'

Efallai fod hynny'n rhy radical, ond y gwir yw na allwn ni gadw pethau'r
byd a phethau'r ysbryd yn llwyr ar wahân, waeth faint mor galed yr y'n ni'n
trio. Pwy a ŵyr na fydd pethau allanol fel ffrog fedydd ac emynau mewn
tafarnau yn y pen draw yn fy arwain at y gwirioneddau mewnol sydd y tu
hwnt imi ar hyn o bryd?

Gair am air

Evan Roberts	efengylwr ac arweinydd Diwygiad 1904-05 a ymledodd yn syfrdanol drwy Gymru gan lenwi oedfaon a chyfarfodydd gweddi
incil	llinyn sydd yn cau'r ffrog
heglog	hir a choesog
Ystrad-fflur	mae'n cyfeirio at angladd un o'i deulu yn yr ardal honno
Caradog Roberts	cerddor o Rosllannerchrugog; organydd a chyfansoddwr emyn-donau; golygodd lyfrau emynau'r Annibynwyr Y *Caniedydd Cynulleidfaol* (1921) a *Caniedydd Newydd yr ysgol Sul* (1930)
Old Deer Park	maes chwarae tîm rygbi Cymry Llundain
y Bont	Pontrhydfendigaid, Ceredigion – mae cangen o dylwyth Ifor ap Glyn yn hannu o'r ardal honno
diaspora	chwalfa; grŵp o bobol yn cael eu gwahanu i bob cyfeiriad; fe'i defnyddiwyd yn wreiddiol i sôn am chwalfa'r Iddewon drwy'r cenhedloedd yn yr wythfed a'r chweched ganrif C.C.; chwalwyd llawer o deuluoedd Cymru yn ystod dirwasgiad economaidd dauddegau a thridegau'r ugeinfed ganrif

Sylwi ac ystyried

1. Os ewch i Batagonia a phrofi'r croeso cynnes sydd i'w gael yno, efallai y byddwch yn ddigon ffodus i gael eich gwahodd ar aelwyd un o'r hen deuluoedd Cymreig sy'n byw yno. Maent yn Archentwyr ers cenedlaethau bellach, ond mae amryw yn dal i ddodrefnu eu tai fel hen geginau Cymreig, gan mlynedd a mwy yn ôl; mae ganddynt luniau o hen ardaloedd eu teuluoedd yng Nghymru ac maent yn dal i fynychu capeli bychain sgwarog ar y paith ac yng Nghwm Hyfryd. Mae Cymru alltud – fel pob cenedl alltud – yn fwy ymwybodol o fanion ymylol eu treftadaeth a'u teuluoedd na Chymry sy'n dal i fyw yn eu hen froydd, yn aml iawn. Yn y gerdd hon, mae Ifor ap Glyn yn cyflwyno un o greiriau ei deulu yntau – ffrog fedydd a wnaed gan ei hen fam-gu a ddefnyddiwyd gyntaf yn ystod Diwygiad '04-'05 yng nghefn gwlad Ceredigion. Mewn cerdd arall, mae Ifor ap Glyn yn cyfeirio fel y cadwyd yr enw 'Glynderi' gan ei deulu ar eu tai yn Crouch End a Northwood i gadw'r cysylltiad yn fyw â Glynderi arall – cartref John Ifans,

un o'r hynafiaid oedd yn ffermwr a phorthmon yng Nghwm Caerfanell. Yn y gerdd 'Swpar Chwaral', mae'n sylwi bod ei deulu'n dal i eistedd i fwyta prif bryd y dydd yr un amser ag y deuai ei hen daid o'r chwarel yn y Fachwen saith deg mlynedd ynghynt. Dyma'r pethau bach sy'n eu 'clymu'n deuluol' gyda'i gilydd a chyda'u gorffennol, a phan fo'r llinynnau'n denau mae'n bwysig fod y clymau'n dynn. Mae enghreifftiau o hynny mewn cerddi eraill o'i waith.

2. Mae naws arbennig i eirfa'r gerdd. Mae'r bardd yn fwriadol wedi brodio geirfa crefydd a chapel drwyddi. Mae 'adnodau' wedi'u gwnïo i les y ffrog, y Diwygiad wedi'i bwytho i'w phlygiadau – ewch drwyddi i sylwi ar yr eirfa arbennig hon. Mae hyn yn pwysleisio nad hanes teuluol yn unig sydd yma, ond hefyd crefydd y teulu. Cafodd Ifor ap Glyn ei fagu mewn cymuned aml ddiwylliannol ac roedd y mwyafrif o'i gyd-ddisgyblion ysgol yn Iddewon. Mae'r genedl honno'n rhoi pwyslais nid yn unig ar gynnal cof y teulu ond hefyd ar gadw crefydd yr hen genedl. Mae'r bardd yn holi ynglŷn â dyfnder ei grefydd ei hun a dyfnder crefydd ei gyndadau wrth fodio sidan y wisg. Sut mae'r bardd yn creu'r argraff mai pethau ar ymylon yr oedfa yn hytrach na sêl grefyddol oedd yn cyfri fwyaf?

3. Mewn barddoniaeth gynnar Gymraeg, mae nifer o gerddi yng nghanu Llywarch Hen a Heledd sy'n gyfres o englynion a phob englyn yn dechrau â'r un geiriau: 'Y dre wen...', 'Stafell Gynddylan...' Mae'r ailadrodd yn tanlinellu teimladau dwys a chymysgedd o hiraeth a gobaith sydd i'w deimlo yn y geiriau 'y wisg hon' sy'n rhagflaenu cymaint o benillion y gerdd hon. Wfftio at allanolion y byddwn o dro i dro – pa ddiben cael cinio i ddathlu Gŵyl Ddewi ym Manceinion o bobman? Ond i eraill, mae cadw elfennau o'r seremoni yn bwysig gan obeithio y bydd hynny yn eu tywys yn ôl at yr hanfod gwreiddiol yn y pen draw.

ATGOFION GLASLANC
Cerddi Map yr Underground, Ifor ap Glyn, Gwasg Carreg Gwalch, 2001, tud. 43

Cyflwyniad gan Ifor ap Glyn
Man cychwyn y gerdd hon oedd clywed rhaglen radio yn trafod pysgod trofannol! Er bod pysgod trofannol yn lliwgar dros ben i'n llygaid ni, yn eu llygaid nhw eu hunain, dyn nhw ddim yn lliwgar o gwbl! Dyw lliw, felly, ddim yn beth absoliwt, gan fod lliwiau gwahanol yn cael eu gweld yn

wahanol gan rywogaethau gwahanol! Dyma fi'n dechrau meddwl wedyn, tybed ai dyna oedd y rheswm am y gwahaniaeth ystyr sy'n gallu bod rhwng glas yn y Gymraeg a *blue* yn Saesneg? Oes 'na rywbeth bywydegol yn hytrach na semantegol tu ôl i hyn?

Yn y gerdd, daw glas a *blue* yn sumbolau am ffyrdd gwahanol o fyw, a throbwynt y gerdd yw sylweddoli nad glas sydd yn Llundain mewn gwirionedd ond *blue*; fod pob cenedl a'i glas a'i *blau* a'i *goirm* a'i *bleu* ei hun, ac os am eu profi go iawn rhaid mynd i'r gwledydd eu hunain.

Gair am air

glas	mae'n fwy na gair arall am *blue* yn Saesneg; yn y geiriau *glaswellt* a *glasu*, mae'n cyfleu tyfiant gwanwyn; yn *glasoed* a *glaslanc*, mae'n disgrifio ieuenctid ac yn y dywediad yng *nglas* y bore, mae'n arwydd o wawr newydd
blue remembered suburbs	parodi ar linell enwog yn Saesneg *'those blue remembered hills'* gan A.E. Housman (*A Shropshire Lad*, XL) sy'n sôn am fryniau (Cymru, efallai) fel y'u gwelir o diriogaeth y ffin
Come Dancing	rhaglen o ddawnsio ffurfiol – y bôl-rŵm dansing – ar y teledu ers talwm
Paso Doble	dawns wedi'i sylfaenu ar ddull arbennig America Ladinaidd o fartsio
Sambaista	(neu sambista) enw ar y sawl sy'n hoffi dawnsio'r samba, dawns Frasilaidd sy'n hanu o Affrica
heigio	pysgod yn nofio gyda'i gilydd
glastwreiddio	yn llythrennol – tynnu hufen o'r llefrith, ond fe'i defnyddir am deneuo neu ddyfrio rhywbeth sylweddol
cregyn gleision	*moules* (yn Ffrangeg) *mussels* (yn Saesneg)

Sylwi ac ystyried

1. Un o gasgliad o gerddi ar y testun 'lliwiau'r enfys' yw'r gerdd hon. Perfformiodd Ifor ap Glyn nhw ar y cyd â cherddi ar yr un testun gan Elinor Wyn Reynolds mewn sioe gan Theatr Bara Caws, *Lliwiau Rhyddid*. Oes 'na chwilio am ryddid yn y gerdd hon? Beth sy'n awgrymu hynny?

2. Mae'r gymhariaeth â bôl-rŵm dansing yn ddewis gofalus ar ddechrau'r gerdd – arddull ffurfiol, ddefodol bron sydd i'r math hwnnw o ddawnsio, ac

mae'n gysylltiedig â chymdeithas ddinesig. Dyma ganu caeth y llawr dawnsio. Wrth gynnal un darlun dros nifer o linellau fel hyn, creu delwedd y mae'r bardd ac mae'n amlwg nad yw delwedd y semis unffurf, sybyrbaidd yn apelio ato.

Yna, mae'r ddelwedd yn newid. Mae'r geiriau nofio/heigio a glas fel glas y môr yn ein harwain at ddelwedd y pysgod trofannol. Mae'r rhain yn gweu drwy'i gilydd ac 'yn groes i'w gilydd', fel y gwahanol genhedloedd sydd mewn dinas gosmopolitaidd. Eto, mae gan bob un stamp ei rywogaeth ei hun arno – 'tonfeddi lliw preifat' yw dull Ifor ap Glyn o gyfleu hynny. Fel y mae lliwiau'r pysgod yn amrywio, felly hefyd y mae ieithoedd, y 'cwpanu ystyron', yn amrywio. Nid yr un glas yw'r 'glas' Cymraeg a'r *blue* Saesneg.
3. Dathlu nad ydym yn unffurf y mae'r gerdd. Mewn cerdd arall ('Iolo Morgannwg, Newt Gingrich a fi . . . ', *Golchi Llestri mewn bar mitzvah*, tud. 62), mae Ifor ap Glyn yn portreadu unffurfiaeth fel hyn:

Fe'm ganwyd i fyw
mewn byd bach Little Chef
lle mae rhywbeth wedi penderfynu
pa le bynnag yr ei di
drwy'r byd i gyd,
bydd y sosej ar y chwith
a'r tomato ar y dde.
Dyna yw dewis . . .

Yn y pentref global a'r archfarchnad leol, y dewis yw unffurfiaeth neu ddim byd o gwbl:

Ein harwyddair yw rhyddid
ond arall yw ein tynged

meddai Ifor ap Glyn. Mae iaith wahanol yn ei ryddhau, yn cynnig 'swn llai cyfyng' iddo. Gwrandewch ar adlais o thema *Songlines*, Bruce Chatwin (yr ymdrinwyd ag o yn y bennod ar Iwan Llwyd) yn y llinellau olaf.

Dyfyniadau am IFOR AP GLYN

Y mae ef yn fardd bywiol, bywiog, da . . . teitl y gyfrol yw *Holl Garthion Pen Cymro Ynghyd*, teitl a ddengys ddeubeth, sef fod Ifor ap Glyn yn gynefin â rhywfaint o William Salesbury a'i fod yn ddigon eofn i'w barodïo. Arwyddion iachus.

'Ni cheir byth *wir* lle bo llawer o feirdd'
Darlith Agoriadol gan Derec Llwyd Morgan,
Prifysgol Cymru Aberystwyth, 1991

Mae ei gerddi yn ymfalchïo mewn perthyn i rywun neu rywbeth, ond ar yr un pryd yn ofni cydymffurfio gormod.

'Nid Llestri Gweigion', Llion Roberts,
Barn, Chwefror 1999

Mae llawer o'i gerddi ysgafnach hefyd wedi'u llwytho â myfyrdodau cyrhaeddgar.

adolygiad Grahame Davies, *Poetry Wales*, Gorffennaf 1999

Ifor ap Glyn, wrth gwrs, yw'r giamstar go-iawn ar y busnes iaith-bob-dydd, cerddi i'w perfformio yma, y dyn sy'n troi iaith wyneb-i-waered a thuchwith-allan nes bod yna unlle i guddio.

'Beirdd y Brwcws' Elin ap Hywel
(adolygiad) *Taliesin*, Cyf. 86, Haf 1994

Mae blas y llafar yn gryf ar gyfrol Ifor ap Glyn, ac mae rhywun yn clywed yr awdur yn llefaru'r cerddi drwy'r print. Mae chwarae â seiniau, defnyddio'r gynghanedd weithiau, mwyseirio dro arall, yn elfennau hanfodol o'i hiwmor, fel yn y gerdd ogleisiol, 'Dwi'm yn Fardd':

Tydw i ddim yn fardd;
er cymaint a garwn fod yn Gerallt
a dotio at fod yn Dic;
fedra i'm chwaith
honni bod yn Heaney;

mae fy ngwaith o hyd
yn R. S. Tamad i aros pryd.

Mae'r gerdd ei hun yn nodweddiadol o arddull hunan-ddychanol, ffraeth, Ifor ap Glyn; ac nid hunan-ddychanol yn unig, ond cenedl-ddychanol a byd-ddychanol. Bardd y bywyd cyfoes yw Ifor ap Glyn, a daw pawb a phopeth dan ei lach: cŵn yn bawa ar y stryd, trafnidiaeth gyhoeddus, ciw ysbyty, popeth.

Adolygiad Alan Llwyd, Golwg, Rhagfyr 1998

Mae yma amrywiaeth o gerddi yn y wers rydd a'r mesurau caeth a'r cyfan wedi eu hysgrifennu mewn iaith uniongyrchol, hawdd ei deall. Yn wir mae'r uniongyrchedd yn drawiadol. Hawdd gweld fod cyfathrebu'n effeithiol gyda'i gynulleidfa yn bwysig i'r bardd.

'Ond, heb os mae'r fagwraeth yn hen brifddinas yr ymerodraeth wedi gadael ei marc, ac wedi achosi i'r bardd ymagweddu mewn ffordd wahanol i'r cyffredin at ei Gymreictod. Gall gamu'n ôl, fel Saunders Lewis gynt, a chymryd golwg newydd ar ei wlad. Dyna sy'n rhoi'r hyder dieithr i'w waith. Yn wahanol i drwch ein beirdd dros y ganrif ddiwethaf nid yw'n gweld Cymru fel baich na'r iaith Gymraeg fel pwn ar ein hysgwyddau. Gorfoleddu nid galaru sy'n dod gyntaf iddo.

'Chwedloniaeth y llwyth (boed y llwyth hwnnw adre yng Nghymru neu ar wasgar yn Llundain) sydd wrth wraidd gweledigaeth Ifor ap Glyn. Mae'n rhaid i gyfrol werth chweil o farddoniaeth wrth fwy na hyn a hyn o gerddi da. Mae gweledigaeth yn bwysig hefyd er mwyn rhoi undod i'r gwaith. Llwyddodd y bardd, (efallai oherwydd yr holl deithio drwy'r wlad a wnaeth yn cyflwyno'i gerddi) i sicrhau fod craffter arbennig i'r canfyddiad sydd ganddo o Gymru.

'Hen gof y Sybyrbs', adolygiad Dafydd Morgan Lewis
o Cerddi Map yr Underground, Barn, Rhif 467/468, Rhag 01 – Ion 02

Dyfyniadau gan IFOR AP GLYN

Ers talwm, roedd diwylliant yn dod ar blât.
Tyfai'n araf
cyn ei weini gyda grefi dydd Sul ...
ond darfu'r hen ddefodau traed dan bwrdd ...
Bwyd brys yw'r Gymraeg bellach.
                    Babi Pwy? *Cerddi Map yr Underground* (2001)

Dinesydd o Gymru wyf
Mewn gwlad drwsus hir, mae bellach yn bryd
rhoi'r hawl i siarad Cymraeg o hyd,
lle bynnag digwyddwn fod yn y byd.
                    Patagonia Newydd, *Cerddi Map yr Underground* (2001)

Mae englynion fatha sgampi
sneb cweit yn siŵr be ydyn nhw,
ac fel arfer ti'n difaru gofyn amdanyn nhw ...
ac mae unrhywun sy'n gallu
esbonio 'tha ti be ydyn nhw
tua'r un mor ddiddorol â
dyn boring pan ti ar dy ffordd i'r tŷ bach,
CSE mewn bywydeg,
aelod o'r SDP,
neu'r rhifyn cyfredol o Sbec.
                    Englynion, *Holl Garthion Pen Cymro Ynghyd* (1991)

Porthmona geiriau ydw i, yn gyrru'r ddiadell
yn ôl o Lundain, i ben Cwm Caerfanell
                    Glynderi, *Golchi llestri mewn Bar Mitzvah* (1998)

Mae gin i fyd mawr hefo tafodiaith ac acenion, yn benna am fod gin i'm un
fy hun. Hynny yw, sgenna'i 'mun. 'Sdim un 'da fi. A chan i mi gael fy magu
yn Llundain yn fab i ddynes o Lanrwst, a Chymro Llundain oedd â'i deulu yn
ymestyn ar draws tair o siroedd y De, pa ryfedd am hynny? ... O ganlyniad

dwi'n dipyn o 'chameleon', tipyn o 'tart' tafodieithol, yn tueddu newid fy ffordd o siarad yn ôl yr amgylchiadau ... Ydi newid acen yn dangos awydd i wneud i'r person arall deimlo'n gyffyrddus? Ynteu ydi hi'n dangos rhyw ansicrwydd, rhyw ddiffyg 'gwaelod' ynof fi fy hun? Ydwi'n hyblyg? Ynteu'n wan? Ynteu jest yn poeni gormod?

Erbyn hyn, dwi 'di dysgu byw hefo 'mhroblem, os problem hefyd, a'r hyn sy'n fy synnu i bellach, yw fod y peth heb ddod yn fwy cyffredin. Wedi'r cyfan, doedd amgylchiadau fy magwraeth i yn Llundain ddim mor wahanol â hynny i'r hyn sy'n digwydd yng Nghymru – na, dwi'n gwybod dyw pobl ddim yn defnyddio'r *Bakerloo line* i fynd i'r Ysgol Sul yn Nyffryn Conwy, ond be 'sgin i ydi hyn – faint o Gymry ifanc erbyn hyn fedar ddweud iddyn nhw gael eu magu o fewn yr un filltir sgwâr â'u rhieni, a'u rhieni nhwthau o'u blaenau? Dim llawer. Ac yn oes y mudo mawr, gwanychu wnaiff y tafodieithoedd, ymgymysgu ac ymlastwreiddio ... Gwneud ati bod ni ddim yn dallt ydan ni yng Nghymru, ac mae pob math o hang-yps diddorol ynghlwm wrth hyn. Byddai fy Mam wastad yn fy annog i wella fy ngeirfa Saesneg a gwneud defnydd ohoni, ond pan soniais rywdro am 'gael cawod', doedd rhyw 'Gymraeg coleg' fel 'ny ddim yn plesio o gwbl. (Druan o'r dysgwr sydd, ar ôl meistroli holl adnoddau geirfaol yr iaith, yn gorfod eu dad-ddysgu er mwyn peidio â swnio fel ploncar llwyr ...)

Mae eraill wedyn sy'n mynd i ben caets nid oherwydd geiriau unigol ond oherwydd tafodieithoedd cyfan. Meddwl ydw i am yr ymateb chwyrn i'r tafodieithoedd newydd sy'n codi yn sgîl twf yr ysgolion Cymraeg. *It's Welsh, Jim, but not as we know it'*, ond fel mae'r Gwyddelod yn ddweud, *'nios fearr Gaeilge briste ná Béarla cliste'* (gwell Cymraeg slac na Saesneg slic). Felly, goddefgarwch amdani. Neu fel maen nhw'n ddweud yng Nghaernarfon, 'vive la différence, cont'. A dyna dduda' inna hefyd. Ond bydd yr acen yn dibynnu ar bwy bynnag dwi'n siarad hefo nhw!

'Zelig ar y Traws Cambria', Ifor ap Glyn,
Barn, Cyfrol 411, Ebrill 1997

Peth i'r glust yw barddoniaeth, a phethau a fwriedid i'w darllen yn gyhoeddus yw'r cerddi hyn i gyd, yn farddoniaeth ai peidio. Mae'r pwyslais ar adloniant yn hytrach na chelfyddyd ... 'Mae gormod o feirdd yng Nghymru heddiw (trafodwch!) ... mae gormod o feirdd yng Nghymru heddiw sydd fel petaen nhw ddim yn poeni dim am eu cynulleidfa. Dyw hi ddim yn gwestiwn o b'un a ddylid rhoi 'cig coch i'r babis' ai peidio, yn llawn gïau geirfaol astrus. Mae a wnelo fo fwy â phwy'n union *ydi'r* gynulleidfa. 'Be dwi'n trio'i ddeud? Hefo pwy dwi'n siarad?' Ac os ydi beirdd yn cymryd eu hunain ormod o ddifri a 'mond sgwennu ar gyfer ei gilydd, mae peryg i ganu Cymraeg ddiflannu lawr yr un cul-de-sac â'r traddodiad Saesneg, gan fynd yn rhywbeth elitaidd, amherthnasol i'r dyn neu ddynes yn y stryd. (T.S. who?)

Ond mae gennym o hyd 'Dalwrn y Beirdd', sgwenwyr caneuon pop, a'r beirdd gwlad a thre sy'n nodi achlysuron arbennig drwy wneud penillion – BARDDONIAETH AT IWS GWLAD. Hynny sy'n bwysig. Dyna fwriad y gyfrol hon hefyd.

Rhagair, *Holl Garthion Pen Cymru Ynghyd,*
Cyfres y Beirdd Answyddogol (Y Lolfa, 1991)

'Roedd yna elfen o genadwri ar y dechrau,' meddai, 'ond erbyn hyn dw i'n derbyn mai pethau i'w darllen a'u mwynhau ydi cerddi a dw i'n canolbwyntio llawer iawn mwy ar roi adloniant i bobol. Dw i ddim yn mynd allan i gynnal noson gan ddweud 'Gadewch i ni ddangos i bobol peth mor dda ac adloniadol ydi barddoniaeth', bellach.

'Mae yna newid wedi bod, ac mae yna gynnydd – efallai ei fod oherwydd y newid mewn pobol neu oherwydd yr hyn sy'n digwydd mewn gwledydd eraill – a dw i'n meddwl bod y dywediad *'poetry is the new rock and roll'* yn wir i ryw raddau.

'Ond dw i ddim yn meddwl mai sîn sy'n dibynnu ar yr hyn sy'n digwydd yn Saesneg sydd gynnon ni yma yng Nghymru – mae be sydd gynnon ni yn hollol wahanol ac yn unigryw.'

Cyfweliad ag Ifor ap Glyn, *Golwg*, Tachwedd 1998

DARLLEN PELLACH

Holl Garthion Pen Cymro Ynghyd (Y Lolfa, 1991)
Golchi Llestri mewn Bar Mitzvah (Gwasg Carreg Gwalch, 1998)
Cerddi Map yr Underground (Gwasg Carreg Gwalch, 2001)
Colofnydd misol yn Barn (Chwefror 1997-Chwefror 1998)
Bol a Chyfri Banc – ar y cyd ag Iwan Llwyd a Myrddin ap Dafydd
   (Gwasg Carreg Gwalch, 1995)
Syched am Sycharth – ar y cyd ag Iwan Llwyd, Twm Morys, Geraint Løvgreen,
   Myrddin ap Dafydd (Gwasg Carreg Gwalch, 2001)

IFOR AP GLYN

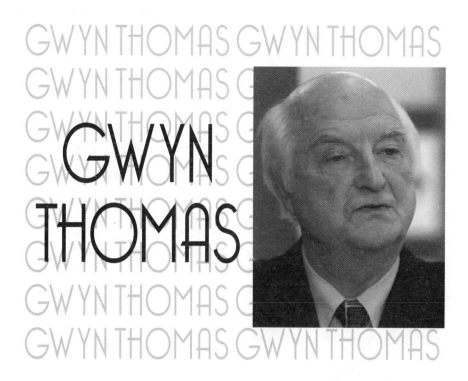

GWYN THOMAS

Ganwyd Gwyn Thomas yn Nhanygrisiau yn 1936 a chafodd ei fagu ym Mlaenau Ffestiniog. Aeth ymlaen i'r coleg ym Mangor ac yna i Goleg yr Iesu, Rhydychen cyn cael ei benodi'n ddarlithydd yn ôl yn Adran y Gymraeg ym Mangor yn 1961. Arhosodd ym Mangor wedyn, gan ddod yn Athro yn 1980, ac yn bennaeth yr Adran yn 1992. Os arhosodd yn ei unfan yn ddaearyddol, does dim byd yn gul yn ei orwelion barddol; yn ei gerdd 'Hiliogaeth Cain' mae'n rhoi hanes y byd, o fywydeg y creu hyd ddiwedd yr ugeinfed ganrif! Dyna un enghraifft yn unig o led ei ddiddordebau.

Mae hefyd yn un o ysgolheigion mwyaf toreithiog Cymru ac wedi cyhoeddi erthyglau a chyfrolau'n ymwneud ag ystod eang o bynciau, o'r Hen Ganu i *Star Wars*.

Yn ei waith academaidd mae Gwyn Thomas wedi gwneud llawer i agor y traddodiad llenyddol Cymraeg i'r darllenydd cyffredin, a gellir gweld amcan cyffelyb yn ei farddoniaeth, sy'n ymdrin â'r byd cyfoes mewn arddull uniongyrchol a sgyrsiol yn aml. Fel y gwelir wrth deitlau ei ddau gasgliad cyntaf, *Chwerwder yn y Ffynhonnau* (1962) ac *Y Weledigaeth Haearn* (1965), roedd ei farddoniaeth gynnar yn ymateb i'r grymoedd difaol mewn byd technegol amhersonol. Cafwyd gwrthbwynt i'r weledigaeth lom honno yn nes ymlaen yn ei gerddi hoffus am blant, ac mae'i waith aeddfed yn cynnig golwg gytbwys ar fywyd sy'n nodedig am ei ddynoliaeth gynnes tra'n ymwybodol iawn o ochr dywyll y natur ddynol.

Llyfr Poced Llenyddiaeth Cymru, tud. 127-9, Dafydd Johnston 1998

Ac nid bardd yn unig mo'r llenor amryddawn hwn. Mae wedi ysgrifennu dramâu a sgriptiau ffilm yn ogystal â cherddi, a fo oedd yn gyfrifol am gyfieithu Shakespeare ar gyfer y fersiwnau cartŵn a wnaed gan S4C. Fel bardd, mae wedi gwthio'r ffiniau yn gyson gyda'i gerddi hir ar gyfer y radio a'r teledu, ond o bosib ei ddylanwad mwyaf ar ein llenyddiaeth yw yn y ffordd y defnyddir yr iaith ei hun, gan ddod ag elfennau o'r llafar mewn i fyd llên.

Fel pethau llafar yr ydw i wedi synied am fy ngherddi ers y dechrau un. Wrth roi rhywbeth ar bapur mae yna rywfaint o anhawster: does yna ddim digon o arwyddion atalnodi i gyfleu'n ddigon cysact y sŵn a glywir. Mae yna rythmau a thempo a hyd llafariaid a seibiau y mae hi'n anodd (yn amhosibl ar brydiau) eu cyfleu nhw ar bapur. Un sŵn sydd yna i mi ym mhob cerdd o'm heiddof.

Gwyn Thomas, *Llais Llyfrau*, Hydref 1981, tud. 5

Wrth ddisgrifio'i gydweithiwr, y diweddar Bedwyr Lewis Jones, ysgrifennodd Gwyn Thomas fel a ganlyn:

Yr oedd o wedi dysgu 'clywed' ac oherwydd hynny fe fyddai'n codi ymadroddion a geiriau a dulliau o ddweud gyda rhyfeddod a brwdfrydedd ... Un o'i ddaliadau mawr oedd fod, hyd at ei genhedlaeth o, gyfoeth hen wedi ei gadw ar lafar, cyfoeth nad oedd wedi llawn weithio ei hun i lenyddiaeth ysgrifenedig.

'Pennaeth Adran Gymraeg Bangor', ysgrif goffa i'r diweddar Bedwyr Lewis Jones, *Taliesin*, tud. 8-9

Y gwir yw, gellid cymhwyso'r geiriau hyn at Gwyn Thomas ei hun. Mae ynddo yntau yr un brwdfrydedd dros ddyrchafu iaith rywiog a dawn dweud, boed hwnnw'n codi o Ganu Aneirin neu sgwrs chwarelwyr; o Feibl Wiliam Morgan neu o barablu ei blant ei hun.

Magwyd Gwyn Thomas mewn cymdeithas a oedd, os nad yn uniaith Gymraeg, yn sicr yn gymdeithas â'r Gymraeg yn brif iaith iddi. Pan ddechreuodd o gyhoeddi yn y chwedegau, roedd ymdeimlad fod llenyddiaeth Cymru ar ryw groesffordd; y cymdeithasau gwledig yn dirwyn i ben ac eto'r iaith yn cael ei haddasu ar gyfer byd newydd mwy trefol, mwy gwyddonol:

> Yn wir, rydw i wedi bod yn meddwl tybed a ydi dychymyg dweud pobl yng Nghymru ... yn dechrau pallu i ryw raddau ... Perthyn i fyd amaethyddol y mae'r rhan fwyaf o'n ffigurau (h.y. ymadroddion) ni fel Cymry. Rhyw 'gau pen y mwdwl' neu 'ddod i ben y dalar' yr ydym er nad oes gan y rhan fwyaf ohonom fawr o syniad be ydi na 'mwdwl' na 'thalar'.
>
> Gwyn Thomas, o'i ragymadrodd i *Cerddi '69*

Mae Gwyn Thomas ei hun wedi ymlafnio ers deugain mlynedd yn ei gerddi i roi

> Byd newydd i'n hiaith, a'i bwrw
> i gybolfa lon o deimladau a diddordeba a thaclau newydd.
> A hithau heb wrido unwaith o'i hetifeddiaeth ...
>
> Gwyn Thomas, o'r gerdd 'Blaenau'

Tybed oes yna arwyddocâd yn y ffaith mai yn y Blaenau y magwyd ef? Hynny yw, nid yn y wlad ond mewn cymuned ddiwydiannol oedd wedi bod wrthi'n ystwytho'r iaith i gyfeiriadau newydd am ganrif o leiaf cyn ei eni yntau.

Mae ganddo ddiddordeb mewn iaith fel ffenomenon, fel y tystia cerddi fel 'Dysgu Iaith' (*Gweddnewidio*, tud. 76) neu 'Geneth dair oed yn cofio glaw mawr' (*Gweddnewidio*, tud. 218) a 'does arno ddim ofn bathu geiriau, a rheini'n aml yn eiriau digon syml, er enghraifft:

> yr elyrch ... yn *hyfrydu'r* dyfroedd
> (y tarw yn) *dad-dywarchu* dolydd

neu'r
(pysgod aur) yn *asgellu* a *chynffoni* eu ffordd yn araf

Dyma'r math o eiriau sydd fel petaen nhw wedi bodoli erioed, a dawn Gwyn Thomas am gael hyd i'r union eiriau i ddisgrifio pethau y mae pawb wedi eu profi, heb fedru eu mynegi gystal, yw un rheswm am ei ragoriaeth fel bardd. Un rheswm, cofiwch. Cyn disgrifio a delweddu, rhaid yn gyntaf fyfyrio, ac yn yn yr adran nesaf 'Studio pedair cerdd' cawn weld pa themau a diddordebau sy'n mynd â bryd un o feirdd mwya'r hanner canrif ddiwethaf.

TRWY LYGAID IFOR AP GLYN

Deuthum ar draws Gwyn Thomas am y tro cynta nid fel y bardd ond fel yr ysgolhaig; fo oedd wedi sgwennu'r cyfrolau *Y Traddodiad Barddol* a *Y Bardd Cwsg a'i Gefndir* oedd yn gymaint o help wrth baratoi ar gyfer Cymraeg Lefel A. Yr ail waith y deuthum ar ei draws o, roeddwn i mewn côr cymysg yn canu darn o'r enw 'Parrot', a fo oedd wedi sgwennu'r geiriau. Y trydydd gwaith oedd wrth ddysgu 'Alaeth Lloegr' ar gyfer cystadleuaeth adroddiad digri mewn steddfod – a fo oedd awdur hwnnw hefyd.

Gan fod yr enghreifftiau uchod i gyd yn dadlennu rhywbeth gwahanol am Gwyn Thomas y bardd, mi hoffwn fanylu ar bob un yn ei dro. Yn gyntaf, mae'n ysgolhaig o fardd, ac mae'i wybodaeth eang o'r clasuron Cymraeg yn llechu dan y wyneb mewn llawer o'i gerddi, er bod y cerddi hynny ar yr wyneb yn gallu ymddangos yn ddigon syml. Er enghraifft, mae'r gerdd 'Gogi' yn ddisgrifiad digon hwyliog o fab bychan y bardd yn gwylio lori ludw ar y stryd; ac eto, pan fo rhywun yn sylweddoli fod y disgrifiad o'r lori ludw yn parodio rhan o Lyfr Job yn yr Hen Destament, mae hynny'n dod â dimensiwn newydd i'r gerdd.

> [Mae] ei barch at draddodiad barddol ei wlad yn islais yn ei grefft: ond crefft soffistigedig ydyw sy'n camu dros y canrifoedd at ein cyfnod ôl-fodernaidd ni'
>
> 'Bardd o Bwys'; adolygiad Bryan Martin Davies o'r gyfrol *Darllen y Meini* yn *Taliesin* 104, tud.123-6

> Cyfoethogodd ein hetifeddiaeth lenyddol, ond fe'i cyfoethogwyd yntau ganddi hithau hefyd.
>
> *Llên y Llenor: Gwyn Thomas*, Alan Llwyd; tud. 106

Yn ail, roedd cyd-blethu geiriau 'Parot' â cherddoriaeth Bryan Hughes yn nodweddiadol o awydd Gwyn Thomas i arbrofi gyda chyfryngau eraill. Dros y blynyddoedd mae o wedi llunio cerddi ar gyfer radio a theledu yn ogystal â gwneud darlleniadau i gyfeiliant artistiaid mor amrywiol â'r delynores Elinor Bennett a'r rocar Roy Orbison! Cyhoeddodd hefyd gyfrol o gerddi natur ar y cyd â'r ffotograffydd Ted Breeze Jones.

Yn drydydd, mae 'Alaeth Lloegr' yn enghraifft wych o hiwmor Gwyn Thomas. Mae'n fardd crwn, yn gallu bod yn ddifrifol neu'n ddigri yn ôl y gofyn; mae'n fardd sydd wedi mynnu torri'i gwys ei hun a meiddio bod yn 'boblogaidd', pan oedd rhai o'i feirniaid yn collfarnu cerddi o'r fath fel rhywbeth 'cartwnaidd', heb ddim byd 'arhosol' ynddynt. Mae pob bardd gwerth ei halen â'i lais unigryw ei hun, yn gosod ei stamp ei hun ar ei gerddi, ond:

o blith pawb sy'n barddoni yn Gymraeg heddiw, Gwyn Thomas sy'n siarad groywaf â'i lais ei hun.

Wrth fynd heibio John Rowlands, *Barn*,
Rhif 185, Mehefin 1978

'STUDIO 4 CERDD

CRWBAN

Enw'r Gair, Gwyn Thomas, Gwasg Gee, tud.
Gweddnewidio; detholiad o gerddi 1962-1986, Gwyn Thomas, Gwasg Gee, tud. 89

Yn y gerdd yma gwelwn un o arddulliau nodweddiadol Gwyn Thomas, lle mae'n cyfosod ieithwedd flodeuog neu glasurol ei naws, (e.e. 'adfyd', 'dyfod', 'hawddamor') hefo ieithwedd fwy llafar a sathredig (e.e. 'sgut', 'raflins yfflon', 'martjio', 'fflamio'). Bydd hefyd yn rhoi ansoddair o flaen yr enw, (neu yn y gerdd hon, adferf o flaen berfenw, e.e. 'un a fu'n edmygus fugeilio') Roedd hyn yn arfer reit gyffredin ym marddoniaeth y bedwaredd ganrif ar bymtheg, ond fe'i gollfernir yn gyffredinol bellach, fel addurn ffuantus. Serch hynny, mae Gwyn Thomas yn herio'r 'confensiwn', er mwyn creu naws aruchel, neu ffug aruchel, sy'n cael ei chwalu wedyn trwy'r defnydd o eiriau llafar.

Mae rhai beirniaid yn gweld yr arddull hon fel cymysgwch o ddau beth na ddylid eu cymysgu; mae'n dric reit effeithiol o bryd i'w gilydd, ond nid rhywbeth a ddylid ei wneud yn rhy aml. Mae'n well gen i synied amdano fel 'synthesis' yn hytrach na 'chymysgwch'. Mewn synthesis ceir dwy elfen yn dod ynghyd i greu trydydd peth newydd sbon. Diddorol yma yw cymharu Gwyn Thomas gyda'r dramodydd, Steven Berkoff. Yn ei ddrama *East* cymysgodd Berkoff slang dwyrain Llundain hefo ieithwedd Shakespearaidd, er mwyn rhoi llais i *'that part of your being which is the source of the inarticulate and the dynamic'.* Efallai fod symbyliad artistig Berkoff yn wahanol i eiddo Gwyn Thomas, ond y canlyniad, gyda'r ddau awdur fel ei gilydd, yw arddull eclectig ac egniol sy'n cynnig sawl posibliad ar gyfer comedi ac eironi, yn ogystal â dwyster.

Gair am air

swilio	mynd yn swil, 'shei'
bollten	taranfollt
cogio bach	smalio, esgus gwneud
clapio	ymffurfio fel clap neu dwlpyn, llenwi allan nes dod yn glap

	neu'n dwlpyn o beth
sgut	gair tafodieithol yn tarddu o hen ansoddair 'esgud'; 'sionc' neu 'buan' yw ei ystyr, ond mae sgut wedi magu ystyr ychydig yn wahanol. Os wyt ti'n sgut am rywbeth (yn enwedig bwyd) rwyt ti wrth dy fodd hefo fo, yn *mad* amdano fo.
adfyd	helbul, gofid
raflins	yfflon, wedi'u malu'n llwyr, rhacs jibidêrs
hawddamor	cyfarchiad, croeso
atolwg	(ebychiad) yn wir, erfyniaf

Sylwi ac ystyried

1. Ar ôl Cymraeg ffurfiol y llinell gyntaf, mae'r gerdd yn ymollwng i ieithwedd fwy agos-atoch, tafodieithol ('sbio', 'swatio', 'cabatjien') fel petai'r bardd ei hun ddim yn gweld pwynt cynnal rhith parchusrwydd. Yn wahanol i'r crwban, dyw o ddim am ein twyllo ni.

2. 'Mae ynddo ddeunydd bollten.' Mae dweud fod 'deunydd rhywbeth yn rhywun' ddim yn golygu o reidrwydd y byddan nhw'n cyflawni'u potensial. Rhyw ddweud ychydig yn enigmatig yw hyn. Petai'r bardd wedi dweud yn fwy plaen fod y crwban yn gallu symud fel bollten, fase clywed am ei gampau nes ymlaen ddim yn ein synnu. Mae Gwyn Thomas yn ddramodydd o fardd ac yma mae'n ymatal rhag gollwng y gath (na'r crwban!) o'r cwd.

3. 'symud fel stôl haearn' Dyma gymhariaeth wych o ddoniol oherwydd, wrth gwrs, dyw stôl haearn ddim yn symud! Mae'n drymach ac yn fwy o lawer na Chrwban, ond o geiso'i symud, rhyw lusgo mynd mae rhywun, yn union fel crwban. Gorddweud mae'r bardd, er mwyn hiwmor. Pa enghreifftiau eraill o or-ddweud sydd yn y gerdd?

4. '... Nes iddynt dyfu a chlapio,
   Fe wn yn wahanol.'
Mae Gwyn Thomas yn feistr ar amrywio rhythm, ac wastad yn gwneud hynny i bwrpas. Mae'r ddwy linell yma'n dod ar ôl rhes hir o linellau pedwar curiad eitha sefydlog eu rhythm, ond tri churiad sydd gan y llinell gynta uchod a dau gan yr ail. Mae'r newid rhythm yma'n tynnu ein sylw – ac wrth gwrs, dyna mae i fod i wneud. Mae'r bardd ar fin gwneud cyhoeddiad:
   'Mae crwban yn sgut am letusan'
Yn y darn nesa o'r gerdd, mae Gwyn Thomas yn defnyddio patrwm curiadau ac odl sydd ddigon tebyg i limrig, fel y gwelwn o osod y llinellau ychydig yn wahanol:

Adfyd, un dydd, ydoedd dyfod
Ac yn y gornel ddarganfod
Tair letus o galon
Yn raflins yfflon ...

Erbyn hyn, yn isymwybodol o leia, rydyn ni'n disgwyl odl a llinell ola limrig,
ond llinell hirach ddi-odl sy'n dilyn, a honno'n arafu'r tempo ar ôl y llinellau
carlamus blaenorol.

A hwn fel hawddamor yn arafu i wenu

Mae rhythm y llinell yn pwysleisio arafwch hamddenol y crwban.
Chwiliwch am enghreifftiau eraill o amrywio rhythm yn y gerdd. Pa effaith
maen nhw'n ei gael?
5. Ar ôl cyflwyno'r crwban fel henwr swil ond enigmatig, darlun digon
annwyl a gawn ni ohono yma. Nid yw'r crwban yn ymateb fel lleidr wedi ei
ddal *in flagrante* ond, yn hytrach mae'n gwbl agored am y peth, ac fel petai'n
cyfarch y bardd yn gyfeillgar. Mae o 'fel hawddamor'; mae'n gwenu; mae 'fel
artist yn letusia'. Awgrymir fod 'letusia' (hel a bwyta letus) yn gelfyddyd;
dilyn symbyliad creadigol mae'r crwban, dim byd mor fas â hel ei fol. Mae
cyfeiriad llenyddol yn y llinell hon at yr *Artist yn Philistia*, ysgrif gan Saunders
Lewis. Beth mae parodïo teitl ysgrif gan un o drymion ein llên yn ychwanegu
at y gerdd yn eich tyb chi?
    Mae cyfeiriad llenyddol hefyd yn y llinell 'tair letus o galon'. Calon neu
heart yw'r term a ddefnyddir am ganol letusan sydd wedi clapio, ond mae
'gwŷr o galon' hefyd yn hen ddisgrifiad am ddynion dewr, er enghraifft:

    Beirdd byd barnant wŷr o galon
    (*Beirdd y byd wnaiff ddyfarnu pwy sy'n ddynion dewr*)
    Canu Aneirin, Awdl XXIV

Awgrymir fod y letusiaid yn sefyll fel milwyr dewr yn erbyn ymosodiad y
gelyn!
    Darlun ychydig yn wahanol a gawn ni o'r crwban pan ymddengys nesa
yn yr ardd. Disgrifir cornel yr ardd mewn termau blodeuog, barddonllyd fel
'sancteiddiolaf' a'r ansoddair ffantastig hwnnw 'letuseiddiaf', ond nid yw'r
crwban yn ymddwyn fel petai'n ymwybodol ei fod mewn lle cysegredig.

GWYN THOMAS

'Drilio' mae o, gair diwydiannol ei naws; nid artist ydi o rŵan ond yn hytrach gweithiwr, ac nid gweithiwr sy'n deintio'n dwt ond yn hytrach un sy'n 'llowcio'. Oes yma lai o gydymdeimlad â'r crwban? Sut mae'r bardd yn teimlo am y crwban erbyn diwedd y gerdd?

Mae hwn yn un o nifer fawr o gerddi gan Gwyn Thomas am anifeiliaid ac adar. Sut mae o'n ymagweddu at anifeiliaid mewn cerddi eraill?

6. **'drilio drwy'r dail'** Mae'r cyflythrennu yn y llinell hon yn cyfleu sŵn dril i'r dim, ac mae ateb cytseiniaid yma a thraw drwy'r gerdd i gyd, er enghraifft:

> Fe wn yn wahanol
> Ac yn y gornel ddarganfod

Mae cyflythrennu o'r fath yn gallu bod yn addurn cyffredinol sy'n helpu i gloi'r gerdd, neu fe all fod ganddynt ddiben mwy penodol, fel yn yr enghraifft uchod. Chwiliwch am enghreifftiau eraill o gyflythrennu yn y gerdd hon. Beth maen nhw'n cyfrannu i'r gerdd?

CROESI TRAETH

Croesi Traeth, Gwyn Thomas, Gwasg Gee, tud. 19
Gweddnewidio: Detholiad o Gerddi 1962-1986, Gwyn Thomas, Gwasg Gee, tud. 188-9

Cyflwyniad

Treigl amser a meidroldeb yw dwy o themâu mawr barddoniaeth Gwyn Thomas ac maen nhw'n dod ynghyd yn y gerdd hon. Nid peth hawdd yw byw; does dim troi nôl, dim ailweindio ac mae pethau'n dod i ben. Rydyn ni ein hunain yn dod i ben. 'Mae gogwydd einioes at ofnadwyaeth' meddai Gwyn Thomas yn 'Dim Llawer o Jôc'.

Hyd yn oed yn ei gerddi am fyd plant, mae'r bardd fel petai'n bythol ymwybodol mai rhywbeth dros dro yw hyn, moment a fydd yn pasio:

> Eiliad o Fai
> Ydi Crocodeil Afon Menai

meddai mewn cerdd sy'n dathlu dychymyg plentyn dwyflwydd a hanner, ac yno, fel yn 'Croesi Traeth', mae'n nodi dyddiad y profiad yng nghorff y gerdd. Mae 'Pen Blwydd, Chwech' yn gorffen gyda

> [g]weddillion pen blwydd
> Ac adleisiau gloywon eu llawenydd'

tra bod 'Blewyn y Bochdew' yn gadael :

> [L]lond cawell o'i absenoldeb

Ond os yw'r bardd yn mynegi chwithdod wrth orfod wynebu'r ffaith 'mai am ryw hyd y mae'r cyfan, dros dro, dros dro', nid yw'n gwbl anobeithiol bob tro. Yn ei gerdd i T.H. Parry Williams ar ôl i hwnnw farw, dywed fel hyn:

> Yr oedd Eryri yn wahanol,
> A'i eiriau o'n creu olion
> Ar hyd y lle ym meddyliau rhai pobol:
> Y byw'n gadael ei ôl ar y byw.
> Ei fyw o sy'n marcio'r lle hwn –
> Ei lynnau, ei lymder, ei greigiau –
> Nid ei angau. Nid angau. Felly y mae.

Ac mae'n cloi'r gerdd 'Capten' trwy sôn am y
> 'Pethau nad ynt yn bod heb i rywun eu cofio'
Dyna, efallai, un o'i resymau am gofnodi'r profiadau hyn.

Gair am air

gloywder	disgleirdeb, llewyrch
carcus	gofalus, gwyliadwrus
rhincian	sŵn eu dannedd oherwydd yr oerni
stryffaglus	llawn ymdrech, helbulus

Sylwi ac ystyried

1. Mae'r gerdd yn dechrau'n ddigon moel, gyda dyddiad.

> Yr oedd hi, y diwrnod hwnnw
> Yn ail o Fedi.

GWYN THOMAS

Ond er iddo ymddangos yn ddechreuad di-fflach, mae'r bardd yn dal i weithio arnon ni. Datgelir yn nes ymlaen mai pen-blwydd y bardd yw'r diwrnod dan sylw ond yn bwysicach na hynny yw'r awgrym cynnil, cynnil mai rhywbeth hydrefol yw'r profiad sydd i'w draethu yn y gerdd hon, hydref y flwyddyn – a hefyd hydref bywyd y bardd.

Bydd y geiriau ymddangosiadol syml 'y diwrnod hwnnw' yn magu arwyddocâd yn ystod y gerdd trwy gael eu hailadrodd, a down i sylweddoli mai cerdd yw hon am y modd y mae dyddiau digon cyffredin fel 'y diwrnod hwnnw' yn pasio, a byth yn dod yn ôl.

2. Â'r bardd rhagddo i ddisgrifio'r tywydd ar y traeth, ond mae'n gwneud mwy na rhagymadroddi yma. Mae'r gwynt yn sumbol o newid, a'r gwynt, sylwch, sy'n tra-arglwyddiaethu ar y traeth yma. Y gwynt sy'n ysgwyd '[g]lloywderau'r haul', ac mae rhywbeth yn y disgrifiad ohono'n 'chwibanu ei felyn' sy'n ein hanniddigo – oherwydd, a bod yn llythrennol gywir, nid y gwynt biau melyn y tywod, mwy na thrai'r môr a ddisgrifir hefyd fel rhywbeth sy'n eiddo iddo.

'Sympathetic background' yw'r term Saesneg am ddefnyddio tywydd i ategu emosiynau'r cymeriadau mewn darn o lenyddiaeth. Pan fo Brenin Llŷr yn colli'i bwyll ar y rhos, mae Shakespeare yn gofalu bod y tywydd yn codi'n storm sy'n adlewyrchu ei gynnwrf mewnol; rydyn ni i gyd wedi gweld sawl perthynas rhamantus ar y sgrîn yn chwalu yn y glaw. Yma, mae rhywbeth yn y disgrifiad o'r traeth sy'n herio'r drefn ac felly'n ein paratoi yn isymwybodol ar gyfer yr argyfwng sy'n dod.

3. Yn y darn nesa o'r gerdd, cawn ddarlun o'r hyn

Y bydd pobol yn eu gwneud ar draethau

a hwnnw ar y wyneb yn ddarlun digon hapus tan i ni edrych yn nes. Hyfryd yw'r disgrifiad o

Rhoi'r babi i eistedd yn ei ryfeddod
Hallt;

ond mae 'hallt' yn ogystal â bod yn ddisgrifiad cwbl ddilys o flas y tywod, hefyd yn air gydag is-ystyron digon negyddol; soniwn am feirniadaeth hallt, er enghraifft. Mae'r hogiau'n mynd i nofio, ond maen nhw'n gwneud 'o gydwybod', ac yn 'garcus'. (Mae'r gair 'carcus' yn air cyfarwydd bellach i unrhywun sydd wedi gwylio 'Pobl y Cwm', ond nid dyna'r gair cynta fyddai rhywun yn ei ddisgwyl gan fardd sy'n gwneud cymaint o ddefnydd o dafodiaith Blaenau Ffestiniog; ond wrth gwrs mae sŵn llawer caletach i air fel 'carcus' o'i gymharu â gair fel 'gofalus'...)

4.   Mor dynn â'r Oes Haearn o fewn tragwyddoldeb
        Peth fel'ma ydi ein marwoldeb.

Dyma un o brif gasgliadau'r gerdd ac i danlinellu'i bwysigrwydd, mae Gwyn Thomas yn clymu'r ddwy linell gydag odl ddwbl. Mae'n cadw'r un rhythm ar gyfer y llinell sy'n dilyn:

      A theimlais braidd yn chwith yn fan'no–

cyn dewis rhythm mwy herciog i'r llinell nesa i adlewyrchu'r chwithdod a fynegir ynddi:

      Ddigwyddith y peth hwn byth eto.

5. Yng nghanol ei wewyr meddwl mae Gwyn Thomas yn dal i gerdded nôl at ei deulu, ac mae'r bardd yn defnyddio cymeriad geiriol, (sef dechrau llinellau gyda'r un gair) i greu ychydig o densiwn trwy beidio â datgelu'n syth be ddigwyddodd ar ôl iddo lwyddo i ddod yn ôl at ei deulu.

      ..fe ddeuthum yn ôl
      at...
      at...
      at...
      a...
      a...
      a...
      fe aeth y chwithdod hwnnw heibio

Rydyn ni'n rhannu gollyngdod a rhyddhâd y bardd am i ni orfod disgwyl amdano.

6. Wrth ddatgelu mai diwrnod ei ben-blwydd oedd o, dychwelwn unwaith eto at ieithwedd foel dechrau'r gerdd, sy'n ein gorfodi i ystyried neges y

bardd yn ei symlrwydd. Mae'n ddeugain ac un. Mae ei ddyfodol, yn ôl pob tebyg, yn llai na'i orffennol. Dyna ergyd fwyaf dirdynnol yr ymadrodd 'canol oed'.

7.   Nid croesi cae yw byw

Mae dyfynnu'r 'hen ddihareb Rwsiaidd' yn lledu gorwelion y gerdd yn syth, gan ein hatgoffa nad profiad un dyn ar draeth yng Nghymru mo hyn, ond yn hytrach profiad sy'n perthyn i'r hil ddynol gyfan, ym mhob gwlad, ym mhob oes.

Cerdd arall yn yr un cywair yw 'Y Cyflwr Dynol' o'r gyfrol *Am Ryw Hyd* (1986) ac mae'n ddigon byr i'w dyfynnu yma yn ei chrynswth.

> Mae dau beth yn sicir
> Ynghylch y cyflwr dynol;
> 'Dydi o ddim yn sâff,
> Ac y mae o'n farwol.

Pa gerdd yn eich tyb chi yw'r fwyaf effeithiol? Pam?

PARROT
Enw'r Gair, Gwyn Thomas, Gwasg Gee, 1972, tud. 39
Gweddnewidio: Detholiad o Gerddi 1962-1986, Gwyn Thomas, Gwasg Gee, tud. 93

Cyflwyniad
Daw'r gerdd hon o'r gyfrol *Enw'r Gair* a gyhoeddwyd yn 1972; casgliad a welir gan sawl beirniad fel dechrau cyfnod newydd yng ngyrfa farddol Gwyn Thomas. Ar ôl ysgrifennu 'caletach' ei dair cyfrol gynta, roedd teulu ifanc gan y bardd erbyn hyn, a'r plantos yn ysbrydoli cerddi ysgafnach gydag arddull mwy llafar 'Yr hyn sydd yna yn *Enw'r Gair*, am wn i, ydi dod wyneb yn wyneb â diniweidrwydd' meddai Gwyn Thomas ei hun mewn cyfweliad o'r cyfnod. Mae 'Parrot' yn cynrychioli'r rhyfeddu-o'r-newydd sy'n nodweddu llawer o gerddi'r gyfrol, wrth i'r bardd weld y byd trwy lygaid plentyn, fel petai, ond mae hefyd yn cynrychiol traddodiad llawer hŷn, sef traddodiad y cerddi dyfalu.

Byddai'r beirdd yn gofyn i uchelwyr am roddion, un ai drostyn nhw'u hunain neu dros eraill ... Yr hyn a ddigwyddai oedd fod y bardd yn cyfarch y 'rhoddwr' ... ac yn 'dyfalu' beth bynnag y gofynnid amdano. Fe gofiwch mai disgrifio gwrthrych mewn aml weddau, lluosogi disgrifiadau ohono, yw 'dyfalu' ... Dyfalu, yn anad dim, a rôi gyfle i'r beirdd ddangos eu gorchest wrth ddychmygu.

Y Traddodiad Barddol, Gwyn Thomas,
(Gwasg Prifysgol Cymru, 1976) tud. 199

Nid dyma'r unig gerdd o'r math yma yng ngwaith Gwyn Thomas; gweler hefyd 'March' o *Chwerwder yn y Ffynhonnau* (neu *Gweddnewidio*, tud. 14); 'Bytheiad' a 'Glöyn Byw' o *Enw'r Gair* (neu *Gweddnewidio*, tud. 93) ac yn rhagair *Enw'r Gair*, mae'n dweud fel hyn: 'Math o enwi ydi barddoniaeth... yn yr ystyr o geisio cael hyd i eiriau am brofiadau'.

Yn y gerdd hon, gwelwn ddiléit Gwyn Thomas mewn cysactrwydd geiriol a'i orchest wrth ddychmygu. Cameo ydi hi, yn cyfleu un profiad yn unig, sef ymdeimlad y bardd â'r egni byw sydd yn yr aderyn 'ma, a'r egni megis goleuni yn torri allan ohono, yn lliwiau i gyd.

Nid ffenomenon weledol sydd yma, ond yn hytrach y bardd fel petai'n ceisio gweld tu fewn i'r aderyn, yn ceisio crynhoi ei hanfod.

Gair am air

lleferydd	ymadroddi, y gallu i siarad
gwawch	gair onomatopoeiaidd (gair â'i sain yn awgrymu'i ystyr) sef sgrech, gwaedd floesg
galanas	cyflafan, lladdfa
merwinol	o'r ferf merwino, rhwbio yn erbyn, poeni, fferru
prepyn	un sy'n prepian, yn hel clecs

Sylwi ac ystyried

1.   Aderyn a hwnnw wedi bod
        yn baglu trwy botiau o baent

Mae'r gerdd yn dechrau gyda brawddeg ar ei hanner megis, heb ferf. 'Dyn ni ddim yn cael gwybod beth mae'r aderyn yn ei wneud. Gosodiad moel a gawn. Nid 'dyma aderyn' neu 'aderyn yw hwn' ond 'aderyn', yn blwmp ac yn blaen. Rydyn ni'n cael ein bwrw i bresenoldeb yr aderyn yn syth. Mae'n

GWYN THOMAS

swnio ychydig fel y math o ddiffiniad a geir mewn geiriadur. Pa effaith mae hyn y cael arnom ni? Chwiliwch am enghreifftiau eraill o sut mae Gwyn Thomas yn dechrau cerdd.

Mae ailadrodd y gytsain 'b' bedair gwaith yn y ddwy linell gyntaf yn helpu'u gwneud nhw'n dipyn o lond ceg, ac felly'n creu rhythm herciog sy'n helpu cyfleu cerddediad afrosgo'r parrot i'r dim.

2. 'galanas' Nodir ei ystyr uchod, ond mae'r gair hynafol hwn hefyd yn derm cyfreithiol dan y gyfraith Gymreig i ddisgrifio'r iawndal a delid am lofruddiaeth. Mae'r gair 'merwinol' wedyn yn ein hatgoffa o 'Poni welwch chwi'r môr yn merwinaw'r tir?' o farwnad Llywelyn ein Llyw Olaf, gan Gruffudd ab yr Ynad Coch. Dau air hefo cysylltiadau hynafol felly; awgrym efallai mai rhywbeth sy'n dyddio'n ôl i gyntefigrwydd amser yw gwaedd y parrot?

Ond mae'n rhywbeth sy'n perthyn i'r presennol hefyd, hefo'i 'regi tecnicylyr'!

3. Mae'r aderyn mor 'llachar â'i leferydd'. Pa gytsain mae'r bardd yn ei hailadrodd er mwyn pwysleisio sŵn cras llais y parrot yma? Nid peth swynol mohono, a phwysleisir hyn gan rythm y llinell

　　　　sgrech goch gwawch las

Dim ond pedwar sill sydd yma ond maen nhw i gyd yn acennog, bwm bwm bwm bwm, mae'r effaith fel gordd, fel rhywbeth o'r Hengerdd

　　　　greddf gŵr, oed gwas

Aderyn sy'n tueddu ailadrodd ei hun yw parot, ac mae 'na rywbeth yn ailadroddus yn y cyflythrenu sy'n addurno'r disgrifiad o'i lais

　　　　Galanas o waedd werdd ferwinol
　　　　Heblaw rhegi tecnicylyr a rhwygo

Cytseiniaid caled yw'r 't' a'r ddwy 'c' yn 'tecnicylyr'; pa effaith maen nhw'n ei gael ar y llinell?

4. Tua diwedd y gerdd, mae Gwyn Thomas yn dechrau defnyddio prif odl ('ffowlyn', 'brepyn', 'melyn')　ac yna yn ei ollwng – pam? Ydi clywed geiriau'r bardd yn ymryddhau o'r odl yn helpu ategu'r syniad o'r haul yn

ceisio ymryddhau o'r parrot? (Er gollwng yr odl, sylwer nad yw'r gerdd yn
colli'i siâp; tri churiad sydd i'r ddwy linell olaf, fel sydd yn y tair llinell
odledig flaenorol. Hefyd, mae odl fewnol mewn un llinell, a chyflythreniad yn
y llall. Mae crefft y bardd mor fanwl yma ag y mae trwy'r gerdd i gyd.)

5. **'llawen'** Mae'r ansoddair syml hwn fel maen clo i'r gerdd gyfan; mae'n
tyneru dipyn ar ddarlun digon manic o'r aderyn egniol hwn. Mewn cerdd
sy'n llawn disgrifiadau sydd fel tân gwyllt o ddychmygus, dyw'r gair 'llawen'
ddim yn ansoddair sy'n tynnu sylw at ei hun, ond dyw o ddim tamaid yn llai
effeithiol o'r herwydd. Mae'n helpu gosod cywair i'r gerdd gyfan. Ceisiwch
newid yr un ansoddair bach yma, ac fe welwch sut mae holl naws y gerdd
yn gallu newid.

6. Cyngor a roddir yn aml i sgriptwyr yw hyn: 'dechreua'r stori tua'i chanol,
a gad hi cyn y diwedd'. Ydi hynny'n berthnasol i'r gerdd hon?

BLAENAU
Ysgyrion Gwaed, Gwyn Thomas, Gwasg Gee, 1967, tud. 11
Gweddnewidio: Detholiad o Gerddi 1962-1986, Gwyn Thomas, Gwasg Gee,
tud. 35-48

Cyflwyniad
Cerdd hir yw hon, bron 400 llinell o hyd, ond un a dâl ei darllen. Tueddwn i
feddwl heddiw am gerddi fel pethau cymharol fyr wnaiff ffitio ar dudalen neu
ddau o gyfrol, ond yma mae'r bardd wedi cymryd mwy o raff iddo fo'i hun
er mwyn gwneud cyfiawnder â'i destun.

Portread o dref gyfan sydd yma ond mae'r bardd hefyd yn myfyrio ar stad
y byd, gan ddechrau wrth ei draed ei hun yn ei dref enedigol. Tref fechan yw
Blaenau Ffestiniog a dyfodd yn sgîl y diwydiant llechi, ac ar droad y ganrif
ddiwethaf roedd ynddi ryw 10,000 o boblogaeth. Erbyn hyn, hanner hynny
sydd ar ôl. Gyda dirywiad y chwareli, symudodd y bobol i ffwrdd; ond am
gyfnod ar ganol y chwedegau pan ysgrifennwyd y gerdd, daeth rhyw
adfywiad i'r dre gyda gwaith hydro electric Stwlan a ddisgrifir yn y gerdd, a
chodi gwaith Trawsfynydd gerllaw. 'Gyda'r gwaith, daeth y stryd yn hoyw o
obaith,' chwedl Gwyn Thomas (*Gweddnewidio* tud. 46).

Serch hynny, rhyw ymdeimlad â chymdeithas sydd ar i lawr a gawn ni yn
y gerdd hon ar y cyfan, rhyw dinc o hiraeth am a fu. Mae'r gerdd yn agor ar
y domen, ffrwyth llafur 'cenedlaethau o ddwylo garw'; 'bechgyn diarth'

wedyn sy'n ei lordio hi ar y cae peldroed bellach, ac yn y capeli, yn 'y Bethelau gwag' mae'r 'ffyddloniaid yn pryderu ynglŷn â'r lleithder yn y wal'. Ond 'dyma ydyw byw' meddai'r bardd ar ddiwedd y gerdd; nid yw'n anobeithiol o bell ffordd ond yn hytrach yn dathlu'r gymdeithas sydd ohoni yn ei ogoniant amlweddog.

Cerdd i leisiau yw hon; fe'i hysgrifennwyd ar gyfer y radio ar gais Wilbert Lloyd Roberts, gyda Meirion Edwards yn cynhyrchu. Comisiynwyd cerddoriaeth i gyd-fynd â hi gan Bernard Rands, cyfansoddwr *avant garde* oedd ar y pryd yn darlithio yn yr Adran Gerdd ym Mangor. Yn ôl Gwyn Thomas, y cyngor gorau gafodd gan y tîm radio oedd i 'feddwl am y tawelwch oedd i'w lenwi, yn hytrach na'r tudalennau oedd i'w llenwi'. Efallai mai annheg yw i ni astudio'r 'sgript' yn hytrach na blasu'r cyfanwaith radio, ond yn yr un modd ag y darllenwn ddramâu Shakespeare heb eu gweld ar y llwyfan, mae'r 'sgript' – neu yn yr achos yma, y gerdd – yn sicr yn sefyll ar ei thraed ei hun.

Sylwi ac ystyried

Mae Gwyn Thomas wedi sôn droeon yn ei feirniadaethau ar bryddestau ac awdlau eisteddfodol pa mor anodd yw cynnal cerdd dros nifer fawr o linellau. 'Blaenau', yn ôl Alan Llwyd, yw 'un o gerddi hir gorau'r degawd' (*Barddoniaeth y Chwedegau*, tud. 553) – sut felly mae Gwyn Thomas yn cyd-blethu ei themâu gwahanol i greu cyfanwaith?

Mae asterisks yn rhannu'r gerdd yn wyth adran wahanol. Edrychwn ar bob un yn ei dro gan oedi uwch ben ambell un yn fwy na'r lleill.

1. Agoriadol

Mae sŵn llechi'n crafu'r nos

Er mor wahanol ei naws yw portread Dylan Thomas o'r pentre dychmygol Llareggub, mae ei gerdd radio *Under Milk Wood* hefyd yn dechrau yn y nos. Pam tybed? Mae'r nos yma yn rhywbeth bygythiol; mae'r bobol yn eu gwlâu yn swatio rhag y tywyllwch. Fedrwn ni heddiw ddim peidio â meddwl am drychineb Aberfan, wrth ddychmygu pobl yn methu cysgu'r nos, yn gwrando ar y domen yn symud ond mewn gwirionedd, ysgrifennwyd 'Blaenau' cyn y diwrnod ofnadwy hwnnw pan laddwyd dros gant o blant gan domen pwll glo a lithrodd dros ei hysgol. A ddylen ni geisio anghofio hynny wrth ddarllen y gerdd?

Y peth cyntaf a ddisgrifir yn y gerdd yw un o'r tomenydd chwarel enfawr sy'n gymaint o nodwedd o'r dre. Fe'i defnyddir i gyflwyno'r syniad o amser. Sut?

Mae'r adran hon yn mynd rhagddi o'r nos i brynhawn o aeaf, ac yna i'r gwanwyn. Dilynir y gwanwyn gan ddarlun o law enwog Blaenau Ffestiniog. Mae hyn yn rhoi teimlad o dreigl amser i ni, ond hyd yma rydym ond wedi gweld pobl y dre o bell fel petai:

> dynion bach ar asennau amser
> Yn symud o gwmpas eu pethau

Pobl y mae pethau yn digwydd iddynt a gawn yn yr adran gynta yma, nid pobl sy'n gwneud i bethau ddigwydd. Maen nhw fel petaent yn rhan o drefn naturiol, yn cymryd eu lle yng nghylch y tymhorau, yn gwlychu yn y glaw, 'fel defaid â'u gwlan yn stemio o wlyb'. Rhaid aros am y ddamwain chwarel yn adran 2 cyn i ni glywed unigolyn o'r dre yn siarad. Beth yw arwyddocâd hyn?

2. Hanes y chwareli: y gwaith: y peryg: damwain: llwch

Dyma un o adrannau hwyaf y gerdd, a'r bardd yn ein tywys o ddyddiau cyntaf y diwydiant hyd y presennol. Ond mae'r graig ei hun yn mynd â ni yn ôl i amser llawer cynharach; cafodd ei ffurfio

> yng ngrym araf amser
> ... arteithiau hir dechreuad y byd

Gweithio dan ddaear mewn 'agorydd' fyddai chwarelwyr Blaenau, nid yn yr awyr agored fel y byddai'r rhan fwyaf o chwarelwyr y Gogledd; dim ond golau cannwyll fyddai gan y chwarelwr, wrth 'cadwyno'i fywyd yn y gwyll' (tud. 37). Mae'r nos felly yn parhau'n bresenoldeb yn y gerdd, ac yn yr adran hon, awgrymir nid yn unig mai 'o'r tywyllwch' mae marwolaeth yn dod, ond mai'r tywyllwch ei hun sy'n lladd pobl dan ddaear: 'Mi symudodd y tywyllwch amdano fo'. Yn y tywyllwch rydym oll yn ddiymadferth.

Breuder bywyd yw un o themâu mawr y gerdd, os nad y gyfrol i gyd, a chodwyd ei theitl hithau o'r darn nesaf:

> Does dim dal ar y mynydd:

GWYN THOMAS

mi fedr symud yn annhymig
gwneud ysgyrion gwaed o berson byw (tud. 38)

Yn yr adran hon, cyflwynir arddull mwy sgyrsiol am y tro cynta, a rhywfaint
o'r 'dweud' wedi'i gofnodi o sgyrsiau go iawn.

Roedd ei law gyfa fo'n oer, oer

Dyw'r bardd ddim am ddod rhyngon ni â'r profiad erchyll o fod y cyntaf i
ddarganfod corff 'a'r cwbwl yn socian boeth o waed'; mae'n gadael i'r
cymeriad lefaru dros ei hun. Yma mae'r bardd yn ildio i'r dramodydd.
    Defnyddir englyn milwr i fynd â ni o'r ddamwain, i ganiad ola'r adran.
Mesur cynnil urddasol ydyw sy'n gwneud i ni feddwl yn syth am arwyr yr
Hen Ganu; ond nid marwnadu'r sawl a laddwyd yn y ddamwain a wna, ond
yn hytrach galarnadu'r marw byw, y dyn sy'n destun caniad ola'r adran.
Mae o fel pennawd mewn papur, yn crynhoi'r stori sy'n dilyn. Ydi hyn yn
effeithiol? Os felly, pam?
    Wrth adrodd hanes y dyn a aberthodd yrfa fel peldroediwr disglair,
dychwelwn eto i gywair fwy sgyrsiol:

Roedd ganddo fo gic mul yn ei ddau droed;
Mor beryg â gwn o fewn golwg y gôl.

Mae Gwyn Thomas yn awyddus i ddangos y gwahanol gyweiriau o iaith
sydd yn y dre. Sylwer, nid y bobl capel yn adran 4 yw'r unig rai sy'n meddu
ar iaith rywiog a dawn dweud.

3.   **Cymdeithas y chwarel**
        Arian bach, oriau mawr, caledwaith, teulu mawr,
        Afiechyd, ofnau;
        Trwyddynt fe redai llygad o lawenydd
        I'w chwarelu yn nyfn yr enaid ac yn agor y gymdeithas.

Mae'r chwarel yn dod yn sumbol o fywyd ei hun, ac yma gyflwynir thema
arall, sef fod 'cariad yn tyneru ac yn addfwyno' chwedl Alan Llwyd.
Datblygir hyn ymhellach yn adrannau 4 a 5.

4. **Bywyd crefyddol Blaenau.**
5. **Bywyd gwraig chwarelwr.**
Hyd yn oed yma mae delweddau'r chwarel yn treiddio i fyd y wraig. Mae ei gâr yn torri 'i graig ei hunigrwydd', ac 'yn nyfnder ei thywyllwch' yr enillir ei mab i'r byd.

6. **Disgrifio'r gors: adeiladu pwerdy: prysurdeb y dre: nos yn y dre**
Yng nghaniad cynta'r adran cawn ddarlun bendigedig o dir corsiog, cyn dyfodiad y pwerdy. Cyferbynnir y modd graddol yr enillwyd ambell gae ohoni gan ddynion â rhawiau hefo'r modd sydyn y mae'r peiriannau yn ei thrawsffurfio. Ond nid yw Gwyn Thomas yn sentimentaleiddio ynglŷn â'r hyn a gollwyd. Mae hefyd yn ymddiddori yn y byd modern a gwyddoniaeth. Cymharwch ei gerdd 'Meicrosgop' (*Gweddnewidio*, tud. 99) ac adran gychwynol 'Hiliogaeth Cain' (*Gweddnewidio*, tud. 50-1), lle mae'n disgrifio esblygiad. Yma mae'r bardd yn amlwg wedi ei hudo gan yn y peiriannau mawr, er enghraifft yr un sy'n 'cegeidio a thynnu, a phoeri ysbwriel ar dro ei wddw.' (Darllenwch y cerddi 'Rhyfeddodau' a 'Gogi' ac fe welwch fod hyn yn wendid teuluol mae'n amlwg!)

Mae Gwyn Thomas yn fardd sy'n ymdeimlo'n gry â newid cymdeithasol cym â 'Rhwng Dau', (*Gweddnewidio*, tud. 65) a 'Y Ffatri'n Cau' (*Gweddnewidio*, tud. 217) ond ar ôl disgrifio'r prysurdeb newydd yn sgîl y gwaith adeiladu, mae'r caniad olaf yn disgrifio nos Sadwrn ar ôl i'r tafarnau gau, a'r dref yn llonyddu unwaith eto. Mae'r bardd yn sefyll ar y tu allan, fel petai, yn edrych i mewn. Pa mor wahanol fyddai'r caniad hwn petai'r bardd yn disgrifio ei hun yng nghanol y dafarn neu ar y bws olaf adre?
Wrth iddi nosi, dyma ddychwelyd at un o fotiffau mawr y gerdd, y nos. Rydym yn llithro i'r tywyllwch yn ôl fel petai, sy'n ein paratoi ar gyfer yr adran nesa.

7. **'dyma ydyw bywyd'**
Beth yw bywyd? O'r nos Sadwrn yn y dre mae'r bardd yn 'zoom-io' allan nes edrych lawr,
'ar ein craig yn chwarel y cread, yma yr ydym,
wedi ein tynnu o'r groth i blith symudiad y planedau'
Di-nod yw dynion ar y lefel cosmig yma, a byr yw bywyd. Ailgyfarfyddwn â'r chwarelwr a'i wraig a nhwthau wedi heneiddio ac yn pwyso a mesur eu bywydau. Ydyn nhw'n hapus gyda'r defnydd a wnaethont o'u hamser ar y

GWYN THOMAS

ddaear? Oes 'na dinc mwy gobeithiol i'r darlun o'r ifainc sy'n dilyn? (Sylwer hefyd fel mae Gwyn Thomas yn cau pen y mwdwl yn dwt trwy ail godi rhai o'r motiffau a gafwyd eisoes yng nghorff y gerdd: peldroed, y byd cyfoes a chrefydd.)

8. Clo

Ac yn wir, dyna'n union a wneir yn y tair llinell olaf hefyd, wrth i ni ddychwelyd at ddechrau'r gerdd i glywed y rwbel yn rhedeg ar y domen unwaith eto,

'a chrafu'r nos fel hen esgyrn.'

Darllenwch y gerdd gyfan eto. Oes cymeriad gwahanol yn perthyn i'r pedwar llais sydd ynddi? Beth mae'r amrywiaeth o leisiau yn y gerdd yn ei gynrychioli?

Dyfyniadau am GWYN THOMAS

... nodwedd arall ar fardd gwych yw manylder ei ganfyddiad; y gallu i sylwi ar bethau bychain, ac i weld ynddynt yr arwyddocâd arbennig hwnnw sy'n cyfoethogi dychymyg y darllenydd ... Dyma un o ddoniau disgleiriaf Gwyn Thomas: y treiddgarwch ymenyddol anhygoel hwnnw i weld tebygrwydd annisgwyl rhwng deubeth annhebyg ... nes creu undod newydd sy'n wefr i'r dychymyg.

'Bardd o Bwys', adolygiad Bryan Martin Davies o Darllen y Meini
Taliesin 1998

Bardd tosturi a chydymdeimlad yw Gwyn Thomas, ac yn hyn o beth y mae'n ymdebygu i R. Williams Parry.

Llên y Llenor: Gwyn Thomas, Alan Llwyd, Gwasg Pantycelyn, 1984

Gwyn Thomas i mi yw bardd mwya' cynrychioladol y chwedegau o ran delwedd ac agwedd at bwnc.

Bedwyr Lewis Jones 'Llenydda yn Gymraeg' o'r gyfrol Y *Chwedegau*

ENW'R GAIR a droes Gwyn Thomas yn fardd poblogaidd. Y mae'n sicr iddo ennill darllenwyr newydd, a chefnogwyr newydd, trwy gyhoeddi'r gyfrol hon, ac, i raddau, bwriodd y Gwyn Thomas newydd ei raflaenydd i'r cysgodion. Yr oedd y cerddi gorawenus hyn am ddiniweidrwydd gwynfydus plant ac am ryfeddod a gogoniant pefriog ac amlochrog bywyd fwy at ddant darllenwyr barddoniaeth Gymraeg fe ymddengys. Newidiodd ei agwedd, ac, iraddau helaeth, ei arddull. Disodlowyd y proffwyd a'r gweledydd gan y cartwnydd. Aethpwyd â ni o Passchendaele, Hiroshima, Warsaw a'r gwersylloedd-difa Natsïaidd i fyd Disneyland. Gwyn Thomas, mewn gwirionedd, yw Walt Disney yr Awen Gymraeg.

Llên y Llenor: Gwyn Thomas, Alan Llwyd, Gwasg Pantycelyn, 1984

Mae Gwyn Thomas yn gyfuniad prin o'r ysgolhaig chwilfrydig a'r llenor afieithus. Anaml y gellir teimlo'n llwyr gysurus wrth honni bod gwaith awdur yn apelio at ddarllenwyr diwylliedig ac arbenigwyr fel ei gilydd, ond mae'n honiad sy'n dal dwr wrth inni geisio crynhoi cyfraniad Gwyn Thomas i ddiwylliant Cymru yn yr ugeinfed ganrif. Mae dyfnder digamsyniol i'w ddeallusrwydd, ond eto llwydda i gyflwyno ei bynciau mewn ffordd sgyrsiol a hygyrch nes bod yr ysgolhaig a'r llenor yn asio'n un ... (G)wnaeth fwy na neb i estyn perthnasedd llenyddiaeth Gymraeg tu hwnt i glwydi ein colegau.

Broliant ar gefn *Gair am Air*, Gwyn Thomas

Dyfyniadau gan GWYN THOMAS

Does gen i ddim diddordeb mewn gosod penbleth i bobl; dwi eisiau iddyn nhw ddod at y teimlad neu'r meddwl sydd yn y gerdd. Yn fan'no mae fy niddordeb i.

o *Y Traethodydd*, Hydref 1984

Y peth sy'n hanfodol yn y dychymyg ydi rhyfeddod, y gallu i ryfeddu at bethau bywyd ac i fynegi'r rhyfedod hwnnw. Mae'r gallu yma i ryfeddu gan blant ... mae ganddyn nhw hefyd y gallu, yn eithaf aml, i edrych ar y pethau hyn sy'n eu rhyfeddu a rhoi iddyn nhw enwau hollol wefreiddiol.

Sgwrs â Gwilym Rees Hughes yn *Barn* 133, Tachwedd 1973

Un gwendid amlwg ... yw tuedd i fod yn rhethregol. Ystyr hynny yn y cyswllt hwn yw gor-ymdrech i gyfansoddi nes bod geiriau'n tynnu gormod o sylw atynt eu hunain: mae yma or-gyflythrennu a gor-drosiadu. Nid yw'r geiriau fel pe baent yn dod yn naturiol a didrafferth. Celfyddyd yw dawn naturiol yn ymdrafferthu i wneud i fynegiant ymddangos yn naturiol a didrafferth. Y mae yma, hefyd, fai gwrthwynebus i hyn mewn rhai cerddi sef gor-ymatal. Canlyniad gor-ymatal yw fod dyn yn ei holi ei hun beth yn union oedd ergyd cerdd.

o'r feirniadaeth ar y gerdd rydd fer
Cyfansoddiadau a Beirniadaethau Eisteddfod Genedlaethol Cymru 1989 tud. 63

O ran y mydryddu fe fuaswn i'n meddwl y byddai gwell graen arno, yn gyffredinol, petai'r cystadleuwyr yn ystyried y wers rydd fel mydryddiad rheolaidd wedi ei lacio yn hytrach na phenrhyddid. O ystyried y wers rydd fel penrhyddid y mae perygl i rythmau sylfaenol fynd ar goll yn llwyr, ac fe all hynny fflatio sigl mydryddol cyfansoddiad nes ei fod fel pop o botel wedi ei dad-gorcio'n rhy hir.

o'r feirniadaeth ar y Gerdd hir neu ddilyniant o gerddi
Cyfansoddiadau a Beirniadaethau Eisteddfod Genedlaethol Cymru 1980 tud. 41

Y mae delweddau mewn barddoniaeth wedi cael cryn sylw yng Nghymru dros y deng mlynedd diwethaf. Y mae delweddau'n gallu rhoi egni newydd mewn geiriau a chreu gweledigaeth newydd, eithr nid delweddau'n unig ydi barddoniaeth. Ac fe ddylid sylwi fod Euros Bowen, y bardd Cymraeg sydd, trwy ei dylanwad, wedi gwneud mwy na neb arall i greu ymwybod o le delweddau mewn barddoniaeth, wedi pwysleisio drwy'r adeg bwysigrwydd sylfaenol rhythm hefyd. Y mae rhai o'r cystadleuwyr yn tueddu i golli rhythm dan bwysau delweddau.

o'r feirniadaeth ar y Bryddest
Cyfansoddiadau a Beirniadaethau Eisteddfod Genedlaethol Cymru 1975

... ffordd o feddwl â'r corff ydi delweddau. Y mae'r ffordd hon o feddwl wedi'i gwreiddio'n ddwfn, ddwfn ym mhawb ohonom ni.

Ysgrifau Beirniadol, Cyfrol X, Gwasg Gee, 1977, tud. 421

Y mae cyfnodau newydd yn edrych ar fywyd mewn dulliau newydd, ac y mae pobl o athrylith yn ymdeimlo â'r newid hwn – p'un ai'n ymwybodol neu beidio ...

Os yw'r iaith a ddefnyddir, boed Seisnigaidd neu fras, yn briodol i'r testun a drafodir, yna ni ellir ei galw wrth enwau fel 'dichwaeth'. Mewn celfyddyd o unrhyw fath, amhriodoldeb yw'r hyn sy'n wironeddol ddichwaeth.

o 'Ellis Wynne', sgwrs radio a gyhoeddwyd yn
Gwŷr Llên y 18fed ganrif a'u cefndir, gol. Dyfnallt Morgan, 1966

Petai'n rhaid imi ddewis un peth sydd, uwchlaw pob un arall, yn nodweddu cynghanedd grefftus, fe ddewiswn linell nad yw'n or-amlwg, or-soniarus gynaneddol, ac eto linell nad yw'r gynghanedd ynddi'n anghlywadwy – gan eithrio llinellau sydd i fod i greu cynnwrf trwy glecian. Mae gynghanedd dda'n sgerbwd cynhaliol o fewn corff yn hytrach nag yn sgerbwd di-groen o amlwg. Y mae cynghanedd o'r fath yn hyrwyddo'r ystyr a'r teimlad y mae'n eu mynegi, ac yn gwneud hynny'n ddiwastraff. Gwastraff, sef rhoi geiriau diog neu eiriau llanw mewn llinellau, a mynegi afrosgo yw'r ddwy nodwedd sy'n arddangos diffyg crefft a thalent mewn cerdd dafod ...

o 'Cyfoesedd y Gynghanedd' a gyhoeddwyd yn *Trafod Cerdd Dafod y Dydd*,
gol. Alan Llwyd, Cyhoeddiadau Barddas, 1984

Y mae pobl wedi dod i gredu fwyfwy nad oes a wnelo barddoniaeth ddim â bywyd ac mai rhyw fath o ddiddanwch neu ddanteithfwyd meddyliol ydyw ar y gorau, jeli ar ôl i chwi orffen bwyta'r bwyd maethlon. Fe allwn fynd ymhellach a dweud mai dyna ydyw syniad llawer iawn o bobl am unrhyw fath o gelfyddyd. Mae medru newid ffiws neu drwsio car yn beth llawer iawn mwy buddiol na medru canu cerdd...

dydw i ddim yn meddwl y medrwn ni fforddio gwneud heb feirdd nac ychwaith ... gwneud heb y celfyddydau. Y mae yn y dychymyg ryw allu cyfrin i gyrraedd at y gwir nad ydi o i'w gael mewn cyfrifiaduron nac mewn holi ffeithiol.

Golwg ar Farddoniaeth Ddiweddar, 1975

... nid pansan yw'r bardd ond crefftwr.

Y Traddodiad Barddol, Gwasg Prifysgol Cymru, 1976

Newid arddull yn ddirybudd, o'i wneud yn iawn, yw un o'r dulliau sicraf o ddeffro ymateb. Mae Gwyn Thomas yn giamster ar gymysgu arddulliau yn ei waith.

'Gwyn Thomas', *Bedwyr Lewis Jones,* gol. Gerwyn Williams, Cyhoeddiadau Barddas, 2002, tud. 327

DARLLEN PELLACH

Gweddnewidio: Detholiad o Gerddi 1962-86, Gwyn Thomas, Gwasg Gee, 2000
Gwelaf Afon, Gwyn Thomas, Gwasg Gee, 1990
Darllen y Meini, Gwyn Thomas, Gwasg Gee, 1998
Llên y Llenor: Gwyn Thomas, Alan Llwyd, Gwasg Pantycelyn, 1984
'Yn Rhith Anifeiliaid' o Gair am Air, Gwyn Thomas, Gwasg Prifysgol Cymru 2000

EMYRLEWIS EMYRLEWIS EMYRLEWIS
EMYRLEWIS EMYRLEV
EMYRLEV
EMYR
EMYRLEWIS RLEV
LEWIS

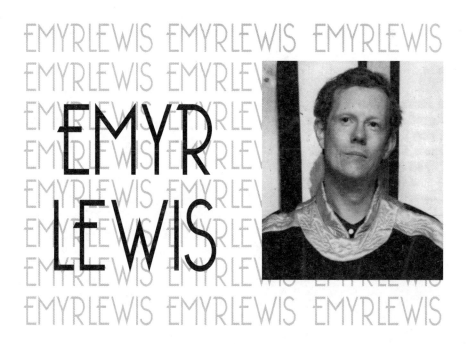

EMYRLEWIS EMYRLEWIS EMYRLEWIS

Efallai mai un o'r ffeithiau mwyaf dadlennol ynglŷn ag Emyr Lewis yw ei fod yn hen nai i un o feirdd mwyaf yr ugeinfed ganrif, sef T.H. Parry-Williams. Mae yr un craffter yn llenwi ei waith, yr un meddwi ar eiriau a manylion doniol a gwahanol, a'r un cydymdeimlad mawr â bywyd yn ei holl gyfoeth a chymhlethdod. Un o'r rhesymau bod T.H. Parry-Williams yn sylwi ar bob manylyn oedd ei fod yn fathemategydd a gwyddonydd. Cyfreithiwr yw Emyr Lewis o ran ei alwedigaeth, ac mae llygad y cyfreithiwr am wahanol ystyron geiriau, delweddau a thriciau sefyllfaoedd a chymeriadau yn amlwg yn ei waith.

Cafodd Emyr Lewis ei eni yn Llundain, ac mae hynny hefyd efallai yn rhoi iddo lygad ychydig yn fwy gwrthrychol ar helbulon a thensiynau Cymru. Cafodd ei fagu yng Nghaerdydd, ac ar ôl ysgol bu'n astudio Saesneg ym Mhrifysgol Caergrawnt, a'r gyfraith yng Ngholeg Prifysgol Cymru, Aberystwyth. Tra oedd yn y coleg yn Aberystwyth, daeth yn aelod amlwg o dîm Talwrn y Beirdd y coleg, ac hefyd yn un o grŵp o feirdd ifanc, yn cynnwys Siôn Aled ac Iwan Llwyd, a oedd yn ymarfer y gynghanedd yn griw cymdeithasol. Parhaodd ei ddiddordeb yn y gynghanedd, ond er ei fod yn un o'r to o feirdd a ddaeth â'r cywydd yn ôl i fri, mae o hefyd yr un mor gyfforddus gyda'r canu rhydd. Yn hyn o beth eto mae o'n adleisio T.H. Parry-Williams.

Cyflwyniad i waith EMYR LEWIS

Mae'n debyg mai trwy gyfrwng cystadlu yn yr Eisteddfod Genedlaethol y datblygodd Emyr Lewis ei grefft a'i lais ei hun. Er mai yn Eisteddfod Genedlaethol Nedd a'r Cyffiniau, 1994, yr enillodd ei gadair gyntaf am awdl ar y testun 'Chwyldro', a oedd yn ymateb mewn modd personol i ddirywiad cymoedd glofaol a diwydiannol de Cymru, daeth yn agos iawn at gipio'r gadair sawl tro cyn hynny. Ac mae'r gwahanol awdlau hynny yn dangos ei ddatblygiad fel bardd, o ran ei grefft a'i themâu.

Yn Eisteddfod Casnewydd 1988, roedd yn un o'r goreuon am yr awdl yn ôl y tri beirniad. Y testun oedd 'Storm' a chanodd Emyr Lewis awdl fawl a choffâd i'r deunaw dyn tân a thechnegwyr a gafodd eu lladd yn ceisio achub eraill yn ystod trychineb atomfa Chernobyl:

> Trywanai mil nodwydd drwyddynt, – cerddent
> i'w cwrdd: arwyr oeddynt,
> arwyr yn herio cerrynt
> llofrudd yn gudd yn y gwynt.

Datblygodd Emyr Lewis y thema yma o arwriaeth mewn gwlad bell yn yr awdl nesaf iddo gyflwyno am y gadair, yn yr Wyddgrug ym 1991 ac Aberystwyth ym 1992. Awdl deyrnged oedd hon i Wang Wei Lin, y myfyriwr ifanc a safodd o flaen y tanciau yn Sgwâr Tiananmen yn Tseina yn ystod y gwrthdaro yn y nawdegau. Mae'r awdl hon, fel yr un flaenorol i arwyr Chernobyl yn dangos un haen o'r themâu sy'n cyffroi Emyr Lewis, sef digwyddiadau, datblygiadau a chymeriadau cyfoes, ac yn amlach na heb, arwriaeth unigolyn neu bobol yn wyneb sefydliadau a gwladwriaethau gormesol. Ac er mai methu a wnaeth ymdrechion yr arwyr hyn yn wyneb technoleg dideimlad yr atomfa a'r tanciau, maent yn cynrychioli gobaith a her ieuenctid yn erbyn yr hen drefn. Mae hon eto yn thema sydd yn agos at galon Emyr Lewis:

> Llefnyn o hogyn o'r dorf agos
> fel gwreichionyn ar ganol dunos
> yn neidio o'r marwydos – a chreu tân:
> un yn herian, a'r tanciau'n aros.

'Gwawr' oedd testun yr awdl yn Llanelwedd ym 1993, ac unwaith eto gosodwyd gwaith Emyr Lewis yn agos at y brig. Yn wir, ym marn un o'r beirniaid, Gerallt Lloyd Owen, ei awdl o oedd yr orau yn y gystadleuaeth. Gwacter ystyr bywyd modern yw ei thema y tro hwn, a daeth adref o'i grwydro i foli arwyr gwledydd tramor. Taith mewn trên i ryw ddinas amhersonol yw cefndir y gerdd, diflastod cymudo dyddiol yn ôl ac ymlaen i'r gwaith:

> Hen boer yw trên y bore,
> ffag a llwch a diffyg lle,
> ei lawn o benelinau
> a deg yn eisteddle dau,
> gwŷr blin mewn seti'n swta
> heb air doeth na 'bore da',
> yn rhannu gwg ar drên gwawr,
> haid golledig y llwydwawr.

Ond unwaith eto daw gobaith, y tro hwn ym mherthynas y bardd â'i gymar,

> Mae ein cariad yn llam ein cyhyrau,
> mae yn ehedeg chwim ein heneidiau,
> yn nhes ein gilydd, anwes ein golau,
> mae'n tywynnu, yn tynnu ein tannau,
> y mae ynom emynau ein serch ni,
> ynom yn gweiddi mae hen gywyddau.

I raddau dyma un o themâu mawr Emyr Lewis, y parhâd sydd ym mherthynas pobol. Mae wedi datblygu o'i gerddi i arwyr fel Wang Wei Lin, ond fe gyrhaeddodd ei anterth yn yr awdl a enillodd gadair Eisteddfod Nedd a'r Cyffiniau i'r bardd a oedd ar y pryd yn byw yng Nghwm Tawe, ym mro'r Eisteddfod. Cefndir yr awdl hon yw dirywiad y diwydiant glo yng nghymoedd y de. Mae'r un naws yn perthyn iddi ag i awdl Chernobyl, sef dynion dewrion yn barod i wynebu tranc eu diwydiant a'u hardal. Ac unwaith yn rhagor y cariad rhwng pobol, a gŵr a gwraig yw'r unig rym sy'n gwrthsefyll y dirywiad:

> Cawn anadlu ymysg y cenhedloedd,
> anadlu a charthu'r llwch a'i werthoedd
> o'n tir, i gamu yn falch trwy'i gymoedd

eto yn werin ymysg gwerinoedd,
daw ffair o wanwyn i'n dyffrynnoedd ni,
rhed naws direidi ar hyd ein strydoedd.

Roedd ei yrfa fel bardd steddfodol yn un haen yn natblygiad Emyr Lewis, ond i raddau datblygiad anhysbys oedd hwn, gan nad oedd trwch ei gynulleidfa yn ymwybodol ei fod wedi cystadlu. Ochr yn ochr â'r datblygiad yma roedd ei ddatblygiad fel bardd cyhoeddus, yn bennaf oherwydd ei gyfraniad i'r gyfres o gyfrolau a nosweithiau *Cywyddau Cyhoeddus* a sbardunwyd gan Myrddin ap Dafydd ac Iwan Llwyd yn y nawdegau. Llais arall a gawn ni gan Emyr Lewis yn y cyfrolau hyn. Oes mae yna lais tosturiol a difrifol fel yn ei awdlau, ond hefyd mae yna hiwmor a dychan mewn cywyddau fel 'Malu', 'Sbengerdd' a 'Chywydd y lowt o latai':

Dyn lled wan a llwyd ei wedd,
miniog a diamynedd
a dwfn iawn wyf, di-fwynhau,
hogyn dinas gwên-denau.
Ofnaf na fedraf, yn fyr,
fod yn nyt am fyd natur.

Ond ni allai ddianc rhag bod yn 'hogyn dinas gwên-denau'. 'Dyn tref' yw Emyr Lewis yn ôl y beirniad Simon Brooks, ac i raddau mae hynny i'w weld yn ei ddwy awdl olaf a mwyaf llwyddiannus. Dyn y de diwydiannol, Abertawe a Chaerdydd yw o, a'i gydymdeimlad gyda'r cenedlaethau o bobol a greaodd ac sy'n parhau i gynnal natur ddigyfaddawd yr ardaloedd anodd hynny. Trydydd haen ei awen yw ei ganu telynegol i'r bobl a'r ardaloedd hynny. Yn 1995, cyhoeddodd ei unig gyfrol o farddoniaeth hyd yma, sef *Chwarae Mig*, sy'n dangos ei allu i chwarae mig â geiriau, sydd hefyd yn cynnwys ei awdlau a'i gywyddau ond sydd hefyd yn cynnwys telynegion dwys a difyr fel hon i'w 'Arwyr':

Ni fuaswn
wedi dewis
Ambrose Bebb
na Saunders Lewis,

ond tybed lle
buasem heb
Saunders Lewis
ac Ambrose Bebb?

Yn union fel ei hen ewythr, mae Emyr Lewis wedi meistroli y mesurau caeth
a rhydd, a phrofodd hynny pan enillodd y goron yn Eisteddfod Genedlaethol
Bro Ogwr yn 1998 gyda dilyniant o gerddi ar y testun 'Rhyddid'. Dychwelodd
eto at un o'i hoff themâu sef bywyd y ddinas, ond y tro yma mae o'n dathlu
dinas ei fagwraeth, sef Caerdydd, a hynny ar ôl i bobol Cymru bleidleisio o
blaid datganoli a sefydlu senedd yn y brifddinas. Dyma gamu 'mlaen o
ddinas amhersonol ei awdl, 'Gwawr'. Erbyn hyn mae gan y ddinas gymeriad
a phenderfyniad. A dweud y gwir, y ddinas yw'r arwr bellach:

Oni ddown i'r Waun Ddyfal
i ddawnsio, â hithau'n boeth,
a llwch cyfarwydd ei phalmant
yn gras dan ein gwadnau noeth,
i blith ei mil fforddolion,
yn rhith mewn ffenestri llwyd;
oni ddown i'r Waun Ddyfal felly
yn ein beuddwyd?

Mae llawer o waith Emyr Lewis yn llawn dychan ag eironi wrth iddo edrych
ar ogwydd ar ein byd modernaidd, cyfalafol. Llygad y cyfreithiwr yw hwnnw,
llygad gwrthrychol, amheus yn dadlennu gwaelod simsan ein byd
arwynebol. Eto yn ei awdlau, ei gywyddau a'i delynegion gorau mae o'n
gweld arwriaeth pobloedd, cymunedau a dinasoedd sydd, er gwaethaf yr
holl rymoedd arwynebol sy'n ceisio rheoli bywyd, yn brwydro yn erbyn
hynny, weithiau heb obaith o gael buddugoliaeth, ond eto gan blannu hedyn
a fydd, ymhen amser, yn troi y byd amhersonol, annynnol hwnnw a'i ben i
waered. Heb fedru cydymdeimlo â'r gobaith afresymol hwnnw weithiau,
mae'n amhosib gwerthfawrogi cerddi Emyr Lewis.

'STUDIO 4 CERDD

MEWN EGLWYS

Disgleirio mae sêr
canhwyllau'r werin
gwerth hatlin o wêr
i'r Forwyn Fair,
a phob un yn aberth,
yn weddi ddistaw,
yn gadw cyfrinach
heb dorri gair.

Cael seibiant mae saint
Cymdeithas yr Iesu
rhag synio am faint
dirgelion gras,
eu llygaid yn llarpio'r
goleuni glanwedd
a'u sibrwd yw *Sancta
simplicitas.*

Disgyn mae Duw
drwy grac yn y nenfwd
fel glöyn byw
at oleuni'r fflam,
er mwyn whare cwato
â'r llafnau disglair
a byw yn beryglus
heb wybod pam.

Cyflwyniad gan Emyr Lewis
Wrth ymweld ag eglwysi mawr y cyfandir, yr hyn sy'n fy nharo bob tro yw'r
ffydd syml a ddynodir gan y canhwyllau sy'n llosgi wrth wahanol allorau yn
y capeli bychain o amgylch corff yr eglwys. Yn aml, maent yn offrwm i sant

y capel, yn ddiolch am ateb gweddi. Maent yn cynrychioli ffydd ar ei mwyaf cyntefig, rhyw fath o gontract rhwng dyn a Duw. Rhan Duw o'r fargen yw edrych ar ôl buddiannau dyn drwy ateb y weddi; rhan dyn o'r fargen yw gwneud yr offrwm a moliannu Duw. Cymdeithas yr Iesu yw'r fersiwn Cymraeg o'r enw llawn ar y Jesuitiaid, yr urdd fynachaidd a grëwyd yn sgîl y diwygiad Protestannaidd er mwyn ailosod seiliau deallusol Eglwys Rufain. Mae ganddynt enw am fod yn rhesymegwyr trwyadl, ac am fod rhyw ychydig yn drahaus. Fy ffansi yn y gerdd hon yw bod y Jesuitiaid yn cenfigennu wrth ffydd syml gyntefig y werin. Ystyr y geiriau 'sancta simplicitas' yw 'symlrwydd sanctaidd'. Mae'r ffydd gyntefig yn gallu diflannu os nad atebir y weddi. Mae'r ffydd ddeallusol fhefyd yn gallu diflannu dan bwysau rhesymeg. Rwy'n gweld Duw yn cael ei dynnu at fflam ffydd, fel rhyw greadur direidus yn 'chwarae cwato' efo'r credinwyr, mewn modd a allai ei ddinistrio fo ei hun. Efallai y dylwn nodi bod yr ymadrodd 'llafnau disglair' yn fwys; yn cyfeirio at fflamau canhwyllau gweddi ffydd syml a hefyd at y Jesuitiaid (gan ddefnyddio'r gair 'llafn' yn yr ystyr 'gŵr ifanc trahaus', a 'disglair' yn yr ystyr 'clyfar iawn').

Gair am air

hatlin	*mite* yn Saesneg, darn bach iawn o arian, yn werth hanner ffyrling
Cymdeithas yr Iesu	y Jesuitiaid, urdd Babyddol
Sancta simplicitas	symlrwydd sanctaidd

Sylwi ac ystyried

1. Un o'r pethau cyntaf sy'n taro rhywun am y gerdd hon yw y mesur. Mae Emyr Lewis yn bencampwr ar ddefnyddio mesurau caeth a rhydd yn bwrpasol. Cerdd grefyddol am eglwys yw hon, ac mae'r mesur yn rhoi rhyw ffurfioldeb syml i'r gerdd – i adleisio y ffurfioldeb syml y mae'r bardd wedi sylwi arno yn yr eglwys. A welwch chi'r patrwm? Mae'r linell gyntaf yn odli gyda'r drydedd linell, a'r bedwaredd linell yn odli gyda'r linell olaf bob tro. Ac mae'r rhythm hefyd yn rhoi naws sy'n debyg iawn i siant i'r gerdd.

2. Mae'r ymadrodd 'torri gair' yn ddiddorol. Mae Emyr Lewis yn hoff iawn o ddefyddio geiriau mwys, sef geiriau sydd â mwy nac un ystyr iddyn nhw. Mae'r ymadrodd 'torri gair' yn medru golygu torri addewid, ond hefyd mae'n golygu siarad, gwneud sŵn. Mae'r ddwy ystyr yn addas yn y achos yma.

3. Fel gyda llawer o gerddi Emyr Lewis, mae'r naws yn bwysig yn y gerdd

hon. Hyd yn oed yn fwy pwysig na'r ystyr efallai. Trwy greu naws eglwysig
mae'r bardd yn ein tynnu ni i mewn i'r profiad a gafodd o yn yr eglwys, ac
yn ceisio ein cael innau i holi beth yw ffydd a beth neu bwy yw Duw?

MALU

Mewn bar twym un bore teg
eisteddais. Wedi deuddeg;
parhau a wnes drwy'r prynhawn
i eistedd yno'n ddistaw'n
mwynhau, dros fy lemwnêd,
wrth gael hoe, ac wrth glywed
sŵn di-baid beirniaid o'r bar,
gwŷr llog y geiriau lliwgar,
yn seiadu yn siwdaidd,
heb hiwmor, yn bropor braidd.

Dyrnaid o ôl-fodernwyr
a bôrs yr ôl-farcsiaeth bur
a thwr o ôl-strwythuriaid
ar led yn hyfed mewn haid,
gan ddadlau am oriau maith
mewn hyddysg ymenyddiaith
yn groch ac mewn geiriau od
am fanion mwyaf hynod
a throeon theorïau
rhyfedd llên, fel perfedd llau.

Hyd ferw nos y dafarn hon,
meddwai'r academyddion.
Troes trafod yn dafodi,
a lle bu gwarineb, gri;
geiriau llym wedi pum peint
a chwffio wedi chwepheint,
cyn i un strab cynhennus
eu huno drwy bwyntio bys

at ŵr ifanc reit ryfedd
od ei wisg a llwyd ei wedd,
a gwaeddodd gan gyhoeddi:
'Rhyw ddiawl o fardd welaf i,
un o hyrddod blin Barddas,
eu camp i mi? - cwympo mas;
anhyddysg gynganeddwyr
cywyddlyd, cysetlyd, sur.
Mae bwrlwm eu rhigwm rhwym
heb gynildeb, gân eildwym,
yn angau i glustiau'n gwlad,
yn ddadwrdd o draddodiad'.

Tawodd, a gwaeddodd y gyrr
un 'Amen' fel emynwyr.
Y gwr ifanc a grafodd
ei ben, roeddent wrth eu bodd
yn ei wawdio. Ond codai.
Ni welwyd un llipryn llai
ei faint, cans go brin ei fod
mwy nag esgyrn mewn gwasgod
bron, ond llefarai yn braf,
yn Siôn Cent o'i sŵn cyntaf:
a thyngai'n boeth ei angerdd,
'Onid yw'n gaeth, nid yw'n gerdd'.

Bu'r bardd yn bwrw'r byrddau
o ddeg tan chwarter i ddau,
a tharannai'i athroniaeth
ar gywydd yn gelfydd gaeth:
'Rhydd yn wir yw'n hengerdd ni,
rhyddid sy'n canu drwyddi:
rym ni yn ein cerddi caeth
yn hawlio ymreolaeth,
eu sain parhaus yw'n parhad,
geiriau rhydd ein gwareiddiad.

'Chwi fyrnau sych o feirniaid
heb gerddi ond poeri 'Paid'.
Nid oes yn bod ormodiaith
all ddyfalu'ch malu maith;
wyn gwan sy'n dilyn mewn gyrr
ofer lwybrau vers-librwyr
a'u brefu "dewr" "arbrofol" –
beirdd esgus, ffuantus ffôl.
Ôl-bobol 'ych heb wybod
ffaith anghymhleth beth yw bod,
dim ond rhyw ôl-fodoli,
yn chwerw am na chenwch chi,
yn gaeth i'ch damcaniaethau
a'ch yfed, chwi bryfed brau.
Y chwain, fe'ch rhybuddiaf chi,
ymaith yn awr, cyn imi
i'r eigion eich hyrddio'n haid
yn gig moch i gimychiaid'.

Oedodd, a'r barman sydyn
i fi'n ddig ofynnodd hyn:
'Ti henwr, clywaist heno
y ddau a fu'n dadlau, do,
er mwyn dadmer eu cweryl
rhanna dy farn â dau ful'.

Atebais innau, 'Tybed
ai doeth byddai hynny, dwed?
Fy mrawd, am nad wyf mor hy',
na, nid wyf am feirniadu;
i mi, byddai'n ffwlbri ffôl:-
fi yw'r henwr cyfriniol
fu erioed yn rhodio'n frau
yn huodledd ein hawdlau;
dweud rhyw bwt am fynd i'r bedd
a rwdlan am fyrhoedledd.
Hyd fy oes fy nhynged fu

dweud fy lein a diflannu.
A 'rwyf yn mynd i brofi
hynny'n awr ...'

A dyna ni.

Cyflwyniad gan Emyr Lewis

Cywydd cyhoeddus ymwybodol, yn llawn llinellau'n goferu i'w gilydd, naratif, cynganeddion stroclyd, ymddiddan a jôcs, a rhai llinellau bwriadol o anfarddonol fel 'Y gŵr ifanc a grafodd/ei ben'.

Mae yma ddychan ar sawl peth, ond yn bennaf ar begynnu ym maes theori llenyddol, ceidwadaeth farddonol ambell i fardd caeth, ôl-foderniaeth (wele yn y gerdd ddiflaniad yr awdur – un o gonglfeini theori ôl-fodernaidd) a thraddodiad hen wyr galarus ym marddoniaeth Gymraeg.

Ni ddylid cymryd y gerdd hon o ddifri. Yn hynny o beth, mae'n disgyn i'r fagl o fod, ei hun, yn gerdd ôl-fodernaidd. Mae hefyd yn gywydd caeth iawn, mae'n gerdd sy'n sôn am hen ŵr, ac mae'n llawn theori llenyddol, a chyfeiriadaeth lenyddol at bob math o feirdd a cherddi. Ac felly mae'n ei dychanu ei hun.

Perfformiwyd hi nifer o weithiau, ond ni fu dau berfformiad tebyg i'w gilydd erioed, gan fod pob perfformiad yn golygu seibiannu yma ac acw yn y gerdd er mwyn taflu jôc, neu sylw sbengllyd neu hunan-ddilornus i mewn.

(Mae Jerry Hunter a Sioned Puw Rowlands wedi sgwennu am y gerdd hon.)

Gair am air

seiadu	cael seiat, trafodaeth
Siôn Cent	cywyddwr o'r 15eg ganrif oedd yn hoffi beirniadu a dadlau â'i gyd-feirdd
byrnau	bwndeli
vers-librwyr	rhai sy'n barddoni yn y wers rydd ac nid mewn cynghanedd
cyfriniol	â ryw hud yn perthyn iddo

Sylwi ac ystyried

1. Cywydd i'w pherfformio mewn noson *Cywyddau Cyhoeddus* yw'r gerdd yma, ac mae'r arddull yn nodweddiadol o gywyddau o'r fath. Y prif nod mewn noson felly yw diddanu, ac felly mae'n rhaid i'r gerdd weithio yn

uniongyrchol i ddenu ymateb cynulleidfa. Mae'r cywydd yma yn dweud stori, a'r stori honno'n un ddoniol. Mae'r cywydd hefyd wedi ei lunio fel bod lle i osod seibiannau er mwyn ennyn ymateb y gynulleidfa. Mae'r sefyllfa hefyd yn addas gan bod yr hanes ei hun yn digwydd mewn tafarn.

2. Er mai cerdd gyfoes yw'r cywydd, mae'n gadarn yn nhraddodiad y cywydd yng Nghymru. Mae'r un fath o ffraethineb yma ag yng nghywydd enwog Dafydd ap Gwilym, 'Trafferth mewn Tafarn', a gyfansoddwyd dros 600 mlynedd yn ôl. Ac mae yma drafod syniadau ac athroniaeth, fel yng ngwaith Siôn Cent ei hun, sy'n cael ei enwi yn y cywydd. Ond ail-beth yw hynny i hiwmor y cymeriadau.

3. Mae'n bwysig sylwi bod y gynghanedd yn cyfeirio taith y cywydd, yn arbennig reit yn y diwedd, lle mae'r bardd ei hun yn diflannu – 'A rwyf yn mynd i brofi/hynny'n awr ...' A dyna ni.

4. Mae yna adleisiau o sawl bardd a cherdd yn y cywydd. Mae 'dweud fy lein a diflannu' yn adleisio llinell enwog R. Williams Pary – 'Ond canu a gadael iddo' – sy' hefyd yn adleisio llinell gan y bardd Alun. Fedrwch chi ddod o hyd i adleisiau eraill o feirdd a llinellau enwog yn y cywydd hwn?

Y WAUN DDYFAL

un o'r cerddi yn y dilyniant 'Rhyddid', cerddi'r Goron, *Cyfansoddiadau a Beirniadaethau Eisteddfod Genedlaethol Bro Ogwr*, 1998, tud. 45

Cyflwyniad gan Emyr Lewis

Cathays yng Ngaerdydd yw'r Waun Ddyfal. Nid y rhan honno o Cathays lle mae adeiladau crand dinesig, ond y rhan lle mae nifer o fyfyrwyr, gwerinwyr a mewnfudwyr yn byw ac yn gweithio i'r dwyrain o'r rheilffordd sydd rhyngddynt a'r adeiladau crand.

Mae'n debyg mai 'gwastad' yw ystyr Dyfal yma (neu fe all olygu 'anodd') ond erbyn heddiw, mae'r ystyr 'prysur' yn gweddu.

Mae Capel y Crwys (lle magwyd fi) bellach yn fosg. Tafarn, wrth reswm, hefyd yw'r *Crwys*, fel y *Flora*.

Un o themâu 'Rhyddid' yw parhad Cymreictod drwy brysurdeb cosmopolitan, aml-hiliol Caerdydd diwedd yr 20fed ganrif. Cyfarch y Cymry Cymraeg mae'r gerdd, yn eu herio, os ydynt am adfer Cymreictod Caerdydd, i wneud hynny ar y cyd a'r lleiafrifoedd ethnig a gwerin Caerdydd – ceidwaid siopau cornel, ffyddloniaid y tafarndai a'r mosg, yr adar brith a'r hen wragedd cecrus. Os ydym am weld Caerdydd Gymreig, rhaid i ni ddod i ddeall dulliau amgen o fyw o fewn y ddinas honno, fel y bo i'n dull ninnau dderbyn parch ymysg ei phobl. Wedyn, gallwn ni ddawnsio'n droednoeth ar hyd ei strydoedd, a'n hysbryd ni'n goleuo'r lle, wrth i hen enw'r ardal gael ei arddel eto – y Waun Ddyfal. Dyma un ystyr 'breuddwyd' yn y llinell olaf – ond mae hefyd yn eironig – *'in our dreams!'*.

Mae'r ymadrodd 'Oni ddown...' yn newid ei ystyr yn y trydydd pennill. Yma mae'n gofyn cwestiwn, yn hytrach na bod yn gymal perthynnol.

Sylwi ac ystyried

1. Mae'r un fath o ddefnydd o fesur yma i greu naws ag yn y gerdd 'Mewn Eglwys', er bod y patrwm odlau ychydig yn wahanol. A fedrwch chi ddadansoddi y patrwm?
2. Mae 'Dwylo ar led' yn awgrymu dau beth – croesawu a chofleidio, ond hefyd croeshoeliad – yr aberth eithaf. Er mwyn i'r Waun Ddyfal wneud synnwyr yn ein byd ni rhaid croesawu pobol ddiarth, a chynnig aberth hefyd.
3. Mae 'adar brith' yn ddywediad mwys arall gan Emyr Lewis. Un ystyr iddo yw pobol wahanol, dipyn bach yn amheus. Ond os ewch chi i Cathays go iawn, fe welwch ddigon o adar brith eraill – y colomennod sy'n busnesu ym mywydau pawb a phopeth.
4. Cerdd yn dathlu dyfodiad datganoli ym 1997 yw hon yn fwy na dim. Ceisiwch gael hyd i'r elfennau yn y gerdd sy'n dathlu hynny.

YMDDIDDAN Â DAFYDD NANMOR

Cywyddau Cyhoeddus III, gol. Myrddin ap Dafydd, Gwasg Carreg Gwalch, 1998, tud. 37

Cyflwyniad gan Emyr Lewis

Cywydd uniongyrchol yn cyfeirio at gwpled enwog o waith Dafydd Nanmor. Rwy'n hoff iawn o sgwennu cerddi sy'n cwestiynnu neu'n hanner-dychan darnau o'n traddodiad barddol. Yma, mae cwpled Dafydd wedi ei droi ar ei ben, wrth gadarnhau mai natur bywyd yw aileni wedi marwolaeth. Tra 'mod i'n derbyn yn llwyr ddilysrwydd profiad Dafydd yn ei alar, ac wedi teimlo'n debyg iddo, 'thâl hi ddim i fod yn ddi-obaith. Yn y pen draw, mae yna bobol iau na fi'n dal i syrthio mewn cariad yn Is-Conwy fel ym mhob man arall – ac mae Mai yn dal i ddeilio iddyn nhw.

Gair am air

Dafydd Nanmor   un o'r cywyddwyr mawr. Roedd yn byw yn ail hanner
y 15fed ganrif ac un o'i gywyddau gorau yw ei
farwnad i ferch sy'n cynnwys y llinellau 'Os marw
hon yn Is-Conwy/Ni ddyly Mai ddeilio mwy'

Is-Conwy   y rhan o Wynedd lle'r oedd y ferch yn byw

Sylwi ac ystyried

1. Roedd mis Mai yn adeg arbennig o'r flwyddyn yn ystod yr oesoedd
canol, fel y mae'r holl draddodiadau am ŵyl Fai, a dawnsfeydd i ddathlu Mai
yn profi. Dyma adeg calan Mai, adeg pan oedd natur yn deffro a'r haf yn
cyrraedd ar ôl tywyllwch y gaeaf a glaw'r gwanwyn. Ond oherwydd bod y
ferch, cariad Dafydd Nanmor mae'n debyg, wedi marw'n ifanc ym mis Mai,
mae'r bardd yn teimlo na ddylai'r coed ddeffro, na ddylai'r gog a'r fronfraith
ganu, na'r blodau ymddangos yn eu holl liwiau. Dyma arfer cyffredin gan yr
hen feirdd, bod byd natur yn adlewyrchu tristwch neu hapusrwydd dyn.
Dyna a wnaeth Gruffudd ab yr Ynad Coch yn ei farwnad fawr i Lywelyn ein
Llyw Olaf – 'Poni welwch chi hynt y gwynt a'r glaw?/ Poni welwch chi'r
deri'n ymdaraw?' Roedd natur ei hun yn griddfan ac yn wylo oherwydd
colli'r tywysog. Mae Dafydd Nanmor yn gwneud yr un peth yn ei gywydd,
yn dweud na ddylai mis Mai ddod yn ei holl ogoniant, a'i gariad o'n farw.

2. Yr hyn y mae Emyr Lewis yn ei wneud yn ei gywydd byr o ydi cynnal dadl
â Dafydd Nanmor. Mae Emyr yn dadlau i'r gwrthwyneb, sef y dylai Mai ddod
a deilio oherwydd y cariadon sy'n dal yn fyw 'o Wynedd hyd derfynau/
pella'r ddaear'. Er mwyn y cariadon hynny y mae Mai yn dal i ddod bob
blwyddyn. Hynny yw, mae bywyd a'i dymhorau yn drech na marwolaeth, er
cymaint yw galar un unigolyn o golli ei gariad. Mae'r gobaith a'r
positifrwydd yma yn elfen gyson yng ngwaith Emyr Lewis.

Dyfyniadau am EMYR LEWIS

Mae'n chwarae mig â syniadau. Dyna sy'n ei wneud yn fardd difyr. Mae hefyd yn ddyn tref.

... mae miri Emyr Lewis mewn moelni epigramatig. Bardd minimalist ydyw; y peth agosaf a feddwn i olynydd teg i T.H. Pary-Williams.

Simon Brooks yn adolygu 'Chwarae Mig', *Barn*, Medi 1995

Ac ar ryw olwg ... mae Emyr Lewis yn consurio awyrgylch ddigon tebyg i Paris Parry Williams. Ond, ac mae'n ond arwyddocaol, tra bo 'Dinas' Pary-Williams yn ymgorffori cri yr enaid creadigol yn erbyn negyddiaeth lethol ei amgylchfyd, mae'n deg dweud mai'r union amgylchfyd hwnnw yw cloddfa fwyaf llewyrchus awen Emyr Lewis.

...mae'r ymdeimlad hwn o aflonyddwch a symud parhaus yn gyfeiliant cyson i'r cerddi ac yn ddrych efallai o ddiwylliant cenhedlaeth a gefnodd ar yr ymboeni am ddiffyg gwreiddiau mewn bro neu ardal benodol, y pryder hwnnw a fu mor amlwg yn llenyddiaeth y ganrif hon.

Mae'n well o lawer ganddo'r ffenestr na'r drych; a thrwyddi gall edrych ymhell ac agos, gan graffu ar y plwyfol a'r rhyngwladol fel ei gilydd. Mae'i fawl i waith llaw Gwilym Herber yr un mor gywir â'i fawl i ddewrder Wang Wei Lin...

Gŵyr pa bryd i delynegu a pha bryd i ddychanu; pa bryd i godi llais a pha bryd i dewi...

Eto i gyd, waeth beth yw cywair y llais, waeth beth yw nodau'r gân, nid yw'r bardd yn colli gafael ar ei ddynoliaeth na'i ffydd ddiysgog yn y berthynas sylfaenol rhwng pobl â'i gilydd.

Llion Elis Jones, yn adolygu 'Chwarae Mig', *Taliesin*, Gwanwyn 1996

Yn wir, yn nhraddodiad gorau ei gywyddau ymwybodol o ôl-fodernaidd, mae Emyr Lewis yn mynd gam ymhellach yn ei gywydd crafog 'Ynof' trwy ei seilio'n gyfan gwbl ar un o arferion mwyaf llafurus y cynganeddwr cyfoes.

Llion Elis Jones, *Barddas*, Tachwedd/Rhagfyr 1998

Dyfyniadau gan EMYR LEWIS

[Am T.H. Parry-Williams] Dwi'n hoffi ei synnwyr digrifwch, ei ddiddordeb mewn ffiseg a pheirianneg, ei eironi twymgalon a'i barodrwydd i ryfeddu fel pe bai'n gyfrinydd uniongred at y bydysawd yr oedd yn waelodol amheus o'i arwyddocâd.

Dyma pam mae'r gynghanedd yn bod. Mae hi'n diwallu angen greddf a chlust cynulleidfa am batrymau sain boddhaol. Mae hi'n digwydd bod hefyd yn declyn rhyfeddol o effeithiol i ryddhau'r dychymyg.

Fy marn i yw mai sgwennu ar gyfer dy oes dy hun yw'r strategaeth orau, gan sgwennu yn dy ddull a dy ieithwedd dy hun, mae rhywun yn siwr o dy ddeall di, hyd yn oed os wyt ti'n defnyddio ffurf gryno'r ferf.

Barddas, Mehefin/Gorffennaf 1997

Hoffwn weld mwy a mwy o bobol yn mwynhau barddoni ac yn mwynhau barddoniaeth, yn arbennig yn y mesurau caeth. Hoffwn weld plant yn dysgu am y gynghanedd yn yr ysgol gynradd, yn hytrach na gwario pres ar warchod pethau sy'n rhan o'n hetifeddiaeth ni. Mae angen hyrwyddo traddodiadau yn ogystal â gwarchod adeiladau. Mae hen adeiladau yn aros yn hen adeiladau, ond mae traddodiad yn ei adnewyddu ei hun o hyd. Hoffwn hefyd weld gwell dealltwriaeth o farddoniaeth, ac o'r hyn sydd gan feirdd i'w ddweud.

Barddas, Rhagfyr 1999/Ionawr 2000

Wrth weithio englyn, nid saernïo llinellau da yn unig sy'n bwysig, ond saernïo'r englyn cyfan. Rhaid osgoi'r temtasiwn i osod y llinellau yn y drefn sy'n ei chynnig ei hun gyntaf. Lle bo'r llinellau'n gallu sefyll fel unedau synnwyr ar eu pennau eu hunain, mae'n werth pwyso a mesur eu trefn yn ofalus.

'Emyr ar Englynion', *Barddas*, Haf 2001

Yn eu harddegau, yn yr adeg anodd pan fo pob dim yn syml a phob dim yn broblem, pan fo'r byd yn llawn addewidion a bygythiadau, y bydd pobl yn dechrau ymhél go iawn â barddoniaeth.

Taliesin, Haf 2001

DARLLEN PELLACH
Chwarae Mig, Cyhoeddiadau Barddas,
Cywyddau Cyhoeddus I-III, Gwasg Carreg Gwalch, 1994-98

T. ARFON WILLIAMS

1935-1998

Nid yw hanes bywyd Arfon Williams, un o englynwyr mwyaf dylanwadol yr Ugeinfed Ganrif, yn dilyn patrwm arferol bardd caeth Cymraeg yn y cyfnod hwnnw. Nid mewn ardal lle'r oedd y Gymraeg yn iaith gymunedol gref y ganwyd ef, ond yn Nhreherbert yng Nghwm Rhondda. Hyfforddodd i fod yn ddeintydd ym Mhrifysgol Llundain, ac fel deintydd y bu'n gweithio hyd nes iddo ymddeol. Treuliodd bron i ugain mlynedd yn byw yng Nghaerdydd, cyn symud i Gaeathro ger Caernarfon.

Dysgodd y rhan fwyaf o feirdd caeth mawr ei gyfnod y grefft o gynganeddu yn eu harddegau neu ugeiniau cynnar. Ym 1974, ac yntau bron yn ddeugain oed, yn ymgynghorydd deintyddol yn byw yng Nghaerdydd y dechreuodd Arfon Williams ymddiddori yn y gynghanedd.

Ymddangosiad sydyn oedd un Arfon Williams yn y ffurfafen lenyddol. Yn fuan iawn wedi dechrau cynganeddu, dechreuodd anfon englynion i mewn i gystadleuaeth fisol Y Cymro, yr oedd Alan Llwyd yn ei beirniadu. Yn fuan iawn wedi hynny, dechreuodd ennill y gystadleuaeth. Ac ennill eto. Ac eto.

Enillodd gystadleuaeth yr englyn chwe gwaith yn yr Eisteddfod Genedlaethol, ac enillodd ar gystadlaethau eraill yno hefyd. Cyhoeddodd dair cyfrol o gerddi, *Englynion Arfon* (1978), *Annus Mirabilis* (1984) a *Cerddi Arfon* (1996). Cyhoeddodd nifer o erthyglau yn Gymraeg ac yn Saesneg am farddoniaeth gaeth, a golygodd y gyfrol, *Ynglŷn â Chrefft Englyna*.

Roedd ganddo ddull arbennig o ysgrifennu englynion. Disgrifiwyd hwn gan Alan Llwyd fel 'un frawddeg lifeiriol o englyn a oedd wedi'i saernïo o gwmpas un ddelwedd ganolog.' Dechreuodd pobl gyfeirio at englyn o'r fath fel 'Englyn Arfonaidd', ymadrodd sydd bellach wedi dod yn rhan o'r iaith Gymraeg.

Yr oedd Arfon yn briod ag Einir, ac mae rhai o'i englynion hyfrytaf yn gyfarchion iddi hi.

Dechreuodd ddioddef o gancr, a bu'n ymladd y clefyd hwnnw'n ddewr. Hyd yn oed pan oedd yn sâl tu hwnt, yr oedd yn dal i englyna, ac yn dal i fod mor groesawus a thwymgalon ag y bu erioed. 'Heno caf ger y tân coed haelioni' meddai un o englynion Gerallt Lloyd Owen am Arfon Williams. Roedd yn llawn hiwmor. Eto, yr oedd yn gyfan gwbl ddifrifol ynglŷn â'r byd a'i bethau. Yr oedd ganddo argyhoeddiad Gristnogol ddofn, ond yn wahanol i ambell i fardd crefyddol arall yn yr Ugeinfed Ganrif, nid erfyn i lambastio eraill yn besimistaidd oedd Cristnogaeth iddo fe yn ei farddoniaeth, ond yn hytrach, fel i Waldo Williams, cyfle i ryfeddu ar y cread ac ar haelioni'r creawdwr.

TRWY LYGAID EMYR LEWIS

Celfyddyd lafar yw barddoniaeth gaeth. Mae cerddi fel englynion, sydd gyda chynghanedd ynddyn nhw, yn apelio at y glust. Yn aml, mae pobl yn gwerthfawrogi sŵn englyn, hyd yn oed os yw'r ystyr yn ddwl neu'n anodd cyrraedd ato.

Mewn englyn mae yna drideg o sillafau; mae yna bedair o linellau sydd yn odli ac ym mhob un llinell mae yna gynghanedd, sef y patrymau yr ydym ni fel Cymry wedi'u creu er mwyn peidio â gwneud bywyd yn rhy hawdd i ni'n hunain fel beirdd.

Prif ddylanwad Arfon Williams oedd ei fod wedi cymryd y set yma o reolau caeth, a rhoi bywyd newydd yn yr englyn. Gwnaeth hyn mewn dwy ffordd, drwy ddatblygu arddull nodweddiadol, a thrwy'r modd yr oedd yn ymdrin â phynciau yn ei waith.

Yr oedd tuedd wedi datblygu i englynion, yn arbennig rhai difrifol, fod yn staccato iawn, pob llinell yn sefyll ar ei phen ei hunan, yn aml yn uned synnwyr ar wahân, neu hyd yn oed frawddeg ar wahân. Dyma, er enghraifft, englyn buddugol Eisteddfod Genedlaethol 1993:

Cyffur
Llonna'r gwael, lliniara'i gur, – dwg freuddwyd
    Gwefreiddiol yn gysur;
    Ond angheuol ei ddolur
    Wrth dynhau cadwynau dur.

Ond roedd traddodiad arall, hefyd, sef englynion llai difrifol, mwy llafar eu harddull, yn aml yn dafodieithol. Mewn englynion felly, efallai fod yna fwy o dduedd i oferu dros linellau, ac i gario'r synnwyr ymlaen dros y terfyn naturiol yr oedd odl yn ei gynnig. Dyma, er enghraifft, englyn o waith Tydfor Jones:

Dannedd Gosod
Adios i'r gwreiddiau dig! – dyheaf
    Y daw cyn Nadolig
    Hwylustod dwy res blastig
    I ganu cân, i gnoi cig.

Beth wnaeth Arfon Williams, yng nghyd-destun yr englyn difrifol, ymwybodol lenyddol, oedd diystyru bron yn llwyr y terfynau 'naturiol', a chreu englynion yr oedd yr ystyr yn llifo drwyddynt. Yn wir, disgrifiwyd arddull Arfon Williams fel llifeiriant afon. Mewn ffordd, yr hyn yr oedd yn ei wneud oedd ysgrifennu englynion fel tase'n siarad. Yr oedd yn mabwysiadu arddull lifeiriol yr englyn ysgafn, ond heb y dafodiaith, ac yn ei defnyddio i ymdrin â phethau difrifol. Dyma enghraifft o hyn:

Ar Ben-blwydd ein Priodas ym 1982
Hen fleiddiast gas o flwyddyn a fu hon
    a fynnodd gnoi llinyn
    hen ramant, ond mae'n rhwymyn
    ni ein dau yn dal yn dynn.

Yr oedd yr arddull hon hyn yn cyd-fynd â'r modd y darllenai Arfon Williams ei waith ei hun. Yn wahanol i nifer o feirdd caeth, doedd 'gorchest' barddol ddim yn bwysig iddo. Doedd dim llais mawr na seibiannau dramatig. Roedd Arfon Williams yn darllen englyn, fel tase'n sgwrsio.

Yn ogystal â dylanwadu ar arddull a sŵn yr englyn dylanwadodd Arfon Williams hefyd ar y modd y mae englynion yn ymdrin â'u pwnc.

Yn ganolog i hyn oedd defnyddio delweddau, hynny yw cymryd testun y gerdd a'i ddarlunio fel pe bai'n rhywbeth arall.

Y duedd erbyn diwedd hanner cyntaf yr ugeinfed ganrif oedd i englynion fod yn bethau oedd yn mynegi yn uniongyrchol. Doedd delweddu o fewn englynion ddim yn ffasiynol.

Yn y chwedegau a'r saithdegau, fodd bynnag, dechreuodd pethau newid. Roedd Gerallt Lloyd Owen, Donald Evans ac (yn arbennig) Alan Llwyd yn ysgrifennu englynion oedd yn cynnal delwedd drwyddynt.

Yr oedd Alan Llwyd yn arbennig wedi'i ddylanwadu'n drwm gan garfan o lenorion o ddechrau'r ugeinfed ganrif oedd yn galw eu hunain yn imagists.

Beth wnaeth Arfon Williams oedd mabwysiadu'r dull yma o ganolbwyntio ar ddelwedd, a'i ddefnyddio fel man cychwyn ar gyfer myfyrdod cymhleth a dwfn ar y pwnc dan sylw.

Gellir cymharu englynion Arfon Williams ag eiconau, sef y darluniau bychain sydd yn rhan o draddodiad yr Eglwys Babyddol ac Eglwysi Uniongred. Mae'r darluniau hyn yn dangos rhyw ddigwyddiad neu berson. Maen nhw'n fychan iawn ond yn gelfydd iawn. Eu prif bwrpas yw sbarduno myfyrdod. Pethau i'w hystyried, nid dim ond i edrych arnyn nhw yw eiconau.

O fewn ei englynion, mae Arfon Williams yn fwriadol wedi cywasgu cymaint o syniadau ac awgrymiadau ag y mae'n gallu. Mae ei englynion yn pwyntio i nifer fawr o gyfeiriadau. Yn wir, mae ambell i linell ac englyn mor llawn o gymhlethdod syniadol ei fod weithiau yn anodd iawn deall yn hollol beth mae'n ei ddweud.

Dyw'r gwaith ddim bob tro yn hawdd i'w ddeall, ac yn aml does dim deall terfynol ar rai o'i englynion. Fel y crybwyllwyd uchod, roedd Arfon Williams yn berson o argyhoeddiad crefyddol dwfn iawn. Roedd ganddo ffydd syml, ond cymhleth.

Rhan o'r gred honno oedd cydnabod gwyrth a gwychder creadigaeth Duw yn ei holl gymhlethdod. Roedd cymhlethdod y byd yn ffordd o ddangos mor wych a rhadlon oedd Duw. Weithiau mae ei englynion yn gweithio yn yr un ffordd, drwy fynegi ffydd syml iawn ond hefyd ryfeddod go iawn ynglŷn â holl gyfoeth cymhleth natur y cread a natur dyn, ac ynglŷn â'r broses o ddyrchafu dyn yn rhywbeth mwy na dyn.

Mae 'na wahaniaeth rhwng stori dditectif a stori ddirgelwch. Mewn stori dditectif, mae nifer o gliwiau yn ein harwain yn y pen draw at ddatrysiad ac yn bodloni'r darllenydd. Mewn stori ddirgelwch, er bod peth o'r dirgelwch yn cael ei ddatrys, nid yw pob peth wastad yn eglur ar y diwedd. Mae 'na ryw ddirgelwch ar ôl.

Gellir dweud yr un peth am englynion Arfon Williams. O fyfyrio arnyn nhw, fe allwn gael hyd i lawer iawn o'r ystyr sydd ynddyn nhw, ond fel arfer mae 'na ddirgelwch neu ystyr yn dal yno.

Mewn ysgrif yn y gyfrol *Ynglŷn â Chrefft Englyna*, mae Arfon Williams yn disgrifio ei ddull o greu englynion drwy fyfyrio ar bwnc. Mae'n disgrifio sut y gwnaeth y testun 'Ewyn' ei arwain i greu pedwar englyn ac mae'n dweud am un ohonynt:

hwn yw'r englyn gorau yn fy marn bach i gan iddo lwyddo i fynegi, i'm bodlonrwydd i beth bynnag, rywbeth newydd na wyddwn ei fod yno i'w fynegi, ac awgrymu mwy nag y mae yn ei ddweud.

Mewn geiriau eraill, nid yw dirgelwch ystyr yr englynion yn gyfan gwbl eglur hyd yn oed i'r englynwr ei hun!

O ran y pynciau yr oedd yn ymdrin â nhw, tueddu i fod yn weddol geidwadol yr oedd Arfon Williams. Roedd yn ysgrifennu am ei deulu a'i gydnabod, am grefydd, am Gymru, am fyd natur ac am y natur ddynol. Yr oedd ei ddylanwad, fodd bynnag, yn chwyldroadol o ran dull englyna. Daeth â phatrymau iaith lafar naturiol (os nad ei geirfa) i fewn i faes yr englyn difrifol, a gwnaeth fyfyrio deallus ar destun yn ganolbwynt y broses o ysgrifennu.

'STUDIO 4 CERDD

Y Llechfaen
Agorais gyfrol garreg ond eithriad
o Athro Daeareg
a all ei deall yn deg
am mai pridd sydd ym mhob brawddeg

Dyma un o englynion cynnar Arfon Williams.

Y ddelwedd ganolog fan hyn yw gweld llechfaen fel cyfrol. Mae hollti llechen fel agor cyfrol.

Clyfrwch yw'r argraff gyntaf yr ydym yn ei gael wrth fyfyrio ar yr englyn yma. Mae'r llinell olaf yn drawiadol o ran cynghanedd, ac mae'n dweud bod 'pridd ym mhob brawddeg' yng nghyfrol y llechfaen.

Fe allasem ei gadael hi yn y fan honno, ond fyddai hynny ddim yn ddigonol.

Mae Arfon Williams wedi defnyddio prif lythrennau ar ddechrau'r geiriau Athro Daeareg – sy'n awgrymu Duw wrth gwrs, y Creawdwr.

Felly yn y broses o ailystyried yr englyn yr ydym yn mynd y tu hwnt i'r clyfrwch arwynebol ac yn dechrau palu am arwyddocâd pellach.

Sut y mae dealltwriaeth Duw o lechen yn wahanol i ddealltwriaeth y bardd? Unwaith y dechreuwn ni fyfyrio ar y cwestiwn yma, yr ydym o raid wedi dechrau derbyn nad delwedd glyfar yn unig sydd yn yr englyn.

Mae hyn yn ei dro yn ein gyrru i dalu mwy o sylw byth i eiriau ac ymadroddion unigol o fewn yr englyn, ac yn arbennig i'r ddelwedd ganolog. Beth mae'r geiriau 'cyfrol' a 'pridd' yn eu hawgrymu yn y cyd-destun yma?

Er enghraifft, yr ydym weithiau yn meddwl am bridd fel rhywbeth sydd yn awgrymu meidroldeb. Lle mae hyn yn ein harwain?

Beth felly am destun y gerdd ei hun, sef 'llechfaen'? Ym mha gyd-destun y gallasai fod brawddegau ar lechfaen go iawn?

Fel yn nifer o'i englynion, mae llinell gyntaf yr englyn yma yn disgrifio digwyddiad neu brofiad personol, ac mae delwedd yn ganolog iddi. Mae hyn fel pe bai'n agor y drws at fyfyrdod pellach ar·y ddelwedd a'r thema, ond nid myfyrdod sydd yn mynd i un cyfeiriad mo hwn, ond myfyrdod sydd yn mynd i sawl cyfeiriad ac yn awgrymu sawl posibilrwydd.

Y Chwarel

Am flynyddoedd maith fe weithiwyd yn hon
ond yn awr anghofiwyd
y fath gyfoeth a gafwyd
yn orielau'r llyfrau llwyd.

Mae'r englyn yma yn ddiddorol am ei fod yn cymryd yr union un ddelwedd â'r englyn i'r llechfaen. Yn wahanol i'r englyn 'Y Llechfaen' fodd bynnag, mae'r englyn 'Y Chwarel' yn englyn diweddar o'i waith.

Unwaith eto mae wedi cymharu llechi gyda llyfrau. Mae'r ponciau anferth yn y chwareli, llefydd yr oedd pobl yn torri llechfaen ynddynt, yn debyg i orielau llyfrau a'r garreg unwaith eto fel llyfrau oherwydd bod eu hollti fel agor tudalennau.

Y tro hwn nid oes un profiad yn arwain at fyfyrdod. Yr ydym yn syth yng nghanol myfyrdod.

Drwy'r englyn, mae'r berfau yn rhai amhersonol. Mae hyn yn awgrymu myfyrdod o bellter, gwyddonol bron ar y testun, ond os awn ni i edrych ar y berfau hyn, mae cwestiynau yn codi, pwy oedd y bobol oedd yn gwneud y gwahanol bethau – y gweithio, yr anghofio a'r cael cyfoeth? Ai'r un bobol ydyn nhw? Os nad yr un bobol ydyn nhw, beth yw effaith defnyddio'r un terfyniad berfol i sôn am wahanol bobol? A beth am y ddelwedd? Nid yw hi'n ymddangos tan y frawddeg olaf 'yn orielau'r llyfrau llwyd'. Cyn hynny, mae'r sôn am y chwarel wedi bod yn uniongyrchol. Beth yw effaith dod â'r ddelwedd yma i mewn ar y diwedd? Unwaith eto, mae'n ein gyrru'n ôl i ailddarllen ac ailystyried yr englyn ac i fyfyrio.

Mae'r llinell olaf hefyd yn awgrymog o ran sain. Yr ydym yn gwybod mai englyn am chwarel yw hwn. Mae'r ddwy 'll' yn 'llyfrau llwyd' yn seiniau caletach na dim arall a geir yn yr englyn. Maent yn awgrymu geiriau eraill sy'n ymwneud â chwareli, ond nad ydyn nhw'n cael eu defnyddio yn yr englyn, ac yn arbennig y geiriau 'llechi' a 'llwch'.

Sut mae'r awgrym o'r gair 'llwch' yn effeithio ar ein darlleniad ni o'r englyn yma, ac yn arbennig ar ein dealltwriaeth o'r geiriau 'anghofiwyd' a 'cyfoeth'.

Mae dull Arfon Williams yn ein gorfodi i holi cwestiynau fel hyn ac i geisio dod o hyd i fwy o haenau o ystyr o fewn ei englynion.

Weithiau mae delweddau englynion Arfon Williams yn gallu sefyll ar eu pennau. Mae'r ddelwedd yn yr englyn yma yn enghraifft o hynny. Pe na bai

T. ARFON WILLIAMS

teitl 'Y Chwarel' ar yr englyn, byddai rhywun o ddarllen yr englyn am y tro cyntaf yn ystyried efallai mai 'llyfrgell' yw'r testun. Wrth ddilyn y syniad yma, mae haenau newydd eto o ystyron yn agor. Awn i ailddarllen yr englyn fel englyn am lyfrgell. Pwy y tro yma sydd wedi gwneud y gweithio, yr anghofio a chael y cyfoeth? Beth yw arwyddocâd yr awgrym o lwch y tro hwn? Sut mae hynny yn effeithio ar ein dealltwriaeth o'r geiriau 'cyfoeth' ac 'anghofio'.

Sut mae'r ddwy thema yn dod at ei gilydd?

Ymson Mair

Heno ddatgelwyd i minnau paham
y mae pen y bryniau
oll yn llawenhau
mae'r achos yn fy mreichiau.

Mae'r englyn yma yn gweithio'n ddramatig ac yn datgelu cyfrinach.

Sôn y mae am y Forwyn Fair, mam Iesu Grist. Sylwch ar y modd y mae'r tensiwn dramatig yn adeiladu yn yr englyn gan gael ei ddatod yn y diwedd gydag anwyldeb baban yn cael ei fagu. Pa dechnegau a ddefnyddir i gynnal y tensiwn dramatig?

Delwedd o faban yn cael ei fagu yw'r un sy'n dod i'r meddwl yn syth wrth ddarllen neu glywed yr englyn yma. Fel yn llawer o waith Arfon Williams, fodd bynnag, mae yma gyfeiriadaeth at y Beibl ac at emynau.

Yn y Beibl, mae ymson Mair yn digwydd wedi i'r angel Gabriel ddweud wrthi y bydd hi'n rhoi genedigaeth i Iesu Grist. Ceir cofnod o'r ymson y Efengyl Luc. Pan fo Arfon Williams yn cyfeirio yn y ffordd yma, mae hi wastad yn werth troi at y testun y mae'n cyfeirio ato er mwyn gweld os oes rhywbeth yno sydd yn awgrymu mwy eto fyth i ni. Os ewch i ddarllen ymson Mair (neu y *Magnificat*) yn Efengyl Luc, fe welwch fod yna ddwy ran iddi, rhan yn diolch i Dduw, a rhan yn clodfori Duw am sicrhau tegwch cymdeithasol.

Mae yma hefyd gyfeiriad at emyn Watcyn Wyn:

Rwy'n gweld o bell y dydd yn dod

sydd yn cynnwys y geiriau 'mae pen y bryniau'n llawenhau wrth weld yr haul yn agosáu a'r nos yn cilio draw'.

Beth yw effaith cyfeirio at y ddau ddarn yma o lenyddiaeth o fewn yr englyn hwn? Sut mae hyn yn effeithio ar ein dealltwriaeth o'r englyn a'r hyn y mae Arfon Williams yn ceisio ei ddweud?

Yr ydym nawr wedi symud i ffwrdd oddi wrth fyfyrdod ar y baban, gan nad oedd baban ym mreichiau Mair adeg yr Ymson.

Beth felly yw arwyddocâd breichiau Mair?

Mae arlunwyr dros y canrifoedd wedi darlunio yr angel yn cyhoeddi y newyddion wrth Mair. Yn aml yn y darluniau hynny, fe welir Mair yn edrych yn betrus, a'i breichiau o'i blaen wedi'u croesi, efallai yn amddiffyniad, ond efallai yn arwydd hefyd o groes Calfaria. Sut mae'r thema yma yn taflu goleuni ar y gyfeiriadaeth emynyddol a Beiblaidd yn yr englyn?

Crybwyllais uchod bod cerddi Arfon Williams yn gallu bod yn debyg i eiconau crefyddol yn ennyn myfyrdod. Dyma enghraifft nodweddiadol o hynny.

Y Bwthyn Bach
I ddysgu perchentyaeth chwi wyddoch
na chadd y frenhiniaeth
anrheg well gan Gymru Gaeth
na deliach proffwydoliaeth.

Pan oedd y Tywysogesau Elisabeth a Margaret yn ferched bach, fe gawson nhw anrheg gan blant bach Cymru. Bwthyn Bach oedd hwn yng ngerddi un o'r palasau. Am hwn mae'r englyn yn sôn.

Un o englynion cenedlatholgar Arfon Williams yw hwn. Mae'n cynnwys y trawiad cynganeddol 'Gymru Gaeth' sydd bron yn ystrydeb yn y math yma o englyn. Mae'n pwyntio'n syth at y traddodiad o ganu yn erbyn y Frenhiniaeth Brydeinig.

Ond nid yw'r ymdriniaeth yn un uniongyrchol.

Mae yma gyfeiriad at berchentyaeth. Hen egwyddor a gofnodir yng nghyfraith Hywel Dda yw perchentyaeth, sy'n ymwneud â chyfuno hawl bod yn berchen ar dir, a chyfrifoldeb tuag at bobol eraill. Atgyfodwyd y syniad gan Saunders Lewis yn 1925, fel egwyddor allasai fod yn weithredol yng ngwleidyddiaeth ac economi Cymru yn yr 20fed ganrif. Syniad rhamantaidd, yn hytrach nag un ymarferol, oedd hwn.

Beth yw'r effaith o awgrymu fod etifeddion coron Prydain yn cael cyfle i ddysgu egwyddor Gymreig Ganol Oesol yr oedd un dyn unwaith wedi'i weld fel ffordd i ryddhau Cymru rhag 'caethiwed'? Sut y mae sôn am egwyddor oedd, yn ei hanfod, yn un ffiwdal, yn cael ei ddysgu i'r tywysogesau hyn yn effeithio ar ein darlleniad o'r gerdd, ac o rôl 'Cymru Gaeth' ynddi hi?

Nid yw'r tywysogesau eu hunain yn cael eu crybwyll yn y gerdd. At 'y Frenhiniaeth' y cyfeirir. Sut mae defnyddio gair haniaethol, yn hytrach nag un diriaethol, yn effeithio ar y gerdd?

A pha broffwydoliaeth sydd yma? Proffwydo beth oedd y bwthyn bach yn ei wneud? Beth oedd yn mynd i ddigwydd yn y dyfodol oedd yn mynd i wneud anrheg o fwthyn bach i frenhiniaeth Lloegr yn broffwydoliaeth? Beth oedd yn mynd i ddigwydd i'r frenhiniaeth oedd yn gwneud rhodd o fwthyn bach yn broffwydoliaeth o'i dyfodol hithau?

Nid yw Arfon Williams yn rhoi'r atebion i'r cwestiynau yma yn ei englynion. Eto mae digon yma, o ddefnyddio'r dystiolaeth fewnol, a'n gwybodaeth allanol ni, i'n galluogi ni i gynnig rhai atebion. Yn y broses o chwilio am atebion, mae'n bosibl, yn wir yn nhyb Arfon Williams, y mae'n debygol, y byddwn yn canfod awgrymiadau a phosibiliadau eraill nad oedd ef ei hun hyd yn oed wedi eu hystyried.

Dyfyniadau am T. ARFON WILLIAMS

Peth prin iawn yn holl ganghennau llenyddiaeth yw gweld bardd neu lenor yn gadael y fath ôl ar ffurf nes bod ei enw'n cael ei ddefnyddio'n ansoddeiriol am fath arbennig ohoni ... Dyna a ddigwyddodd yn achos yr englyn 'Arfonaidd', a thrwy gyfrwng yr englyn delweddol un-frawddeg hwn ehangwyd nid yn unig rychwant mynegiant yr englyn ond hefyd ei gynnwys. Yn wir, camsyniad cyffredinol yw mai peth ffurfiol yn unig fu'r datblygiad mewn englynion diweddar.

Llion Jones, 'Englynion ac Englynwyr Cyfoes', Barddas – tua 1989

Englynion symudliw, aflonydd, fel olew ar ddŵr yw ei englynion. Wrth i ni gael gafael ar un ystyr, mae ystyron eraill yn crynhoi o amgylch yr ystyr honno.

Broliant i'r gyfrol Cerddi Arfon, Barddas, rhif 23

Teimlaf ei fod ar ei fwyaf pwerus fel bardd crefyddol pan yw'n cyfuno'r bydol a'r ysbrydol o fewn yr un englyn.

Idris Reynolds, Taliesin, Cyf. 96

Whittler of englynion, beholder of miracles,
capturing eternity in thirty syllables.
Emyr Lewis, 'Poetic Pokemon in Paradise', *New Welsh Review*, Rhif 49

Un o baradocsau gwaith Arfon Williams yw ei fod yn defnyddio'r gynghanedd mewn modd syfrdanol, ffrwydrol weithiau; tra bo tôn llais ei gerddi (fel ei lais ei hun) ar y cyfan yn dawel ac yn hunan-feddiannol. Gellid dweud mai dyma un o nodweddion yr englyn Arfonaidd bondigrybwyll. Drwy beri bod unedau synnwyr a gramadeg yn croesi ffiniau unedau mydr, mae yna densiwn yn codi rhwng disgwyliadau'r ymennydd a disgwyliadau'r glust, ac mae'r naill yn trechu'r llall. Weithiau, mae'n amhosibl rhoi i gerddi Arfon Williams yr ynganiad y mae traddodiad llefaru cynghanedd yn ei ddisgwyl.

Emyr Lewis, Barn, Hydref 1996

... roeddwn i'n rhyfeddu at ehangder a dyfnder ei ffrâm, a'r ymdrech i ddod o hyd i'r union ddelwedd. Mae holl wead y gynghanedd yn dibynnu ar gytbwysedd – a'r gyfatebiaeth. roedd yna hefyd gydbwysedd o fewn Arfon ei hunan – cydbwysedd rhwng teimlad a deall, rhwng profiad a gwybodaeth, rhwng y meddwl dadansoddol a'r dychymyg byrlymus.

Gwyn Erfyl, Barddas 259

A fuoch chi'n gwylio cystadlaethau plymio'r Gemau Olympaidd eleni? Rhyfedd o gamp! Un dyn bach ar ben bwrdd simsan yn anelu i hollti'r dŵr mor unionsyth a di-splash â phosib. A hynny ar ôl troi a chrymanu a phlygu a throelli'n bendramwnwgl-gywrain yn yr awyr ... Crefft hunan-ymwybodol sy'n troi'n gelfyddyd hardd ar ei gorau.

Darllenais Cerddi Arfon wythnos ar ôl i'r gemau ddod i ben. Ac wrth ddarllen dyma fi eto'n gweld y plymiwr ar ben ei fwrdd, a'r dŵr yn agor mor gynhyrfus o ddigynnwrf! A minnau'n gegrwth cyn holi 'Shwt 'nath e' 'na 'de?'

Ceri Wyn Jones, Barddas 236-237

Nid ystyr ond ystyron sydd i'w englynion ... fel carreg a deflir i ganol llyn. Y cylch cyntaf yn y dŵr yw'r brif ddelwedd, ond y crychdonnau mân sy'n lledu ar draws y llyn o'r gwrthdrawiad cyntaf â'r dŵr yw'r is-themâu a'r is-ystyron sy'n gorwedd o dan y brif thema neu'r brif ystyr. Mae pob un o'i englynion yn awdl.

Alan Llwyd, Cyflwyniad Cerddi Arfon, Cyhoeddiadau Barddas

Y mae'n nofio mewn afon nifer fawr o feirdd ac fe ddichon y doeth weled silidon mud weithiau yn ymdeithio'n od o ara' ond nid erys rhai pysg yn nŵr y pwll yn betrus trwy fraw ond holltant ar frys feiston acenion canys oherwydd teipiadur gwirion y farn arnaf fi T. Afon yw creu'n hollol ddigolon a dot y gerdd hynod hon.

Dylan Iorwerth, Pigion Talwrn y Beirdd, pennill 'Yn arddull unrhyw fardd ...'

Dyfyniadau gan T. ARFON WILLIAMS

Nid oeddwn wedi bwriadu cerdd o'r fath cyn dechrau arni, ond wrth adael i eiriau awgrymu ei gilydd naill ai yn ôl eu sain neu yn ôl eu hystyr neu yn ôl eu cysylltiadau, ac wrth ganiatáu i frawddeg lefn ymffurfio heb wthio nac ystumio cystrawen naturiol, lifeiriol yr iaith, fe ddaeth i fod. Ai ysbrydoliaeth yw hynny, ni wn, ond gallaf dystio mai felly y bu ac mae felly y mae yn aml, a gallaf fynnu na pherthyn i mi ond swyddogaeth gyfryngol yr amaneuensis, a chyfaddef wedyn nad eiddof fi 'mo'r gerdd orffenedig.

Ynglŷn â Chrefft Englyna, tud. 92

> Nid heb ambell linell wen
> Tragwyddol heol awen
>
> *Englynion Arfon*

Os yw'r ... 'ffurfiau a'r mesurau a ddatblygodd yn y cyfnod cyn-fodern, mor anghymwys heddiw ... sut yn y byd mawr y cafwyd y fath gyfoeth o ganu o'u defnyddio yng nghwrs y ganrif hon. Ac oni chlywyd cwyno tebyg droeon gynt am annigonolrwydd ac anghymhwyster y Gymraeg ei hun i ymdrin â phynciau gwyddonol a materion technegol?

A rhaid holi eto fyth: beth yw'r gwahaniaeth rhwng y cyfnod hwn a'r blynyddoedd a'r canrifoedd a'u blaenorodd?... Os mynegi profiad dyn mewn ffordd arbennig yw swyddogaeth barddoniaeth, a yw'r profiad hwnnw mor wahanol a hynny ar drothwy'r ganrif newydd?

'Y mae'r Cyfoes mor Oesol', *Barddas* 206

Caf bleser, wrth reswm, wrth ddarllen neu wrando ar unrhyw gamp geiriau, nid wyf yn ail i neb yn fy edmygedd o ymchwydd rhethreg meistr ar y grefft... Eto i gyd mae'r bardd yn ennill y blaen arnynt ar dro ac yn cyrraedd hyd at yr ymysgaroedd. Ni wn ym mha fodd, ac''rwy'n amau na ŵyr yntau chwaith.

Adnabod T. Arfon Williams, *Barddas* 198

Os oes gan yr awdur safbwynt arbennig, dylai'r adolygydd geisio ei werthfawrogi a'i egluro, gan nodi efallai pam na all ef dderbyn yr union safbwynt hwnnw, a gweuthur hynny yn foneddigaidd deg, a chan gofio yn wastadol mai ag ansawdd celfyddyd y gwaith y mae a wnelo yn bennaf a chofio mai trafod y mae y gyfrol sydd yn ei law ac nid yr un y mae ef ei hun yn rhy drybeilig o brysur i'w hysgrifennu.

Barddas 144

Nid oedd dim yn glir eto ac nid oeddwn yn siŵr o'r hyn yr oeddwn am ei ddweud, oddigerth fy mod am geisio mynegi rywsut anocheledd treigl amser...

Ymson uwch afon amser, *Barddas* 242

DARLLEN PELLACH

Englynion Arfon, Cyhoeddiadau Barddas, 1978
Ynglŷn â Chrefft Englyna, (gol.) Cyhoeddiadau Barddas, 1981
Annus Mirabilis, Cyhoeddiadau Barddas, 1984
Cerddi Arfon, Cyhoeddiadau Barddas, 1996

Hogyn o dref Caernarfon yw 'Mei Mac', fel y caiff ei alw gan ei gydnabod. Dilynodd gyrsiau gwyddonol a thechnegol gan raddio mewn peirianneg sifil ym Mhrifysgol Cymru, Caerdydd. Bu'n gweithio fel peiriannydd i'r Bwrdd Dŵr am gyfnod ond yna rhoddodd fwy o le i'r agweddau creadigol ar ei gymeriad. Mae'n gartwnydd a dylunydd a sefydlodd gwmni Smala i ddylunio cloriau llyfrau, cynllunio gwaith argraffu ac ati.

Bu'n barddoni a chynganeddu ers gadael Ysgol Syr Huw, Caernarfon. Enillodd gadair Eisteddfod Genedlaethol Cymru yn Llanelwedd, 1993 gyda'r awdl, 'Gwawr'. Cyhoeddodd gyfrol o gerddi – Y Llong Wen yn 1996. Mae'n wyneb cyfarwydd mewn ymryson a thalwrn ac ef oedd Bardd Plant Cymru, 2001-2. Mae ganddo ddau o feibion, Mabon a Deio.

Cyflwyniad i waith MEIRION MACINTYRE HUWS

Wrth adolygu *Cywyddau Cyhoeddus* yn *Barddas* yn 1994, ceisiodd Alan Llwyd ddiffinio'r gwahaniaeth rhwng gwaith y don gyntaf o feirdd dadeni cynghaneddol ail hanner yr ugeinfed ganrif a gwaith beirdd yr ail don. Mae'r don gyntaf, meddai, yn perthyn i'r frwydr dros Gymreictod, tros Gymru a thros y Gymraeg:

> Barddonai aelodau o'r naill genhedlaeth â sŵn geiriau Saunders Lewis ynghylch tynged anochel yr iaith yn adleisio yn eu pennau; barddoni yn sŵn dyfroedd Tryweryn, yn sŵn gorymdeithiau a phrotestiadau Cymdeithas yr Iaith, yn sŵn y banllefau taeogaidd o fawl i dywysog estron, ac yn sŵn y gweiddi am sianel deledu Gymraeg, breuddwyd amhosibl ar y pryd. Mae pethau wedi newid ers hynny.

Gerallt Lloyd Owen, Donald Evans, Ieuan Wyn, Gwynn ap Gwilym ac Alan ei hun fyddai rhai o feirdd amlycaf y to hwnnw a roddodd fywyd newydd yn y gynghanedd a'i fesurau. Daeth y traddodiad barddol ei hun yn arf yn eu gwaith i amddiffyn holl draddodiad y Cymry ac mae pwysau'r frwydr cefn-yn-erbyn-y-wal i'w glywed yn eu canu yn aml. Mae'r dychan yn ddeifiol, y darogan gwae yn gyson a'r galarnadu yn ddirdynnol – nid i dorri calonnau ond er mwyn ysgwyd yr hen genedl i ymateb i'r her sy'n ei hwynebu unwaith eto.

Daeth agweddau gwahanol ar y diwylliant yn amlycach yng nghanu'r ail don o feirdd cynganeddol, meddai Alan Llwyd. Y rhain yw'r criw a enillodd goronau a chadeiriau yn ystod degawd olaf yr ugeinfed ganrif, a ddefnyddiodd lwyfannau'r talwrn a'r ymryson, teithiau beirdd a nosweithiau cywyddau cyhoeddus i berfformio eu cerddi. Nid yw brwydr yr iaith drosodd, ond agorodd profiadau newydd i'r Gymraeg. Daeth yn iaith y diwylliant ifanc, yn iaith bandiau roc-a-rôl ac yna yn iaith theatr, ffilm a theledu. Daeth bywyd newydd iddi a daeth yn gyfrwng mynegiant i ganeuon a cherddi, nid yn destunau iddynt yn unig. Mae Alan Llwyd yn crynhoi'r dehongliad i un frawddeg:

> Y gwahaniaeth mawr rhwng y ddwy genhedlaeth ydi hyn: cenhedlaeth y frwydr ydi'r naill, cenhedlaeth y fuddugoliaeth ydi'r llall.

Peth peryglus yw sôn am fuddugoliaeth wrth edrych ar realiti ein cymdeithasau Cymraeg ar ddechrau'r unfed ganrif ar hugain, ond yn sicr erbyn diwedd yr wythdegau roedd teimlad ymysg y to iau o feirdd bod angen atgoffa ein hunain ein bod dal yn fyw ar ôl cymaint o sôn am fod ar lan y bedd. Roedd elfen o adwaith yn y gorganu ar obaith yn eu cerddi, mae'n debyg, ond roedd yr un awydd i ddathlu ein bodolaeth yn niweddglo cyfrol *Hanes Cymru*, John Davies a gyhoeddwyd yn 1990:

> Serch hynny, nid peth newydd yw rhag-weld bod y Cymry a'u priodoleddau'n darfod. Soniodd Tacitus, tuag O.C. 100, am ddilead yr Ordoficiaid; ceir cofnod ym *Mrut y Tywysogyon* yn 682 fod y Brythoniaid wedi colli coron y deyrnas, ac un arall yn 823 sy'n sôn am y Saeson yn meddiannu darnau helaeth o'r wlad; galarodd Rhygyfarch, tua 1094, wrth ystyried tranc ebrydd ei bobol; nodwyd yn 1247 bod Cymru 'wedi'i thynnu i lawr i ddim', a haerwyd yn 1282 fod 'holl Gymru wedi'i bwrw i'r llawr'; roedd ysgolheigion y Dadeni'n barod i gredu bod hunaniaeth y Cymry ar ei ffordd i ddifancoll; honnodd William Richards yn 1682 fod y Gymraeg ar drengi; mynegodd Thomas Jones yn 1688 ei ofn y byddai'r Cymry'n cael eu dileu o hanes; credai trwch arweinwyr Cymreig y ganrif ddiwethaf nad oes dinas barhaus i Gymreictod; awgrymodd sylwebydd yn y *Welsh Outlook* yn 1916 y byddai'r Gymraeg wedi peidio â bod yn iaith fyw erbyn 1950. Eto, fe oroesodd y Cymry holl argyfyngau eu hanes, gan ail-greu eu cenedl drosodd a thro. A Chymru fel petai'n profi marwolaeth ac ailenedigaeth bob yn ail, bron na ellid credu bod hanes y genedl megis siwrnai ddiddiwedd yn ôl ac ymlaen o'r mortiwari i'r ystafell esgor. Hynod annoeth, felly, yw'r sawl a gyhoedda ddyddiad ei chynhebrwng, canys gwydn yw'r hen genedl hon.

Nid oes osgoi'r elfen wleidyddol a'i ymwybyddiaeth o frwydr yr iaith yng nghanu Meirion MacIntyre Huws, fel yng ngwaith llawer o'i gyfoedion. Wrth gladdu hen saer yn y cywydd 'Crefftwr', mae'n clywed cnul idiomau a geiriau yn ogystal â diflaniad hen grefft:

> a rhoddwn wrth ei briddo
> yr iaith hitha' gydag o.

Yn ei awdl 'Gwawr', mae hen ŵr a gŵr ifanc yng ngwaed y machlud yn y caniad cyntaf. Mae'r hen ŵr yn gweld dadfeilio o'i gwmpas:

MEIRION MACINTYRE HUWS

Gwelai'i hil yn hil ddi-nod – a llediaith
    yn llid ar bob tafod;
    anrhaith lle bu Arianrhod,
    a'i bridd glân y butra'n bod.

Mae'r gŵr ifanc yn ymwybodol o'r bygythiad hefyd, ond agwedd y ddau sy'n eu gwahanu:

    Yn wahanol i minnau, – i aber
      anobaith trodd yntau;

Trwy sbectol y diwylliant Cymraeg cyfoes, mae cynnwrf ac egni i'w deimlo o hyd a dyna yw prif ganiadau'r awdl. Mae'r idiom yn wahanol, yn adleisio rhyddid a dychymyg y caneuon; mae'r llwyfannau wedi symud o'r pulpud a'r festri i'r *Blac* a'r Maes – ond mae teimlad o gadernid a gobaith yma. Wrth brofi hwyl perfformiwr un o'r grwpiau, dyma'r darlun a gawn:

    Ym mloedd wresog yr hogyn,
    Anhrefn yw'r drefn, ond er hyn
    un sgrech dros ein gwlad fechan,
    un iaith, un gobaith yw'r gân:
    galwad i'r gad ym mhob gair,
    heddiw ym mhob ansoddair.
    Idiomau fel dyrnau'n dynn
    a her ym mhob cyhyryn.

Mae'n awdl hwyliog ac afieithus, yn llawn bywyd a mentro ac mae hynny'n cael ei adlewyrchu yn null uniongyrchol a ffraeth Meirion MacIntyre Huws o gynganeddu a delweddu. Edrych ymlaen sydd yma, gan wynebu'r dyfodol gyda sicrwydd newydd. Dyma ganu diwedd canrif, efallai:

    Ni yw'r gweddill, ond ein cân dragwyddol
    heddiw a erys. Drwy'n sgrech fyddarol,
    ni yw sŵn y presennol. Ni yw'r her:
    yn dwf o hyder, ni yw'r dyfodol.

Caernarfon, tref enedigol Meirion MacIntyre Huws, yw cefndir ei awdl 'Gwawr' a chefndir llawer o'i gerddi eraill yn ogystal. Gwir y gall yr hen gastell trefedigaethol a'i dymhorau ymwelwyr roi min ar ei ganu mewn ambell gerdd:

> Mae'r haf yn llenwi'r pafin,
> Yn sŵn blêr, yn Saeson blin,
>
> ('Pafin', *Cywyddau Cyhoeddus 3*)

ond yn y dref hon y mae'r plwyf gyda'r canran uchaf o siaradwyr Cymraeg yng Nghymru. Gall y Gymraeg hyd yn oed ymlacio a byw'n naturiol yma ac mae hynny i'w glywed yng nghanu'r bardd o'r dref.

Dechreuodd gynganeddu ar ôl cael ei gyflwyno i hwyl anffurfiol cerdd dafod mewn ymryson cefn bws ar y ffordd i rali Cymdeithas yr Iaith yng Nghaerdydd. Daeth yn amlwg mewn timau talwrn ac ymryson yn fuan, gyda'i ddawn i fod yn eglur a rhwydd o fewn cyfyngiadau'r hen fesurau yn nodwedd yn ei dasgau bob amser. O fewn wyth mlynedd, roedd wedi cipio cadair yr Eisteddfod Genedlaethol ac ymhen tair blynedd arall roedd ei gyfrol gyntaf ar y silffoedd – cyfrol sydd â phob un gerdd wedi'i chanu ar y mesurau cynganeddol traddodiadol.

'Hen chwedl yw pob cenhedlaeth' meddai yn ei gywydd i'r llenor afieithus, Robin Llywelyn. Troi'n ôl i edmygu doniau'r hen ddewiniaid geiriau a wna Meirion MacIntyre Huws yntau gan anadlu'r bywyd hwnnw i'w ganu cyfoes yntau. Gellir dweud amdano yntau yr hyn a fynegodd yn y cwpled hwn i Robin Llywelyn:

> Wyt ddau fyd: wyt ddyfodol
> a'r hyn oedd flynyddoedd 'nôl.

LLE MAE CYCHOD Y TLODION

Cywyddau Cyhoeddus 3, gol. Myrddin ap Dafydd, Gwasg Carreg Gwalch, 1998, tud. 88

Cyflwyniad gan Meirion MacIntyre Huws

Mewn mwd drewllyd ar lannau afon Seiont roedd fy nghwch bach i am flynyddoedd yn y cyfnod pan oeddwn yn pysgota'n y môr byth a hefyd efo 'mrawd a 'Nhad. Yn oriau mân un bore Sul, ar ôl bod yn hybu'r economi leol yn yr *Albert* a'r *Blac Boi*, mi es am dro ar hyd y Cei i hel atgofion am y cyfnod hwnnw. Wrth edrych o'm cwmpas daeth rhyw deimlad anghysurus drosta' i i gyd. Roedd y Cei'n drewi, hen wylan yn sgrechian o ben hwylbren, y tarmac yn graciau i gyd a dim un seren i'w gweld dim ond cymylau trymion. Mi es i deimlo'n drist a hapus am yn ail. Sylwais am y tro cyntaf mai lle hyll a budur yn llawn anghyfiawnder oedd fy nghynefin i ond, wedyn, roeddwn yn teimlo mai dim ond yng Nghaernarfon y gallwn i fyw a bod – fel 'tae ffawd wedi penderfynu hynny ar fy rhan.

Gair am air

wastad	bob amser
a hithau'n dywydd	yn ddrycinog
mae'n flêr	mae'n ddi-drefn, dros ben llestri
geiban	meddw

Sylwi ac ystyried

1. Mae hon yn un o nifer o gerddi'r bardd i dref Caernarfon. Dyma'r dref y tyfodd ynddi ac mae'n dal i fyw ar ei chyrion o hyd. Mae'n dref enwog, wrth gwrs – ei chastell yn Safle Hanesyddol o Bwysigrwydd Treftadaeth Rhyngwladol, a bydd miloedd yn tyrru yno i ymweld â hi yn flynyddol. Mae llun y castell ar daflenni'r Bwrdd Croeso a llyfrynnau ymwelwyr. Ond o dan yr wyneb y mae'n dod i adnabod y dref, a dyna a gawn ni yng nghanu

Meirion MacIntyre Huws iddi.

Yn ei awdl 'Gwawr', mae'n canolbwyntio ar ddiwylliant Cymry ifanc y dref – nosweithiau a grwpiau yn y tafarndai yn rhoi rhyw hyder i'r to newydd, a hwnnw'n hyder Cymraeg a naturiol. Nid oes sôn am y diwylliant hwn yn y taflenni treftadaeth.

Castell ysblennydd yw'r dre i ymwelwyr, ond mae'r rhai sy'n byw yno yn gyfarwydd â'i strydoedd cefn ar fore Sul, ar arogl y trai wrth y Cei, ar y siopau rhad a'r caffis segurdod. Troi trwyn ar bethau felly a wna cyhoeddwyr cardiau post ac nid yw yn rhan o'r polisi marchnata. Eto mae rhywun sy'n byw yno o hyd yn gweld hyn oll – ond yn fwy na hynny yn ei dderbyn, gan fod y cyfan yn annwyl i un sy'n perthyn.

> Ydw, dwi'n hyll a dwi'n hen,
> Mi dyngaf 'mod i angen . . .
> Colur i'm strydoedd culion
> a phaent dros fy nghytiau ffôn.   ('Yr Hen Dre')

Er hynny, dyma'i gartref ac yno y mae'n dychwelyd:

> I hen dre' a'i bae'n drewi, - i'w siopau
> di-siâp, i fudreddi
> ei photel a'i graffiti
> adref o hyd yr af i.   ('Yr Hen Dre')

Dyna'r math o deimlad sydd yn y cywydd hwn hefyd. Mae'n werth manylu ar y teitl. Pwy yw'r 'tlodion' sy'n angori eu cychod yn y lleoedd rhataf, sef yng nghilfachau mwyaf drewllyd a thywyll afon Seiont? Yr ochr arall i'r geiniog yw'r iòts sydd wedi'u hangori wrth yr hen gei gyda'r castell yn gefnlen brydferth, neu yn y marina lle codir crocbris am y fraint. Sôn am y dref sy'n perthyn i'r bobol leol y mae'r cywydd, nid am y dref sydd o flaen lensys yr ymwelwyr.

2. Yn y manion y mae'r llun yn cael ei dynnu. Craffwch ar y tarmac: mae craciau ynddo (o'i gymharu â lonydd pedestrian, cerrig del canol y dref). Hen gychod yn gwichian sydd ar y dŵr ('fel drws yn cau') – o'u cymharu â llongau gwyn ac ysblennydd y marina. Mae'r gwylanod yn fudur yno (nid 'yr wylan wen' uwch ewyn glan y môr, fel ar gardiau post). Mae'n ddifywyd, mae'n bwrw, mae'n drewi, mae'n ddi-sêr – y cyfan yn hollol groes i ddarluniau taflenni twristiaeth. Ond mae'r llinell glo yn dangos perthynas yr

awdur a'r dre go iawn unwaith eto.

3. Cywydd – un o fesurau traddodiadol cerdd dafod – yw'r mesur, ond llafar a chyfoes yw idiom a mydryddiaeth y gerdd. Nid oes yma fawr ddim sy'n amharu ar lif naturiol y frawddeg lafar – nid yw'n swnio fel barddoniaeth ymwybodol, yn cadw at ffiniau penodol llinell a chwpled. Mae'r ystyr yn aml yn rhedeg – (y term yw 'goferu') – o un llinell ac o un cwpled i'r llall. Chwiliwch am enhreifftiau o hynny. Sut effaith gaiff y dechneg hon ar y gwrandawr sy'n clywed y cywydd?

Mae'r eirfa yn gyfoes a llafar – chwiliwch am enghreifftiau eto.

Barddoniaeth uniongyrchol sydd yma – tynnu lluniau o flaen cynulleidfa heb fawr o'r trimings barddonol arferol megis ansoddeiriau, delweddau a llinellau sét. Mae'r gerdd yn ymddangos yn un o gyfrolau 'Cywyddau Cyhoeddus' – ffrwyth to o feirdd a gredodd mewn dychwelyd at hanfodion cerdd dafod, sef cyflwyno'r gynghanedd yn fyw o flaen cynulleidfa. Eto, fel y dywedir yn y cyflwyniad i'r gyfrol: 'Dyw anelu at ennill clust ddim yn golygu bod rhaid colli gwerth'.

GA' I FFARM?

Cywyddau Cyhoeddus 3, gol. Myrddin ap Dafydd, Gwasg Carreg Gwalch,1998, tud. 94

Cyflwyniad gan Meirion MacIntyre Huws

Mae bardd ar ei orau pan yw'n sgwennu o brofiad, medd rhai. Mae hynny'n berffaith wir yn fy marn i ac ae'r cywydd hwn yn profi hynny. Roeddwn i wedi derbyn y dasg o sgwennu cywydd ar y testun 'Erfyn fferm' ar gyfer Talwrn y Beirdd Radio Cymru. 'Cywydd yn erfyn fferm?' meddyliais. Cywydd yn gweddïo ac yn ysu am gael bod yn ffermwr? Roeddwn i ar goll. Mi faswn i'n casáu bod yn ffermwr! Hogyn o'r dref ydw i a dyna fo. Doedd dim amdani felly ond sgwennu cywydd crafog am y rhagfarnau afiach oedd gen i am fyd amaeth. Drwy lwc, mi ffoniais Gerallt Lloyd Owen, y Meuryn, y noson cyn yr ornest a dwedodd yntau ei fod eisiau cywydd am 'erfyn fferm', sef 'unrhyw arf a ddefnyddir ar fferm'. Es ati i lunio cywydd arall – am aradr y tro hwn. Cywydd arwynebol a di-fflach braidd oedd hwnnw. Mae'r cywydd 'Ga i Ffarm?' yn well o lawer achos ei fod yn gwbl onest ac yn gerdd oedd wedi ei sgwennu i fy mhlesio i fy hunan hytrach na phlesio rhywun arall.

Gair am air

selog	cyson, ffyddlon
hefru	paldaruo, siarad yn ddi-baid, mwydro, bytheirio
cwotas	cyfyngiadau cynhyrchu ar rai mathau o gynnyrch amaethyddol e.e. cwotas llaeth
tas	tas wair neu ŷd, cynhaeaf y fferm
cig Rosé	cig llo arbennig a gynhyrchir yn Llŷn
Mŷrc	Mercedes Benz
crys sgwârs	crys *check*
seidars	locsyn clustiau
ffrwgwd	ffrae, helynt, cynnen
cacan gri	pice bach ar y ma'n
adyn	gwalch; dyn diffaith; creadur di-ddim

Sylwi ac ystyried

1. Mae Gwenallt yn ei gerdd 'Rhydcymerau', yng nghanol yr ugeinfed ganrif, yn mynnu mai rhwng gwlad a thref y bydd yr ymrafael mawr o hynny ymlaen, yn hytrach na rhwng gwladwriaeth a gwladwriaeth. Mae'r byd dinesig yn hawlio cynnyrch cefn gwlad a gwledydd heb ddatblygu'n economaidd o'r Trydydd Byd, gan reoli prisiau marchnad byd-eang yr un pryd. Angen arall y gymdeithas ddinesig yw pleser a hamdden ac unwaith eto mae'n troi at gefn gwlad am ddihangfa gan effeithio ar gymeriad, economi a marchnad eiddo'r ardaloedd hynny. Mae dwy gymdeithas anghyfartal wedi datblygu ac mae'r tyndra rhyngddynt yn amlycach heddiw nag erioed gan fod y byd yn lle mor fychan bellach, a'r gofynion yn uwch ar y ddwy ochr.

Mewn nifer o'i gerddi, safbwynt trefol sydd gan Meirion MacIntyre Huws. Nid oes ganddo lawer i'w ddweud wrth gefn gwlad ac nid yw'n teimlo fod gan gefn gwlad lawer i'w ddweud wrtho yntau. Chwiliwch am enhreifftiau o hynny yn ei gerddi.

2. Yn y cywydd hwn, un o gymeriadau cefn gwlad yw ei destun, sef y ffermwr. Wrth wrando ar y cyfryngau, mae'n hawdd iawn credu mai cwynwr pedair awr ar hugain y dydd yw pob amaethwr. Pan mae'n dywydd braf, mae am law er mwyn i'w gnydau dyfu; pan mae'n bwrw, mae am dywydd sych i'w gynaeafu. Fwyfwy yn y degawdau diweddar, daeth dadleuon am economi amaethyddiaeth yn amlycach ac amlach yn y papurau ac ar y cyfryngau. Rhaid cael mwy o gymorthdaliadau, medd undebau'r ffermwyr;

rhaid gwneud rhywbeth am y cyflogau isaf a gaiff ffermwyr ers blynyddoedd; rhaid i bawb brynu ein cynnyrch ni a rhaid atal pob cynnyrch o bob gwlad arall. Mae'n ymddangos mai hawlio er mwyn eu hunain yw natur pob datganiad ganddynt. Beth yw effaith y gystrawen 'Ga' i?' sy'n cael ei hailadrodd drwy'r cywydd hwn?

3. Mae nifer o gartwnau ysgafn yn y cywydd yn gwneud sbort am ben y ffermwr druan – cartwnau sy'n chwarae ar hiwmor traddodiadol yw hwn: mae'r ffermwr yn fudur; nid yw'n edrych ar ôl ei beiriannau; mae'n gwynwr heb ei fath – chwiliwch am ragor o enghreifftiau. Dyma'r ystrydebau cyffredin (rhagfarnllyd, efallai?) am amaethwyr a'u teuluoedd.

4. Ond mae yma hefyd grafu'n nes at yr asgwrn na'r cosi cyffredin hwn. Bydd undebau amaethyddol yn pwysleisio'n aml eu bod 'am warchod y fferm deuluol', yn 'sefyll dros y ffermwr bach'. Eto, dyhead pob ffermwr yn y bôn yw cael ffarm 'fawr, fawr yn Sir Fôn' a phymtheg ci, yn ôl y cywyddwr. Efallai eu bod yn cwyno bod archfarchnadoedd wedi mynd yn rhy fawr ac yn rhy bwerus, eto tyfu o fod yn ffermwr bach i fod yn ffermwr mawr yw uchelgais pob amaethwr hefyd. Pa ddychan crafog arall sydd yn y cywydd?

5. Dychwelir at gydbwysedd yn y llinellau clo. Ar ôl y tynnu coes – a chrafu ambell asgwrn – mae'r bardd yn cyfaddef mai 'dyn hanner dall/na ŵyr yr ochor arall' ydyw. Dyn tref yw, na ŵyr am yr ymdrech a'r gofal sy'n amlwg yn rhan o waith-bob-dydd ar y fferm. Mae'n cydnabod bod mwy iddi na'i gartwnluniau ef o gefn gwlad ac wrth gydnabod hynny, mae'n cydymdeimlo. Eto, mae'r rhwyg yno o hyd. Yr 'ochor arall' yw cefn gwlad, ac nid oes ganddo brofiad o'r darlun cyflawn. Er ei fod yn cydymdeimlo, mae dal yn ymwybodol o anwybodaeth y dref am gefn gwlad. Mae'r ddau begwn yno o hyd.

TRI ENGLYN

Y *Llong Wen*, Meirion MacIntyre Huws, Gwasg Carreg Gwalch, 1996, tud. 62, 61, 59

Noswyl Nadolig

Lladd y sgrin, gwagio'r *vino* – i waelod
fy nghalon, noswylio.
gwely oer, y drws ar glo
a neb yn galw heibio.

Gwres Canolog

'Does angen tân eleni, – pawb â'i le,
pawb â'i lofft yn gwmni,
tanau wal sydd i'n tŷ ni,
yn araf mae'r tŷn oeri.

Pioden

Pan wyf euog ond diogel – yn fy ngardd,
pan fo 'nghwsg yn dawel,
daw o hyd i'r border del
hen wrach a'i gwatwar uchel.

Gair am air

vino	gwin

Sylwi ac ystyried

1. Mae Meirion MacIntyre Huws yn bencampwr ar fesur yr englyn, yn taro'r uchelfannau yn aml mewn talwrn ac ymryson. Mae'n werth astudio crefft dyrnaid bach ohonynt i sylwi ar ei gryfderau.

Rhaid i englyn sy'n cael ei ddarllen yn llafar gerbron cynulleidfa fod yn ddealladwy ar y gwrandawiad cyntaf. Yn aml, bydd y dyrfa yn clywed y pennill am y tro cyntaf. Rhaid iddo orwedd yn gyffordus ar y glust, gyda'r gystrawen yn syml ac uniongyrchol. Does dim lle i niwlogrwydd. Rhaid i'r englyn hefyd arwain at uchafbwynt ac mae rhoi lle i'r annisgwyl ymysg y pethau rydym yn gyfarwydd â nhw yn cryfhau effaith ddramatig y pennill byr. Sut fyddech chi'n mesur llwyddiant yr englynion hyn wrth ochr y meini prawf hynny?

2. Mae'r 'pethau' sydd yn yr englynion hyn yn gyd-destun cyfarwydd i unrhyw un sydd yn byw mewn stad o dai gweddol fodern mewn unrhyw dref fechan yng ngorllewin Ewrop. Mae'r teledu yma, potel o win, gwres canolog, drysau ar glo ac mae gardd a 'border del' y tu allan. Does dim rhaid esbonio'r lluniau – dyma ein 'byw bob dydd'. Cymharwch werth trafod pethau felly mewn barddoniaeth o'u cymharu ag arwyr chwedlonol, hanes, lleoedd pell a phethau anghyfarwydd.

3. Mae 'pentyrru' neu restru'r manion yn rhan o arddull Meirion MacIntyre Huws – ac mae hyn yn llenwi'r cynfas ehangach gyda llawer o luniau mân. Lluniau sydyn sy'n creu ffilm. Mae'r rhestr yn yr englyn 'Noswyl Nadolig' yn dechrau gyda rhai pethau rydym yn ystyried yn rhan o ddathliadau'r Nadolig bellach – sioeau teledu a gwydriad o win. Ond mae'r rhestr honno yn ein harwain at yr annisgwyl a'r annifyr. Nid Siôn Corn sydd ar ei daith bellach ac aeth gofal am ein heiddo materol yn drech nag ysbryd yr ŵyl.

4. Mae'r englyn i'r 'Gwres Canolog' yn dechrau yr un mor sionc. Mae'n braf heb lwch a heb ludw a thrafferth tanio a chynnal y tân agored. Ond beth sy'n dechrau digwydd ar ddiwedd yr ail linell? Sut y gall llofft pob unigolyn fod yn gwmni? Mae bendith y dull modern o wresogi yn y cwpled olaf hefyd – mae'r tanau ar nifer o waliau bellach ac maent yn cadw eu gwres yn hir. Ond a oes ystyr fwys i'r linell olaf hefyd yn ogystal?

5. Diogelwch gardd a chwsg tawel yw'r darluniau cyfarwydd yn y trydydd englyn, ond mae rhyw euogrwydd, rhyw gydwybod, rhyw ddrychiolaeth yn mynnu tarfu arnom. Y bioden yw'r symbol yn yr englyn hwn – sy'n gymeriad cyfoethog mewn llên gwerin ac mewn cerddi eraill yn nhraddodiad barddol Cymru. Hen sgrech aflafar sydd gan y bioden; mae'n ddu a gwyn; mae'n dwyn trysorau; mae'n aderyn ysglyfaethus sydd yn byw yn agos at ddyn. Mae sân crafu sydd i gytseiniaid y llinell glo – pam fod y bardd am greu'r effaith hon ar y glust?

6. Rhyfeddod yr englyn hwn, fel nifer o englynion eraill gan Meirion MacIntyre Huws, yw fod y darlun wedi'i gyflwyno yn daclus ac uniongyrchol, yn gofiadwy ac effeithiol – a hynny er gwaethaf holl ofynion y gynghanedd.

EIDDO

Cyflwyniad gan Meirion MacIntyre Huws

Mae'r Gymraeg yn golygu llawer iawn o bethau gwahanol i mi. Rwy'n hynod falch mod i'n Gymro, mae'r Gymraeg yn byrlymu drwy fy ngwythiennau. Ond weithiau gall fod y fwrn. Gall y Sais fyw ei fywyd bob dydd yn ei famiaith heb boen yn y byd. I Gymro, mae'n wahanol. Brwydr yw hi gan aml achos 'dyw byw bywyd gwbl Gymreig ddim yn hawdd ar adegau.

Ym mar hwyr y Cymru iau
a dewr, ar ben cadeiriau,
a genod del yn gweini,
mae hon yn eiddo i mi.

Yn nghaffi bach yr achos
yn feirdd clyd wrth fyrddau clòs
yn trafod ei phentrefi,
y mae'n fywoliaeth i mi.

O gylch byrddau'r siwtiau swêd
a'm hacen yn fy mhoced
ac estron i'w bodloni,
mae hi'n faen melin i mi.

Gair am air

yr achos	yr ymgyrch; cwmni llawn cydymdeimlad
siwtiau swêd	dillad trendi
maen melin	baich; llwyth blin

Sylwi ac ystyried

1. Cywydd byr yw mesur y gerdd hon - y math o gywyddau a glywn ar y rhaglen 'Talwrn y Beirdd'. Gwyddoch fod cwpled o gywydd yn cynnwys un llinell sy'n gorffen yn acennog a'r llall yn ddiacen. Sylwch ar batrwm yr acenion ar ddiwedd y llinellau yn y cywydd hwn – mae'r acennog/diacen yn cael eu hamrywio yn gyson. Ai damwain yw hyn ydych chi'n meddwl? Pa reswm fyddai gan y bardd dros eu hamrywio fel hyn?

2. Beth yw'r 'hon' sydd yn 'eiddo' i'r bardd? Pa fardd enwog a ganodd gerdd

adnabyddus ar y testun 'Hon'?

3. Yn y ddau bennill cyntaf, mae Meirion MacIntyre yn cyfleu awyrgylch braf y llefydd hynny y mae ef yn teimlo'n gyfforddus ynddynt wrth drafod ei gymreictod a'i Gymraeg. Sylwch ar yr holl ansoddeiriau unsill, agos-atoch sydd yn y llinellau hynny. Pam fod y beirdd yn 'trafod ei phentrefi' dybiwch chi?

4. Mae'r awyrgylch yn newid yn y pennill olaf. Nid teimlad o eistedd i lawr a mwynhau sydd yno bellach. Cawn yr argraff fod y bardd yn awr yn gweini, yn rhedeg ac estyn ar gyfer eraill. Pwy ydyn nhw? Sut mae'n cyfleu ei fod yn gorfod celu ei hunaniaeth?

5. Am bwy mae'r cywydd hwn tybed? Ai profiad y bardd yn gweithio mewn tafarn neu gaffi yn ystod yr haf sydd yma? Ai wedi sylwi ar bobol ifanc Cymraeg ei dref y mae? Neu a yw hynny yn amherthnasol – mae'n siarad ar ran pob un ohonom, dan wahanol amgylchiadau mae'n siŵr. A oes raid i farddoniaeth – neu unrhyw lenyddiaeth o ran hynny – fod yn hunangofiannol?

Dyfyniadau am MEIRIONMACINTYREHUWS

Yn ei feirniadaeth yn 1993, fe ddisgrifiodd Gwynn ap Gwilym yr awdl, yn briodol, fel "reiat o gân". Eto, nid bardd yn cadw reiat ond bardd tawel, myfyrgar yw Meirion MacIntyre Huws Y Llong Wen gan amla'. Prin y bydd yn taflu pedolau ei gelfyddyd: y mae cyffyrddiad ei gynganeddion yn aml mor ysgafn â gwawn a'i ieithwedd yn gartrefol syml.

'... dyma fardd sy'n llwyddo i greu barddoniaeth heb ymdrechu i fod yn "farddonol". Mae rhyw dryloywder deniadol iawn yn ei ganu ar hyn o bryd y byddai'n drueni iddo fynd i golli.

Adolygiad yn *Golwg*, Rhagfyr 1996

Arddull uniongyrchol sydd ganddo ar y cyfan, gyda'r bwriad o geisio ehangu apêl barddoniaeth yn gyffredinol a'r gynghanedd yn benodol.

Tudur Huws Jones, *Yr Herald Gymraeg*, 30 Tachwedd, 1996

Cynnyrch y dre' yw Meirion MacIntyre Huws, ac y mae'n tynnu ei ysbrydoliaeth yn aml iawn o'r gymdeithas drefol y mae mor gybyddus â hi.

Adolygiad Geraint Lloyd Jones, *Y Goleuad*, 25 Ebrill, 1997

Bellach, mae brawd mawr yr englyn, y cywydd, wedi dod i'w deyrnas drachefn. Yn ôl y Cyflwyniad i'r flodeugerdd hon: "Mae'r hen fesurau'n cael eu poblogeiddio a'u moderneiddio, eu cyflwyno'n llafar ac yn sionc unwaith eto ac mae dylanwad y canu cyfoes a gwaith rhai beirdd rhydd diweddar yn gryf ar arddull y beirdd caeth yn ogystal". Does dim gwadu hynny. Un agwedd amlwg ar waith y genhedlaeth newydd o gynganeddwyr ydi mai rhywbeth i'w berfformio ydi barddoniaeth iddi. Nid cywyddau cudd ond cywyddau cyhoeddus.

Adolygiad o'r gyfrol *Cywyddau Cyhoeddus*,
Alan Llwyd, Barddas, 1994

Dic Jones ddywedodd yn ei feirniadaeth ar yr awdl yn Eisteddfod Llanelwedd 1993 fod "to hollol arbennig o gynganeddwyr" yn dod i'w haeddfedrwydd yng Nghymru yn awr. Mewn erthygl yn Llais Llyfrau, olrheiniodd Gerwyn Williams yr afiaith a'r brwdfrydedd newydd dros y gynghanedd a'i mesurau i ymwybod cryf o 'gymuned fywiol a chynulleidfa fyw. Hyd yn oed pan yw'r profiadau a drafodir yn dra phersonol nid anghofir am y gynulleidfa'. Mae'r hen fesurau'n cael eu poblogeiddio a'u moderneiddio, eu cyflwyno'n llafar ac yn sionc unwaith eto ac mae dylanwad y canu cyfoes a gwaith rhai beirdd rhydd diweddar yn gryf ar arddull y beirdd caeth yn ogystal.

Iwan Llwyd, Myrddin ap Dafydd,
cyflwyniad *Cywyddau Cyhoeddus*, Gwasg Carreg Gwalch, 1994

'... canodd awdl na ellir peidio â ffoli ar ei hasbri a'i phertrwydd; awdl y mae ei rhialtwch afrad yn mynnu ein bod ninnau'n ymuno i ddathlu'r wyrth ein bod yma o hyd. Mae'n wir fod Porth yr Aur yn unllygeidiog, ond dyna fraint yr ifanc, heddiw fel erioed. Yn ei eiriau ef ei hun, mae ei lais yn "llais hanfodol", a diolch amdano.

Beirniadaeth Gerallt Lloyd Owen, Yr Awdl, *Cyfansoddiadau a Beirniadaethau*
Eisteddfod Genedlaethol De Powys, Llanelwedd, 1993

Ieuenctid yw ei wawr; yn wir, ieuenctid yw ei bopeth. Mae'n wir ei fod yn cychwyn yng nghwmni henwr (eto) ond nid yw hynny ond i bwysleisio gymaint yn fwy hyderus, yn fwy mentrus, yn fwy gobeithiol yw'r to sy'n codi. Awdl garlamus sy'n llyncu dyn yn llwyr â'i hasbri ac sydd bron yn tagu pob beirniadaeth â'i bwrlwm a'i gorfoledd. Bron yr unig beth y medr dyn ei wneud pan fo rhywun yn canu fel hyn yw canu gydag e.

Beirniadaeth Dic Jones, Yr Awdl, *Cyfansoddiadau a Beirniadaethau*, 1993

MEIRION MACINTYRE HUWS

Dyfyniadau gan MEIRION MACINTYRE HUWS

Mi oedd gen i gwch bach unwaith, ac roeddwn i'n mynd allan i sgota ym Mae Caernarfon a'r Fenai. Dim ots lle 'dach chi'n mynd yn yr ardal yma, dydi'r môr byth ymhell iawn, felly mae'r cerddi yn deillio o bethau dwi'n weld bob dydd.

Yr Herald Gymraeg,
sgwrs gyda Tudur Huws Jones, 30 Tachwedd, 1996

> yn Gymraeg mae'i morio hi,
> yn Gymraeg y mae rhegi.
> o'r awdl 'Gwawr'

Fy nod i wrth fynd o amgylch ysgolion cynradd Cymru oedd annog y to ifanc sy'n codi i fod yn gyfforddus yng nghwmni barddoniaeth. Cyfforddus yn ei darllen, yn ei chreu ac yn ei chlywed.
Rhagair, *Rhedeg Ras dan yr Awyr Las,* Cerddi Bardd Plant Cymru 2001, Hughes a'i Fab, 2001

DARLLEN PELLACH

Y *Llong Wen,* Gwasg Carreg Gwalch, 1996
Cyfrolau *Cywyddau Cyhoeddus,* Gwasg Carreg Gwalch, 1994-98
Rhedeg Ras dan yr Awyr Las, Cerddi Bardd Plant Cymru 2001, Hughes a'i Fab, 2001

GERALLT LLOYD OWEN GERALLT LLOYD OWEN
GERALLT LLOYD OWEN GERALLT LLOYD OWEN
GERALLT LLOYD OWEN GERALLT LLOYD OWEN
GERALLT LLOYD OWEN GERALLT LLOYD OWEN

GERALLT LLOYD OWEN

Ganwyd yn Nhŷ Ucha', Llandderfel, sir Feirionnydd yn 1944 cyn symud, yn dair oed, i fyw i Siop y Sarnau. Yno, yng nghanol diwylliant uniaith Gymreig y tyfodd yn fardd ifanc addawol gan ddilyn ôl traed ei hynafiaid. Mae barddoniaeth yn eu deulu ers canrifoedd. Gall olrhain ei achau barddonol yn yn ôl cyn belled â'r bardd Owen Lewis II (1623-86). Beirdd hefyd oedd meibion Owen Lewis. Roedd taid Gerallt, Owen Parry Owen yn englynwr medrus, a'i frodyr yntau, John, Henry a David yn gynganeddwyr rhugl. Er nad oedd yn fardd roedd ei dad, Henry Lloyd Owen, yn ddatgeinydd cerdd dant penigamp a chanddo stôr eang o hen benillion, cywyddau ac awdlau a fyddai'n sicr o fod wedi syrthio ar glyw ei fab pob dydd. Cafodd Gerallt addysg gynnar yn Ysgol Tŷ Tan Domen y Bala a than adain Llwyd o'r Bryn – cymeriad diwylliedig o'r Sarnau – ond dysgodd gynganeddu, yn 14 oed, yng nghwmni Ifan Rowlands, gŵr 71 mlwydd oed a brofodd yn athro barddol unigryw iawn.

Dechreuodd gystadlu mewn eisteddfodau lleol ac aeth ymlaen i ennill Cadair Eisteddfod yr Urdd yn Rhuthun yn 1962 ac eto yng Nghaerdydd yn

1965. Bu 1962/63 yn flwyddyn arwyddocaol i Gerallt gan iddo ymroi i farddoni bob dydd ac esgeuluso ei waith ysgol braidd. Daeth o'r ysgol gyda chanlyniadau lefel 'A' digon gwan ond cafodd fynd i'r Coleg Normal, Bangor i ddysgu mynd yn athro. Gyda thwr o gerddi wedi ei sgwennu yn y cyfnod 'sabathol' hwnnw cyhoeddodd ei gyfrol gyntaf o gerddi *Ugain Oed ei Ganiadau* yn 1965. O'r coleg aeth i weithio fel athro mewn ysgolion cynradd cyn troi'n ddyn busnes a sefydlu Gwasg Gwynedd gyda chyfaill iddo. Yn 1969, blwyddyn yr arwisgo, enillodd gadair Eisteddfod yr Urdd yn Aberystwyth gyda cherddi cenedlaetholgar uniongyrchol a gyhoeddwyd maes o law yn y gyfrol *Cerddi'r Cywilydd*. Bu'n llwyddiant ysgubol a daeth â gwaith sylweddol i'r wasg newydd fu'n ei hailargraffu droeon. Roedd y gyfrol hefyd, heb os, yn garreg filltir nid yn unig yn hanes barddoniaeth y bardd ei hun ond yn hanes barddoniaeth gynganeddol Cymru. Yn wahanol i goethder ei ragflaenwyr fel T. Gwynn Jones roedd ynddi gynganeddu deifiol o syml ond eto'n drawiadol eu mynegiant. Roedd iddi lais unigryw a ffordd wahanol o edrych ar Gymru a'i sefyllfa. Doedd dim rhamant ar ei chyfyl, cyfrol gignoeth anobeithiol ydoedd. Serch hynny roedd yn taro tant yng nghalon y Cymry cydwybodol. Y sgil y gyfrol honno daeth llu o ddynwaredwyr i lunio cywyddau ac englynion ag iddynt stamp Gerallt Lloyd Owen. Anfantais hynny oedd bod cynganeddwyr ifanc y dydd yn 'llyfnhau llinellau hyd at yr asgwrn megis yntau, ie, eu llyfnhau'n ddim ambell un ohonom' yn ôl Peredur Lynch.

Yn 1975, enillodd Gerallt gadair Eisteddfod Genedlaethol Bro Dwyfor am ei awdl 'Afon' a'r flwyddyn ganlynol sefydlodd *Barddas*, y Gymdeithas Gerdd Dafod, ar y cyd ag Alan Llwyd. Dechreuodd feuryna yn Eisteddfodau Cenedlaethol y gogledd ac o fewn tair blynedd roedd yn Feuryn ar raglen poblogaidd 'Talwrn y Beirdd', Radio Cymru. Enillodd ei ail gadair genedlaethol yn Abertawe ym 1982, adeg saith canmlwyddiant lladd Llywelyn ein Llyw Olaf, gydag awdl ar y testun 'Cilmeri'. Yn fuan wedyn cyhoeddodd ei drydedd gyfrol, *Cilmeri a Cherddi Eraill* a enillodd iddo wobr Llyfr y Flwyddyn gan Gyngor y Celfyddydau. Mae Gerallt yn dal i gyfareddu cynulleidfaoedd ar Dalwrn y Beirdd ac yn Ymryson y Beirdd yr Eisteddfod Genedlaethol fel Meuryn ffraeth a bachog. Erbyn hyn mae wedi ymgartrefu yng Nghaernarfon ac yn dal yn ddylanwad ar sawl bardd.

TRWY LYGAID MEIRION MACINTYRE HUWS

Mae'r syniad o athro barddol yn mynd yn ôl sawl canrif. Yn yr Oesoedd Canol roedd beirdd ifanc yn dangos eu gwaith i Bencerdd, sef y teitl uchaf a roddwyd i fardd bryd hynny. Roeddent yn derbyn sylwadau adeiladol ar eu barddoniaeth a dysgu mwy am y grefft o gynganeddu. Dyna yn union fy mhrofiad i â Gerallt Lloyd Owen. Pan oeddwn i wedi dysgu'r rhan fywaf o reolau'r gynghanedd ac yn ysgrifennu cywyddau ac englynion syml, cefais y fraint o fod ar dîm Talwrn y Beirdd a chael barn Gerallt ar fy ngwaith yn gyson. Roedd ei anogaeth yn sbardun i mi ddysgu fy nghrefft yn fwy trylwyr ac ym mhen dim roeddwn yn rhugl mewn ysgrifennu cerddi ar gynghanedd. Roedd astudio ei waith hefyd yn gymorth mawr i mi ddysgu hanfodion englyn, cywydd a mesurau tebyg. Rwy'n credu'n gryf mai dylanwad Gerallt a'i waith fel Meuryn ar Dalwrn ac Ymryson y Beirdd sydd wedi fy rhoi i a sawl bardd arall o'm cenhedlaeth ar lôn droellog barddoniaeth. Mae'n lôn ddifyr, weithiau'n dywyll, weithau'n olau, weithiau'n rhwydd ac weithiau'n beryg ond yn bennaf – diolch i Gerallt – mae'n ffordd o fyw ac yn lôn sy'n fy nghynnal i o ddydd i ddydd.

Yng nghanol cymdeithas glòs o eisteddfodwyr, beirdd, llenorion a cherdd-dantwyr, sylweddolodd y Gerallt ifanc fod parhâd unrhyw genedl yn dibynnu ar bobol felly. Roedd 'Y Pethe,' chwedl Llwyd o'r Bryn, yn ganolog i fywyd Gerallt a deallodd mai'r ymrwymiad i gynnal y traddodiad hwnnw fyddai'n sicrhau dyfodol yr iaith Gymraeg yng nghefn gwlad Cymru. Cywilydd nad oedd gan ei wlad yr ymrwymiad hwnnw yw swm a sylwedd y cerddi yn *Cerddi'r Cywilydd*. Nid rhamantu am y gorffennol gwerinol y mae ond gweld y diwedd yn dod. Gweld cymunedau'n chwalu a'r iaith hithau'n diflannu. Yn ei gywydd marwnad *Cled*, mae'n gweld marwolaeth gwladwr ifanc o Gymro gyfystyr â thranc y wlad gyfan. Yn yr un modd yn ei gywydd i Ifan, Y Gist Faen, mae'n uniaethu colli un gŵr â marwolaeth ffordd o fyw a thranc cymdeithas wledig. Yn ogystal, mae corff sylweddol o gerddi Gerallt yn ceisio ymdrin ag effaith marwolaeth Llywelyn ein Llyw Olaf ar Gymru. Yn *Cerddi'r Cywilydd* mae'n gwrthgyferbyniadau dau dywysog, Llywelyn a 'Charlo', sef, ddoe a heddiw, cenedl rydd a chenedl gaeth. Ysgogwyd llawer iawn o'r cerddi gan drefniadau'r arwisgiad yn 1969 pan oedd sefydliad y genedl Gymreig yn ymfalchïo yn y rhwysg Prydeinig. Mae'r cerddi'n ein hatgoffa, yn ddiflewyn-ar-dafod, o'n taeogrwydd fel cenedl ac nad oes obaith inni bellach. Meddai, yn ei gyfres o englynion milwr 'I'r Farwolaeth':

Awn i gyd yn fodlon gaeth

Efo'r hil i'r farwolaeth.

Mae'r cysylltiad rhwng yr iaith a'r tir yn amlwg drwy gerddi Gerallt, o'i awdl 'Gwanwyn' i'w englynion coff unigol. Yn ôl y bardd, mae colli un aelod o'r gymdeithas yn golled i Gymru gyfan. Bardd y gaeaf felly yw Gerallt. Bardd sy'n marwnadu ac yn darogan y diwedd. Ond os yw ei waith yn frith o anobaith mae'r gyfres o englynion milwr 'Y Bardd a'r Chwyldro' yn cynnig haf ar ôl y gaeaf. Mae Gerallt yn cloi'r gerdd gyda phennill sy'n cynnig gobaith inni, ond dim ond os mynnwn hynny:

> Gwelaf aeaf a newyn
> Ein daear wag, ond er hyn
> Y mae haf ond ei 'mofyn.

Unwaith eto, mae'n dweud mai ein cyfrifoldeb ni a neb arall yw dyfodol y genedl Gymreig. Llwyddiant cerddi Gerallt yw eu bod yn procio'r cydwybod, yn creu embaras ac yn gwneud i'w gynulleidfa wrido a mynd ati i ymfalchïo yn eu hetifeddiaeth a 'mofyn yr haf hwnnw yn ôl.

STUDIO 4 CERDD

ETIFEDDIAETH
Cerddi'r Cywilydd, Gerallt Lloyd Owen, Gwasg Gwynedd, 1977, tud. 9

Cyflwyniad
Pwyntio bys mae'r gerdd hon. Yn ei awdl *Gwanwyn* (Climeri a Cherddi Eraill) mae'r cysylltiad rhwng patrymau byd natur a phatrymau ym mywydau dynion yn britho'r gwaith. Yr hyn sy'n clymu'r ddau beth at ei gilydd yw'r tir, ei dir ef ei hun a chynefin ei gyndeidiau. Mae unrhyw beth sy'n torri'r cysylltiad hwnnw'n poeni Gerallt yn fawr. Mae'n arwyddocaol felly mai 'Etifeddiaeth' yw'r gerdd gyntaf yn y gyfol *Cerddi'r Cywilydd* a'r boen o golli'r etifeddiaeth honno sydd wrth wraidd y cerddi.

Gair am air

anniddig   aflonydd; anfodlon

Sylwi ac ystyried

1. Yng nghyd-destun tranc y genedl Gymreig, Saeson yw'r broblem ond nid ar y Sais mae'r bai yn y gerdd hon. Pwy sydd ar fai felly, a pham? Sylwch ar y ffordd mae'n cyfeirio at yr hyn sydd wedi digwydd yng Nghymru heb enwi unman. Pa gyfeiriad cynnil sydd ynddi at Dryweryn?

2. Bardd y mesurau caeth yw Gerallt ond cerdd *vers libre* gynganeddol yw 'Etifeddiaeth'. Eto, mae cynildeb a disgyblaeth y bardd caeth dal yma. Sylwch ar ffurf y gerdd. Er nad oes patrwm cyson i odl neu bennill, mae patrwm pendant i'r mynegiant. Yn gyntaf mae'n adrodd yr hyn a **gawsom** fel cenedl, yna sut y **troesom** hynny yn warth, ac i gloi, mae'n dweud mai heddwch y wlad fydd ei diwedd. Yn y diweddglo mae mwy na dim ond dihareb. A oes yma awgrym y dylid codi arfau neu dorri ar yr heddwch i adfer y sefyllfa? Pa gerddi eraill gan Gerallt sy'n cyfeirio at danio matsys, creu beddau newydd, codi cleddyfau a cholli gwaed?

3. Mae'r gair **'cywilydd'** yn ganolog i'r gerdd hon a gweddill y gyfrol. Ond nid oes gan y gair ei hun unrhyw bwysau oni bai ei fod yng nghyd-destun cydwybod a moesoldeb, person moesol, un â chydwybod sy'n gwrido a chanddo gywilydd weithiau. Bardd â chydwybod yw Gerallt ac felly mae'n cywilyddu bod ei gyd-Gymry yn gwadu eu hetifeddiaeth. Darllenwch y cywydd 'Fy Ngwlad' (*Cerddi'r Cywilydd*) a 'Cymru'r Wythdegau' (*Cilmeri a Cherddi Eraill*) a sylwch ar sut mae Gerallt yn disgrifio'r Cymry di-asgwrn-cefn. Ond nid yw'n taflu'r bai ar bawb arall, mae'n ystyried ei hun yn un o'r bradwyr yn ei englynion Angharad Tomos (*Cilmeri a Cherddi Eraill*)

4. Mae yna **her** yn y gerdd hon fel yn sawl cerdd arall yn y gyfrol, er enghraifft 'Hen Genedl' (*Cerddi'r Cywilydd*). Gan amlaf mae her yn cael ei osod ar ffurf 'dos' neu 'gwnewch' ond nid yng ngherddi Gerallt. Yn 'Etifeddiaeth' nid oes gofyn, na gorchymyn, dim ond dweud gwirioneddau ac mae hynny'n ddigon weithiau. Yn y pennill olaf, sylwch ar sut mae'n rhoi'r dewis i ni. Mae'n gofyn i ni ystyried a oes dihareb. Onid oes, hwyrach ei bod yn amser creu'r ddihareb honno drwy weithredu?

IFAN GIST FAEN

Cilmeri a Cherddi Eraill, Gerallt Lloyd Owen, Gwasg Gwynedd, 1991, tud. 40

Cyflwyniad

Roedd Ifan Rowlands yn byw mewn tyddyn bychan ar odre mynydd Mynyllod rhwng Llandderfel a Bethel a Llawrybetws ym Meirionnydd, a bu'n cerdded llwybrau'r mynydd ym mhob tywydd i fynychu nosweithiau cymdeithasol yn yr ardal. Bu eraill hefyd yn teithio i'r Gist Faen yn aml i gynnal nosweithiau barddonol yng ngwmni Ifan.

Gair am air

Mynyllod	mynydd ger fferm y Gist Faen
rhyw fain dâl	taliad bychan; elw pitw
crintach	cyndyn; tynn
dy resi gynt	rhychau; tir wedi'i aredig
dy glec	dy gynghanedd

Sylwi ac ystyried

1. **Rhywun herio rhewynt Mynyllod ddigysgod gynt** Yn y cywdd hwn mae Gerallt yn ffarwelio nid yn unig â chyfaill ac athro barddol ond hefyd darn sylweddol o ddiwylliant a darn arall o Gymreictod – pethau na ddônt fyth yn eu holau. Darlun o Ifan yn cerdded llwybr y mynydd i fynychu noson ddiwylliedig yn rhywle neu'i gilydd sy'n agor y gerdd. Yn yr ail bennill wedyn mae'n sôn am eraill yn dod i'r Gist Faen i gynnal noson farddonol. Felly, mae marwolaeth Ifan yn golygu marwolaeth yr hen arferiad a thraddodiad Cymreig a diwedd cymdeithas leol.

2. **Rhwbio pridd ar bob brawddeg** Yn ei gerdd 'Etifeddiaeth' mae Gerallt yn dweud bod y tir a'r iaith yn un:

oherwydd ei hias oedd yn y pridd eisoes

Mae'r syniad yma hefyd yn ganolog i'r farwnad hon mewn llinellau fel:

Hen fro Celyn fu'r coleg
Gwthio cwys a gweithio cân

Y tir oedd bywoliaeth Ifan, ac felly yn fodd iddo farddoni. Mae sawl cyfeiriad at ennill cyflog ac ysbrydoliaeth o'r tir yn y cywydd, ambell un yn fwy uniongyrchol na'i gilydd.

3. **yn hawlio'r Gist Faen eilwaith** Mae'r gerdd yn cloi gyda'r syniad o Ifan ei hun yn cael ei roi yn ôl i'r tir y daeth ohono, a bod ei lwch a'i awen yn sicrhau elfen o barhâd mewn sawl ffurf. Bydd ei lwch yn ffrwythloni'r tir a bydd ei ddylanwad fel bardd ac athro barddol yn aros yn Gerallt ei hun. Sawl cyfeiriad arall sydd yn y cywydd at bridd ac iaith, daear a diwylliant, tir a barddoniaeth? Darllenwch hefyd y ddau gywydd 'Cled' a 'Fy Nhad' (*Cilmeri a Cherddi Eraill*).

CILMERI
Cerddi'r Cywilydd, Gerallt Lloyd Owen, Gwasg Gwynedd, 1977, tud. 21

Cyflwyniad
Y tu allan i Lanfair ym Muallt, ar lan afon Irfon mae pentref Cilmeri ac yno saif carreg goffa fawr ac arni blac gyda'r geiriau 'Fan hyn lladdwyd Llywelyn ein Llyw Olaf 1282'.

Gair am air
gynnau   ychydig amser yn ôl

Sylwi ac ystyried
1. **Fyth nid anghofiaf hyn** Canu gwleidyddol, cenedlaetholgar, brwd a geir yn yn *Cerddi'r Cywilydd*. Nid yw hynny'n beth dieithr mewn barddoniaeth Gymraeg gan ei fod yn rhan o'r traddodiad barddol a bardd traddodiadol yw Gerallt. Roedd gan yr hen feirdd swyddogaeth fel cofnodwyr digwyddiadau o bwys. Bu Aneirin ym mrwydr y Gododdin a chofnodi'r hyn a welodd ar ffurf cyfres o ddarluniau, a'r elfen weledol honno sydd yn y gerdd Cilmeri. Mae Gerallt yn gweld yr hyn a ddigwyddodd er nad oedd yno. Wrth sefyll yn y fan lle lladdwyd Llywelyn mae'n gweld y cyfan ac o'r herwydd bydd yn cofio hynny am byth. Darllenwch y gerdd 'Pwy rydd ei waed?' a phennill agoriadol yr awdl 'Cilmeri'.
2. **Fan hyn** Gall y gorffennol ymddangos yn bell iawn weithiau, ond mae ymweld â rhywle yn gallu dod â'r digwyddiadau hynny'n fyw. Sylwch ar sut mae'r defnydd o'r ddau air 'fan hyn' yn gwneud i'r saith canmlynedd ers lladd Llywelyn ddiflannu'n ddim. Mae fel petae wedi digwydd ddoe gan fod yr un nant yn rhedeg a'r un gwair yn tyfu, y pethau a welodd Llywelyn a'r pethau mae Gerallt hefyd yn eu gweld.

4. **dafnau o'i waed** Nid yw gwaed Llywelyn, ei gorff na'i ysbryd byth yn bell o waith Gerallt. Mae Cilmeri, a'r hyn a ddigwyddodd yn hollbresennol yn enwedig yn *Cerddi'r Cywilydd*.

5. **Fan hyn gynnau fu'n geni** Ers talwm fe gredir y gallai bardd 'weld' pethau nad oedd neb arall yn gallu eu gweld. Roedd yn broffwyd yn ogystal â bardd. Yn hytrach na gweld y dyfodol yn unig, roedd yn gallu gweld arwyddocâd i ddigwyddiadau'r gorffennol a'r presennol a sut y byddan nhw'n effeithio ar y dyfodol. Mae Gerallt yn gweld 1282 fel man cychwyn y frwydr i ennill Cymru'n ôl. Mae'n cynnig dyddiad a lleoliad inni fel dechrau'r ymgyrch i ennill Cymru'n ôl.

Y GŴR SYDD AR Y GORWEL
Cerddi'r Cywilydd, Gerallt Lloyd Owen, Gwasg Gwynedd, 1977, tud. 23

Cyflwyniad
Saunders Lewis yw gwrthrych y gerdd hon. Mewn sawl ystyr, dyn ac ymgyrchydd ar y ffiniau neu o'r tu allan i fywyd Cymru oedd Saunders Lewis. Fe'i ganed yn Lerpwl, cafodd addysg Seisnig, bu'n swyddog yn y fyddin yn y Rhyfel Byd Cyntaf, trodd at Babyddiaeth a threuliodd gyfran helaeth o'i oes yn byw ym Mhenarth. Eto, roedd ei sylwadau a'i weithredoedd yn rhan ganolog o fywyd Cymru a'r Gymraeg am dri chwarter canrif.

Gair am air
eiddil   gwan; llipa
anfeidrol   anfarwol

Sylwi ac ystyried
1. **Nid eiddil pob eiddilwch** Roedd Saunders Lewis yn ddyn eiddil a gwan yr olwg ond yn gawr o safbwynt ei safiadau dros yr hyn a gredai. Mae'n cael ei alw'n 'ffŵl' yn y cywydd, ond nid gair Gerallt yw hwnnw ond un y Cymry eu hunain. Er bod llais Saunders Lewis hefyd yn eiddil a dinod, roedd yr hyn oedd ganddo i'w ddweud yn syfrdanol. Ond clywed y llais gwan yn hytrach na'r neges gref a wnâi llawer o bobol y cyfnod.
2. **Fel y Gŵr eithafol gynt** Mae Gerallt yn cymharu Saunders â Christ sef yr un 'Fu ar draws farw drostynt'. Mae'r bardd yn llawn dicter ac embaras am

fod y genedl yn gwawdio un sydd am ei hachub. Sylwch ar batrwm y cwpledi yn y trydydd pennill. Mae pob cwpled yn cychwyn gyda'r hyn mae Saunders wedi ei wneud dros Gymru a'r ail linell yn crynhoi yr hyn a gafodd yn ôl gan ei wlad.

3. **Gymru ddifraw** Soniwyd eisoes mai swyddogaeth bardd ers talwm oedd proffwydo a rhagweld y dyfodol, a rhybuddio'r genedl o unrhyw berygl. Mae Gerallt, fel proffwyd cyfoes, yn sylweddoli bod angen dilyn meddylfryd Saunders neu fydd hi ar ben ar y genedl. Drwy'r cywydd mae'n siarad yn uniongyrchol â Chymru.

4. **cywilydd** Mae'r gair cywilydd yn codi ei ben yn sawl un o gerddi Cerddi'r Cywilydd ac fel sawl cerdd arall yn y gyfrol mae 'Y gŵr sydd ar y gorwel' yn rhybuddio ac yn gwaredu nad oes neb yn gwrando ac mae'n darogan y daw dydd o gywilydd mawr pe bai gwaed yn cael ei golli yn ofer.

5. Yn ei gywydd 'Fy Ngwlad' dywed Gerallt y byddai'n fodlon codi cleddyf a cholli ei waed dros Gymru, ac yn 'Y Gŵr sydd ar y Gorwel' mae'n dweud:

Ni all sŵn ennill senedd,
ni ddaw fyth heb newydd fedd.

Hynny yw, mae rhaid colli gwaed cyn y daw'r Cymry yn genedl rydd. Ond nid yw'n ymhelaethu nac yn dweud wrthym gwaed pwy y mae'n cyfeirio ato. Pan ofynwyd i Saunders Lweis mewn sgwrs radio yn 1968 a oedd modd cyfiawnhau tywallt gwaed i amddiffyn Cymru, dywedodd yn bwyllog 'Ond iddo fod yn waed Cymreig, nid yn waed Seisnig'. Ydi Gerallt yn awgrymu y byddai Saunders Lewis yn fodlon marw dros Gymru?

6. **Y gŵr sydd ar y gorwel** Thema ganolog y cerddi proffwydol o'r Oesoedd Canol yw'r 'mab darogan', sef yr un sydd am ddod i achub y genedl: arwyr fel Arthur, Owain Glyndŵr a'u tebyg. Gallwn weld yr arwr yn dod dros y gorwel a goleuni mawr yn ei ddilyn. Yn sicr, mae adleisiau o hynny yn y gerdd hon – mae Gerallt yn tynnu sylw'r Cymry at y ffaith fod gennym waredwr dim ond i ni ei ddilyn a'i gefnogi.

Dyfyniadau am GERALLT LLOYD OWEN

... nid bardd gwae a gofid yn unig mohono. Na, nid o bell ffordd. Ym mhyllau eithaf ei anobaith fy nganfyddir diclonedd ac ystyfnigrwydd, ac ar adegau prin mewn hanes dyna ddeunydd wir obaith.

Peredur Lynch, *Barn*, Ionawr/Chwefror 1992

Rwy'n sicr ... mai Gerallt a'i waith yw un o'r dylanwadau mwyaf ar y cnwd newydd o feirdd.

John Eric Hughes, *Barddas* 255, Rhag/Ionawr 2000

Yr hyn sy'n cyffroi ymateb Gerallt Lloyd Owen yw marwolaeth a difodiant unigolion, cymdeithas, a chenedl.

Branwen Jarvis, *Trafod Cerdd Dafod y Dydd*, 1984

Ym mrwydrau ei bobol, roedd i'r bardd ei dasg arbennig; nid ymladd â chleddyf mo'i ran ef ond annog eraill i'r gad. Ei gyfraniad oedd codi ysbryd ei bobol ar awr dywyll a phorthi eu hewyllys da. Ym mlwyddyn y cyflyru mawr ... da gan hynny fu cael gweledigaeth bardd yn gynhaliaeth – geiriau ysbrydoledig i'n cadw rhag gwall cof, geiriau er eu haml dristwch a'u hanobaith a daniai ein llawenydd a'n hewyllys yn flam o obaith.

Gwyn Jarvis, Rhagair, *Cerddi'r Cywilydd*, 1972

Dyfyniadau gan GERALLT LLOYD OWEN

Roedd dechrau barddoni yn gwbl naturiol i mi, mor naturiol ag anadlu.
Fy Nghawl Fy Hun, Gwasg Gwynedd, 2001

> O'r dderwen wyf fesen fach,
> Mesen o un rymusach
> awdl 'Y Gwladwr', *Cerddi'r Cywilydd*, 1972

Cyn mynd ati lunio englyn byddaf yn gwybod ymlaen llaw beth sydd arnaf
eisiau ei ddweud ... Y peth pwysig, felly, yw bod y gynghanedd yn tyfu o'r
syniad yn hytrach na bod y syniad yn tyfu o'r gynghanedd.
Ynglŷn â Chrefft Englyna, gol: T. Arfon Williams, Cyhoeddiadau
Barddas, 1981

DARLLEN PELLACH
Ugain Oed a'i Ganiadau, Argraffty'r M.C., Caernarfon, 1966
Cerddi'r Cywilydd, Cyhoeddiadau Tir Iarll, 1972; Gwasg Gwynedd, 1977
Cilmeri a cherddi eraill, Gwasg Gwynedd, 1991